DE PEETTANTE

CARRIE ADAMS

de peettante

H&W

VAN HOLKEMA & WARENDORF
Unieboek BV, Houten/Antwerpen

0 8. 07. 2008

Oorspronkelijke titel: The Godmother
Oorspronkelijke uitgave: Harper, an imprint of HarperCollins Publishers
Copyright © 2007 Carrie Adams

Copyright © 2007 Nederlandstalige uitgave:
Uitgeverij Unieboek BV,
Postbus 97, 3990 DB Houten

www.unieboek.nl

Vertaling: Parma van Loon
Omslagontwerp: Wil Immink
Omslagillustratie: Susan Walsh
Opmaak: ZetSpiegel, Best

ISBN 978 90 269 8557 7/ NUR 340

Inhoud

Voor Tiffany en Jokey
Ik heb veel te danken aan jullie bufferzone

Een naargeestig gevoel

Ik wist dat het geluk mij weer toelachte toen ik op de terugreis opgewaardeerd werd naar businessclass. Dankzij mijn merkwaardige, met goud overladen medepassagier was de lange vlucht opvallend snel voorbijgegaan. Hij draaide zich om naar de transitlounge met de onvergetelijke woorden: 'Als je ooit in Vladivostok komt...' Ik wimpelde hem af, zette mijn cabinekoffer op de grond en ging, na vijf wondenlikkende, zieldoorvorsende weken, op weg naar huis.

Het was zover. Het ogenblik waarop ik een nieuw leven ging beginnen. Ik had een afgrijselijk jaar verwerkt en overwonnen. Oké, het was pas september, maar ik had besloten terug te keren naar het academische tijdschema. Alles, wat dan ook, om een markering te kunnen aanbrengen tussen vroeger en nu. Nieuw jaar. Nieuwe start. Nieuwe ik. Tessa King was terug. Ik glimlachte naar iedereen. Wilde hen deelgenoot maken van mijn liefde voor het leven en het geluk om in leven te zijn. De douanebeambte keek me achterdochtig aan en zette prompt mijn koffer apart. Het kon me niet schelen. Niets kon mijn terugkeer bederven. Toen hij niets anders vond dan halfvergane kleren en geschenken voor mijn peetkinderen, liet hij me gaan. Bijna joggend bereikte ik de glazen schuifdeuren. Een verwachtingsvolle glimlach trilde om mijn mondhoek, gereed om tevoorschijn te springen zodra ik mijn ontvangstcomité zag. De deuren gingen open. Ik liep erdoor en gilde 'Hoi' tegen een vrouw die me totaal onbekend was.

'Sorry,' zei ik. 'U lijkt op een vriendin van me.'

Francesca zou dodelijk beledigd zijn. De vrouw was ouder, kleiner en droeg fluweel. Ik keek om me heen om te controleren of ik was waar ik dacht dat ik was. Dat was ik. Maar zij was er niet.

Ik moest me vergist hebben. Francesca en ik hadden dit gepland op de dag van ons betraande afscheid. Mijn beste vriendin van de universiteit had beloofd te ontsnappen aan de klauwen van het gezinsleven om met mij een middag door te brengen met wijn drinken en bijpraten. Het was alleen de gedachte aan dit moment die me had geholpen de laatste vijf weken door te komen. Ik keek weer om me heen. Keek nog eens aandachtig naar de gezichten van de mensen die hun ogen afwendden en de chauffeurs met borden die dat niet deden. Mijn glimlach weigerde te accepteren dat er geen stralend gezicht op me wachtte en bleef grijnzen naar mensen die niet aangegrijnsd wilden worden. Misschien was ik te vroeg? Ik keek op mijn horloge, wist maar al te goed dat het niet zo was. Ten slotte legde mijn glimlach zich neer bij zijn lot en trok zich terug. Ik ging op mijn koffer zitten terwijl overal om me heen reizigers hun geliefden omarmden. Ik verkoos de vele anderen over het hoofd te zien die zich onbegeleid naar de treinen en bussen haasten. Ik zag slechts wat ik vreesde. Ik was naar India gegaan in de hoop dat ik me aan de problemen zou kunnen ontworstelen, en ik wist zeker dat ik daarin geslaagd was. Er prikte iets in mijn ogen. Verdomme, hoeveel uddiyana bandhas zouden er voor nodig zijn?

'Tessa, hier. Tessa!'

Ik staarde naar mijn telefoon, vroeg me af of ik de moeite moest nemen de berichten van een hele maand na te lezen om de boodschap van Francesca te vinden die ze mogelijk had achtergelaten, als ze het tenminste niet totaal vergeten was.

'TESSA!'

Het was mijn naam, maar de stem van een man, dus drong het niet tot me door.

'TESSA! Hé, dove, ik ben het, Nick!'

Ik keek op. Francesca's man stond met een rood gezicht als een razende naar me te zwaaien. Nick en Francesca waren al samen sinds ons eerste jaar op de universiteit. Een onthutsende achttien jaar geleden. Ik kende hem net zo goed als ik Fran kende en onmiddellijk verbeterde mijn stemming.

'Welkom thuis. Sorry dat we zo laat zijn. Het verkeer. Nou ja, dat doet er niet toe. Hoe gaat het? Je ziet er fantastisch uit.'

We? Was Francesca hier? Wie was er dan bij de kinderen? En toen zag ik Caspar, mijn vijftienjarige peetzoon. Het feit dat ik een peetzoon had die op een man begon te lijken was verontrustend, maar hij was al vroeg van de partij geweest en ik heb nog steeds bewondering voor Nick en Francesca's dappere besluit om de baby te houden en er het beste van te maken. Tegenwoordig herinnert Caspar me aan wat ik allemaal niet heb kunnen bereiken. Hij boog zich naar me toe. We zijn heel close, mijn peetzoon en ik. Ik zette mijn koffer neer en opende mijn armen. Nog niet zo lang geleden zou hij door de luchthaven zijn gerend en zijn hoofd in mijn hals hebben verborgen. Maar hij was bijna zestien; de tijden veranderen. Ik besefte toen nog niet hoe groot die verandering was.

'Hé, knapperd, wat ben je groot geworden...' Ik zag de glimlach in zijn ogen, maar verder veranderde er niets in zijn lichaamstaal. Hij was een en al waakzaamheid. Ik ken die defensieve houding. Zelf had ik ook maandenlang zo rondgelopen. Ik liet mijn armen zakken.

'Misschien vind je het leuk om te weten dat mijn vliegtuig een tussenlanding van vier uur had in Dubai.'

'Hè?'

'Verenigde Arabische Emiraten.' Geen reactie op Caspars gezicht. 'Het Midden-Oosten? Weleens van gehoord?'

'Ja,' mompelde Caspar.

'Niet mompelen, Caspar,' zei Nick.

'Oké,' viel ik hen in de rede, want ik had weinig zin in een tienerruzie, 'het is dé shopping-hoofdstad van de wereld. Taxfree. Goed voor iPods.'

Dat trok zijn aandacht. Caspar wilde al een iPod Nano sinds ze op de markt waren gekomen. Maar zoveel verdient Nick niet en Francesca werkt niet. En dan kom ik, de goede fee, er vaak aan te pas. Geen wonder dat hij van me houdt... ik zou ook van mezelf houden.

'Ben je dit weekend niet jarig?'

'Ja.'

'Goed, laten we zeggen dat ik op vriendschappelijke voet raakte met de verkoper en hij me een foto gaf van zijn kinderen. Die trouwens in een ander land wonen en hun vader slechts eens in de twee jaar zien – dit voor het geval je vandaag misschien het gevoel had dat het leven zwaar is.'

'Ik krijg thuis genoeg van dat Derde Wereld-gezeik, dank je.' Caspar kneep ertussenuit. Met open mond keek ik naar Nick. Ertussenuit knijpen? Brutale antwoorden? Dat was mijn peetzoon niet.

Nick schudde zijn hoofd, liet zijn adem lang en luid ontsnappen en sprak op zachtere toon. 'Hij is een nachtmerrie, het spijt me vreselijk.

Fran wilde wanhopig graag mee vandaag, en ik bedoel echt wanhopig, maar iemand op school heeft de verjaardagen verwisseld, en ze moet Katie's feestje drie weken opschuiven naar morgen.'

'Verjaardagen verwisseld?'

'Vraag maar niets. We zijn erin geluisd.'

'Hoezo?' vroeg ik. Ik kon het niet helemaal volgen.

'Euro Disney.'

'Gaat het wel goed met je, Nick?'

Zijn gezicht vertrok nerveus. Deed me denken aan Caspar. Deed me denken aan de Nick die ik ontmoet had in de bibliotheek, een puisterige negentienjarige puber, met een verliefde Francesca, die met grote, uitpuilende ogen naast hem stond. Ik zag zelf niet meteen waarin zijn aantrekkingskracht school, wat waarschijnlijk maar goed was. Vanaf dat moment waren ze onafscheidelijk. Ze pasten bij elkaar, altijd al. Twee weken ver in ons derde jaar stond Francesca in tranen bij mij op de stoep. Ze was twee maanden zwanger. Als ik nu naar die foto's kijk – we dachten toen dat we volwassen waren, maar we waren kinderen. Het was een ontzagwekkende verantwoordelijkheid om op je te nemen.

'Het gaat goed met me,' zei Nick. 'Maar verjaardagsfeestjes schijnen gewoon niet meer te zijn wat ze vroeger waren. Je weet hoe dat gaat...'

Dat is een van de vreemde dingen van mijn vrienden. Ze nemen allemaal aan dat ik weet hoe dat gaat. Maar hoe moet ik dat weten? Ik heb geen kinderen. Ik ben zelfs niet verantwoordelijk voor een goudvis. Wat ik wel weet is dat het gezin altijd op de eerste plaats komt. Verdwaald in Legoland, noem ik het. Vijf weken weg, na alles wat er gebeurd was, en Frances kon nog steeds niet een dag vrij nemen. En het was echt niet dat ze een beginneling was, dat ze geen bereidwillige partner had, dat ze niet vijf weken geleden erop attent was gemaakt.

'Het geeft niet,' jokte ik. 'Vind je het erg als ik even een kop koffie neem voor we in de auto stappen?' Ik had een opkikkertje nodig. Geweldig – nog geen uur op Britse bodem en ik was alweer vervallen in mijn oude toxische gedrag.

'Natuurlijk niet. Ik betaal,' zei Nick.

Ik liep naar de plek waar Caspar op een paar stoelen was neergeploft en gaf hem mijn koffers. 'Pas op mijn bagage terwijl je vader en ik wat gaan drinken.' Ik liep weg voor hij de kans kreeg om te protesteren.

Ik keerde terug naar Nick. 'Het spijt me van je welkom-thuisbegroeting,' zei hij met een blik op zijn recalcitrante zoon.

Ik kon niets aardigs bedenken om te zeggen. Pas later besefte ik dat Caspar een klein welkom-thuisfeestje voor zichzelf had georganiseerd. In mijn portefeuille.

Gezeten in Nicks aftandse oude Volvo, had ik het gevoel dat ik nooit was weggeweest. Was dat een nieuwe bananenschil die onder de handrem gepropt was of dezelfde van de dag waarop ik was vertrokken om mijn ziel te louteren? Ik telde zeven verfrommelde minipakjes sap op de grond, een tekening, een aanmaning van British Telecom en een liniaal. Huiselijk puin. Iets wat ik meende aan anderen te hebben overgelaten. Maar nu, ach, ik was lange tijd alleen geweest en had kunnen nadenken over wat ik werkelijk wilde. De rommel op de grond begon er minder uit te zien als puin en meer als een collage van een gelukkig, bevredigend leven.

Het werd algauw duidelijk dat vader en zoon niet met elkaar spraken. Maar ik, die wekenlang in contemplatieve stilte had geleefd, was nu high van de cafeïne en had verbale diarree. Ik vertelde over de andere mensen in de yogaretraite en over de vele gênante situaties waarin ik me had bevonden. Caspar, die me normaal gesproken al zijn geheimen en die van zijn klasgenoten toevertrouwde, zei geen woord en deed net of hij niet luisterde. Zijn koppige smalle gezicht maakte dat ik begon te overdrijven.

'Het ergste moment was toen ik een scheet liet midden in een moeilijke evenwichtspositie, een giechelbui kreeg en met een ondamesachtige bons op de grond plofte.' Ik keek aandachtig naar Caspar in de zijspiegel. Hij glimlachte. Ik vond zijn heimelijke glimlach geruststellend. Aangemoedigd ging ik door en vertelde over de onbeantwoorde avances van een kleine Zwitserse vrouw die een beetje verliefd op me was.

'Eerst was ik blij dat ik een vriendin gevonden had. Ik had net moeten doen alsof ik een herstellende trustfondsjunk was met twee kinderen, Zebedee en Dewdrop, maar ik verknalde het. Advocaten en hippies gaan niet samen. Maar goed, in de tweede week werd die Zwitserse vrouw vriendschappelijk bij het genot van een kom tofu, en inmiddels was ik de wanhoop nabij. Ik geloofde haar toen ze zei dat ze studeerde voor masseuse en wat praktijk nodig had. Ik gaf zelfs geen krimp toen ze zei dat ik al mijn kleren uit moest trekken zodat zij gemakkelijker bij mijn heupen zou kunnen.'

Dat verbrak de impasse.

'Heb je dat gedaan?' vroeg Caspar, die niet langer zijn mond kon houden.

'O, ja.'

'Wat gebeurde er toen?' vroeg Nick.

'Ze zei dat mijn seksuele chakra geblokkeerd was en dat ze dieper moest gaan.'

'O, nee, hè?' zei Caspar lachend.

'O, ja.'

'En? Wat gebeurde er?' vroeg Nick. Zijn stem klonk bezorgd.

'Wat denk je dat er gebeurd is, pa?'

Nick keek verbijsterd. 'Geen idee.'

'Ik denk dat we het hem maar niet moeten vertellen,' zei ik, achteromkijkend naar Caspar. 'Hij is er nog niet klaar voor.'

'Dat is hij misschien nooit. Maar vertel eens, heeft ze...?' Caspar liet de vraag in de lucht hangen.

'O, ja.'

'Wát gedaan?' schreeuwde Nick.

'Verrek, wat heb je toen gedaan?' vroeg Caspar, zijn vader ver vooruit.

'Wat denk je?'

'Opgestaan en haar gevloerd?'

'Nee, ik ben blijven liggen als een preutse Engelse, zei toen heel erg bedankt, ja, dat was interessant, en heb me de rest van de week schuilgehouden.'

Caspar lachte. 'Kluns!'

We reden verder terwijl Caspar met tussenpozen achter in de auto bleef lachen tot Nick plotseling zijn stem verhief.

'O, mijn god! Dieper, zoals in dieper.'

Ik keek naar Caspar en we lachten weer. Nick was er eindelijk achter. Toen kwam een andere gedachte bij hem op.

'Hoe weet jij dat allemaal, jongeman?' Ik moest altijd lachen als Nick probeerde zich te gedragen als een volwassen man. 'Ik denk dat wat een vijftienjarige jongen niet weet over vrouw-met-vrouw activiteiten niet de moeite waard is om te weten,' antwoordde ik in Caspars plaats.

Waarvoor ik een spontane, brede grijns kreeg, zodat ik me weer gelukkig voelde. Het was een grijns om voor thuis te komen.

Nick stopte voor mijn gebouw. Het is een modern blok met flats die veel mooier zijn dan die van mij, maar dankzij een initiatief van de regering woon ik in een van de twee studio's die projectontwikkelaars tegenwoordig verplicht zijn aan te bieden, omdat ze anders geen bouwvergunning krijgen. Ik ben een professional die uitzicht heeft op de rivier en ik moet zeggen dat de flat, ook al is hij klein, mijn grote trots en vreugde is.

De portier staarde naar de gammele bruine Volvo, zag mij grijnzen door het raam en zwaaide met twee handen.

'Ik ben zo blij dat ik weer thuis ben,' jubelde ik.

Nick en Caspar droegen mijn koffers naar de ruime hal terwijl ik me liet betuttelen door Roman. Roman is de man die, na mijn oudste vriend Ben, op dit moment meer over me weet dan wie dan ook. Deze Georgische emigrant van achter in de vijftig, met een reumatische knie, was degene die de politie belde toen mijn ex-baas op elk uur van de avond naar mijn flat kwam. Roman versperde de deur als hij naar binnen wilde. Roman leerde zijn handschrift herkennen, schiftte de post die de postbode regelmatig bezorgde en waarschuwde me van tevoren. Maar hij was ook erg goed in het negeren van mannen van elke lengte, omvang en kleur die 's avonds en 's nachts kwamen en gingen. Een enkele keer drukte hij op de liftknop als ik niet helemaal recht meer uit mijn ogen keek en in een noodgeval liet hij me binnen in mijn eigen flat.

'Welkom thuis, mizz King.' Hij pakte mijn hand in zijn hand en schudde die krachtig.

'Hallo, Roman.'

'Ik heb de dagen geteld,' zei hij. 'Zo veel nieuws...'

Roman en ik wisselden vaak roddeltjes uit over mijn medebewoners.

'Ik popel van verlangen om alles te horen.'

Nick en Caspar reageerden adequaat. 'Dan laten we je achter onder de hoede van deze capabele heer. Geweldig dat je weer terug bent.'

'Dank je, Nick,' antwoordde ik. 'En bedankt dat je me hebt afgehaald, dat was echt niet nodig geweest.'

'Dat weet ik. Maar als ik Caspar niet mee naar buiten had genomen, zou Francesca hem vermoord hebben. Dus kon ik net zo goed naar Heathrow gaan.'

Ik glimlachte en vroeg me af hoe kleinerend dat bedoeld was. Natuurlijk was het dat niet. Het was Nick, de aardigste man die ik kende. Maar ik wilde niemands laatste toevlucht meer zijn.

Nick stond bij de deur. 'Francesca zal zich niet gelukkig voelen tenzij ik haar kan vertellen dat het beter met je gaat. Is dat zo? Ben je hersteld?'

Hersteld waarvan? Dat ik genegeerd werd door de kinderen van mijn vriendin? Of gestalkt werd door mijn baas? Of ongetrouwd was? Onvruchtbaar? Alleen?

'Ja.' Ik glimlachte. 'Volkomen.'

'Mooi. Ik zal het haar vertellen.' Blij liep hij weg. Geloofde me op mijn woord.

Ik sloeg mijn arm om Caspar heen. 'Ik weet dat je om de een of andere reden kwaad bent op je ouders, maar alsjeblieft, denk eraan dat ik niet je vijand ben. En als dat geen reden is om aardig te zijn, is er altijd nog de iPod.'

Even leunde hij tegen mijn schouder. Ik gaf hem een zoen op zijn hoofd.

'Tot zaterdag,' mompelde ik tegen zijn krullende haren. 'Wees lief voor je moeder, al is ze niet op komen dagen, en heeft dat egoïstische mormel haar kinderen weer eens voor laten gaan boven mijn alcoholische behoeften. En vergeet niet dat je vader, alleen omdat hij niet naar porno kijkt, geen slecht mens is.'

Ik maakte gekheid. Maar achteraf gezien was dat misschien niet duidelijk genoeg voor Caspar.

Zodra de deur dichtviel zette Roman zijn bordje 'Over vijf minuten terug' op zijn bureau en pakte mijn koffers op.

'Mevrouw B. van de vijfde heeft eindelijk door wat haar man uitspookte toen zij buiten de stad was.'

Mevrouw B. is een gezette vrouw om wie altijd de geur van labrador hangt. Al is ze intimiderend en heeft ze een omvangrijke boezem, toch wil dat niet zeggen dat ik me verheugde op de wekelijkse ritjes in de lift met haar wekelijks slankere, jongere plaatsvervangster.

'Het was vreselijk. Ze kwam onverwacht thuis, trof die andere vrouw hier aan en stortte in. Smeekte hem om niet weg te gaan. Ze eindigde in mijn keuken, praatte urenlang over haar huwelijk, hun totaal onmogelijke kinderen, en hem. Zoveel emotie, je hebt geen idee.'

We stonden nu in de lift. Ik drukte op 'elf' en voelde de opwinding van het thuiskomen in me opborrelen. 'Waarschijnlijk heeft ze nog nooit tegen iemand zo gesproken,' zei ik, en realiseerde me terwijl ik het zei dat ik het heel goed over mijzelf had kunnen hebben.

Hij trok zijn Newt Gingrich-wenkbrauwen op. 'Maar ze bekijkt me nu niet meer.'

Ik legde een geruststellende hand op Romans arm. 'Ze is een Engelse. Je moet het niet persoonlijk opvatten.'

Roman hielp me naar de deur van mijn flat en keek me ernstig aan boven zijn snor.

'Taal noch teken van hem,' zei Roman, mijn eigen privélijfwacht. 'Helemaal niets. Ik heb een oogje in het zeil gehouden.'

Ik slikte even.

'Hij is nu voorgoed weg, ja?'

Ik hoopte het van harte. Ik stak twee gekruiste vingers op.

'Hebt u melk nodig?' vroeg hij. 'Ik heb nog wat over.'

'Nee, dank je. Ik ga straks boodschappen doen. Maar bedankt, Roman. ik ben blij je weer te zien.'

Hij droeg mijn koffers de drempel over en liet me alleen. Ik was thuis.

Mijn flat is in wezen een doos die in vieren is verdeeld. Het eerste deel, meteen links, is de badkamer. Die heeft de enige hoge muur. Ik had een kwart van de ruimte gereserveerd voor de badkamer; de aannemer dacht dat ik gek was, maar ik zei hem dat ik niets liever deed dan in bad gaan. Dat is ook wel zo, maar eigenlijk had ik die ruimte ontworpen met seks in mijn achterhoofd. Ik had zelfs antisliptegels in de douche – ik wilde niet op een cruciaal moment uitglijden. Er is vloerverwarming, een bad dat is ingebouwd in de muur en het geheel is met leisteen betegeld, behalve een paneel van kasten met spiegels boven de wasbak. Het is een 'natte ruimte' met alle dubbelzinnige Benny Hill-humor. Maar helaas moet zijn doop nog gevierd worden.

Ook over de rest van de flat heb ik goed nagedacht. Een tijdlang was ik koningin van de staalboeken en monsters. Het eind van het liedje was natuurlijk dat ik alles wit schilderde. Maar goed, waar de muur eindigt, begint mijn keuken, afgebakend door een bar. Ik hou ook van bars. De rest is alles wat er over blijft. Leefruimte en slaapkamer. Niet echt een kamer, maar meer een bed dat verborgen is achter een muur ter hoogte van een kast die tevens dienst doet als boekenkast. Ik hou ook van boeken. Kan ze nooit weggooien, zelfs de flutromannetjes niet. Het lijkt misschien een beetje krap allemaal, maar de flat ligt op de zuidoosthoek van het gebouw en een kant van de doos bestaat van onder tot boven uit glas. Het uitzicht is fantastisch.

Ik liep meteen naar het raam en staarde naar de kolkende massa van bruin rivierwater dertig meter onder me. Heel anders dan de koele waterwegen van Kerala, maar op zich net zo mooi. Ja, ik was blij dat ik terug was. Ja, ik was hersteld. Sabbaticals waren allemaal goed en wel, maar het leven kon niet worden geleefd door weg te lopen. Ik wist dat ik uit moest pakken, de was uitzoeken en zorgen dat ik iets te eten kreeg, maar in plaats daarvan plofte ik neer op de bank en pakte de telefoon.

Mijn ouders wonen in een kleine cottage in Buckinghamshire. Ze zijn daarheen verhuisd toen papa met pensioen ging. Wat nu alweer jaren geleden is. Hij is dik in de tachtig, maar dat is hem niet aan te zien. Hij heeft gedronken uit de bron van de eeuwige jeugd. Mam daarentegen, was minder gelukkig. Twaalf jaar geleden werd er MS bij haar geconstateerd en ze redt het alleen maar omdat ze zo goed voor zichzelf zorgt. Iedereen zei dat mijn moeder gek was om met een man te trouwen die twintig jaar ouder was dan zij, omdat ze haar levenlang voor een incontinente oude invalide zou moeten zorgen. Zo is het leven, het zet je altijd op het verkeerde been. Mijn ouders hebben me een hoop dingen geleerd; een daarvan is dat je het leven niet kunt plannen omdat je nooit weet wat er om de hoek op je wacht.

'Lieverd, ik ben zo blij dat je veilig en wel weer thuis bent,' zei papa.

'Hoe gaat het? Heb je mijn brieven ontvangen?'

'Ze waren prachtig. Alsof ik daar zelf was. Ik heb altijd gezegd dat je goed kunt schrijven.'

Ik kan alles goed. Ik ben zijn enige dochter. Zijn enige kind. Ik heb ze eens gevraagd waarom ze niet meer kinderen hadden, denkend dat het een of ander duister geheim was. Maar het bleek dat ze er maar een wilden. Mensen vragen me wel eens of ik het nooit gemist heb dat ik geen broertje of zusje had. Hoe kun je iets missen dat je nooit gehad hebt? Het enige wat ik van de broers en zussen van mijn vrienden heb gezien waren de eeuwige ruzies. Dus, nee, ik heb ze niet gemist. Nu zou ik dat misschien wel, maar ik heb een klein groepje vrienden als vervangers. Zij zijn mijn broers en mijn zussen. We betekenen veel voor elkaar. Ik babbelde nog een paar minuten met papa, maar hoorde toen dat die arme moeder van me in auto op hem zat te wachten omdat ze een paar vrienden gingen bezoeken. Liever dan haar weer binnen te laten komen, zei ik dat ik de volgende ochtend zou bellen. Ik nam afscheid van mijn vader, opgepept door de trots die ik altijd in zijn stem hoor, en belde een volgend nummer.

Billy is de moeder van mijn tweede petekind. Een heel bijzonder klein meisje, Cora genaamd. Billy's echte naam is iets onuitspreekbaars in het Pools. Ik kan me zelfs niet meer herinneren waarom de naam Billy is blijven hangen, maar dat deed hij dus. We huurden flats tegenover elkaar in de gang toen we in de twintig waren en werden zulke goede maatjes dat toen er een goedkopere driekamerflat vrij kwam, we er samen onze intrek namen. Dat veranderde toen Christoph op het toneel verscheen, Billy's hart stal en dat langzaamaan begon te verminken.

Aan de andere kant van de stad ging de telefoon in Billy's piepkleine flat in Kensal Rise. Cora, de verstandigste zevenjarige die ik ken, nam op.

'Hallo, met het huis van Billy en Cora Tarrenot.'

'Hoi, Cora, met peetmammie T.'

'Haaaaiii, waar ben je geweest?'

'In India.'

'Heeft die man van het werk je daar naartoe gejaagd?'

'In zekere zin.'

'Te voet?'

'Niet precies, nee. Heb je je tanden gepoetst?' Cora is volhardend, je moet van onderwerp veranderen en overgaan op iets dat meer haar belangstelling wekt. Toevallig is dat hygiëne.

'Op de fiets dan? Of is hij de Indische Oceaan overgestoken met de walvissen?'

Blijkbaar was de interesse voor hygiëne door iets anders vervangen. Vijf weken is een lange tijd in het leven van een zevenjarige. Dus begon ik over iets dat altijd werkte.

'Ik heb een cadeautje voor je meegebracht uit India.'

'Een olifant met kleine oren?'

'Hoe weet je dat?'

'Ik ben waarzegster.'

Cora maakte me altijd aan het lachen. Ze kon er niets aan doen. 'Ja, dat ben je, en ik hou van mijn kleine waarzegster. Is mama in de buurt?'

'Ze is de deur uit, maar je kunt met Magda praten als je wilt.'

Magda was de au pair. 'Laat maar. Zeg maar tegen mama dat ik gebeld heb.'

'Zal ik doen,' zei Cora en hing prompt op. Billy probeerde Cora's telefonische omgangsvormen te verbeteren. Ik hoopte dat het haar niet zou lukken. Ik wilde niet dat ze nog sneller volwassen zou worden dan nu al het geval was.

Helen, de moeder van de meest recente aanwinsten van mijn lading peetkinderen, zat tot over haar nek in het werk met een vijf maanden oude tweeling. Ik keek op mijn horloge. Het had geen zin om nu te bellen. Het was baddertijd. Helen had permanent hulp, maar de tweeling nam elke minuut van haar tijd in beslag. Toen ik naar India vertrok, gaf zij ze nog steeds borstvoeding. Ik had niet veel van haar gezien. Niet dat ik het niet geprobeerd had, maar ze hield er heel speciale opvattingen op na over het voeden van de tweeling. Ze wilde het in haar eentje doen, in de kinderkamer, bij de muziek van Mozart. Ik maak geen grapje. Tijd vinden om haar te zien tussen de borstvoedingen door was bijna onmogelijk. Ze ging niet graag het huis uit en ze deed een hoop tukjes tussendoor. Een van de trieste dingen die in India tot me waren doorgedrongen was dat als ik haar kort geleden voor het eerst had ontmoet, we geen vriendinnen zouden zijn geworden. Veel en veel te neurotisch, ze werkt niet en is geobsedeerd door haar zoontjes. Maar ik heb haar lang geleden leren kennen op een strand in Vietnam, schommelend in een hangmat, schaterlachend, high on acid. Ik zal het nooit vergeten. Twee van mijn drie beste maatjes van school en ik waren na onze examens naar Vietnam gegaan. We hadden elke begraafplaats bezocht, elke tempel, elk slagveld in het land. Toen liepen we Helen tegen het lijf. Half Chinees, half Zwitsers, de mooiste vrouw die we ooit hadden gezien. Een combinatie van Lucy Liu en Kate Moss, met kilometers lange benen. Ze is nu eleganter, maar in die tijd liep ze zo schokkerig als een pasgeboren veulen; misschien kwam het door de drugs. Haar lange, steile, donkere haar viel als een inktzwarte waterval omlaag langs haar rug. Ze was de enige rugzaktoerist die ik tegenkwam die met een haardroger reisde. Ze was de enige rugzaktoerist die zonder rugzak reisde.

Helen is wat je noemt bevoorrecht. Haar vader was een heel succesvolle zakenman in Hong Kong, die altijd richting oosten keek of hij ergens een kans zag. Toen hij op onverwacht jonge leeftijd stierf, erfde Helen zijn zaken, maar niet zijn zakeninstinct. Ze was een kind van het universum – dat vertelde ze ons tenminste. Ze citeerde eindeloos uit de 'Desiderata'. Bij het missen van ouderlijke begeleiding oriënteerde ze zich op een schriftuur. We waren gehypnotiseerd door haar en algauw even gedrogeerd als zij. Heel wat vrolijke avonden gingen na die dag voorbij, stoned op China Beach, terwijl Helen het gedicht voor ons reciteerde tot we het uit ons hoofd kenden. Nu hangt het ingelijst aan de muur naast de toilettafel in haar enorme huis in Notting Hill Gate. Ik denk dat het ongeveer het enige is dat Helen herinnert aan het meisje dat ze vroeger was.

Alles is nu anders. Waarom zijn we nog vriendinnen? Omdat Helen de enige ter wereld is die al mijn geheimen kent, en ik op mijn beurt begrip heb voor al haar verzachtende omstandigheden. Dus houd ik vol. Soms moet ik zelfs delen uit de 'Desiderata' voor mijzelf citeren om de neiging te onderdrukken haar te wurgen. Maar om heel eerlijk te zijn, het was steeds moeilijker geworden.

Ik gooide het over een andere boeg en belde Claudia. We zijn al bevriend sinds ons zevende jaar. Ze heeft geen kinderen. Maar ze heeft Al. Lang, kaal, betrouwbaar. Met Al en Claudia had ik in Vietnam rondgereisd. Hij kwam op onze school toen we in het begin van onze tienerjaren waren. Halverwege de twintig ging hun langdurige vriendschap in iets anders over. Ze werden op die sprookjesachtige, romantische manier toevallig verliefd op elkaar. Elke twijfel over de wijsheid van zo'n risicovolle verbintenis was verdwenen door de wijze waarop ze in de afgelopen tien jaar meer hartzeer hadden weten te verwerken dan de meeste echtparen in hun hele leven. Claudia en Al proberen al negen jaar lang kinderen te krijgen. Hun leven staat in de wacht terwijl een ander soort waanzin hun huishouding regeert. Een die tot diep in de nacht voortduurt. Het antwoordapparaat beantwoordde mijn telefoontje, wat, zoals ik wist, niet per se hoefde te betekenen dat ze niet thuis waren.

Zoals ik alle ananas in een fruitsalade tot het laatst bewaar, belde ik Ben het laatst. Ben is de vierde in ons unieke groepje vrienden van school. Hij is zonder meer mijn meest speciale vriend. Getrouwd maar zonder kinderen. Ik kan altijd van hem op aan voor een paar biertjes en een babbel. Het was zijn stem die ik het liefst hoorde. Hij was degene die ik alle bijzonderheden toevertrouwde. Als er slechte dingen met me gebeurden, grappig-slechte, bedoel ik, zoals rampzalige afspraakjes of rampzalig verlopen rechtszittingen, merkte ik dat ze bijna de moeite waard waren, alleen vanwege het plezier het verhaal aan Ben te kunnen vertellen. Hij zou dat van de Zwitserse masseuse prachtig vinden.

'Tess, lieverd! Goddank dat je terug bent, je bent jaren weggeweest.'

'Doe niet zo mal,' zei ik, inwendig grinnikend. 'Vijf minuten. Zo lijkt het me nu tenminste.'

'Heb je een heerlijke tijd gehad? Ben je fit en ben je met iemand van bil gegaan?'

'Ja, ja, nee.'

'Geen tipi-actie?'

'Geloof me, als je het aanbod had gezien, zou je het begrijpen. Een paar broodmagere Duitsers was het beste wat er was. Een Zwitserse vrouw maakte avances, maar dat vertel ik je wel bij een borrel. Heb je het druk?'

'Nu? God, ik zou dolgraag willen, maar we moeten naar een stomvervelend diner.'

'Dat heb ik gehoord!' riep Sasha op de achtergrond. Sasha is Bens vrouw. Zij is de vrouw die me mijn vriend heeft afgenomen. Het zou gemakkelijk zijn geweest haar te haten, maar ze maakte het onmogelijk. Gelukkig, omdat ze zo hard werkte, leende ze hem regelmatig aan me uit.

'Je bent te goed voor hem,' riep ik terug. Sasha kwam aan de telefoon. 'Dat weet ik. Welkom thuis, Tessa. Was het fantastisch?'

'Fantastisch,' antwoordde ik. 'Maar ik ben blij dat ik weer terug ben.'

'Mooi. We waren bang dat je in een ashram zou verdwijnen en we je nooit meer zouden zien,' zei Sasha.

'Niets voor Tessa "postduif" King.'

'Nou ja, je hebt een moeilijk jaar achter de rug. Je weet nooit hoe iemand zal reageren na zoveel stress. Maar je stem klinkt goed en ik wed dat je er geweldig uitziet.'

'Dank je.' Sasha ging altijd recht op de kern van de zaak af. Van haar geen sentimentele onzin. Ben eiste de telefoon weer op.

'Ze is erg verstandig, die vrouw van je,' zei ik.

'Ik weet het. Irritant, hè? Ik ben blij dat je terug bent en weer helemaal beter.'

'Ga eten,' antwoordde ik. 'Ik spreek je morgen.'

'Absoluut. We maken een afspraak.'

Ik hing op. Legde de telefoon op mijn buik en staarde naar de lucht. Mijn ex-baas stoorde me niet meer; eerlijk gezegd was ik blij dat ik met betaald verlof was. Liggend op het strand in India na weer een ochtend van uitputtende yoga, was het plotseling tot me doorgedrongen: ik had geen fatsoenlijke rustperiode meer gehad sinds Vietnam. Toen andere mensen een jaar vrij namen, schreef ik artikelen. Ik had bijna tien jaar lang elk jaar een of ander belangrijk examen gedaan, en sindsdien had ik gewerkt, gewerkt, gewerkt. Mijn weekends waren ook niet bepaald periodes van rustige overpeinzingen, en vakanties waren ervoor om zoveel mogelijk dingen in me op te nemen waar ik normaal nooit tijd voor had. Ik was uitgeput. Dus in zekere zin was het toch allemaal ergens goed voor geweest. Ik had een kans gekregen om weer op krachten te komen. Ik had een kans gekregen om gezond te worden. Ja, ik was beter. Ik was absoluut beter. Dus waarom voelde ik me dan zo down?

Ik deed wat ik altijd op dergelijke momenten doe. Ik belde Samira.

Samira was een betrekkelijk nieuwe vriendin van me. Ze is een professioneel feestbeest, wat handig is omdat ik zo altijd iemand heb om pret mee te maken, maar beangstigend omdat ik vond dat ik maar amateur was. Natuurlijk verschilt haar leven in een heel belangrijk opzicht van het mijne: ze is stinkend rijk, waardoor je een hoop liefdes en bedgenoten kunt kopen. Samira was zelden eenzaam. Ik hield niet van haar omdat ze geld had. Misschien is het moeilijk te geloven, maar in feite was haar absurde rijkdom het moeilijkste aspect van mijn vriendschap met haar. Ze is gewend om haar zin te krijgen. Wat ik prettig van haar vond was dat ze altijd in was voor een borrel op een zaterdagavond, en elke andere avond van de week. De vloek van de gefortuneerden. Door de manier waarop zij feestvierde had ze qua omvang op Teddy Kennedy moeten lijken, maar ze had meer personal trainers dan lidmaatschappen van clubs, en werkte heel hard om zich op haar eigen manier te kunnen amuseren. Haar mobiel ging over tot ik het antwoordapparaat kreeg. Ik liet een dringend bericht achter.

Ik staarde naar mijn vuile wasgoed en besloot dat ik er niet tegen opgewassen was. Dus trok ik mijn reiskleren uit, gooide ze op de stapel en liep naar mijn badruimte. De douchekop is zo groot als een braadpan; waarschijnlijk het duurste wat ik voor de flat gekocht heb. Ik had bespaard op het woningtextiel. Ik heb bijvoorbeeld nog steeds geen gordijnen. Maar mijn hemel, het is het waard. Het water stroomt als een waterval op je neer, wat volkomen onpraktisch is als je zulk kroeshaar hebt als ik. Het kon me niet schelen. Ik heb nu een grote verzameling douchemutsen. Douchemutsen en oogmaskers. O, de vreugde van het alleen wonen.

Na mijn douche zocht ik wat echte kleren uit om naar de winkels te gaan. Jeans. Knielaarzen. Strak zittend wit T-shirt met lange mouwen om mijn bruine teint te accentueren. Voor wie ik me zo aankleedde bleef een mysterie. Waarom ik dat deed, eveneens.

Mijn flat ligt op de grens van Pimlico en Westminster, een steenworp van Tate Britain, en heeft toch kleine, in zijstraten verstopte winkeltjes, als je weet waar je moet zoeken. Het enige probleem is dat je een snelweg over moet steken om er te komen. Niet erg goed voor de longen, die dodenmars. Ik kocht de noodzakelijke levensbehoeften – melk, brood, wijn, light bier, limoenen, humus, geschrapte worteltjes en wc-papier – en ging op weg naar huis. Toen viel mijn oog op de pub. Samira had niet gebeld, en al vond ik het prettig om wat in mijn flat rond te scharrelen, hij is niet erg groot en er is een grens aan het gescharrel dat je kunt doen. Dus dook ik de pub in voor een snelle borrel. Jammer genoeg was de baas er niet – hij was min of meer een maatje van me geworden – dus na mijn snelle glaasje bier besloot ik naar huis te gaan. Ik belde Samira nog een paar keer. Drie uur later belde ze terug. Zodra ik haar stem hoorde wist ik dat ze goed op dreef was. 'Schat, je bent terug. Wat doe je?'

'Wat doe jij?' Ik had de slechte gewoonte om wat armslag te houden. Zelfs als ik wanhopig was.

'Ik ben bij een vriendin thuis. We drinken wat en dan gaan we naar een club, een nieuwe. Een vriend van Nikki heeft de gastenlijst samengesteld. Ga mee, kom, je móet!'

'Ik keek op mijn horloge. Het was al negen uur, en nu ik haar aan de lijn had, begon mijn animo te verflauwen. 'O, ik weet niet. Waar ben je?'

'Op het ogenblik in Richmond, maar we blijven hier niet lang, dus zorg dat je als de donder hiernaartoe komt.'

'Het is al laat...'

'Kom me niet met die hippy-shit aan, wil je? Ik popel van verlangen om je te zien.'

Ik kon stemmen horen op de achtergrond.

'Wie zijn er bij je?'

'Mensen, vrienden, de meeste ken je.'

Dat betwijfelde ik. Het had weinig zin om helemaal naar Richmond te gaan, als ze toch teruggingen naar de stad. 'Bel me als je onderweg bent, dan ontmoeten we elkaar ergens.'

'Afgesproken. Over hoogstens een halfuur.' Samira hing op. Ik wist onmiddellijk dat het een vergissing was. Samira had niet hetzelfde begrip van tijd als ieder ander. Ik zou, helemaal opgetut, misschien wel drie uur moeten wachten. Misschien kon ik toch maar beter naar Richmond gaan. Ik had wat in te halen. Maar je kon nooit iets inhalen, niet echt. Avonden die chaotisch begonnen waren, bleven chaotisch. Het beste wat ik kon doen was een glas wijn drinken en wachten op het telefoontje. Aan de andere kant... Hou op, Tessa – je draait in een kringetje rond.

Het werd een half uur later en nog eens drie maal een half uur, en inmiddels was ik in alle staten. Ik wilde niet alleen thuiszitten, op de eerste avond dat ik terug was, om mijn teint te zien verbleken, maar ik zag er ook tegenop om me op te tutten. Ik was sinds vijf uur 's ochtends onderweg en was afgepeigerd. Bovendien hadden ze niet gebeld. Wat betekende dat ik dus eigenlijk wel wilde gaan. Ook al deed ik het niet. Eindelijk ging de telefoon.

'Waar ben je verdomme?' viel ik kwaad uit.

'Thuis. Sorry – ik nam aan dat je niet thuis zou zijn. Ik wilde net een bericht achterlaten.'

'O, hoi, Fran.'

'Tessa, het spijt me zo van vandaag. Ik heb het echt verknald.'

'Pieker daar maar niet over.'

'Je hebt de pest in. Ik hoor het aan je stem.'

Yoga ging over het loslaten van je zorgen en je grieven, over verdergaan met je leven. 'Nou ja, ik had me erop verheugd.' Dat was een understatement. De gedachte dat ik naar huis zou gaan was het enige waardoor ik al die eenzame avonden in mijn eenpersoonshut had overleefd.

'Het spijt me, je weet hoe het gaat.'

NEE, DAT WEET IK NIET.

'Nick zei dat je er fantastisch uitziet: bruin, blond en mooi,' ging Francesca verder om me te sussen. 'Ik zal het heus goedmaken, dat beloof ik je, maar op het ogenblik heb ik echt je hulp nodig.'

Francesca vroeg nooit om hulp. Dus ging ik rechtop zitten en zette mijn slechte humeur van me af. 'Ik heb een probleem,' zei ze. 'Caspar is een nachtmerrie.'

'Dat heb ik gemerkt.'

'Het is zo helemaal niets voor hem. Ik heb alles geprobeerd. Met hem gepraat, hem genegeerd, hem verwend, hem gestraft, het maakt geen enkel verschil.'

'Francesca, hij is bijna zestien. Hij wordt verondersteld een nacht-merrie te zijn.'

'Nee, het is erger dan dat,' zei ze. 'Ik ken zijn vrienden, ze zijn niet zo erg als hij.'

'Is het niet normaal dat kinderen zich bij anderen goed gedragen en thuis onuitstaanbaar zijn?'

'Hij praat nauwelijks tegen me, Tessa, en hij kijkt me niet echt aan.'

'Wat zegt Nick ervan?'

'Hij wil hem een dreun geven.'

'Nick? De hippie, partij van de Groenen, de activist op de universiteit?'

'Ja, die.'

'Dan moet het wel erg zijn,' zei ik.

'Dat is het ook. Hoor eens, ik vind het vreselijk om het je te moeten vragen, maar zou jij het erg vinden om eens met hem te praten? Hij vindt jou een geweldig mens, weet je. Hij wil niet helpen op Katies feestje morgen en nu weigert hij ook om aanstaande zaterdag op zijn eigen verjaardagslunch te komen.'

'Hij kan maar beter zorgen dat hij komt. Ik heb die hele verdomde retraite van me gepland rond zijn wens om naar Sticky Fingers te gaan en dure frieten te eten.'

'Ik weet het. Je hebt nog nooit een verjaardag overgeslagen. Je bent de beste peettante ter wereld. Wil je het doen? Wil je morgen komen om met hem te praten?'

Er waren twee struikelblokken. Een ervan was dat ik naar een kinder-feest zou moeten, waar ik een enorme hekel aan had, maar wat ik ver-droeg omwille van het goede peettanteschap. Het tweede was gecompli-ceerder, maar een goede manier om eraan te ontkomen. Ik zette een strenge stem op. 'Ik ga je niet verklappen wat Caspar zegt.'

Lange stilte van Francesca. 'Tenzij het echt heel erg is,' zei ze.

'Toen Claudia, Al, Ben en ik in die periode verkeerden, zei mam dat het net was of ze naar ons keek terwijl we door een glazen tunnel lie-pen – ze kon ons zien, ze kon naar ons zwaaien, maar ze kon niet met ons praten. Hij komt aan de andere kant wel weer tevoorschijn. Het zijn z'n hormonen, Francesca.'

'Ik denk dat je de dingen door elkaar haalt. Dat is het moederschap wat je beschrijft. Daarbinnen kan niemand je horen schreeuwen.'

Ik lachte.

'Tessa, alsjeblieft, met jou zal hij willen praten.'

Ik aarzelde. Ik vond kinderfeestjes minder aantrekkelijk dan de Victoria Line van de metro om 8.15 uur 's morgens. Ik sta liever tegenover een panel van rechters dan tegenover een verdomde groep mammies die vol minachting op me neerkijken. 'Ik had me eigenlijk plechtig voorgenomen geen knutselende ballonartiesten meer te hoeven meemaken...'

'Ik smeek het je. Ik heb alle andere dingen geprobeerd.'

'Je noemt mij je laatste toevlucht?'

'Nee. Ik beken dat ik als moeder verslagen ben.'

Ik gaf toe. Dit was niets voor Francesca. Ze was een uitermate vakkundige moeder. Ik bedoel niet koud en berekenend, meer dat ze alles een moment van tevoren door had. Zoals ze een gemorste drank kon zien voordat een glas of beker omviel, zo kon ze rivaliteit tussen de kinderen voorkomen eer die zich voordeed. 'Goed dan, ik kom morgen naar Katies feestje.'

'En als het niet alleen maar hormonen zijn – en ik geloof echt niet dat het dat is – zul je het me dan vertellen?'

'Als het echt serieus is,' zei ik, na even te hebben nagedacht, 'zal ik hem zover krijgen dat hij het je zelf vertelt.'

'Afgesproken,' zei ze. Ik kon de opluchting in haar stem horen. 'Het spijt me dat ik je lastigval op de eerste avond van je thuiskomst – ik dacht echt dat je niet thuis zou zijn.'

'Ik stond op het punt om weg te gaan,' jokte ik.

'Bof jij even. Veel plezier.'

Samira had niet gebeld terwijl ik Francesca aan de telefoon had, dus probeerde ik het nog eens. Voor de vierde keer. Weer geen antwoord. Zo graag wilde ze me dus zien. Beledigd hing ik op en trok me kwaad terug in mijn badkamer. Ik was schoon genoeg, maar ik wilde in duur badschuim liggen en decadent uit een groot wijnglas drinken. Ik liet het bad vollopen, schakelde de speakers in van mijn iPod, stak kaarsen aan en strekte me behaaglijk uit in het warme water. De ruimte die ik had ontworpen voor seks was de ruimte geworden waarin ik me opsloot. De ruimte waarvoor ik me niet dapper hoefde voor te doen om er naar binnen te gaan. Er is een smal raam in de badkamer waardoor ik de rivier kan zien; een van de dingen die me het meest bevallen van de flat. Ik bleef twintig minuten in het bad liggen, starend naar Londens borrelende heksenketel onder me, en mezelf wijsmakend dat ik niet wist waarom ik huilde. Maar dat was een leugen.

Een rustperiode zoals ik had gehad was een tweesnijdend zwaard. Ik had boeken gelezen, ik had geslapen, ik was fit geworden, maar ik had ook heel veel tijd gehad om na te denken en ik was me steeds minder op mijn gemak gaan voelen met de richting waarin die gedachten me voerden. Ik had gehoopt dat, zodra ik terug was, mijn drukke leven weer de overhand zou krijgen en ik die gedachten achter me zou laten. Maar niemand had tijd voor de teruggekeerde verloren dochter. Wat me op het strand door het hoofd had gespookt was dat het wel eens te moeilijk zou kunnen zijn om terug te gaan. Misschien was de ingevette klimmast te glibberig. Ik had echt het gevoel dat ik een heel eind omlaag was gegleden. Zou ik de energie hebben om weer naar boven te klimmen?

Trouwen en kinderen krijgen begon er heel wat eenvoudiger uit te zien. Ik had dat pad altijd al op een bepaald moment willen inslaan, alleen had ik nooit iemand gevonden met wie ik dat kon doen. Wat een andere vraag bij me opwierp: waarom niet? Wat was er mis met me? O, ja, ik wist precies waarom ik huilde. Het was de angst om dingen mis te lopen. Niet alleen een woeste zaterdagavond met mensen die ik niet kende. Het ging om het leven zelf. Het leven dat voor ieder ander zo gemakkelijk leek te zijn.

Ik liet me dieper in het bad zinken. Ik begon het gevoel te krijgen dat ik eindelijk bij de juiste bushalte was gearriveerd toen de laatste bus net vertrokken was. Ik kon de achterlichten nog zien, maar al liep ik nog zo hard, ik kon hem niet meer inhalen. Ik klemde mijn hand om de steel van het wijnglas, nam een slok en sloot mijn ogen.

Ik wist wat dat naargeestige gevoel was.

Het zou mij nooit beschoren zijn.

Het zou mij nooit lukken.

Het zou mij nooit, nooit lukken.

Zelfmoordpreventie

Als een kind zijn eerste ervaring met anarchie opdoet in de speeltuin, dan zijn de kinderfeestjes zijn eerste ervaring met revolutie. Docenten kunnen wat ouders niet kunnen. De massa onder controle houden... De volwassenen waren zwaar in de minderheid. Ik had er als een haas vandoor moeten gaan. Ik had niet in het wit moeten komen. En volgens de andere moeders had ik helemaal niet moeten komen. Dat was ongeveer het enige waarin ik het met hen eens was, maar ik was er in een officiële functie en dat had niets te maken met de prinsessen die amok maakten in brandbare outfits.

Ik stond als een buitenbeentje, met een glimlach op mijn gezicht geplakt, aan de rand toe te kijken, maar niemand scheen er happig op te zijn om me welkom te heten in hun midden. Ik was criminelen met minder angst en beven onder ogen gekomen. Ik probeerde een vriendelijke glimlach naar een paar vrouwen die ik erop betrapte dat ze me achterdochtig aanstaarden, maar ze wendden hun gezicht af. Omdat ze me niet bij het schoolhek hadden gezien, telde ik blijkbaar niet mee. Ik haat het gevoel dat die mensen me geven. Ik haat het dat ik het ze toesta. Liever zou ik met mijn voeten willen stampen en schreeuwen: 'Nee, ik heb geen kinderen. Maar ik ben een volwaardig mens, lul!' want alleen dat soort gedrag schijnt hun welwillende aandacht te trekken. Het is me zelfs opgevallen dat hoe slechter het gedrag van een kind is, hoe meer knuffels en bevestiging het krijgt van de moeder. Misschien is dat de reden waarom ik word buitengesloten, misschien heb ik niet luid genoeg gejammerd. Maar misschien is het ook omdat ik over die lieve schatjes praat in termen als 'het'.

Er is een grens aan het vuil dat je kunt spuien, dus zal ik het kort houden. Katie, HET jarige meisje, duwde een kleine jongen van onbekende

27

ouders van de glijbaan. Ze beweerde dat ze hem langs de baan omlaag duwde, dat het per ongeluk mis was gegaan. Maar ik kende Katie. Nick en Francesca's achtjarige dochter is een eigengereid, zelfverzekerd kind dat precies haar zin wil hebben. Er kwam bloed aan te pas. Een vrouw holde langs, trapte op een ander kind dat begon te gillen, wat een derde kind zo de schrik op het lijf joeg dat dat pardoes tegen een tafel botste en de met plastic afgedekte borden omgooide die buiten bereik hoorden te blijven tot de kleine schatjes hun groentespiesjes op hadden. Ik zag een onschuldig kijkend jongetje een duik nemen naar een wegrollend snoepje. Zijn moeder pakte zijn voet beet en trok hem achteruit, waardoor zijn uitgestrekte handen een zweterig gepiep veroorzaakten op het laminaat van de vloer. De moeder keek angstig naar elk langzaam rollend chocolaatje alsof het een miniatuur landmijn was. Het jongetje slaagde erin er een te bemachtigen en propte het in zijn mond. In gedachten applaudisseerde ik voor hem voor hij teruggebracht werd naar zijn door zijn moeder gemaakte picknick van tofu en groene groente.

Nick kwam voorbij met een kind onder elke arm. 'Hij mag zelfs geen rozijnen van haar,' fluisterde hij. 'Arm kind.'

Deze vrouw was een van de redenen waarom ik geen uitnodigingen voor een dineetje meer wilde accepteren. Te veel moeders zoals deze die discussieerden over de geneugten van handige pakjes steriele doekjes en het kwaad van inentingen. Alsof pokken zo goed waren? Ik zag dat het kind het breekpunt naderde. Hij had er genoeg van en gooide de tofu naar zijn moeder. Ze sjorde hem omhoog aan zijn arm en liep naar de deur.

'Hij houdt niet van kinderpartijtjes,' siste ze toen ze langsliep.

Je kon het hem moeilijk kwalijk nemen. Het pakje chocolaatjes op het buffet knipoogde naar me. Ik kon het niet helpen. Terwijl de moeder uitbundig en hartelijk, duidelijk onoprecht, afscheid nam van Francesca, boog ik me voorover naar het zielige jongetje en stopte het pakje in zijn Spiderman-rugzak. Ik legde mijn vinger tegen mijn lippen en knipoogde. Toen hij lachte voelde ik me gerehabiliteerd. God, ziet u me? Ik ben een natuurtalent.

Ik dronk mijn warme witte wijn op en mengde me in het strijdgewoel. Twee vrouwen waren in druk gesprek gewikkeld over het duivelssap, Ribena, dus liep ik met een boog om hen heen en vond een andere vrouw die op de bank zat en voor zich uit staarde.

'Hoi,' zei ik.

'Hoi,' wist ze uit te brengen.

Tot zover alles goed.

'Welke is van jou?'

'Geen enkele,' antwoordde ik, op geforceerd luchthartige toon. Ze keek me aan. Het gebrom 'fout antwoord' zoemde rond mijn hoofd. 'Ik ben Caspars peettante.'

'O. Je hebt oudere kinderen?' Met andere woorden, was ik een sloerie die zich in haar tienerjaren zwanger had laten maken?

'Nee. Ik heb geen kinderen.'

De vrouw stond plotseling op. 'Sorry. Ben! Nee! Leg dat neer! Ik moet even...' Ze liep haastig bij me vandaan. Was het besmettelijk? Of liep het leven van haar kind werkelijk gevaar door de ballon die ze het afpakte? Hem, bedoel ik, hem.

Ik probeerde het nog een paar keer. Ze begonnen allemaal met hetzelfde: 'Welke is van jou?' snel gevolgd door 'Excuseer me een ogenblik, ik moet a) een plastic dingetje uit de mond van mijn kind halen, b) mijn kind beletten een ander kind te slaan, c) een ander kind beletten mijn kind te knijpen, d) weg om met mijn vrouw te praten, want ze wenkt me dat ik moet komen omdat we te veel pret hebben in de tuin, e) bij jou vandaan omdat je een kinderloze potentiële mannenroofster bent die niet kan praten over inentingen of de school, wat betekent dat ik je geen donder te zeggen heb...' Misschien was het jetlag, of te veel appelsap, maar ik voelde een bijna onbedwingbare behoefte om op de tafel te springen en iedereen mijn slipje te laten zien. Maar ik wilde Francesca niet nog meer in verlegenheid brengen dan ze zelf al deed.

De zevende keer dat me gevraagd werd welke van mij was en ik met dezelfde nieuwsgierige achterdocht werd bekeken toen ik zei 'niet één', pakte ik een pizza en ging naar boven. Aangezien Caspar kennelijk niet van plan was beneden te komen, zou ik de angstaanjagende wereld moeten betreden van de slaapkamer van een puber. Dat vond ik als tiener al onplezierig; ik zou het nu ongetwijfeld nog veel verontrustender vinden.

Het eerste wat je opvalt is de stank. Jee, wat stonk het daar. Wassen jongens zich ooit? Doen ze wel eens een raam open? Ik moet eerlijk blijven, ik herkende de stank onmiddellijk. Zweet. Sperma. En marihuana. Er verandert niets, behalve dat mijn jongen opgroeit.

Arme donder.

'Hallo? Hé, jochie? Iemand thuis?'

Ik hoorde een paniekerig gekletter uit de kleine aangrenzende douche-ruimte. Nick had die douche voor hem gebouwd in de hoek van de kamer om zijn zoon het barbie-badschuim te besparen. Ik luisterde glimlachend naar de verraderlijke spray van een deodorant. Die gezegende tieners. Ze denken altijd dat zij de eerste zijn.

'Ik kom met pizza.'

Caspar kwam volledig gekleed tevoorschijn en vertelde me dat hij net gedoucht had.

'Op het punt stond te douchen?' waagde ik.

'Ja.'

'Hoeveel van dat goedje rook je?'

'Ik rook niet,' beweerde Caspar.

'Oké. En ik heb geen one-night-stands.'

'Tessaaaaa!'

'Casparrrr! Het minste wat je kunt doen is de stuff delen die je niet rookt.'

'Het heet geen stuff meer.'

'O, sorry. Hoe heet het dan?' Ik voelde me een beetje van mijn stuk gebracht. Zo oud was ik toch nog niet? 'Een stickie?'

'God, nee, dat is nog erger.'

'Vertel op dan.'

'Een joint. Wiet.'

'Wiet dan.'

'En mijn ouders?'

'Die merken niet eens dat we er niet zijn. Vooruit, geef op.'

'Daar heb je gelijk in,' zei Caspar, die een blikje openmaakte en de half opgerookte joint overhandigde.

'Ik had nooit gedacht dat ik dit zou gebruiken met een volwassene.' Een volwassene? Dat woord deed me er weer aan denken hoe jong hij nog was, en dat ik daarom op mijn hoede had moeten zijn toen ik een glimp opving van de inhoud van dat blikje. Het feit dat Caspar om vier uur 's middags zat te roken in een huis vol mensen had me ook moeten waarschuwen. Maar ik verkoos alles te negeren in mijn speurtocht naar meer informatie. Ik, de volwassene, plofte neer op een zitzak en stak een joint op. Na een keer inhaleren wist ik dat het krachtig spul was. Toen dat me naar het hoofd was gestegen, besloot ik te doen alsof. Dus hield ik de boel voor de gek waar mijn vijftienjarige peetzoon bij was, hield de rook in mijn mond en dwong hem door mijn neus naar buiten. Caspar daarentegen, inhaleerde lang en diep en leek er niet meer last van te hebben dan ik.

Ontspannen door de drug, vertelde Caspar over de meisjes met wie hij geen wip had gemaakt. Over de jongens die altijd de meisjes kregen. En over de meisjes die hem aardig vonden, maar die hij niet aardig vond. Niets verandert ooit. We giechelden stom over allerlei onzin en vielen toen op de koude pizza aan alsof het cordon bleu was.

Ik begon te denken dat Francesca en Nick er een beetje te zwaar aan tilden. Afgezien van de cannabis leek Caspar weer even lief en aardig als vroeger. We zaten nog gezellig naast elkaar op de zitzak toen Francesca binnenkwam.

'Jezus, wat stinkt hier zo?' zei ze, met haar hand voor haar gezicht wapperend.

Ik moet eerlijk bekennen dat ik in paniek raakte. Maar Caspar had zijn antwoord klaar. 'Tessa heeft wierookstokjes voor me meegebracht uit India.'

'O. Dank je, Tessa.'

De kleine smiecht. Maar ik ontkende het niet. Ik wilde geen problemen met Francesca. Of het bij haar zoon verbruien.

'Ik heb voor jou wat masalathee meegenomen,' zei ik. Wat absoluut waar was.

'Hoe lang houden jullie je hier al verstopt?' Er klonk een lichte irritatie in haar stem die ik niet thuis kon brengen.

'Ik heb mijn best gedaan,' zei ik verzoenend. 'Maar die vrouwen konden alleen maar over kinderen praten, dus stevende ik maar op de vaders af, wat nog erger was, want die vrouwen kwamen voortdurend naar ons toe omdat hun man zo nodig limonade moest gaan halen of zo. Toen ben ik maar op zoek gegaan naar Caspar.'

'Wat verwacht je dan, als je hier komt opdagen in een witte designer-outfit, met een platte buik en blonde haren? Vrouwen met kinderen hebben niet zo'n buik als jij. Tenminste, normale vrouwen niet. Je maakt ze zenuwachtig, Tessa. Je geeft ze het gevoel dat ze trutten zijn.'

'Het zijn ook trutten,' zei Caspar.

'O, hij kan praten,' zei Fran. Wat ik bijzonder ergerlijk vond, zodat het me niet verbaasde dat Caspar met zijn ogen rolde.

'Ik dacht dat jij ook een hekel aan ze had,' zei ik, weinig behulpzaam.

31

'Ik probeer het alleen vanuit hun standpunt te verklaren. Bovendien is iedereen al vertrokken.'

'Hoe laat is het?'

'Zeven uur.'

Caspar en ik keken elkaar schuldbewust aan. Hoe was dat in vredesnaam mogelijk?

'We hadden een hoop in te halen. Ik heb hem in eeuwen niet gezien.'

'Nou, het lijkt me dat jullie nu wel alles hebben ingehaald.'

Ik stond op en volgde Fran naar de gang. Caspar kon geen flauw idee hebben dat ik hem bespioneerd had na die korte woordenwisseling.

'Nu de kust vrij is, kom ik beneden en zet wat masalathee voor je,' zei ik.

'Ik zou liever een goeie spliff hebben. Of een flinke hamer.'

Speelde Francesca's onderbewustzijn haar parten, of wilde ze me duidelijk maken dat ze niet in dat verhaal van die wierookstokjes getrapt was? Ik besloot me er met bluf uit te redden terwijl ik achter haar aan liep.

'Ze noemen het geen spliff meer,' zei ik.

'Echt niet?'

'Tegenwoordig heet het zoot, draw, of gewoon ouderwets marihuana.'

'Zoot? Hoe spel je dat in godsnaam?'

'Z-o-o-t denk ik. Ik zal het een van mijn vrienden vragen.'

Francesca bleef staan, draaide zich om op het versleten tapijt in de smalle gang en nam me aandachtig op. 'Het moet erg gemakkelijk zijn om zo te zijn als jij,' zei ze.

'Hè?'

'Geen wonder dat Caspar je adoreert. Moet je jezelf eens zien. Stijlvol. Ontspannen. Vrij...'

'Fran,' zei ik met een ongelovige klank in mijn stem. 'Jij hebt me gevraagd om te komen en met hem te praten. Ik doe gewoon wat jij me gevraagd hebt.'

'Ik weet het. Sorry. Het is alleen dat... O, ik weet niet.' Ze schudde haar hoofd. 'Wat denk je?'

'Ik denk dat alles in orde is met hem, Fran. Een beetje rebels misschien, maar daaronder is hij gewoon Caspar.'

'Weet je zeker dat ik me nergens zorgen over hoef te maken?'

'Vrijwel zeker.'

'Hij haat me.'

'Hij haat je niet, malle. Je bent een geweldige moeder, en als Caspar dat niet beseft, is hij een idioot. Vat dit alsjeblieft niet persoonlijk op; het zijn gewoon hormonen. Zeg het me na, het zijn gewoon hormonen.'

Maar dat wilde ze niet. Ze vond dat ze hem beter kende. Ze bleek gelijk te hebben.

Nick stond onder aan de trap op Francesca te wachten met een glas wijn in zijn hand. Hij gaf het haar.

'Omdat we het overleefd hebben,' zei hij, en gaf haar een zoen op haar hoofd. Arm in arm liepen ze naar de bank en ploften er samen op neer. Zoals ik al zei, die twee zijn geknipt voor elkaar. Altijd al geweest. Zag Francesca niet hoe jaloers ik was op wat zij had? Niet dat dat altijd zo geweest was. In het begin had ik medelijden met haar.

Die dag toen Francesca in tranen bij mij op de stoep stond, was het moment waarop onze wegen zich onherroepelijk scheidden. Ze hield de zwangerschapstest die ze uit de zak van haar goedkope blauwe anorak had gehaald, in haar bezwete hand geklemd en liet hem mij zien zoals een kind haar vriendinnetje een half opgezogen toverbal laat zien: twee onschuldige blauwe lijntjes die zoveel meer betekenden dan we ooit hadden kunnen denken.

Nick was toen al net zo'n honorabel mens als hij nog steeds is. In die tijd demonstreerde en protesteerde hij. Nu werkt hij voor een non-profitorganisatie, die ervoor zorgt dat grote ondernemingen als Nike en Gap geen gebruik maken van kinderarbeid voor hun productie. Maar Francesca was intelligenter dan wij beiden. Ze was niet alleen de beste leerling van haar faculteit, ze ontving een brief in de post dat ze in drie onderwerpen de beste in de hele regio was. Ze was al verzekerd van een aanstelling bij het meest vooraanstaande advocatenkantoor nog voordat we afgestudeerd waren. Toen ze besloot het kind te houden, zeiden ze dat ze haar plaats voor haar zouden reserveren, maar ze ging nooit meer terug en ten slotte verstomde het aanbod voor een contract toen nieuwe talenten zelfs haar niveau begonnen te overtreffen. Ze waren zo voorzichtig geweest, ze wisten niet hoe het had kunnen gebeuren. En uiteindelijk gaf dat de doorslag. Als een kind zo vastbesloten is om op de wereld te komen dat het condooms, tijdig terugtrekken en het ovulatieritme weet te overwinnen, dan had dat kind waarschijnlijk het recht om te leven. Het is een bewijs van Francesca's intelligentie dat ze summa cum laude slaagde, want acht dagen na haar laatste examen kwamen de weeën. Caspar was een gezonde baby van achteneenhalf pond. En zelfs daarin behaalde ze de beste cijfers. De apgarscore, de prognose van de levenskansen van de pasgeboren baby, was een tien.

Nick en Fran trouwden toen Caspar negen maanden was. Op de dag waarop hij gedoopt werd, was ik peettante en bruidsmeisje, gehuld in een afgrijselijke poederdons van een rok uit de late jaren tachtig. Het was een fantastische dag. Ik hield mijn vingers achter mijn rug gekruist toen de geestelijke me vroeg het kwaad af te zweren. Op mijn twintigste kon ik dat onmogelijk beloven. Ik had veel te veel pret in mijn leven. Toen het bruidsboeket door de lucht zeilde, hield ik me weer afzijdig en liet het aan mijn voeten vallen. Dat huwelijk kwam later wel, dat wist ik; ik wilde de dingen niet overhaasten. Ik was nog niet van plan een bos rozen te vangen. Ik was er zo van overtuigd dat ik zou trouwen en kinderen krijgen, dat ik er nooit een seconde aan twijfelde. Ik weet nu een fractie van wat ik toen meende te weten, net genoeg om te beseffen dat ik niets wist.

Toen Caspar acht jaar was, werd zijn eerste zusje Katie geboren; drie jaar later deed een andere dochter, Poppy, haar intrede. Francesca mocht de advocatuur dan hebben opgegeven, wat zij had bereikt was veel indrukwekkender – een echt gelukkig, succesvol gezin – en dan te bedenken dat ik die dag waarop ik mijn vingers kruiste, medelijden met haar had en de vallende bloemen negeerde. Ik keek naar haar terwijl ze met Nick op de bank zat te knuffelen, keek naar Katie die het papier van haar cadeaus scheurde. Je vergist je, Francesca. Het is niet gemakkelijk om zo te zijn als ik, want het enige wat ik wil is zo zijn als jij.

Ik pakte mijn jas en nam afscheid. Ik keek even achterom naar hun kleine rijtjeshuis en zag rook komen uit het tuimelraam in het dak. Heel even zag ik de brandende punt van een joint, of hoe ze het noemen, gloeien in het donker en wist dat Caspar zich vol energie op zijn nieuwe hobby had gestort. Voordat ik de auto startte, stuurde ik Caspar een kort sms'je over zijn verjaardag. Subtiel. Erudiet. Poëtisch. KOM OP JE VERJAARDAGSLUNCH OF JE KUNT NAAR DIE IPOD FLUITEN. Ik reed terug door de stad met het dak gesloten en luisterde naar sentimentele zondagavondmuziek die ik vreselijk vind maar toch nooit afzet. Ik was bijna naar Claudia's huis gereden, maar er is een grens aan het huiselijke geluk dat ik op een dag kan verdragen, dus koerste ik in de Mini richting huis, om de eerste

34

eenzame zondagavond te trotseren, zonder werk voor de volgende dag in het vooruitzicht om me op te concentreren.

Toen ik de deur van de flat achter me dicht schopte, ging de telefoon. Tot mijn verbazing was het Samira. Samira deed niet aan zondag. Ik rolde over de armleuning van de bank heen en wachtte op de verontschuldiging voor de vorige avond, maar niks hoor. Ik had Samira langzamerhand beter moeten kennen. Ik denk dat haar familiemotto is: 'Liever dood dan een excuus', wat zou verklaren waarom ze geen van allen tegen elkaar praten.

'Zelfmoordpreventie voor singles op zondagavond,' zei ze.

Natuurlijk voelde ik me beledigd.

'Niet alleen jij, malle; mijn ongetrouwde vriendinnen en aanhang die in Londen zijn, komen vanavond eten. Het is iets nieuws dat ik heb verzonnen tijdens jouw afwezigheid. Ik word gek van die zondagavonden. Ik stond op het punt van het dak te springen, dus begin ik een nieuwe trend. Kom je? Vrijetijdskleding. Heel ontspannen.'

Een ogenblik was ik te veel in de war om te reageren. Sociaal zijn op zondagavond was veel gevraagd. Bovendien had zelfmedelijden weer de kop opgestoken en ik was er niet ver vanaf om 'On My Own' te gaan zingen uit Les Mis.

'Kom, Tessa. In je eigen armen uithuilen in het donker is niet de manier waarop een volwassen vrouw haar zondagavond hoort door te brengen.'

Dat vond ik zo geweldig van Samira; ze windt er geen doekjes om en zegt precies waar het op staat. Natuurlijk, als je hetzelfde zou doen bij haar, zou ze weken niet meer tegen je praten. Maar zoals ik in de loop der jaren heb geleerd, je vrienden veranderen niet; je moet gewoon leren de slechte dingen te negeren of te koesteren. Dus stond ik op en begon met de onbekende ervaring van een kledingcrisis op zondagavond. Ik ken Samira's vriendinnen. Vrijetijdskleding is voor hen wat moeilijke woorden zijn voor George W. Bush.

Ik voelde me vrij hip toen ik een uur later voor Samira's flat stopte. Ik reed met open dak in een denim minirok, laag op de heupen om te kunnen pronken met mijn twee voornaamste attributen: een platte buik en goede benen, nog beter nu ze bruin waren. Ik was met de auto om kippenvel en mannen op de versiertoer te ontlopen. Het was zondagavond – zo druk kon het er toch niet zijn? Ik droeg een afzichtelijke vleeskleurige beha met acht centimeter brede schouderbandjes, niet om aan te zien, maar fantastisch onder een wit T-shirt dat op zijn beurt mijn zongebruinde huid mooi deed uitkomen en de puistjes op mijn rug camoufleerde als ik die had. Wat op het ogenblik niet het geval was, dank zij de zon.

Ik vergiste me wat betrof het gebrek aan opkomst op zondagavond. Samira's nonchalante etentje bleek een luidruchtige curry te zijn voor dertig man. Er heerste iets van de Blitz-mentaliteit. Wat hadden wij, leden van de zelfmoordpreventie, te verliezen?

Een paar obers van het Indiase restaurant waren omgekocht om hun drukke zondagavonddienst in de steek te laten en ons van voedsel en drank te voorzien. Wie aten er curry op zondagavond? Echtparen. Koppels. Nogal een verschil met Samira. Ik zei het tegen haar, maar ze fronste haar wenkbrauwen.

'Mijn oom is de eigenaar van het restaurant.'

O, nou ja, vandaar.

Het was gezellig omdat zoveel singles hun single vrienden en vriendinnen hadden meegebracht, zodat het geen kliekerig of arrogant gedoe werd. Als ze kinderen hadden, dan hielden ze hun mond daarover. Niemand zei een woord over scholen. Ik dronk opgewekt Tiger Beer en babbelde met iedereen die in mijn buurt kwam en het was geweldig. In de uren die ik daar doorbracht, vroeg niemand me wat ik deed, wat het kenmerk is van een geslaagde avond. Koetjes en kalfjes werden verdrongen door aangename gesprekken. Niemand wilde praten over het dagelijks leven; ze wilden het hebben over eetgelegenheden en mensen, boeken en verstopt liggende bars in andere steden.

Ik ontmoette een man die Sebastian heette. Hij was lang, met een kalend hoofd en o-benen, maar aantrekkelijk. Hij maakte me aan het lachen en haalde nog meer Tiger Beer voor me. Toen hij naar de wc ging, kwam Samira naast me staan en vertelde me dat hij adviseur was van de regering, een beetje een versierder. Ik vond dat wel sexy. Ik was nog nooit met een regeringsambtenaar uit geweest. Hij gaf me zijn kaartje. Moderne singles doen dat. Ik bekeek het even. Het was echt zo, hij werkte voor het ministerie van Economische zaken. Hij zei dat hij weg moest, en ik voelde me alleen gelaten toen hij afscheid nam. Twintig minuten later zag ik de grote en de kleine wijzer samenvallen op de twaalf en ik wist dat het ver voorbij mijn bedtijd was. Ik bedankte Samira en daalde met de chique lift af naar de benedenverdieping. Buiten op het trottoir stond Sebastian te praten met een paar mensen die ik niet had ontmoet. Hij glimlachte naar me toen de anderen er zwaaiend vandoor gingen.

'Ik dacht dat je weg moest,' zei ik, toen ik alleen met hem op het trottoir stond.

'Mijn afscheid duurde wat langer dan ik verwacht had.' Hij glimlachte. 'Hoe ga je naar huis?'

Ik liet mijn autosleutels voor zijn neus bungelen. Hij fronste zijn voorhoofd.

'Wat is er?'

'Je hebt te veel gedronken.'

'Niet echt. En ik heb heel veel gegeten.'

'Dat is waar, en ik hoor het te weten want ik probeerde je dronken te voeren. Waar woon je?'

'The Embankment.'

'Mooi. Dat ligt op mijn route. Ik rij je naar huis en dan neem ik een taxi.' Wat hij ook deed. Behalve dat hij tussen mij naar huis rijden en die taxi nemen, bij mij in bed terechtkwam.

Verdwijntruc

Het ging als volgt. Hij parkeerde mijn auto in mijn ondergrondse garage, en we liepen naar de lift en stapten in. Ik drukte op de 11. Eén verdieping onder het penthouse. Voor we bij de vierde verdieping waren
had hij mijn hand gepakt en me naar zich toe getrokken. Misschien
dacht hij dat ik door hem mee naar boven te nemen het groene licht
gaf, en ik had het lef niet om te zeggen dat het een vergissing was. Dus
zoende ik hem terug en het was prettig. Echt prettig. Hij deed al die
dingen die mannen verondersteld worden te doen, maar in weerwil van
alle boeken, tijdschriftartikelen en bekende comédiennes die trachten
hen voor te lichten, nog steeds niet doen. Hij streek een haarlok van
mijn voorhoofd. Hij hield mijn hand vast en klemde ons toen in onze
verstrengelde armen. Dankzij vijf weken yoga liep ik geen lijfelijke schade op. Hij streek zo liefdevol met de rug van zijn hand over mijn gezicht, dat toen de liftdeur met een tinkelend geluid openging, ik hem
naar buiten volgde, mijn voordeur opende en hem binnenliet.

Ik kwam er zelfs niet toe een schijnbeweging te maken om koffie te
zetten, want vanaf dat moment ging alles razend snel in zijn werk. Wat
me verbaasde was dat mijn lichaam verraad pleegde en hem gehoorzaamde. Het kon me niet schelen dat ik zo'n enorme beha aanhad of dat
mijn slipje er niet bij paste. Ik wilde huid-op-huidactie en het kon me
niet schelen wiens huid het was. Mijn passie wakkerde de zijne aan, wat
vervolgens weer jetbrandstof was voor die van mij, en ik perste me tegen zijn lijf. Op een gegeven moment leek het of we seks hadden met
al onze kleren nog aan. Ik kon zijn erectie door zijn broek heen voelen
toen hij zich tegen me aan drukte.

We tuimelden op het bed, ik hief mijn billen omhoog en samen trok-
ken we mijn slipje uit. Ik schopte mijn laarzen uit en gebruikte, net als

een aap, mijn voeten om zijn broek over zijn heupen omlaag te sjorren. Misschien kwam het door zijn o-benen, maar de spijkerbroek kwam niet verder dan tot zijn knieën. Het kon me niet schelen. Handen, mond, haar, hals, borst, alles was overal, en toen, boem, kwam hij in me en mijn hele lichaam schokte. En toen wist ik dat dit niet vaak voorkwam. Dat iets zo goed bij elkaar paste. We duwden en wipten, knepen en klauwden, en een paar extatische momenten lang was ik bevrijd van alle gedachten, mijn hele wezen bestond alleen voor dit gevoel en voor dit gevoel alleen. Het was glorieus. Magnifiek. En toen, net zo snel als het begonnen was, was het ook voorbij.

'O, nee!' riep hij. Wat ik sympathiek vond. Ik dacht niet dat hij het op dat moment al wilde beëindigen, maar ik nam het hem niet kwalijk – als ik een man was geweest, zou ik in de lift al zijn klaargekomen. Dus vond ik dat hij het er vrij aardig had afgebracht door het nog zo lang vol te houden. Schokkend hield hij stil. Het duurde even voor het tot mijn lichaam doordrong dat het voorbij was en het ging door met schokken en verlangen, maar de druk was verdwenen en er was niets om tegenaan te duwen. We bleven even liggen om bij te komen. Om het beest te laten vertrekken en de beschaafde mens te laten terugkeren. Mijn beest was hardnekkig. Ik wilde meer. Je kon een wolf niet binnen noden en hem dan vragen weg te gaan zonder hem te voeden. Zo gedragen ongetemde dieren zich niet.

Sebastian liet zich van me afrollen, trok zijn broek omhoog en stond op. Toen hij zijn gulp had dicht geritst, was hij van top tot teen gekleed. Alsof er niets gebeurd was. Ik probeerde te glimlachen. Maar kon het niet. Hij liep naar de badkamer. Ik hoorde de douche, wat ik vreemd vond, maar toen hoorde ik de wc doortrekken en ik dacht dat hij wat privacy wilde om tegelijk te piesen en een wind te laten. Ik bleef liggen en dacht aan het verhaal van Marilyn Monroe en Arthur Miller. Het verhaal gaat dat hij zijn nieuwe vriendin meenam naar zijn ouders. Ze hadden een gezellig dineetje in het kleine huis van de Millers. Na het eten stond Marilyn op om naar de wc te gaan. In verlegenheid gebracht door de nabijheid van de badkamer, liet ze een kraan lopen terwijl ze plaste om het fatsoen te bewaren. Later vroeg de toneelschrijver aan zijn ouders hoe ze zijn nieuwe vriendin vonden, waarop zijn moeder antwoordde: 'Het is een lief kind, Arthur, maar ze pist als een paard.'

Ik moet hebben geglimlacht toen Sebastian over de boekenkast heen keek.

'Doe maar niet of je zo gemakkelijk te bevredigen bent. Inwendig heb je de pest in.'

Ik had het laken over me heengetrokken omdat ik in het halfdonker niet naar mijn slipje wilde zoeken, maar hij rukte het plotseling van me af en trok me overeind, het bed uit. Hij pakte mijn hand en bracht me naar de met stoom gevulde badkamer. Het licht was gedimd. Goddank dat er dimmers bestaan en dat mijn afzuigkap het niet deed. In de half-donkere, dampige ruimte begon Sebastian me uit te kleden. Het T-shirt ging over mijn hoofd. De beha gaf zijn inhoud vrij. Mijn rok viel op de grond en ik stond naakt voor hem. Hij kleedde zich snel uit en trok me onder het stromende water. Eindelijk zou ik mijn badkamer inwijden.

'Laten we dat nog eens doen,' zei hij, 'en deze keer zal ik proberen het wat langzamer aan te doen.'

Hij goot douchegel in de palm van zijn hand en begon mijn lichaam er langzaam mee in te wrijven. Het was eersteklas werk, van binnen en van buiten. Sebastians o-benen waren perfect voor staande seks; ze vormden een mooi, stoer A-kader met een richel als extraatje. Toen het opnieuw begon, ook al bereikten we niet de extase van die eerste keer in de slaapkamer, was het goed. Echt, echt goed. Een wip om te onthou-den. Die nacht hadden we nog twee keer seks, tot ik hem smeekte op te houden en het bewustzijn verloor met een glimlach om mijn lippen, terwijl een nevelige roze dageraad naderbij sloop boven de rivier.

De volgende ochtend was hij er nog. Ik moest twee keer kijken naar het profiel in mijn bed voor ik het geloofde. Even dacht ik dat hij dood was, zo stil lag hij. Toen Cora als baby kwam logeren, stond ik 's nachts vier of vijf keer op om te controleren of ze nog ademhaalde. Dan legde ik voorzichtig mijn hand op haar borst en wachtte met ingehouden adem op haar volgende ademhaling. Ondanks mijn pogingen de vorige avond om die man met huid en haar te verslinden was ik nu bang voor elk li-chamelijk contact. In plaats daarvan ritselde ik met de lakens en zag op-gelucht dat hij zich bewoog. Hij draaide zich slaperig om.

'Hallo,' zei hij.

'Hallo.'

'Ik heet Sebastian. Ik geloof dat we al eens kennis hebben gemaakt.'

'Eén keer,' antwoordde ik. 'Heel vluchtig. Hoe gaat het?'

'Uitzonderlijk goed,' zei hij. 'Ik had een verbluffende droom. Er was een meisje met fantastische benen, ik heb nog nooit zulke binnendijspieren gezien. Ze sloeg haar benen om me heen zoals ze in films doen. Ongelooflijk.'

Terwijl hij sprak streek hij voortdurend met zijn vingers op en neer over mijn arm. Ik dacht niet dat het mogelijk was weer naar seks te verlangen, maar uit het niets drong een vertrouwd en niet geheel ongewenst brandend gevoel mijn bewustzijn binnen. Ik had nog niet eens mijn tanden gepoetst. Gisteravond niet en vanmorgen niet. Maar in ware Muppetstijl bracht die man het beest in me boven en deze keer masseerden we elkaar heel langzaam tot een climax. Hij gebruikte zijn hand en mijn vingers om me zover te krijgen, maar ik kwam klaar, net als hij, een nek-aan-nek race tot aan het einde toe. Als het een race was geweest, zou er een fotofinish nodig zijn. Ik ging op mijn rug liggen en lachte. Ik kon die stomme blik van bevrediging niet van mijn gezicht vegen.

'Je werk hier is gedaan,' zei ik. En betreurde het toen. Voor het geval hij me eraan zou houden. Hij keek op de klok naast mijn bed. 'Verrek, het is al laat. Ik moet er vandoor.'

'Ik ook,' zei ik, voor ik besefte dat het niet waar was.

'Ga je met me mee onder de douche?' Hij glimlachte weer.

'Geen sprake van. Ik vertrouw mezelf niet. Ik douche in mijn eentje.' Ik sprong uit bed en liep naar de badkamer, zonder me erom te bekommeren dat hij waarschijnlijk naar mijn kont keek. Ik stuurde hem na mij naar binnen met een reisset van Virgin Upper Class, compleet met een maagdelijke Virgin-tandenborstel. Een paar minuten later kwam hij terug, opgepoetst en schoon ruikend, met achterovergekamd nat haar.

'Ga je in spijkerbroek naar je werk?' vroeg ik terwijl hij bezig was zijn hemd in zijn broek te stoppen.

'Ik heb een pak op kantoor voor noodgevallen,' zei hij.

Ik glimlachte, maar een klein stemmetje in mijn achterhoofd vroeg nieuwsgierig of ik dat noodgeval was.

We liepen naar het station van de ondergrondse, stopten onderweg voor koffie en croissants die we uit papieren zakken aten. Een overnachting is niet zomaar iets. Seks in de ochtend heeft niet veel te betekenen – als je er toch bent, kun je het ook wel doen – maar een gesprek? Dat was ongewoon. En nu koffie en croissants – zou het kunnen...? Ik deed echt heel erg mijn best te voorkomen dat ik zou denken aan schattige kindertjes met o-benen. Maar het lukte me niet. Ze waren er, springlevend, en ze maakten me nerveus. We liepen samen tot Westminster, voortdurend lachend, en toen hij wegging, gaf hij me een zoen op mijn mond.

'Je was fantastisch,' zei hij, en toen gingen de deuren dicht en Sebastian was verdwenen.

Helen zweeg terwijl ze een miniflesje Perrier in haar vingers ronddraaide. Ik staarde naar mijn vriendin over haar chique moderne eettafel heen. Eindelijk had ik haar te pakken zonder de baby's, maar ze was er nog steeds niet voor me.

'Luisterde je niet?' vroeg ik, drinkend van mijn wijn. 'Hij zei: "Je was fantastisch", en ging weg.'

Helen keek me fronsend aan. 'Ik kan gewoon niet geloven dat je net deed of je naar je werk ging. Wat had je aan?'

'Mijn mantelpakje.'

'Je had je mantelpak aangetrokken?'

'Het ging toevallig. Ik was op de automatische maandagochtendpiloot.'

'Het was maandag?'

'Ja, dat heb ik je verteld. Luisterde je niet?'

'Sorry.'

'Wat mankeert je? Waarom ben je zo vaag?'

'Sorry,' zei ze weer en draaide haar lange haar rond haar vinger. 'De tweeling heeft me weer de hele nacht op de been gehouden.'

'Daar zijn kindermeisjes toch voor?'

'Ik ben de enige die ze te eten kan geven en op het ogenblik zijn ze erg hongerig. Groeistuipen, denk ik... Heel vervelend. Waarom heb je me niet eerder over die man verteld?'

Niet mijn schuld. Verwijt het die bloedzuigers maar die aan je tepels vastgeklonken zitten. Sorry. Denk positief en probeer niet te zuur te klinken. 'Ik ben pas zes dagen terug.'

'Ik heb het gevoel dat ik overal buiten sta.'

Ik stak mijn hand naar haar uit. 'Maak je geen zorgen, Helen. Er gebeurt toch niks.'

'Dat kun jij makkelijk zeggen. Jij zit er middenin.'

Dat gevoel had ik niet. 'Ik heb een paar keer geprobeerd je te bellen. Heeft het kindermeisje het je niet verteld?'

Ze fronste haar wenkbrauwen, deed duidelijk haar best om net te doen of ze probeerde het zich te herinneren, terwijl ik heel goed wist dat al mijn berichten waren doorgegeven.

'In ieder geval vertel ik het je nu, en je snapt het niet. Hij zei: "Je was fantastisch". Briljant. In een zin kreeg ik een compliment en werd ik het bos ingestuurd.'

'En als hij eens helemaal naar Canary Wharf was gegaan?'

'Hij werkt voor de regering. Westminster. Gemakkelijker kon niet. Ik keerde terug en kleedde me om toen ik thuiskwam.'

'Het klinkt alsof hij je aardig vindt – hij heeft een croissant voor je gekocht. Ga je weer net doen of je naar je werk gaat als je hem terugziet?'

Het is erg irritant om tegen iemand te praten die niet luistert. 'Nee, Helen. Als hij "Je bent fantastisch" had gezegd dan waren er misschien meer croissants in het verschiet geweest. Want "Je bent fantastisch" betekent, laten we samen een borrel drinken, het vanavond en morgenavond nog eens overdoen, en dan zien we wel waar het op uitdraait. "Je was fantastisch" betekent dankjewel en tot ziens. Een geniale verdwijntruc. Vooral gezien het feit dat ik geen moreel been heb om op te staan. Ik heb hem genaaid na een gesprek van veertig minuten over ditjes en datjes. Ik gebruikte hem. Hij bevredigde mij, ik hem. Het was een kortstondig contact.'

'Ik denk dat hij wel belt.'

'Jij wel,' zei ik. 'Jouw leven is perfect. Dus in jouw wereld zou hij bellen. Niet in de mijne. En kom me niet aan met dat "Desiderata"-gezeik dat de liefde even permanent is als gras, want ik ben op een extreem groot kaal veld gestuit.'

Helen stond op, pakte een doek en begon over een volmaakt schoon oppervlak te wrijven. Ik weet dat het een groot huis was, maar Helen had hulp genoeg. Elke dag kwam de schoonmaakster. Door de week kwam een kindermeisje helpen met de baby's. En ze hadden een fantastische vrouw die bij hen inwoonde. Ze heet Rose. Ik kende Rose al bijna even lang als Helen. Oorspronkelijk kwam ze uit de Filippijnen; ze was de huishoudster van Helens vader geweest in Hong Kong en had voor Helen gezorgd sinds ze een baby was. Het huwelijk van Helens ouders had niet lang geduurd, dus had ze haar schoolvakanties doorgebracht in Hong Kong met Rose en haar vader. In feite natuurlijk met Rose. Tycoons worden geen tycoons door elke avond thuis te blijven en verhaaltjes voor het slapen gaan voor te lezen. Rose vloog heen en weer naar Hong Kong om Helen op reis te vergezellen, maar Marguerite, Helens moeder, was ook geen thuiszitter. Ze vloog als pas gescheiden rijke vrouw met jets rond door Europa. De kindermeisjes die ze in dienst nam bleven nooit erg lang. Helen had een aangeboren talent om ze het leven zuur te maken. Dus ten slotte bleef Rose bij Helen, waar ze ook was. Ik veronderstel dat Rose verantwoordelijk is voor Helens opvoeding. Nee, niet verantwoordelijk. Dat zijn haar ouders. Maar Rose deed al het routinewerk. Ze kamde en vlocht Helens haar, poetste haar tanden, kleedde haar en gaf haar te eten en te drinken. De enige constanten in Helens leven waren Rose, Marguerites afwezigheid en haar vaders rijkdom.

Marguerite en ik kunnen niet met elkaar overweg. Ik stond vroeger versteld van haar openlijke kritiek op haar dochter. Als ik was grootgebracht in een broeikas, was Helen een van die kleine plantjes die erin slagen uit een rotswand te groeien. Ik was al lang geleden tot de conclusie gekomen dat Marguerite de hele toestand van een zwangerschap alleen verdragen had om de alimentatie veilig te stellen. Ik wil niet zeggen dat haar vader geen aandacht besteedde aan Helen. Dat deed hij wél. Hij verafgoodde haar. Maar dat is niet hetzelfde. Voor mij is Helens jeugd die verwoestende combinatie van tegelijk verwend en verwaarloosd te worden. Toen haar vader onverwacht stierf, kwam Rose naar Londen om permanent bij Helen te gaan wonen. En daar is ze sinds die tijd gebleven. Ik denk dat Rose geacht werd nu met pensioen te gaan, het althans rustig aan te doen, maar ze bleef geen seconde zitten, ze kon het gewoon niet. Onnodig te zeggen dat met Rose, het kindermeisje en de dagelijkse hulp, er nooit rommel was in Helens huis. Feitelijk was er nauwelijks enig teken van leven te bespeuren en zeker niet van de tweeling.

'Ik ben jaloers,' zei Helen.

'Vergeet het maar. Ik ben gedumpt bij de metro.'

'Het lijkt me dat je een heel bijzondere wip hebt gehad. Iets waarvoor ik Bobby en Tommy's schoolgeld nu meteen zou neertellen.'

'Ah, nog steeds geen actie op dat gebied?'

Helen schudde haar hoofd. 'Neil mag nog niet met me vrijen.'

Persoonlijk zou ik dat een enorme opluchting hebben gevonden, maar ik zou ook liever mijn leven lang alleen blijven dan seks hebben met Neil. Ik dacht altijd dat ik wat vriendelijker tegen hem zou zijn als ik zeker wist dat hij mijn vriendin gelukkig maakte, maar ik wist niet zeker of hij dat wel deed. Eerlijk gezegd, was het bijwonen van haar huwelijk met hem een van de moeilijkste dingen die ik ooit gedaan had. Hij deed toen erg zijn best een comeback te maken, en ik moet toegeven dat ik twijfelde aan zijn beweegredenen. Helen is wat je, denk ik, een erfgename zou noemen. Dus, ja, ik was van begin af aan niet zeker van Neil.

Maar zij had altijd vertrouwen in hem, en ze had gelijk. Hij stond op het punt een ster te worden en geloof maar niet dat hij je dat ook maar een moment zou laten vergeten. De jaren dat zij hem er doorheen had gesleept waren uit zijn geheugen gewist. Als je niet beter wist, zou je denken dat hij hun reusachtige huis zelf gekocht had, maar ik wist maar al te goed dat hij nog geen penny had bijgedragen.

'Heb je nog iets van je baas gehoord?'

'Ex-baas,' zei ik nadrukkelijk. 'Nee. Ik was van plan zijn kantoor te bellen, maar ik kan er niet toe komen zelfs het nummer maar in te toetsen.' Ik had nog steeds het gevoel dat sommige mensen vonden dat ik het over me heen had moeten laten komen en wachten tot hij genoeg had van zijn mislukte avances. Ik heb het echt geprobeerd. Maar hij kreeg er geen genoeg van en hoe meer ik hem negeerde, hoe erger het werd. Eerst werd ik zenuwachtig als hij in de buurt kwam, toen werden zijn avances verontrustender en indringender, tot ik ten slotte voortdurend bang was. Dat was geen leven. Ik haatte het om naar mijn werk te gaan, ik haatte het om thuis te komen. Ik begon bang te worden voor de telefoon, ik begon bang te worden voor mijn eigen schaduw. Door het kantoor te bellen zou ik de strijd weer aanbinden met iets wat ik de rug wilde toekeren en op eigen houtje laten afsterven. Mijn collega's op kantoor waren bijna familie; ik had er tien jaar gewerkt, dus vanzelfsprekend hadden we een idioot aantal uren in elkaars gezelschap doorgebracht. Hen kwijtraken was een hoge prijs voor het herkrijgen van mijn vrijheid. Ik keek naar Helen. Nu moest ik iets doen met die vrijheid.

De deur van de enorme keuken ging open. Helen sprong op. Ik trok een lelijk gezicht. Dat betekende het eind van onze meidenbabbel. Helen zou nu haar mond houden en haar oogverblindende, beroemde echtgenoot zou het van haar overnemen. Neil kwam naar ons toe en gaf zijn vrouw een zoen. Toen draaide hij zich naar mij om.

'Wauw, Tessa, wat zie jij er goed uit.'

'Hallo, Neil. Hoe gaat het met de nieuwe show?'

'Verdomd hard werken.'

Persoonlijk had ik nooit iets gezien in de humor van Neil. Hij was goed met vrouwenhatende, boosaardige, racistische, rokerige biljartkroeghumor die shockeerde. Hoe hij ontdekt was door Channel 4 verbaasde me. Hij zoende me altijd vlak bij mijn mond, aan beide kanten. Ik vond het erg opdringerig en moest me dwingen mijn lippen niet af te vegen.

'Vind je niet dat ze er fantastisch uitziet, Helen?' zei hij, terwijl hij mijn arm losliet.

'Fantastisch,' zei Helen.

'Als ik naar Tessa kijk, zou ik zeggen dat jij ook wel een vakantie zou kunnen gebruiken,' zei Neil. Hij gaf zijn vrouw een por in haar ribben en ging een blikje bier uit de ijskast halen. 'Om een beetje kleur terug te brengen op je wangen. Ik ben nu klaar met filmen, dus hoe denk je erover?'

Ik vond dat nogal ongepast. En als ik hem aardiger had gevonden, zou ik dat ook hebben gezegd. Dan zou ik hebben gezegd: 'Verrek jij, klootzak, jij hebt niet net een tweeling gehad.' Maar zo kun je niet praten tegen mensen als je niet van ze houdt. Dus liep ik in plaats daarvan bij hem vandaan.

'Helen ziet er geweldig uit, zoals altijd. Het is niet te geloven dat je pas een paar maanden geleden die kanjers van zoons hebt gehad. Wat zit dat truitje strak! Wel beeldig overigens.'

'Je mag hem hebben,' zei ze. 'Ik zal hem laten schoonmaken en dan aan je geven. De kleur past beter bij jou.'

'Zo bedoelde ik het niet. Ik zei alleen dat je er zo goed uitziet.'

'Natuurlijk doet ze dat,' zei Neil. 'Maar toch zou een vakantie niet gek zijn. Ik heb me een ongeluk gewerkt.'

Het probleem was dat Neil gelijk had. Helen zag er minnetjes uit en al was ze altijd al slank, nu was ze echt mager. Ingevallen. Maar was het niet de taak van een echtgenoot om daar doorheen te kijken en altijd alleen maar complimentjes te maken? Vooral na een bevalling. Ik keek weer naar Helen. Ze had donkere kringen onder haar ogen en haar eens zo benijdenswaardige jukbeenderen zagen eruit als wat ze waren: een schedel. Een holle, lege schedel. Dank zij het Chinese bloed in haar aderen zag Helen er nooit zo bleek en flets uit als wij gewone stervelingen, maar zelfs háár huid zag er nu droog en mat uit. Nu ik haar aandachtig opnam, zag ik dat ze er beslist niet geweldig uitzag, zelfs niet redelijk goed, geen schijntje van het lenige achttienjarige meisje dat ik op het strand ontmoet had.

Neil woelde door Helens haar. 'Ze weet dat ik van haar hou zoals ze is.'

Helen glimlachte dankbaar. Ik moest weg. Ik werd misselijk van Neil omdat ik wist hoe hij werkelijk was, maar dat kon ik Helen nooit vertellen. De uitwerking die hij had op zijn vrouw bracht me bijna aan het huilen, maar wat kon ik doen? Een huwelijk kapotmaken, zelfs een huwelijk waarin ik geen enkel vertrouwen had, was niet mijn stijl.

'Ik dacht erover sushi te gaan eten om de hoek,' zei Neil. 'Ga met ons mee.'

Misschien was Helen zich ervan bewust dat ik haar man niet mocht, maar Neil had schijnbaar geen idee. Ego en een olifantshuid gaan vaak samen.

'Ik heb een afspraak, anders was ik graag meegegaan.'

'Kom nou – het zal gezelliger zijn met jou erbij,' zei Neil. 'Eerlijk, als wij op onszelf zijn aangewezen, kunnen we uren over de poep van de tweeling praten. Niet goed voor ons.'

'Bedankt dat je zo overtuigend probeert te zijn,' antwoordde ik. Niet overtuigd. 'Maar ik ga eten met Ben.' De wens was de vader van de gedachte. Ik had geen plannen, maar een avond met Neil en Helen kon ik niet aan. Ik wilde Helen zien als ze alleen was.

'Tja, tegen Ben kunnen we niet op,' zei Neil.

'Let maar niet op hem,' zei Helen. 'Hij is gewoon jaloers.'

'Natuurlijk ben ik dat. Altijd als zijn ongelooflijk succesvolle vrouw voor zaken op stap gaat, gaat hij met een andere ongelooflijk succesvolle vrouw eten.'

Ik zag Helen zuchten. Het kwam door dat 'ongelooflijk succesvolle'. Het klonk alsof Neil mij en Sasha een compliment gaf, maar wat hij in werkelijkheid deed was Helen aanvallen. Helen had nooit gewerkt. Nooit. Ze had geen echte kwalificaties, al was ze wel met een paar cursussen begonnen. Helen hoefde niet te werken. Maar dat niet-werken had haar zelfvertrouwen geen goed gedaan – het beetje zelfvertrouwen dat haar moeder haar nog had gelaten.

Na de scheiding had Marguerite zich omhooggewerkt bij een krant en was hoofdredacteur geworden. Ze was geen bescheiden muurbloem en het uiterlijk waarmee Helen gezegend was, had ze van haar moeder. We maakten altijd grapjes dat Marguerite via het bed de top had bereikt, maar het is een feit dat Marguerite niet dom is; integendeel, ze is briljant. Misschien was ze teleurgesteld in Helen, maar, hemel, een beetje aanmoediging had misschien wonderen kunnen verrichten. Ik weet niet of de lat te hoog gesteld was of nooit van de vloer getild. Ik heb Helen pas leren kennen toen ze achttien was en ik denk dat de schade toen al was aangericht. Het brak mijn hart om te zien dat Neil hetzelfde deed wat Marguerite altijd had gedaan, omdat ik wist dat ergens in dat uit-gemergelde omhulsel een vrouw school met een hoop lef. De vrouw die ik had leren kennen. De vrouw die met me samen was toen ik in de twintig was en met wie ik wilde, onverantwoordelijke dingen had ge-daan, de vrouw die ik miste. Ik probeerde op slinkse wijze het voor die vrouw op te nemen.

'Zo succesvol dat ik op het ogenblik zonder werk ben,' zei ik.

'Niet lang, daar durf ik om te wedden. Dus jij en Ben gaan samen eten, à deux? Is er iets dat we moeten weten?'

Hij kan er niets aan doen, hij wordt altijd platvloers.

'Als je bedoelt of we gaan bijpraten tijdens een hapje eten, ja.' Ik mocht er niet op ingaan.

'En zijn vrouw vindt dat niet erg?'

'Omdat er niets erg te vinden valt. Ander onderwerp graag.' Ik vind het niet prettig om met Ben geplaagd te worden. Zeker niet waar Helen bij is.

'Gekwetst...' zei Neil.

'Nee. Verveeld. Ik dacht dat jullie sushi gingen eten.'

Neil sloeg zijn arm om Helen heen. 'Kom nou, Tessa. Je weet dat we alleen maar naar modder graven.'

Waarom deden getrouwde mensen dat? Zich verlekkeren over ander-mans seksleven? Ik had het gevoel dat ik onder een microscoop lag.

Het kindermeisje verscheen met twee gepoederde baby's, met een roze huidje na hun bad en klaar voor meer voeding. Ze waren niet erg aan-trekkelijk. Helaas leken ze op hun lompe, onaangenaam-uitziende vader in plaats van op mijn mooie vriendin. Ze hadden alleen haar donkere ogen. Haar oosterse bloedlijn was verdreven door zijn westerse overbeet.

'Voed ze hier beneden,' zei Neil. 'Helen kan ze nu achter elkaar voe-den.'

Oei... 'Voed je ze nog steeds zelf?' vroeg ik verbaasd.

'Ze raden aan het een jaar te doen,' zei Neil. 'Goed voor de hersens.'

'Wie raadt een jaar aan?' vroeg ik. 'Vast niet iemand met een twee-ling.'

'Doet ze geen kwaad,' zei Neil trots. 'Kijk eens hoe groot ze zijn.'

Ze waren dik, dat was waar, maar ik dacht niet aan de baby's.

'Neil is allergisch,' zei Helen. Ik keek haar aan. Had ze dan helemaal geen ruggengraat meer? De vrouw die ik vroeger kende zou er geen been in hebben gezien om op bars te dansen, te liften, naar Europese steden te vliegen om onuitgenodigd op een feest te verschijnen, naakt te zwemmen in de winter. De meest krankzinnige dingen die ik had uitgehaald waren op een of andere manier met haar verbonden. Nou ja... alles was nu anders.

'Helen is er briljant tegen opgewassen, meestal. Toe dan, laat het Tessa eens zien.'

Ik hoefde het niet zo nodig te zien, maar Helen trok gehoorzaam haar truitje op en maakte haar voedingsbeha los. Ik werd er niet direct door afgestoten, maar voelde me ook niet erg op mijn gemak. Bobby schijnbaar evenmin; zodra hij bij Helen werd gebracht begon hij te mekkeren, te schoppen en zijn rug te krommen. We keken allemaal toe terwijl ze probeerde haar tepel in het mondje van de baby te stoppen. Ik deed net of ik iets uit mijn tas moest halen.

'Wat mankeert hem?' vroeg Neil.

Bobby's gekrijs vond navolging bij Tommy. Ik kon ze niet goed uit elkaar houden, maar al hun identieke kleren waren voorzien van een monogram, wat het leven iets eenvoudiger maakte. Ik was zo opgegaan in Caspar, en de ongelooflijk knuffelige Cora, dat het me verontrustte dat ik bijna niets voelde voor deze kleine jongetjes behalve een voortdurende irritatie. Zij hadden Helen niet van me afgenomen, zij hadden haar niet tekortgedaan, zij waren niet verantwoordelijk voor de verdwijntruc van mijn vriendin, dat had ze allemaal zelf gedaan.

De herrie begon op onze zenuwen te werken.

'Het komt door het licht en de mensen,' zei Helen. 'Gewoonlijk doe ik dit boven in een schemerige kamer om ze in slaap te sussen. Sorry, Tessa, de laatste twee uur van de dag lijken altijd langer dan de eerste tien.'

Ik glimlachte meelevend, maar dacht bij mezelf: Probeer het eens zonder al die kindermeisjes, zoals de meeste mensen, en klaag dan nog eens. 'Ik wilde toch al weggaan,' zei ik en pakte mijn tas, vol verlangen om weg te komen voor ik mezelf verraadde.

'Blijf nog even iets met me drinken,' zei Neil.

'Ik moet er echt vandoor.'

Helen gaf de baby terug aan het kindermeisje, dat hem zonder een woord te zeggen van haar overnam. Ze balanceerde ze allebei deskundig op haar heupen en begon aan de lange tocht naar boven. Helen kwam naar me toe en omhelsde me. Het was een innige omarming en een secondelang voelde ik me bezorgd voor haar; mensen klampen zich alleen vast als ze bang zijn weggespoeld te worden.

'Ik denk dat het kindermeisje wel wat hulp kan gebruiken,' zei Neil, die haar nakeek toen ze de trap opliep met zijn twee krijsende mollige zoons.

Nou, je hebt verdomme een paar handen, help jij dan, was mijn eerste reactie. Geen wonder dat ik niet getrouwd was. Mijn gedachten vonden geen weerklank bij Helen. Ze scheen ze zelfs niet te delen. Ze maakte zich los uit de omarming, draaide zich zonder een blik van verstandhouding om en glimlachte. 'Ik ga al,' zei ze vriendelijk en liep naar haar man op de trap. Hand in hand volgden ze hun kinderen naar de kinderkamer.

Ik had niet veel aandacht geschonken aan Helens zwangerschap. Ik worstelde met mijn eigen problemen. Het was in die periode dat mijn baas stopte met hinderlijk zijn en me angst begon aan te jagen. Ondanks dat ze een tweeling verwachtte, bleef Helen langer slank dan de meeste moeders met maar een kind. Dus vergat ik soms gewoon dat ze zwanger was. Praktisch iedereen die ik kende plantte zich voort, met alle miljoenen andere vrouwen die ik niét kende. Het was een pandemie. Overal waar ik keek zag ik zwangere vrouwen. Althans, zo leek het mij. Ik daarentegen werd naar huis gevolgd door een getrouwde man. Mijn vriendinnen en kennissen discussieerden over de ontwikkeling van foetussen en het voor en tegen van omega 6-supplementen, en ik dacht erover een alarmknop in mijn flat te laten installeren. Dus, ja, Helens zwangerschap kreeg inderdaad weinig aandacht van me. De geboorte was een keizersnede op haar eigen verzoek in het Portland Hospital, wat ook niet veel sympathie bij me wekte, omdat ik bang was dat Neils invloed op Helens besluit om de kinderen daar ter wereld te laten komen begon op de pagina's van *Hello! Magazine*. In plaats van kirrend bij de pasgeboren baby's te zitten, bracht ik mijn tijd door in de rechtbank om een straatverbod te krijgen voor de man die over mijn carrière ging. Ik stuurde niet eens bloemen naar het ziekenhuis.

Ik pakte mijn jas van de plaats waar Rose hem had opgehangen. Snel liep ik naar de wc om mijn handen te wassen. Ik hoorde het gebrul boven doorgaan. Het werd erger. Neil bemoeide zich ermee; veel scheen het niet te helpen. Ik had nog steeds geen woord gehoord van het kindermeisje. Terwijl ik mijn muts over mijn oren trok, keek ik in de hal even naar mijn spiegelbeeld, oprecht blij dat ik weg kon. Ik trok de grote zware deur achter me dicht en slaakte een zucht van opluchting. De ondergaande zon belichtte de onlangs verkleurde roodbruine herfstbladeren en deed de bomen vibreren van kleur. De lucht voelde koel en schoon. Vlakbij was een Frans café en een boekwinkel. Ik kon een paperback kopen en me installeren met een glas wijn, misschien vroeg een hapje eten... Waarom niet? Ik was vrij om te doen en te laten wat ik wilde, en heel even herinnerde ik me wat het was dat ik altijd zo goed had gevonden van mijn leven.

Bij het hek hoorde ik de deur achter me weer opengaan. Helen kwam naar buiten. Ik draaide me om.

'Laat me hier niet alleen,' smeekte ze.

Toen kwam Neil naar buiten, legde speels zijn armen om haar middel en trok haar weer naar binnen, lachend. Ik staarde naar de dichte deur en voelde mijn hele lichaam verslappen. Was ik zo verbitterd geworden dat ik niet meer gelukkig kon zijn voor mijn vriendin? Was dat tedere, speelse moment tussen hen geen bewijs dat de enige die deze relatie vergiftigde ikzelf was? Mijn opluchting verdween. Ik schaam me om te zeggen dat hij snel vervangen werd door zelfmedelijden. Het was niet langer een koele avond. Het was koud. De lucht was niet schoon. Hij was vol koolmonoxide. Een avond alleen, met goedkoop eten dat ik thuis zelf beter kon klaarmaken, een waardevol boek waar weinig om te lachen viel – het leek nu alleen maar wanhopig en geforceerd. Ik bleef op het plaveisel staan tot de kou door mijn dunne schoenzolen drong en me deed huiveren. Was het beter om een deel te zijn van iets dan niets? Helen had een reusachtig huis, een man, twee zoons – en wat had ik? Misschien was niet zij degene die zichzelf tekortdeed.

Ik heb sindsdien wel duizend keer nagedacht over dat moment en ik zweer dat ik haar zag lachen. Nu besef ik dat ik slechts zag wat ik verwachtte te zien. Zelfs al stond ik er toen wantrouwend tegenover en zou ik dolgraag iets anders hebben gezien, ik kon het niet. Ik was geprogrammeerd om het niet te zien. En dat is waarom ik zelfs nu, wetend wat ik nu weet, me haar alleen kan herinneren als lachend toen Neil haar weer naar binnen trok.

Een verdachte euforie

Ik toetste een alarmoproep in naar Ben. Eten met hem was precies wat ik nodig had. Sasha nam zijn telefoon op. Ik vroeg haar of ze me gezelschap konden houden ergens in een decompressietank met wodka. Het excuus dat ik gaf was dat ik de hele dag met kinderen in de weer was geweest en er dringend behoefte aan had om met een volwassene te praten.

'Ik ga uit. Ben heeft niets omhanden, maar ik weet niet zeker of hij voldoet aan de criteria.'

'Dat snap ik niet.'

'Je zei dat je dringend met een volwassene wilde praten.'

'Ja. O...' Ik liep terug naar het metrostation tegen de stroom in van forensen die naar huis gingen. 'Alles in orde?'

'Niet vragen.'

'Oké.'

'Mannen zijn kinderen. Ik ben vier dagen voor zaken weg geweest en vind bij mijn terugkomst geen eten in de ijskast, al heeft hij er wel aan gedacht de voorraad bier aan te vullen; hij heeft er niet aan gedacht de vuilniszakken buiten te zetten of iets in de wasmachine te stoppen, of dat verdomde bed op te maken, of een nieuwe wc-rol op te hangen. Dus ja, je kunt mijn man lenen en nee, ik weet niet zeker of ik hem terug wil.'

Normaal vraag ik of ik hem kan lenen, en normaal zegt Sasha dan: 'Alleen als je hem teruggeeft,' en normaal antwoord ik dan met een monter 'Dat doe ik toch altijd?', maar Sasha klonk geërgerd.

'Kan ik iets doen?'

'Kun je het mannelijk ras herprogrammeren?'

'Nee.' Ik bleef buiten voor het station staan. Mijn plannen hingen af van het resultaat van dit gesprek.

'Dan betwijfel ik het. Maak je maar niet ongerust, Tessa, het gaat heel goed met ons. Het enige wat ik nodig heb is een avondje uit met mijn vriendin en een paar uurtjes op hem vitten.'

'Ga met mij uit,' zei ik. Ik stond in de weg van mensen die haastig de trap opliepen. 'Elk van de twee Hardings is goed.' Ik voelde de ongemakkelijke steek die gepaard gaat met een leugen en bedekte die snel met iets dat meer naar waarheid was. 'Ik vind het heerlijk om met jou te praten als meiden onder elkaar.'

'Jij komt niet in aanmerking, Tessa. Jij verdedigt hem altijd.'

'Irritant.'

'Nee, heel bewonderenswaardig, maar vanavond moet ik mijn gal kwijt en me bezatten. Zoals een verstandige vrouw eens tegen me zei: "Het feit dat je een man hebt, wil niet zeggen dat je geen vriendjesproblemen kunt hebben."'

'Wie heeft dat gezegd?'

'Jij, koe!'

'Heus?' Ik was verbaasd. Dat klonk veel te intelligent voor mij.

'Je onderschat jezelf, Tessa. Ik zal Ben voor je halen.'

'Dank je. Weet je zeker dat alles oké is?'

'Natuurlijk. Ups en downs, meer is het niet. De truc is te proberen je dat te herinneren op je down-momenten. Tegen de tijd dat ik thuis kom, hou ik weer van hem en ruk hem ongetwijfeld de kleren van het lijf en —'

'Dank je, bespaar me de details.'

'Bovendien is hij altijd aardiger tegen me als hij jou heeft gesproken. Je hebt een goede invloed op hem. Dus, jawel, leen hem voor vanavond, maar hoe onwillig hij ook is om terug te gaan, stuur hem alsjeblieft naar huis als je klaar bent met hem.'

'Dat doe ik toch altijd?' zei ik. We hadden dit soort gesprekken nu al zeven jaar lang gehad, gewoonlijk zonder de galspuwerij, maar in wezen hetzelfde.

Ik was net lang genoeg thuis voor een telefoontje naar mijn ouders, toen Ben me belde vanuit de auto en zei dat hij voor mijn flatgebouw stond. Ik vertelde hem dat ik meteen naar beneden ging, wat ik ook deed. Daar houd ik van. Bezig blijven. In beweging blijven. De stralende glimlach op Bens gezicht toen hij me zag was het perfecte middel tegen Neils ongezonde humor, de krijsende tweeling en Helens tepels. Feitelijk is Ben het perfecte tegengif voor bijna alles. Hij is lang, stevig gebouwd, en al is zijn taille tegenwoordig een tikkeltje dikker, hij is nog net zo knap als altijd. Donker haar, blauwe ogen... Moet ik nog meer zeggen?

'Je hebt je niet opgetut voor me?'

'Sorry, je treft het niet. Ik ben bij mijn petekinderen geweest en ik heb behoefte aan een borrel. Nu.'

Ben deed het portier van de auto open. 'Waar heb je het over? Je ziet er geweldig uit. Dat voorspelde Sasha al.'

'Wat is er aan de hand met jou en Sasha?'

'Niks. Ze kreeg het alleen op haar heupen omdat ik vergeten was melk te kopen. Dat heeft ze soms als ze langere tijd weg is geweest. Veel te veel gewend aan het leven in hotels en mannen die haar hielen likken. Een keer heb ik het wc-papier in een kleine driehoek gevouwen om haar te plagen toen ze zo pietluttig deed.'

'Dat zal beslist geholpen hebben om het bij te leggen,' zei ik sarcastisch.

'O, we komen er altijd wel uit. Je weet wat ze zeggen over ruzie...'

'Oké, oké, laat maar.' Hij deed het portier dicht en liep om de auto heen. Toen hij instapte keek hij me met hernieuwde aandacht aan.

'Je ziet er echt fantastisch uit, Tess,' zei Ben. 'Honderd keer beter dan toen je wegging. Ik vond het vreselijk, maar het was kennelijk precies wat je nodig had. Je straalt.'

'Het voordeel van een dieet van gedroogde abrikozen.'

'Ik wed dat je tipi gonsde.'

'En vibreerde.'

'Ik zal het raam opendoen,' zei hij.

Hij maakte zijn riem vast en startte de motor. 'En, heb je het druk gehad in de eerste week na je terugkomst?'

Ik glimlachte naar hem.

'Wat? Niet te geloven! Nu al?'

Ik knikte. Ik kan niets verborgen houden voor Ben.

'Eerlijk gezegd, geloof ik het wél. Ik hoef maar naar je te kijken. God, ik ben jaloers! Was het goed?'

'Niet doen,' zei ik. 'Ik ben dol op je vrouw.'

'Ik ook. Ik ga geen competitie aan van wie-houdt-meer-van-mijn-vrouw, maar weet je, soms mis ik de opwinding, de emotie ervan. Het is niet dat ik iets doe of zelfs maar eraan denk iets te doen, ik herinner het me alleen maar.'

'Zolang het maar niet te smachtend is.'

'Ik mag het toch missen?' vroeg hij.

'Je vraagt het aan de verkeerde. Ik ken de regels niet.'

'Was het er zo een van ik-kan-niet-snel-genoeg-uit-de-kleren?'

Onwillekeurig moest ik even lachen. 'Precies. Maar mijn broek ging uit.'

'Natuurlijk,' stemde hij in.

'Zijn broek ook, maar niet verder dan zijn knieën.'

We lachten allebei toen we ons in het verkeer voegden en we lachten nog steeds toen we binnenkwamen in de bar. Daarom waren we zulke goede vrienden, omdat we over dit soort dingen kunnen praten. Feitelijk kunnen we over alles praten. Tenzij het over onszelf gaat.

We gingen naar een bar binnen de omtrek van Bens parkeervergunning. Hij was van plan de auto daar te laten staan en de volgende ochtend op te halen. Daarom was ik een alcoholisch grensgeval. Wie op een gegeven moment wilde ontsnappen aan het huiselijk geluk belde mij, omdat ik alleen en zelfstandig was. Ik hoefde niet naar huis te bellen en iemand toestemming te vragen om met mijn vrienden uit te gaan. Ik hoefde niet een maand van tevoren een babysitter te bestellen. Ik hoefde geen agenda te raadplegen. Als mijn ongetrouwde maatjes zin hadden in een kleine uitspatting, belden ze mij, omdat ze wisten dat ik een doorgewinterde eenling was en altijd bereid om uit te gaan en wat geld neer te tellen in een hotelbar. Zelfs mijn vierentachtigjarige vader belt me als hij een avondje in de kroeg wil zitten, wat onfatsoenlijk vaak het geval is voor een man van zijn leeftijd. Ik kan natuurlijk nee zeggen tegen al die voorstellen om een borrel te gaan drinken. Maar waarom zou ik? Bovendien zijn er een paar mensen van wie je nooit genoeg krijgt. En Ben was een van hen.

'Wat zou je zeggen van een fles champagne om de thuiskomst te vieren van mijn ouwe maatje?'

'Betaal jij?'

'Alleen de eerste twee flessen,' zei hij. 'De cocktails zijn voor jouw rekening.'

Tja... Ik keek hem na toen hij naar de bar liep. Ik keek naar andere vrouwen die hem nakeken toen hij naar de bar liep. Ik zag hoe andere vrouwen naar hem keken toen hij zich omdraaide en naar mij glimlachte, en toen hun pogingen om zijn aandacht te trekken zagen mislukken. Dat soort toewijding had ik mijn leven lang van hem ondervonden en het was hartverwarmend.

Ben leunde tegen de bar en knipoogde naar me. Hij had lachrimpeltjes bij zijn ogen, die in de loop der jaren waren toegenomen, maar in wezen was hij nog dezelfde jongen met de blauwe ogen en adelaarsneus die een miljoen drankjes geleden onze klas kwam binnenlopen. Het was halverwege het zomersemester, we waren elf. Ik herinner me zijn belachelijk lange haar. Haar dat zijn verrukkelijk slonzige hippie-moeder tijdens zijn hele nomadische leven trots had laten groeien, haar dat Claudia en ik een week later op zijn verzoek met een gestolen nagelschaartje afknipten. Zijn moeder had hem meegenomen naar alle plaatsen die haar bevielen, of zoals we later hoorden, waar de mannen haar bevielen. Dat voortdurende weghalen uit een vertrouwde omgeving deed de veel ruimere levenservaring die hij had opgedaan teniet, en het werd Claudia en mij algauw duidelijk dat hij naïef was en behoefte had aan wat moederlijke zorg. En je kon Claudia en mij geen groter plezier doen dan met een goed project waarop we ons konden uitleven. We kregen hem in handen toen hij zwak was en zich niet bewust was van zijn eigen potentieel. Onze vriendschap overleefde de puberteit. En niets kon daar nu nog afbreuk aan doen. Als je ooit kon spreken van een kind van het universum, dan was het Ben.

Mijn telefoon trilde. Het was Helens huisnummer. Over voormalige kinderen van het universum gesproken... Ik liet het telefoontje op mijn voicemail komen. Ik had voor vandaag genoeg van Helens gelukkige gezinnetje. Ben kwam terug met een ijsemmer. Hij schonk twee glazen in. We dronken op gezondheid en geluk, zoals altijd. Het was een oud ritueel; alleen de inhoud van de glazen was veranderd. Op gezondheid en geluk. God weet dat het veel gevraagd is.

Ik vertelde hem over mijn deprimerende bezoek aan Helen en Neil. Ben kent Neil via zijn werk. Omdat hij voor een media PR-bedrijf werkt, kruisen hun wegen elkaar soms. Meestal 's avonds laat, in privéclubs met drankvergunning. Daardoor wist ik bepaalde dingen over Neil die ik liever niet had geweten.

'Dus je kunt nog steeds niet veel liefde opbrengen voor de tweeling?'
Ben kende me veel te goed.
'Eerlijk gezegd, voor het hele stel niet. Ik krijg de kriebels van hem

en zij is zo verdomde dankbaar. Ik weet niet wat er met haar is gebeurd. Jij bent geen eikel geworden na je huwelijk.'

'Dat is omdat ik altijd een eikel geweest ben.'

'Hoe dúrf je! Niemand mag een kwaad woord over je zeggen.'

'Eerlijk gezegd, heb ik Neil gisteravond nog gezien...' Ben maakte een grimas. 'Weer met zijn oude fratsen bezig.'

'Niet alweer.'

'Vrees van wel.'

Ik hield mijn handen voor mijn oren. 'Ik wil het niet horen.'

'Ik wil alleen maar zeggen dat je misschien niet te hard over haar moet oordelen.'

'Verbijsterend, vind je niet? Ze wilden allebei kinderen hebben; haar leven is onherroepelijk veranderd, terwijl hij ongehinderd zijn gang gaat, en precies doet wat hij vroeger ook deed.'

'Nu weet je waarom Sasha geen kinderen wil.'

'Jij zou nooit zo zijn.'

Ben haalde zijn schouders op. 'Ik zou misschien niet in kamers verdwijnen met dronken actrices, maar...' Hij haalde weer zijn schouders op. 'Ik hou van het leven dat ik heb, 's avonds voetballen, 's morgens tennissen, met jou uitgaan en dronken worden. Ik wil dat allemaal niet veranderen omwille van de gelijkheid. Dan zitten we ons allebei thuis dood te vervelen.'

'Maar wil je dan geen kinderen?' vroeg ik nadrukkelijk. Ik had het gevoel dat hij niet goed begreep waar het om ging.

'Voor een keer ben ik het volkomen eens met mijn vrouw.'

'Meen je dat? Wil je echt geen kinderen?'

'Nee. Jij?'

'Ja. Natuurlijk.'

'Waarom?' vroeg Ben.

'Doe niet zo mal. Omdat ik het wil.'

'Maar waarom? Kijk eens naar alle narigheid die ze je bezorgen.'

'Je bent gewoon egoïstisch. Een typische egocentrische man.'

'Eigenlijk vind ik dat ik helemaal niet egocentrisch ben.'

Ik lachte. 'Dat zul je me uit moeten leggen.'

'Sasha is veel op reis, ze wil haar baan niet opgeven, en kinderen maken dat noodzakelijk, tenzij je zo gelukkig bent fulltime hulp te hebben, wat zij niet heeft.'

'Jij zou huisman kunnen worden.'

'Huisman? Uit welk artikel in de *Daily Mail* heb je dat gehaald?'

Ik voelde me diep beledigd. 'Ik lees de *Daily Mail* niet. Dat heb ik zelf verzonnen.'

'Ik ben niet van het type huisman. Regel nummer één, ken jezelf. Sasha en ik zijn niet geschikt voor het ouderschap. Het is beter dat we dat weten voor we kinderen krijgen die we niet echt willen, niet echt kennen en van wie we daarom niet echt kunnen houden.'

Er zat iets in, dacht ik. Per slot waren ouderlijke kwaliteiten niet dik gezaaid in het huis van de Hardings. Waarom zou je de ellende laten voortduren? Toch was hij echt een lieve man, en die zijn een zeldzaam ras. Het leek me doodjammer als er geen Ben Wards meer op deze wereld zouden zijn.

'Voor wat het waard is, ik denk dat je een prima vader zou zijn. Zorgzaam, charmant en royaal, alles wat je bent en nog meer.'

'Jij bent bevooroordeeld.'

'Erg genoeg is dat waar.'

'Mijn kinderen zouden meer van jou houden dan van mij, van iedereen die ik ken. Zelfs van mijn vrouw. Het zou bijzonder ergerlijk zijn.'

'Je hebt gelijk. Bovendien kan ik me niet nog meer verrekte peetkinderen permitteren.'

Ben vulde de glazen opnieuw. 'Hoe weet je dat je kinderen wilt?' vroeg hij, na weer met me geklonken te hebben. 'Ik bedoel, buiten het sociale verwachtingspatroon? Want zoals ik het bekijk, heb je een heel goed leven. Dat weet je toch, hè?'

Gezelligheidsdier. Miss Positief. Gelukkig. Gelukkig. Gelukkig. Dat ben ik. 'Ik ben gaan nadenken,' begon ik aarzelend. 'Weet je, in India —'

Ben verborg zijn gezicht in zijn handen, stak de draak met me. 'O, nee, je wordt een hippie en je gaat in een commune leven en krijgt een stel kinderen met snotneuzen en klitten in hun haar, van een gebaarde kerel die Tree heet.'

'Falling Tree. En geen commune, een Native American Gokreservaat. Ik word daar zo'n type met de kunstnagels, diamanten en overdreven luipaardprint.'

Ben liet een bulderende lach horen. 'Ik zie het helemaal voor me. Je rookt sigaretten en hebt je borsten laten vergroten en vindt het doodnormaal om je kinderen popcorn te geven bij wijze van avondeten.'

'Hoe dúrf je! Ik heb geen borstvergroting nodig!'

Ben sloeg zijn arm om me heen en gaf me een zoen op mijn wang.

'O, Tessie-babe, kunnen we niet gewoon hiermee doorgaan, samen dronken worden en lachen?'

'Uiteindelijk zul je me in de steek laten voor een jongere drinkpartner. Iemand met een grotere levercapaciteit en minder verstopte bloedvaten.'

'Ik zou jou nooit in de steek laten,' zei Ben.

'Dat zeggen ze allemaal, tot de levervlekken beginnen te verschijnen.'

'Geen enkele hoeveelheid gezonde hemoglobine kan de plaats innemen van het verleden.'

'En jongens, wat hebben wij een verleden!' zei ik. Het kwam eruit voor ik tijd had om over mijn woorden na te denken.

Bens arm spande zich om mijn schouder. 'Dat hebben we, ja.'

Ik maakte me van hem los. 'Ben je zatjes?'

'Ja.'

'Goed.' Ik glimlachte.

'En jij?' vroeg hij.

'Absoluut.'

'Goed zo,' zei Ben. 'Meer drank.'

Zoals ik al zei, sommige onderwerpen kunnen beter vermeden worden.

Vol met champagne, besloten we eindelijk naar huis te gaan. Bij mijn flatgebouw sprong Ben uit de taxi en maakte mijn portier open. Zoals hij altijd heeft gedaan. Hij vroeg de chauffeur even te wachten zodat hij me tot aan de deur kon brengen. Hij had zich niet hoeven bekommeren om mijn veiligheid, Roman had dienst, maar Ben heeft me altijd tot aan de deur gebracht. Hij omhelsde me.

'Ik heb je gemist,' zei hij. 'Ga alsjeblieft niet weer navelstaren. Mijn leven verslechtert.'

Ik glimlachte tegen zijn overhemd. Die geur van katoen die ik zo goed kende. 'Heb je mijn kaart niet gekregen van dat lange, verlaten strand?'

'Je tekende een kruis onder een palmboom en schreef: "Stuur meer proviand" – drie woorden, Tessa King, drie woorden in een maand. Niet indrukwekkend.'

'Maar wel leuk.'

'Dat altijd.' Hij gaf me een zoen op mijn mond. 'Welterusten, schoonheid,' zei hij.

'Welterusten, Ben.' De deur ging dicht. Ik draaide me om en liep naar de lift, voelde me verlaten. Plotseling dacht ik aan de party van Channel

4. Ik draaide me om. Ben liep langzaam naar de taxi. Ik rukte de deur open.

'Hé, dronken lor, ga je naar de lancering van Neils nieuwe comedyserie?'

Hij draaide zich om. Een diepe frons vervaagde toen hij dat deed. 'De party? Ik was het niet van plan, maar als jij...'

Ik knikte. 'Helen heeft het me gevraagd. Ik denk dat ze wil dat iemand haar hand vasthoudt. Je weet hoe Neil kan zijn.'

'Mooi. We zullen er een fijne avond van maken. Dan zie ik je daar.'

Ik bleef knikken. 'Goed. En Ben, bedankt voor het welkom-thuis feest.'

Hij legde zijn hand op zijn hart, boog zijn hoofd en stapte in de taxi. Mijn tweede trip naar de lift was minder somber. Opgewekt ging ik naar bed.

De volgende dag liep ik om een uur het Sticky Fingers-restaurant in High Street Kensington binnen. Daar zat Caspar, onderuitgezakt op zijn stoel, maar aanwezig en correct gekleed. Ik betastte de doos van de iPod in mijn tas, blij dat ik voldoende vertrouwen had gehad om hem in te pakken. Zestien is een belangrijke leeftijd voor een jongen. Het is de grens is die hij moet overschrijden om een man te worden. Ik zou niet graag in zijn schoenen staan, niet voor alle citroentaart ter wereld.

Een andere jongen zat naast hem, langer en slanker dan Caspar. Hij heette Zac. Hij stond op om me een hand te geven. Zijn spijkerbroek hing zo laag op zijn heupen dat ik zijn boxershort kon zien. Ik wilde hem omhoogtrekken en zijn hemd instoppen. Shit, ik begon oud te worden. Caspar daarentegen mompelde iets dat van alles kon betekenen, van een begroeting tot een verdekt maffia-dreigement. Ik gaf Francesca een knipoog om te voorkomen dat ze tegen hem tekeer zou gaan. Caspars twee zusjes, Poppy en Katie, waren er ook en dronken milkshakes die groter waren dan zijzelf, en Nick en Francesca, en Nicks ongetrouwde broer Paul, die ik aardig vond, maar meer niet. Deze vertoning is al bijna veertien jaar aan de gang; maar gelukkig hadden Paul en ik een bondgenootschap gesloten na de derde poging, dus deed het er niet toe. Tenminste, voor ons niet. Ik geloof dat Francesca en Nick het nog steeds niet hebben opgegeven.

'Wilt u een glas wijn, miss King?' zei een zwoele mannenstem rechts van me. 'Of een bloody mary?'

'Noem me alsjeblieft Tessa. In gedachten ben ik net zo oud als jij; probeer daaraan te denken als je tegen me praat.'

Hij glimlachte. 'Coca Cola dus?'

Ik glimlachte terug. 'Misschien niet zó jong.'

Zac boog zich dichter naar me toe, zijn been raakte het mijne. 'Je bent zo jong als je je voelt,' zei hij kalm.

Dat moest ik verkeerd gehoord hebben. Die jongen, dat kind, flirtte met me? Ik keek hem weer aan; hij sloeg quasi-ingetogen zijn ogen neer. Wel, heb je ooit... Was ik voorbestemd om de Joan Collins van mijn vrienden te worden? Ik zag mezelf over een paar jaar: convertible auto, op de passagiersplaats een juwelen-dragende, heupwiegende, luie jongeling, die griezelig veel leek op een jonge Robert Downey jr. (Hij duikt vaak op in mijn fantasieën). Ik begon de scène die zich in mijn hoofd afspeelde leuk te vinden, tot ik wat nauwkeuriger keek en zag dat de jonge hengst naast me bezig was zijn aanmeldingsformulier voor de universiteit in te vullen. Ik bestelde gauw een medium gebakken cheeseburger met frieten en uienringen en, als tegemoetkoming aan mijn gezondheid, wat koolsla. Maar eerst een fles Mexicaans bier met een schijfje limoen. Heerlijk. Ik was in een uitstekende stemming. Als er spanningen waren in de familie, walste ik eroverheen, onweerstaanbaar vrolijk.

'Ik ben blij dat je mijn bericht ontvangen hebt,' zei ik glimlachend tegen Caspar, terwijl de rest van de tafel zich bezighield met gemorste milkshake. Toen liet ik mijn stem dalen en boog me dichter naar hem toe. 'Maar misschien heb je de tekst erachter niet goed gelezen. Komen opdagen is een goed begin, maar een glimlach maakt het af. En nu we het er toch over hebben, ik voeg er nog een extra clausule aan toe. Ga nu meteen rechtop zitten, anders breng ik de iPod terug en koop voor dat geld de schoenen die het hebben verloren van jouw verjaardagscadeau.' Dat is wat mijn moeder met mij deed toen ik nog klein was. Ze zei dat het aan de toon lag waarop het gezegd werd. Toon en expressie, de woorden op zich hadden niets te betekenen. Het moet bij Caspar succes hebben gehad, want hij keek even angstig en ging toen rechtop zitten. Francesca keek naar ons op het moment dat ik wegging en haar zoon zich bij zijn gezelschap voegde.

Wat de conversatie betrof, had ik het gevoel dat ik als enige in het bezit was van de bal. Ik dribbelde en week uit en kreeg de bal terug, maar als ik de bal liet vallen, werd het weer stil aan tafel. Tegen het eind van de lunch was ik uitgeput. Het aapje had al zijn kunsten vertoond. De enige beloning voor mijn duizelingwekkende verbale behendigheid was de aandacht die ik kreeg van Zac, die onmiskenbaar met me flirtte – griezelig succesvol ook nog. Hij gedroeg zich ook keurig tegen Francesca, beleefd en charmant, maar altijd vol respect met het oog op Nick. Maar ik had geen Nick om respectvol voor te zijn, dus kon hij zich tegenover mij laten gaan. De insinuerende zinspelingen werden zo geplaatst dat alleen ik ze kon horen, de persoonlijke vragen waren vermomd als beleefde conversatie – het was op zijn zachtst gezegd indrukwekkend. Het leek me het beste om terug te keren tot de 'getikte-tante' stijl, voor ik een grens zou overschrijden, dus legde ik de tafel een vraag voor, in de hoop dat de familieband die ik zo goed kende daardoor terug zou komen.

'Voor de tafel, niet in een speciale volgorde: wie was de laatste die je gezoend hebt?' Ik keek naar Nick.

Hij draaide zich om naar Francesca en gaf haar een zoen op haar mond. 'Mijn vrouw,' zei hij.

'Heel ad rem,' antwoordde ik.

'Caspar?'

'Ik vind dit een stom spelletje.'

'O, jee, ik geloof niet dat Caspar iemand gezoend heeft,' zei Nick.

De meisjes giechelden. Ik wees naar de jongste. 'Snoopy,' antwoordde Poppy zonder een seconde te aarzelen. 'Francesca?'

'De tuinman, maar zeg het niet tegen Nick.'

'We hebben geen tuinman,' merkte Poppy op.

'Papa is de tuinman,' zei haar oudste zusje.

'Zac?'

'In werkelijkheid of in mijn verbeelding?'

Ik had het afgrijselijke gevoel dat ik bloosde. 'In werkelijkheid.'

'Jen Packer.'

Caspar ging rechtop zitten. 'Je zei van niet.'

Zac haalde zijn schouders op. 'Wat kan ik eraan doen, joh. Ze bood zich aan.'

'Paul?' vroeg ik snel. 'En jij?'

Hij haalde diep adem. We wachtten. 'Gary.'

Nick en Francesca draaiden zich met een ruk naar hem om. Paul haalde zijn schouders op. Er viel een gespannen stilte.

'Iemand ijs?' vroeg ik en knipoogde naar Paul.

Toen we in High Street Kensington liepen, haalde Zac me in. 'Je hebt je eigen vraag niet beantwoord.' Hoewel hij pas zestien was, was hij langer dan ik, en ik ben niet bepaald klein. Zijn benen waren eindeloos lang en zijn spijkerbroek hing losjes op zijn naar voren stekende heupen. Ik voelde een krankzinnig verlangen om mijn tanden te zetten in de lussen van zijn riem en zijn spijkerbroek van zijn lijf te rukken. Ik kon geen toepasselijk antwoord bedenken. Dus zei ik niets.

'Ik weet wie ik zou willen dat het was.'

'Wie dan?' vroeg ik voor ik mijn tong in bedwang had.

'Dat weet je best, Mizz King.'

De schaterlach ontsnapte me. 'Sorry,' zei ik en hield mijn adem in. Het hielp niet. De lach barstte weer los. Ik kon geen woord uitbrengen. Hij keek erg terneergeslagen, maar ik had een schoolmeisjesachtige giechelbui, de slappe lach, die maar niet wilde ophouden. Ik probeerde me te verontschuldigen, maar de ernstige blik op het gezicht van de jongen bleef steeds weer op me rusten, het likken van zijn lippen. Ik stelde me voor hoe hij in de privacy van zijn eigen huis voor de spiegel stond te oefenen, zijn woorden, zijn languissante blikken repeterend, en ik bleef maar lachen. Ik probeerde hem een arm te geven om een soort fysieke steun te verlenen, maar hij schudde hem van zich af. Ik raakte nu in een penibele situatie, en dat maakte het nog grappiger. Juist als ik dacht dat ik me weer beheerste, volgde er een nieuwe lachexplosie, en mijn speeksel kwam terecht op de voetganger die voor me liep. Zac bleef staan. Ik liep door, opgaand in mijn eigen gelach. Misschien was dat de reden waarom ik nooit een vriendje had gehad toen ik zo oud was als hij. Misschien was dat de reden waarom ik er nog steeds geen had. De hele weg naar huis bulderde ik van het lachen, en met tussenpozen die middag en nog enkele keren voor de spiegel toen ik me gereed maakte om die avond uit te gaan.

Ik maakte een fles wijn open en trakteerde mezelf op een langdurig bad. Iedereen heeft een constante nodig in het leven, en dit was de mijne: liggen in heet, geurig water met een glas wijn.

Ik belde Billy. 'Hoi, Billy. Met mij.'

'Eindelijk. Hoe gaat het? Wanneer zie ik je? Heb je genoten?'

'Lijkt al jaren geleden. Zullen we volgende week een avond afspreken? Heb je het druk?'

'Ha, ha.'

Billy was een ongehuwde moeder zonder geld om uit te gaan en nog minder lust ertoe. Ik had het moeten weten.

'Ik heb een film gehuurd als je zin hebt om vanavond te komen?' zei Billy.

'Dank je, maar ik heb...'

'Natuurlijk heb je die. Stom van me. Eh...' Billy zweeg even. 'Dus hoe was het?'

'Je kunt mee als je wilt, vanavond?'

'Dank je, maar ik kan niet. Magda is er niet, dus... Maar veel plezier gewenst.'

Ik wist dat het antwoord nee zou zijn. Dat is het altijd. In dit geval waarschijnlijk maar goed, omdat ik niet geloofde dat Billy en Samira zo'n goede combinatie waren. Billy was niet stoer genoeg voor vrouwen als Samira en, als ik heel eerlijk was, had ik eigenlijk ook weinig zin Billy die avond op sleeptouw te nemen. Ik had het al moeilijk genoeg om zelf bestand te zijn tegen Samira's grote overtuigingskracht.

'Hoe gaat het met mijn kleine meid?' vroeg ik.

'Geweldig.' Billy's stem verzachtte zoals altijd als ze over haar dochtertje sprak. We babbelden over Cora, hoe het op school ging, over haar gezondheid, haar laatste lievelingsleraar.

'Sorry,' zei Billy. 'Ik verveel je. Je moet naar een party.'

'Onzin,' antwoordde ik schertsend. 'Het horen van dit soort dingen maakt dat ik me tot het menselijk ras voel behoren.' Ik besefte niet hoe waar die woorden feitelijk waren. 'Maar mijn huid gaat rimpelen in het water, en dat is niet bevorderlijk voor mijn voortdurend afnemende aantrekkingskracht.'

'Je ziet er fantastisch uit – hou op.'

'Tot volgende week.'

'Fijn. Dag, Tessa. Bedankt voor je telefoontje.'

Ik deed erg mijn best op mijn kleren en make-up, uitsluitend om een reden: ik dacht dat er een heel kleine kans was dat Sebastian op de party zou zijn. De ene vriend van Samira zou toch wel de andere kennen, niet? Mijn haar zat goed, mijn tieten staken naar voren, mijn benen kwamen voordelig uit. Normaal leg ik niet de nadruk op benen en tieten, het is een beetje overdreven, en ik ben aan de verkeerde kant van vijfendertig, maar ik voelde me uitdagend. Nee, niet uitdagend. Hoopvol. Ik wilde niet het woord wanhopig gebruiken. Eerder deze week zat ik voor mijn laptop en speelde met Sebastians kaartje. Het kaartje dat hij me had gegeven voor we seks hadden. Het kaartje dat hij me waarschijnlijk niet zou hebben gegeven na de seks. Maar zo dacht ik niet. Ik was hoopvol. Hij had mijn seksuele lusten wakker geroepen. Brandstof voor de ziel, een begeerte die ik gevreesd had nooit meer te zullen voelen.

Ik wil niet steeds weer terugkomen op wat er met mijn baas is gebeurd. Ik heb er genoeg van. Maar er waren momenten waarop ik dacht dat ik volledig verantwoordelijk was, gewoon omdat ik was zoals ik was. Er werd gezegd dat ik drankjes met hem ging drinken. Dat had ik ook gedaan, dat was waar, maar alleen samen met de rest van de afdeling. Gezegd werd dat ik me soms provocerend kleedde op kantoor. Elk werkend meisje heeft een outfit die ze kan veranderen in uitgaanskleding. Mijn werktijd liet me geen ruimte om naar huis te gaan en me om te kleden. Met een ander topje en prachtige schoenen kwam ik vaak het toilet uit gewankeld voor een afspraak met vrienden. Ik wist dat ik niets had gedaan om die man te verleiden, maar soms twijfelde ik er zelf aan.

Aan het eind van het hele debacle was er woede. Medelijden. Droefheid. Schuldbesef. Ongeloof. In die tijd zou een afspraak met iemand geen succes hebben gehad omdat ik dat niet zou hebben toegelaten. Maar toen gebeurde dat met Sebastian. En nu waren mijn smaakpapillen weer actief, ik wilde meer. Eén snoepje was niet voldoende. Ik wilde de hele verdomde fabriek. Ik was zo goed 'hersteld' dat ik zelfs de opzet kon zien van een sprookjesachtig einde van een verhaal dat de drukkerij nog niet had gehaald.

Eindelijk bezweek ik en tikte zijn e-mailadres in en begon met een luchtige tekst: 'Wees niet bang, ik ben niet gek, ik ben een goed aangepaste, onafhankelijke (zij het niet op een opdringerige manier) vrouw.' Het lukte niet. Zelfs het 'Hoi' leek verdacht. Ik wiste het bericht en gooide het kaartje in de prullenmand. Het was geen onbesuisde daad, want ik wist dat ik zijn nummer van Samira kon krijgen wanneer ik maar wilde. Maar misschien zou dat niet nodig zijn. Misschien zou hij me, nu ik er stralend uitzag, op de party zien, naar me toekomen en me vertellen dat hij me niet uit zijn hoofd kon zetten en hoe dacht ik over de wijk Surbiton, want met zijn salaris kon hij geen huis kopen dat groot genoeg was voor de kinderen...

De taxi stopte bij het adres dat Samira had genoemd. Ik keek even omhoog naar het verlichte huis van vijf verdiepingen in Belgravia, en vroeg me af of de chauffeur het wel bij het rechte eind had. Opgewonden opende ik mijn portemonnee om te betalen, maar herinnerde me toen dat ik vergeten was geld te pinnen. Het deed er niet toe. Ik had altijd een biljet van vijftig pond opgeborgen voor noodgevallen. En voor de keren dat ik vergat naar de geldautomaat te gaan. Het zat er al eeuwen. Ik keek, maar vond geen vijftig pond. Ik keek nog eens goed of ik het de eerste keer niet over het hoofd had gezien, maar het was er niet. Was ik bezig gek te worden? Had ik het uitgegeven en was ik dat vergeten?

Ik bood de chauffeur mijn pasje aan, maar hij zei dat zijn apparaat kapot was en reed voor nog eens 3.80 rond om een geldautomaat te vinden. De rode verkeerslichten op de weg terug voegden er nog een paar pond aan toe, en toen ik betaalde, zag ik dat het lichtje van zijn pinapparaat brandde. Het leek me dat iemand me voor de gek had gehouden. Maar klaagde ik? Protesteerde ik? Nee. Ik overhandigde hem het bedrag, en omdat ik een idioot ben die graag aardig gevonden wil worden, gaf ik hem nog een fooi ook. Toen de taxi wegreed, wilde ik er achteraan hollen en mijn zuurverdiende geld terugvragen, maar als door een wonder sprongen alle verkeerslichten op groen en bovendien liep ik op hoge hakken. Ik had gehoopt dat India een eind zou maken aan het feit dat ik me die stomme tegenslagen zo aantrok; dat ik ze zóu zien als de onbelangrijke dingen die bij het stadsleven horen en ze niet opvatten als een bewijs dat de hele wereld tegen me samenzwoer. Maar het zien van die achterlichten die verdwenen in de nacht, net als het zien van Helen die naar binnen werd getrokken door haar liefdevolle man, maakte dat ik me eenzaam voelde.

Ik liep een verbluffend huis binnen, dat een verbluffende party voorspelde, maar zag niets anders dan dat Sebastian er niet was. Alle glitter van ongekende mogelijkheden verdween in rook. Mijn feestelijke stemming verdween. Ik moest toen bij mezelf toegeven dat mijn eerste avond thuis geen knaller was geweest, al die bruine rijst bleek niets waard te zijn geweest. Niets kon veranderen hoe ik me voelde. Alle zalige kleine hapjes en vaten champagne waren niet genoeg meer. Een lange, donkere, knappe (jonge) kelner kwam naar me toe met een gekoeld glas champagne. Ik pakte het aan. Verrukkelijk. Nou ja, misschien moest ik me voorlopig maar tevredenstellen met champagne, dacht ik, en nam nog een flinke slok.

Ondanks mijn aanvankelijke narrigheid, bleek het een gezellige party. Er waren mensen die ik in lange tijd niet gezien had, uit alle perriodes van mijn leven. Oude collega's. Mensen van de universiteit. Zelfs een oud vriendje, wat me genoegen deed, want ik wist dat ik er goed uitzag en ik kon zien dat hij dat ook vond. Toen hij me later vroeg waarom we eigenlijk uit elkaar waren gegaan, betrapte ik me erop dat ik een denkbeeldige rode streep trok door dat hoofdstuk en er 'Afgehandelde zaak' op schreef. Wat hij vele manen geleden had gedaan was dat hij me bij een glas bier vertelde dat hij niet op me viel. Hij vond me erg aardig, beweerde hij, maar hij viel gewoon niet op me. Dat was nu anders. Ik excuseerde me en liep naar Samira. Ik zag er nu beter uit dan toen ik twintig was. Misschien was dat iets om te vieren. Meer champagne, alstublieft.

We waren tipsy toen we het huis in Belgravia verlieten. Het plan was naar een besloten bar in Soho te gaan. Er was een aardig uitziende man met peper-en-zoutkleurig haar die vroeg of hij in dezelfde taxi kon meerijden als Samira en ik. Hij was alleen. Toen maakten twee maffe meiden ruzie omdat ze gescheiden werden en erop stonden dat hij met een andere taxi zou gaan. Hij keek zo triest toen hij op het trottoir stond dat ik ook uitstapte en zei dat ik samen met hem op een andere taxi zou wachten, op welk moment iemand anders riep dat er nog plaats was in hun taxi en me naar binnen trok. Dus moest mijn peper-en-zoutman weer in de oorpronkelijke taxi stappen. Dat alles speelde zich in een paar minuten af. Maar het is cruciaal voor later, dus geef ik overdreven veel aandacht aan dat vrolijke taxidansje.

Peper-en-zoutman stond in het gezelschap te wachten voor een onopvallende deur. Blijkbaar was er een privéfeest aan de gang en konden zelfs de leden van de club niet naar binnen. We zouden Soho moeten doorkruisen om ergens anders heen te gaan. En vergeet niet: ik droeg nogal indrukwekkende schoenen. Lopen was geen pleziertje. Ik begon me af te vragen of rondboemelen in de stad wel zo'n goed idee was. Ik had een fijne avond gehad, het was laat. Moest ik echt nog ergens anders naartoe? Ik had geen behoefte meer aan nog een borrel. Maar de aarzeling was voorbij toen peper-en-zoutman me een arm gaf. Natuurlijk had ik behoefte aan een borrel. Ik ben een zwakke, zwakke vrouw.

Toen we half Piccadilly waren overgestoken, nam mijn avond een dramatische wending. We hadden gediscussieerd over de treurige toestand van het moderne leven waarin kinderen, jongens en meisjes die niet ouder waren dan zestien, zich uitleefden in seks, drank en drugs. Er zat een schrikaanjagend uitziend groepje jongeren met wollen mutsen op rond de voet van het Eros-standbeeld. De jongens dronken uit blikjes bier, de meisjes uit flesjes Bacardi Breezer. Er hing een waas van drugs om hen heen. Toen zag ik Caspar. Een blikje Red Stripe in een hand, een joint in de andere. Plotseling was de benaming daarvan minder belangrijk dan het feit dat het zich in Caspars hand bevond, in de vroege uurtjes van de zondagochtend.

Ik bleef staan en vloekte zachtjes.

'Wat is er?' vroeg peper-en-zoutman bezorgd.

'Dat is mijn peetzoon daar, en ik weet zeker dat hij daar niet hoort te zijn.' Caspar was gemakkelijk van de anderen te onderscheiden door wat hij niet deed. Hij was niet bezig het gezicht van een meisje af te likken met zijn hand onder haar rok. Hij lag niet languit op de grond. Hij was niet bij een groepje onbetrouwbaar uitziende jongens die toeristen uitdaagden tot een handgemeen. Hij zat in zijn eentje, keek wezenloos voor zich uit, nam afwisselend een slok bier en een trek aan zijn joint. Ik vond het er niet goed uitzien.

'Ik haal jullie wel in,' zei ik, trok mijn arm terug en begaf me in het gedrang.

Ik ging op het koude steen zitten. Hij reageerde niet tot ik iets zei.

'Gefeliciteerd, Caspar.'

Hij schrok op, krabbelde overeind en gooide de bijna opgebrande joint weg.

'Ga zitten. Ik ben de politie niet.'

'Wat doe jij hier? Heeft mam je gestuurd?'

'Leuk, hoor! Zie ik eruit of ik op deze schoenen door de stad ga dwalen op zoek naar onhandelbare tieners? Een beetje modieus respect alsjeblieft.'

Hij staarde me perplex aan, zwaaide zachtjes heen en weer, als een populier in een zomerse bries.

'Ik ben met vrienden,' legde ik langzaam uit. 'Er is een man met peper-en-zoutkleurig haar bij die heel aardig lijkt, dus ga alsjeblieft niet over me heen kotsen, dat zou hem kunnen afschrikken.'

Hij probeerde het te onderdrukken, maar er ontsnapte hem een glimlach.

'Maar waarschijnlijk heb ik wel genoeg gehad. Misschien is het tijd om naar huis te gaan. Ga je mee?'

Hij schudde zijn hoofd.

'Je zou me een groot plezier doen. Ik heb mezelf beloofd geen one-nightstands meer te doen. Jij zou een perfect voorbehoedmiddel zijn.'

'Dat is walgelijk.'

'Wat bedoel je?' Ik keek naar het stel naast ons; ze werden hitsig op het koude trottoir. 'Ben ik te oud voor seks?'

'Hou je mond, Tessa.'

'Zo spreek je niet tegen een oudere.'

Hij lachte om de hypocrisie van mijn opmerking. Dat beviel me. Ik wilde hem aan mijn kant hebben. Ik wilde de amusante, slimme kleine jongen terug, degene die me ongestraft voor de gek kon houden.

'Weet je zeker dat je niet met me mee wil?'

'Ja.'

'Waar zijn je vrienden?'

'In de buurt.' Hij werd weer defensief.

'Weten Francesca en Nick waar je bent?'

Hij haalde zijn schouders op. Ik wilde het terrein niet verliezen dat ik mogelijk gewonnen had, dus gaf ik hem mijn kaartje met mijn mobiele nummer, en hield op met zeuren.

'Verscheur dat niet voor een stickie,' zei ik toen hij het in zijn achterzak stopte. 'En geef het ook niet aan Zac.'

Caspar glimlachte weer. Ik had blijkbaar een wit voetje bij hem gehaald omdat ik niet was ingegaan op Zacs avances. Een heel knappe, aantrekkelijke vriend hebben kan moeilijk zijn, en ik vroeg me af of dat de oorzaak was van zijn humeurigheid. Caspar had een aardig gezicht, maar hij was niet erg lang en hij had krulhaar. Hij was meer engelachtig dan een seksidool, maar ik wist dat zijn uiterlijk bij zou trekken en het uiteindelijk allemaal goed zou komen. Zijn vader was vroeger net zo, en nu was hij een heel knappe man. Maar ik denk niet dat Caspar dat belangrijk vond, belangrijk was het nu. Belangrijk was dat Zac waarschijnlijk ergens omringd was door meisjes en dat Caspar hier in zijn eentje zat.

'Heb je geld om thuis te komen?'

'Nee,' zei hij eerlijk. Ik maakte mijn portemonnee open. Op dat moment herinnerde ik me het ontbrekende bankbiljet en de dag waarop ik Caspar had gevraagd op mijn tas te passen, maar ik zette die ongelofelijke gedachte van me af en gaf hem twintig pond. Hij rukte het bijna uit mijn hand.

'Dat krijg je niet cadeau, jongetje. Daarvoor moet je mijn auto schoonmaken. Van binnen en van buiten. Twee keer.'

'Wat dan ook,' mompelde hij. En ik wist dat ik hem weer kwijt was.

Uiteindelijk vond ik de club, maar niet de peper-en-zoutman. Telkens als ik weg wilde gaan, bracht iemand me weer wat te drinken. En nog een kwartier werd een uur. Ten slotte vond ik de peper-en-zoutman, maar door de drukte kon ik moeilijk bij hem komen. Het gaf niet; ik had het best naar mijn zin zonder hem, al was het leuk zo nu en dan zijn blik op te vangen en een glimlach uit te wisselen.

Ik was bezig een aardig fantasietje om hem heen op te bouwen toen hij voor me verscheen en me ten dans vroeg. Ik was waarschijnlijk zo zat als een aap, want ik vond het een prima idee. We liepen naar de dansvloer waar we een hitsig partijtje *dirty dancing* ten beste gaven. Hij was heel lang en soepel en maakte al die wervelende bewegingen die alleen maar lukken als je een professsional bent of dronken genoeg om je slap te houden. Ik viel in de tweede categorie. God mag weten hoe ik erin slaagde overeind te blijven. Ik herinner me dat ik op een gegeven moment achteruitliep over de dansvloer en de peper-en-zoutman wenkte me te volgen. Ik weet niet zeker wie hij dacht dat ik was – maar ik ben bang dat hij me voor Bonnie Tyler aanzag. Maar toch was het leuk, en als ik geen suggestieve pruillip opzette, grijnsde ik als een Olympiër.

Het probleem was dat ik zijn naam niet kende en te verlegen was om het te vragen. Op de een of andere manier kende hij die van mij, wat het nog erger maakte, en hij zinspeelde op een vorige ontmoeting. Ik kon me daar absoluut niets van herinneren, maar omdat ik had gedaan of ik het me wél herinnerde, zat ik in de val. Mijn enige geluk was dat hij Neil kende, dus hield ik op met voorzichtig vragen te stellen om informatie op te doen, in de hoop dat ik via Helen alles over hem te weten kon komen. Perfect. Terug naar *dirty dancing.*

Ten slotte raakte onze brandstof uitgeput en vervielen we in een langzame dans, waar ik gewoonlijk niet aan meedoe, maar het was donker, en ik dacht niet dat iemand keek, en eigenlijk was het heel plezierig. Een seconde voordat het gebeurde wist ik dat hij me zou gaan zoenen. Ik wilde het niet beletten. Helaas had Onze-Lieve-Heer andere plannen.

'Tessa! Je telefoon ligt als een razende te rinkelen. Wil je dat ik opneem?'

Samira stond aan de rand van de dansvloer met mijn telefoon in de hand.

'Er is in de laatste paar minuten wel vier keer gebeld. Wie het ook is die belt, hij of zij laat geen bericht achter, maar blijft het steeds weer proberen.'

Het was drie uur in de ochtend; telefoons blijven niet ratelen zonder een goede reden. Ik liet peper-en-zoutman los. Het was Caspars nummer.

'Caspar? Gaat het goed met je?'

'Tessa?'

'Met wie spreek ik?'

'Met Zac.'

Lieve hemel. 'Hoor je niet in bed te liggen?'

'Dat had je gedroomd. Ik dacht dat iemand hoorde te weten dat Caspar zijn ingewanden eruit kotst. Ik probeer verdomme alleen maar te helpen.'

'Waar is hij?'

'O, dus nu wil je wél met me praten?'

Kinderen. Deze jongens waren kinderen en mannen waren baby's. Ik raakte snel genezen van het idee me bij een ervan aan te sluiten.

'Waar ben je?'

'Op de hoek van Wardour Street en Old Compton Street is een club, daar gaan we naar binnen.'

'Laat hem niet alleen, ik kom eraan.'

'Ik ga verdomme niet weer voor babysitter spelen.'

Weer? 'Doe niet zo belachelijk. Hij is je vriend. Ik ben er over vijf minuten.'

'Hij zit onder de kots.'

'Blijf gewoon bij hem.'

'Als het moet.'

Stomme idioot. Peper-en-zoutman vond me bij de garderobe. Ik legde haastig de situatie uit en holde weg.

Ik besloot niet Nick en Francesca te bellen omdat ik aannam dat er al een smoes was verzonnen. Ik ben bij vrienden, mijn vrienden zijn bij mij; het soort verhalen waar ouders steeds weer intrappen. Dus was het onnodig ze midden in de nacht te alarmeren. Maar bij mij was het alarm afgegaan. Ik had hem moeten dwingen met me mee te gaan. Een hele dag zestien jaar oud, en ik had hem – al onder invloed – alleen gelaten in Piccadilly Circus. Makkelijke prooi. Ik wist maar al te goed hoe hij van stoned tot bewusteloos en onder de kots was geraakt. Mijn biljet van twintig pond. Waarom had ik hem dat gegeven? Hij zou het nooit aan een taxi besteden. De slimme rat had waarschijnlijk zelfs een busabonnement. Ik had hem dat geld gegeven omdat ik populair wilde zijn. Voor het eerst in mijn leven begreep ik waarom mijn moeder zei dat ouders erop voorbereid moesten zijn door hun kinderen te worden gehaat. Ik voelde me schuldig toen ik door de verlaten straten van Londen rende. Schuldig als een ouder. Het was geen prettig gevoel.

Ik was kwaad op mezelf en tot op het moment waarop ik hem zag woedend op Caspar. Lethargisch lag hij ineengezakt op een donkere, vochtige, naar urine stinkende hoek. Hij was dronken en stoned, dat was duidelijk; hij was ook alleen. Zac was nergens te bekennen. Toen zag ik de vrouwelijke politieagent. Ze stond een eindje bij Caspar vandaan, maar ze keek naar hem en sprak in haar radio op haar schouder. Ik holde naar haar toe. Op die verrekte hakken holde ik.

'Hallo? Hallo?'

Ze draaide zich naar me om.

'Hij is van mij. Het spijt me heel erg. Ik neem hem mee naar huis.'

Ze keek me aan. 'Hoe? Hij is bewusteloos.'

Shit.

'Taxi?'

'Als hij niet onderkoeld raakt voor u er een vindt die bereid is u mee te nemen.'

Ik keek naar Caspar. Er zat iets in.

'Gaat het goed met hem?'

'Hij is heel erg misselijk geweest, dus ik denk niet dat het helpt om zijn maag uit te pompen.'

O, verdikkeme. 'Wat moet ik doen?'

'Tja, u kunt hem niet hier laten. Hij lijkt me trouwens een beetje te jong om überhaupt hier te zijn. Wist u dat hij hier was?'

'Hij is vandaag, gisteren, zestien geworden.'

'Zestien?'

Ik wist onmiddellijk dat ik het verkeerde antwoord had gegeven. Hij mocht seks hebben, maar hij mocht niet drinken. Ging ze hem nu arresteren?

'Hij moet thuis wat bier hebben gevonden...'

'En waar was u?' Ze hoefde niet op antwoord te wachten, keek slechts naar mijn kleren. Ik stond op het punt te protesteren, maar besefte toen dat als ik dat deed, ze niet zou toestaan dat ik hem mee naar huis nam, dus accepteerde ik gelaten de afkeurende blikken en de schijnheilige toon.

'Hebt u iemand die u kan komen halen?'

Ze was nu bezig me te straffen. Alsof ik in Soho rond zou strompelen op hoge hakken met bijna niets aan als ik iemand had die me kon komen halen! Nee. Dan zou ik sinds elf uur in bed hebben gelegen met een goed boek en misschien als ik geluk had, fijne, ongecompliceerde seks hebben gehad voor ik het licht uitdeed. Ik zou iemand hebben gehad die me in het donker in zijn armen hield en tegen me praatte tot ik in slaap viel. Ik zou als ik wakker werd een kop thee op mijn nachtkastje hebben gevonden –'

'Gaat het een beetje, mevrouw?'

Ik schrok op uit mijn gepeins.

'Prima,' zei ik. Ik moest het zien te redden. En dat zou ik ook. Ik belde het taxibedrijf dat altijd voor me rijdt. Ik kende mijn klantnummer nog, wat betekende dat ze me niet konden weigeren. Ik knielde neer bij Caspar en probeerde zijn hoofd van zijn knieën te tillen.

'Dat zou ik maar niet doen,' zei de agente, een seconde te laat. De beweging bracht Caspar weer aan het braken. Hij kotste over me heen. Hij had zelfs niet het fatsoen zich te verontschuldigen. Hij deed zelfs zijn ogen niet open. Dat verontrustte me meer dan de stinkende inhoud van zijn maag op mijn jurk.

'Is hij bewusteloos?' vroeg ik.

Ik denk dat dat het moment was waarop de sympathie van het publiek in mijn voordeel omsloeg. De agente onderzocht hem voor me. Zijn ogen reageerden niet toen ze er met een zaklantaarn in scheen. Hij was catatonisch. Een dood gewicht. Ze hielp me hem op de grond te leggen, in de foetushouding. De mensen staarden ons aan in het voorbijgaan. De spot zou erger zijn geweest zonder de aanwezigheid van de agente.

'Ik zou een ambulance kunnen bellen,' zei ze.

'Een ambulance? Ik wil hun tijd niet in beslag nemen.'

'Hij kan iets hebben ingenomen.'

'Ingenomen?'

'U zou zijn zakken kunnen doorzoeken.'

Ik moest dodelijk geschrokken hebben opgekeken, want ze zei geruststellend: 'Laten we het juridische aspect er even buiten laten. En ons om zijn gezondheid bekommeren.'

Ik dacht even na en besloot toen op het verstand van deze vrouw af te gaan. Ze zou meer hierover weten dan welke ouder ook. Ze moest voortdurend kinderen in deze toestand hebben meegemaakt.

'We hebben onlangs een klein probleem gehad met cannabis.' Het denkbeeldige 'we'.

'Weet u hoeveel?'

Ik schudde mijn hoofd.

'Experimenteert hij met nog iets anders?'

'Zoals?'

'Amfetamine, cocaïne...'

'Hij heeft de beschikking niet over zoveel geld,' zei ik, maar vloekte toen hardop.

'Wat is er?'

'Ik weiger het te geloven.' Ik keek naar Caspar, mijn lieve, engelachtige jongen, die in zijn eigen braaksel en andermans urine lag. 'Dat ettertje heeft vijftig pond van me gestolen.' Daarop doorzocht ik zijn zakken en vond algauw het blikje dat ik op het verjaardagsfeest van zijn zusje had gezien. Ik had me laten bedotten door de zitzak, de tienerposters aan de muur, de restanten uit zijn kindertijd op de planken, maar hier, tegen de achtergrond van koud, hard beton, maakte het blikje een minder onschuldige indruk. Ik maakte het open. Het was bijna leeg, maar de parafernalia waren aanwezig en correct. Rizla-papiertjes. Verscheurd karton. Een tabakszakje. En wat ander spul. De agente nam het me af. Ze snoof aan het blikje.

'Skunk,' zei ze. 'Ik denk dat u eens met uw zoon moet praten.'

Mijn zoon... Mijn zoon... Ik kon het haar nu niet vertellen.

'Dit is een heel krachtige variant van cannabis, die verantwoordelijk kan zijn voor de toename van psychotische episodes onder adolescenten. Het bewijs is nogal belastend. Het is ook duur, wat de vijftig pond kan verklaren.'

'Psychotische episodes?'

'Hebt u enige verandering opgemerkt in zijn gedrag?'

Francesca wel, ja. 'Ik dacht dat het de puberteit was.'

'Dat kan het zijn. Maar skunk is een slecht teken. Ik geloof dat volgens de statistieken 85 procent van alle kinderen die met mentale problemen bij een arts komen skunk roken.'

'Tjemig.'

'De regering denkt aan een heroverweging.'

'Ik heb erover gelezen, maar ik dacht niet dat het mij aanging.'

'Dat denkt niemand.'

Ze had natuurlijk gelijk. Het was niet dat de verandering in Caspar me niet was opgevallen, maar dat ik verkozen had het te negeren. Francesca en Nick hadden een vreselijke tijd met hem en ik had hun beider mening genegeerd. Mooie peettante was ik. Caspar begon weer te kotsen. Deze keer kwam er niets naar buiten.

'Laat hem in de foetushouding liggen, zodat hij zijn tong niet inslikt,' zei de agente.

Leuk.

Eindelijk kwam de taxi. Ik had al mijn juridische overtuigingskracht nodig om de chauffeur zover te krijgen dat hij zijn vrachtje accepteerde. We moesten met ons drieën Caspar in de auto hijsen en hem op zijn zij op de vloer leggen. Op dat moment zag ik het opgevouwen rechthoekige papiertje uit zijn achterzak steken. Ik keek naar de agente; zij had het ook gezien. Ik bukte me en haalde het uit zijn zak. Ik gaf het meteen aan haar.

'Vergeten we nog steeds het juridische aspect?'

Ze gaf geen antwoord. Ik nam het haar niet kwalijk. Ik had al genoeg van haar verlangd. We keken toe terwijl ze het papiertje openvouwde. Ze scheen met haar lantaarn op de inhoud, stopte haar vinger erin en wreef het goedje tussen haar vingers. Ik zag het witte poeder en mijn hart stond stil. Marihuana was tot daaraan toe, zelfs sterke marihuana die kinderen veranderde in schizofrenen, maar dit – dit was erger.

'Het lijkt me dat ik u achteraf toch niet naar huis zal brengen,' zei de taxichauffeur.

'Dat doet u wel,' zei de agente.

'Doet hij dat wel?'

Ze hield het geopende pakje in haar hand.

'Talkpoeder,' zei ze.

'Verdomme,' zei de chauffeur zachtjes.

Ik bekeek het aandachtiger.

'Weet u het zeker?'

'Absoluut. Jongeren worden vaak op deze manier bedrogen.'

'Goddank,' zei ik.

'Ik zou niet al te opgelucht zijn als ik u was,' zei de agente. 'Uw zoon was niet van plan talkpoeder te kopen vanavond.'

Roman had me in veel toestanden met talloze mensen zien komen en naar binnen zien gaan, maar tot dusver had hij nog niet meegemaakt dat ik mijn prooi over de vloer van de hal sleepte. De taxichauffeur had zijn enorme fooi in zijn zak gestoken en haastig de benen genomen.

'Goeie god, wie is dat?'

'Mijn petekind.'

'De jonge Caspar? Nee!'

Ja, mijn portier kende de naam van mijn peetkinderen. Indertijd zag ik daar niets verkeerds in.

'Hij is vandaag zestien geworden.'

'Nou, hij heeft zijn lesje nu wel geleerd. Ja?' Roman knikte bemoedigend. Ik voelde me niet bemoedigd.

Roman hielp me Caspar naar mijn slaapkamer te brengen en liet me toen alleen. Ik kleedde Caspar uit en legde hem op een oude handdoek op mijn bed. Hij had zich bevuild en was weer misselijk. Ik maakte hem schoon, veegde zijn billen af, kneep zijn neusgaten vrij van viezigheid, wikkelde hem in een schone witte handdoek en legde hem weer in de foetushouding om de laatste stroom kots af te wachten, doodsbang dat hij zou stikken of zijn tong inslikken. Ik bleef de hele nacht op. Toen de dag aanbrak had ik het gevoel of ik een tiener gebaard had.

Dansende vlinders

Ik hoorde op de deur kloppen, maar in mijn slaperige toestand drong het niet tot me door. Toen hoorde ik mijn mobiel. Toen die oproep niet beantwoord werd, ging de vaste telefoon. Ik schuifelde rond in de buurt van de bank waarop ik was neergeploft, een uur nadat Caspar was gestopt met kokhalzen. Ik wist dat de telefoon daar ergens stond omdat ik daarmee NHS Direct had gebeld. Caspar voelde zo koud aan – hoeveel dekens ik ook over hem heen legde – dat ik, verward door gebrek aan slaap, ervan overtuigd was dat hij bezig was dood te gaan aan onderkoeling.

'Doe open, ik ben het.'

'Eh...'

'Ik heb verse koffie.'

Ik deed een oog open en sprak tegen de telefoon. 'Claudia?'

'Wie dacht je dat het was?'

'Ik weet het niet. Ik droomde.'

'Ik sta voor de deur van je flat. Het is bijna twaalf uur; sta op.'

Ik liep naar de deur.

'O, god,' zei Claudia, die me de koffie overhandigde. 'Ben je net thuis?' Ik droeg nog steeds mijn sexy outfit. Hoewel ik nu natuurlijk een psychotische indruk maakte.

'Lange nacht?'

Ik nam een slok koffie met veel melk en suiker en huilde bijna van dankbaarheid. Ik knikte en slikte. Ze volgde me door het gangetje naar de keukenbar.

'Hmm,' zei Claudia, om zich heen kijkend naar de verstrooid liggende kleren in mijn leefruimte. Ze schopte tegen de spijkerbroek. Trapte met haar tenen tegen de gehavende Converse-trui. 'Je vrijt met een rocker, of je veroveringen worden jonger.'

Ik stak met een ondamesachtig gebaar een vinger op.

'Is hij nog hier of is hij halfnaakt weggelopen?' vroeg Claudia, niet in het minst beledigd. Ik kon nog steeds geen woord uitbrengen, dus wees ik naar de boekenplank. Claudia tuurde in die richting. Daar, op zijn rug, zijn armen wijd gespreid, totaal verward in mijn lakens, lag Caspar. Hij zag er engelachtig uit, de smiecht. Terwijl ik leek op iets dat een uil heeft opgehoest. Ik had meer cafeïne nodig en een behoorlijke fundering voor ik in staat was hem de morele reprimande te geven die hij zijn hele leven niet zou vergeten, en ik evenmin. Claudia staarde me met een blik vol afgrijzen aan.

'Ik weet het,' zei ik. 'Ik ben de hele nacht met hem opgebleven. Het is vreselijk. Ik ben uitgeput, ik heb geen greintje energie meer.'

Claudia deed haar handen op haar oren. 'Tessa, ik wil het niet horen.'

'Wat niet?'

'Hij is vijftien, ben je helemaal gek geworden?'

'Zestien, sinds gisteren.'

'Dat maakt het er niet beter op, Tessa.'

'Ik weet het. Het betekent dat ze hem hadden kunnen beschuldigen van openbare dronkenschap of erger.'

'Openbare dronkenschap?'

'Afgrijselijk, walgelijk bezopen. Ik wilde Fran niet de stuipen op het lijf jagen, dus heb ik hem mee naar mijn huis genomen.'

'O.'

'Wat dacht je dat ik bedoelde?' Toen sloeg de afschuw van wat ze gedacht had met de onsmakelijke kracht van olifantenpoep toe. 'Claudia!'

'Hij is naakt.'

'Ik ben oud genoeg om zijn moeder te zijn. Ik bén bijna zijn moeder. Dat is walgelijk. Je bent grof en beledigend.'

Claudia begon te lachen.

'Je bent een obscene meid, in een Laura Ashley-jurk,' zei ik beschuldigend. 'Hoe kón je?'

'Ik draag geen Laura Ashley.'

'Leugenaarster.'

'Oké, maar alleen in de zomer.'

Deze keer lachten we allebei. 'Ik kan gewoon niet geloven dat je dacht dat ik met Caspar naar bed was geweest. Voor wat voor wanhopige del zie je me aan?'

'Sorry, Tessa, het zijn de hormonen. Ze achtervolgen me.'

Het te berde brengen van hormonen is Claudia's ultieme troefkaart. Alle irritatie, afschuw, verveling, jaloezie – wat iemand sporadisch ook mag voelen ten opzichte van zijn vrienden – gaat in rook op. Ik kon daarna niet boos meer op haar zijn.

'Ik wist niet dat je aan een nieuwe ronde begonnen was, sorry.'

'Ja. Ik heb net een leuk urinemonster bij het Lister afgegeven – op zondag is dat een stuk gemakkelijker omdat ik dan kan parkeren. Toen dacht ik dat ik jou ook maar een bezoek moest brengen. Dus hier ben ik. Sorry dat ik niet gebeld heb.'

Ik had niet echt meer geluisterd na het woord Lister. Het woord had zoveel betekenissen: het Lister, een ziekenhuis dat ivf-behandelingen uitvoerde. Ik wist niet hoe ik moest reageren. Het was de kern geweest van zoveel hoop – gewekt en vervlogen, gewekt en vervlogen, gewekt en...

'Begin je weer met de injecties?'

'We doen het nu op een andere manier,' zei Claudia, die meer hormonen injecteerde dan de Amerikaanse vleesindustrie.

'Is dat goed of slecht?'

'Goed. Ga zitten, Tess. Ik moet je wat vragen.'

Dat was het dan. Ik wilde dat ze een beter moment had uitgezocht om het te vragen, als ik minder verzwakt en uitgeput was, als al mijn ingestudeerde argumenten tegen haar verzoek om draagmoeder te zijn voor hun baby overtuigend uit het hart kwamen. Nu zou ik gaan huilen en ik nam me heilig voor dat ik dat niet zou doen op het moment zelf, want het arme kind had al genoeg doorgemaakt en dit ging niet over mij, maar over haar en Al, en o, mijn god, waarom was ik zo'n zelfzuchtig kreng...

'Zou je in overweging willen nemen...'

AAAAAhhhhhhhhhhhhhhhhhh.

'Om peettante te worden van ons kind?'

'Ik heb erover nagedacht en ik ben bang... Sorry, wat zei je?'

'Zou je in overweging willen nemen om peettante te worden van ons kind?'

Ik kon de verbaasde uitdrukking op mijn gezicht door de make-up van de vorige avond heen voelen breken. 'Je wilt niet dat ik je baby voor je krijg?'

'Jezus, Tessa, dat zou ik nooit van je verlangen.'

'Ik zou het doen.'

'Leugenaar.'

'Je hebt gelijk. Sorry. Maar ik heb erover nagedacht.'

'Ik ook, en het is geen optie. Maar peettante worden wel, dus wil je dat?'

'Natuurlijk. Dat hoef je niet eens te vragen, ik zou het heerlijk vinden, maar ik wil een kleine opmerking maken...'

'Welk kind?' maakte Claudia mijn zin af.

'Precies.'

Claudia maakte haar tas open en even dacht dat ik dat ze letterlijk een baby uit die tas zou halen. Dat is niet zo stom als het klinkt. Het was een grote tas. Een soort Mary Poppins-tas. Neem me niet kwalijk, ik leed onder gebrek aan slaap.

'Onze dochter,' zei Claudia, en overhandigde me een korrelige zwartwitte echoscopische beeltenis van perfectie. Een gebald vuistje zweefde boven een pruilend mondje, een piepklein duimpje stak omhoog. Daarboven bevond zich een skischans-neusje en een bowlingbal-hoofdje dat smaller toeliep naar een zacht gebogen halsje. Ik bleef ernaar staren. Weet je, ik heb die dingen al vaker gezien en ze leken allemaal op elkaar. Ik heb me vaak afgevraagd of het niet een enorme zwendel was — verschillende vrouwen die naar de scanningruimte gaan, maar slechts één foto die eruitkomt. Maar dit kleine dametje zag er zo compleet en uniek uit alsof ze ingebakerd op mijn schoot zat.

'Ik ben drie maanden zwanger,' zei Claudia. 'Ik heb het nog niemand verteld, want je kunt nooit weten. Er is een grens aan het medeleven dat iemand kan verdragen, maar ze is er nog en de dokters vertellen me dat ik net zo zeker kan zijn als iedere andere vrouw in dit stadium.'

Ik knikte, want ik wist niet wat ik moest zeggen. Toen trok ze me naar zich toe en ik snikte op dezelfde manier als Claudia telkens weer had gedaan als ze er niet in geslaagd waren een kind te maken. Ze hield mij vast, zoals ik haar had vastgehouden. Tot op dat moment had ik me niet gerealiseerd wat een enorme stress het was geweest om toe te moeten zien hoe mijn dierbare vriendin iets doormaakte waarbij ik haar niet kon helpen. Ik snikte van opluchting, vrees en vreugde.

'Ik weet dat ik nog een lange weg te gaan heb, maar op dit moment ben ik zwanger, Tessa, ik ben zwanger. Ik wil niet bang zijn voor dit wonder. Ik zal zijn als elke andere vrouw die in verwachting is. De dokters zeggen dat ik me op effen terrein bevind, en ik ben vastbesloten ervan te genieten.'

Ik huilde weer. Over moed gesproken...

Claudia zette thee voor me en maakte brood klaar. Terwijl Caspar lag te slapen, vertelde ze me over de laatste drie maanden. 'En gisteren had ik kunnen zweren dat ik haar voelde bewegen,' zei Claudia. 'Het voelde of iemand in me aan het bellen blazen was. Het was verbluffend.' Ze straalde van geluk.

'Fran zei dat het op dansende vlinders leek,' zei ik, zoals altijd in huiselijke en familiale aangelegenheden teruggrijpend op de ervaringen van mijn vriendinnen alsof ze van mijzelf waren. Feitelijk had Fran dat gezegd over Caspar, het eerste kind. Over de eerste levenstekenen van de meisjes was ze minder complimenteus geweest. Katie had niets te maken met fladderende vlinders, ze betekende van de ene dag op de andere een extra gewicht van zes pond, met de zekerheid dat de weegschaal zich in slechts één richting bewoog.

'Hoe vindt Al het?'

'Hij is behoedzaam, maar extatisch,' zei Claudia, die plaatsnam op mijn crèmewitte bank. 'God, wat een ongelooflijk uitzicht,' zei ze, van onderwerp veranderend en starend over de rivier. 'Ik sta er altijd weer versteld van.'

'Ik ben erg trots op je,' zei ik en pakte Claudia's hand. 'Jij en Al zijn bewonderenswaardig. De meeste echtparen geven het op na een tiende te hebben doorgemaakt van wat jullie hebben beleefd. Dat kleine meisje boft geweldig dat ze jullie als ouders krijgt,' zei ik.

'En ze boft nog meer met de beste peettante ter wereld.'

'Nauwelijks.'

'Je laat je petekind kotsen op je 100 procent Egyptisch katoenen lakens. Als dat alles was wat ik over je wist zou het al voldoende zijn.'

'Royal satinet geglansd katoenen lakens, met een dradencount van 250,' zei ik.

'Nou zie je!'

We zaten op mijn bank, onze handen gevouwen op het buikje dat een wonder van zeven centimeter bevatte en staarden naar de met diamanten bespikkelde rivier onder ons. Ze had gelijk, het was een ongelooflijk uitzicht. Ik voelde me gezegend.

Korte tijd nadat Claudia met haar kostbare bezit naar huis was, kwam Caspar de kamer binnen gewankeld. Als advocaat had ik de producten gezien van gescheiden gezinnen en misbruik; in die categorie viel Caspar niet. Ik wist dat alles in het leven betrekkelijk was en ik hem niet kon vragen zichzelf te vergelijken met een verhongerend kind in Sudan. Die 'Derde Wereldshit' zoals hij het noemde, ging zijn begrip te boven en, als ik eerlijk was, soms ook dat van mij. Maar was een zachte aanpak de juiste? Moest ik hem gewoon naar huis rijden en hem daar dumpen? Zou ouderlijke woede dit tot op de bodem kunnen uitzoeken of alles juist erger maken? Waarom kregen kinderen geen gebruiksaanwijzing mee? Misschien was dit mijn kans om te bewijzen dat ik meende wat ik zei toen ik de rol van peettante op me nam. Dat ik mijn plichten zou nakomen. Dat ik meer zou zijn dan alleen een lieverd die voor cadeautjes en traktaties zorgde. Heimelijk geloofde ik dat ik dichter bij Caspar en zijn generatie stond dan bij zijn ouders. Ik was niet over de afscheiding heen gestapt. Ik had geen afscheid genomen van onverantwoordelijkheid. Per slot was ik jong genoeg om Caspars vriendin te zijn met het toegevoegde voordeel van levensjaren. Ik kon in de rol van moeder stappen. Niet ondanks mijn kinderloosheid, maar juist daardoor. Toen ik erover nadacht besefte ik dat ik het moest doen. Wie anders?

Ik liet een bad voor hem vollopen, zette weer thee en maakte baconsandwiches. Toen hij zich wat had ontspannen en alle defensiviteit uit hem geweken was, veranderde ik van tactiek. Weer een juridisch trucje.

'Ik maak me zorgen over je.'

'Het gaat prima met me,' bromde hij.

'Wat ik heb gezien zag er niet bepaald "prima" uit.'

Hij trok een soort 'Duvel op, mam'-gezicht voordat hij zich herinnerde dat hij niet thuis was.

'Is dat de dank die ik krijg voor het feit dat ik je van de stoep heb geschraapt?'

'Sorry.'

'Vertel het me dus maar. Ik ben er voor je.'

'Teveel gedronken, denk ik.'

'Dat had ik zelf ook al uitgedokterd, omdat de inhoud van je maag nog in mijn schoenen zit.'

Zijn gezicht vertrok even.

'En het is niet echt de drank die me zorgen baart. Hoe lang rook je die stuff al?'

Hij haalde zijn schouders op.

'Caspar, óf je praat met mij, óf we gaan naar huis en dan kun je het Nick en Fran vertellen. Zeg jij het maar.'

Hij trok een kussen onder zijn kin. 'Je zou het niet begrijpen.'

'Probeer het eens.'

'Ik hoef je helemaal niks te vertellen,' zei hij met een stem die gespannen klonk.

'O, ja, dat hoef je wél. Zonder mij zou je in het ziekenhuis wakker zijn geworden. Of erger nog, helemaal niet zijn wakker geworden, omdat je bewusteloos was en toch nog steeds overgaf. Weet je hoeveel mensen er in een jaar doodgaan omdat ze gestikt zijn in hun eigen braaksel?'

Hij keek tenminste een beetje gegeneerd.

'Dat niet alleen, zonder mij zou je met de politie te maken hebben,' zei ik. 'Want terwijl je bewusteloos was, werd je gefouilleerd. En dit hebben ze gevonden.' Ik hield het blikje omhoog.

'Het is niet onwettig om dat bij je te hebben.'

'Je hebt gelijk. Maar het is wél onwettig om dit in je bezit te hebben!' Ik opende mijn andere hand. De hand met het talkpoeder. Ik nam een gok, in de hoop dat hij niet wist dat hij was opgelicht.

'Dus ik vraag het je nog eens. Wat is er verdomme aan de hand?'

'Je weet niet hoe het is.'

'Wat? Vertel op. Word je geïntimideerd?'

'Nee.'

'Heeft iemand je hart gebroken?'

'Nee.'

'Ben je homo?'

'Nee!'

'Wat is er dan?'

Ik wachtte. Hij draaide het koord van mijn ochtendjas om zijn vinger. Hij leek erg klein. Ik liet me een beetje vertederen.

'Caspar, vertel het me. Wat het ook is, we kunnen een oplossing vinden.'

'Je zult me stom vinden.'

'Waarschijnlijk. Ik zal erg mijn best doen dat niet te vinden.'

Dat leek een acceptabel antwoord.

'Thuis,' zei hij.

'Thuis?'

Hij knikte. Ik kon zien dat het zijn hoofd pijn deed, want hij kromp even ineen.

'Wat is er thuis aan de hand?'

Het feit dat hij het me niet wilde vertellen verontrustte me eerst; ik liet me door mijn verbeelding meeslepen naar dingen die ik niet wilde weten. Toen maakte het me woedend, omdat het erger bleek te zijn dan ik me had voorgesteld – het bleek niets te zijn. Niets. Hij voelde zich buitengesloten. Buitengesloten. Het scheen dat Katie en Poppy te veel van Nick en Francesca's tijd opeisten. Ik fronste teleurgesteld mijn voorhoofd. 'Laat ik het even op een rijtje zetten. Je hebt de pest in omdat je geen exclusieve aandacht hebt gehad van je ouders?'

'Ik heb nooit exclusieve aandacht gehad. Nick en Francesca hebben alleen maar exclusieve aandacht voor zichzelf en de meiden.'

Het gebruik van hun voornamen ergerde me. 'Geen disrespect voor je ouders in mijn bijzijn, ondankbare kleine klootzak.'

Hij maakte aanstalten om op te staan. 'Daar gaan we weer.'

'Ga. Zitten.' Iets in mijn stem drong tot hem door. Hij ging weer zitten. Ik boog me naar voren. 'Over vier jaar verwek je een zoon. Je zult je twintigste verjaardag niet kunnen vieren, want je vriendin heeft net met moeite haar diploma gehaald en beviel kort daarna. Terwijl al je vrienden luid feestvieren, zitten jij en zij de hele nacht op met een baby waar je geen verstand van hebt. In het begin is het leuk, heel romantisch zelfs. Maar zes maanden later slaapt je zoon 's nachts nog steeds niet en jij en zij zijn uitgeput. Je hebt drie banen die je haat, om de huur te kunnen betalen en genoeg geld over te houden voor melk en luiers. Vergeet niet, je bent twintig. Over vier jaar dus. Al je vrienden zeggen tegen je dat je ervandoor moet gaan, dat je in de val bent gelopen. De sociale dienst zal voor je vriendin en de baby zorgen. Het is verdomd verleidelijk, want je vriendin is te uitgeput om zelfs maar met je te praten, want al haar energie gaat op aan het in leven houden van dat kleine, afhankelijke wezentje. In plaats van weg te lopen, vraag je haar ten huwelijk, je neemt de verantwoordelijkheid en besteedt de volgende zestien jaar aan het in stand houden van je kleine gezinnetje. Kun je je dat voorstellen? Jij, over vier jaar, levenslang een vader.'

'Het is niet mijn schuld dat mam zwanger werd.'

'Nee. Heeft ze je ooit dat gevoel gegeven?'

Caspar schudde zijn hoofd.

'Dat heb ik niet gehoord.'

'Nee.'

'Waar gaat het dan allemaal om?'

'Tessa, je hebt geen idee hoe het is. Mijn ouders gaan altijd zo in elkaar op.'

'En dat is je probleem?'

'Je doet of ik een verwend mormel ben.'

'Jouw woorden.'

'Ik dacht dat je het begreep. Ik dacht dat je niet kwaad op me was.'

'Dat ben ik ook niet. Ik ben rázend.'

Daarna nam het gesprek een ernstigere wending.

'Ze hebben verdomme alles voor je over gehad. Heb je enig idee wat ze allemaal zijn misgelopen?' Ik had het niet eens over de grote dingen die ze gemist hadden, zoals vakanties, een afwasmachine, een auto, Francesca's carrière; ik bedoelde even naar de kroeg wippen voor een snelle borrel. Ik bedoelde het bijwonen van het feest voor de diploma-uitreiking. De eenentwintigste verjaardagsviering. Vrienden.

'Je moeder was het intelligentste meisje dat ik kende, ooit heb gekend.' Niet zo gemakkelijk om toe te geven tegenwoordig, maar ze was veel intelligenter dan ik. Ik had altijd twee keer zo hard moeten werken om haar te kunnen bijbenen. Ik zat naast haar tijdens het eerste college, ik zat naast haar tijdens het laatste; het enige verschil tussen haar en mij tijdens dat laatste college was dat zij een enorme buik had en ik een kater. Terwijl ik rechten studeerde, studeerde zij kleuterspelletjes. Toen ik de ronde deed van de regionale rechtbanken, deed Fran de ronde van de scholen.

'Ze had zulke grootse dromen, Caspar. Ze wilde werken voor de VN, de hele wereld rondreizen, de dingen beter maken. Het enige wat ervoor nodig zou zijn geweest was twintig minuten onder narcose.'

Caspar kromp ineen. Maar het was waar, één abortus, de abortus die ik haar had aangeraden, en Francesca had inmiddels de VN kunnen leiden.

'Toen puntje bij paaltje kwam, kon ze het niet, en haar redenen bleken goed te zijn. Beloon haar niet met dit schofterige gedrag, Caspar, alsjeblieft. Ter wille van haar en van jou. Want ik kan je wel zeggen dat je er uiteindelijk spijt van zult hebben, en je zult het nooit goed kunnen maken tegenover haar. En dan zou je die shit werkelijk nodig kunnen hebben.' Ik hield het pakje talkpoeder weer omhoog.

'Het was alleen maar een beetje speed.'

Speed. Oké, ik veronderstelde dat het beter was dan coke of crack. '"Alleen maar"? En al die skunk die je rookt? Weet je dat je daar paranoïde van kunt worden? Asociaal? Irrationeel? Kwaad? Ik vraag me af wie ik beschrijf...'

'Het is maar wiet.'

'Het is niet *maar* wiet of *maar* speed, het zijn drugs, Caspar. Het kan me niet schelen wat je denkt, maar ik ken niet veel heroïneverslaafden die van frisdrank op heroïne overgingen – weet je wat ik bedoel? Het is een proces dat je opslurpt en dat hiermee begint. Echt, ik dacht dat je intelligenter was.'

Het was op ongeveer dat moment dat we allebei moe begonnen te worden van de strijd.

We gingen naar de keuken en ik zette een ketel water op. Caspar plantte zijn droeve kont op een kruk en verborg zijn kin in zijn handen. Mijn cherubijn, mijn voornaamste petekind, met zijn krullen en roze wangen – die speed gebruikte. Het was een afgrijselijke gedachte. Hij was zo geliefd geweest; wat kunnen ouders meer doen dan hun kind liefhebben? Wat wilden ze, die kinderen?

'Zou je liever willen dat je ouders elkaar haatten?'

'Nee, maar het is gênant.'

'Je geneert je omdat ze van elkaar houden?'

Zijn gezicht vertrok even.

'Je hebt geen idee wat een bofferd je bent. Denk je dat een gelukkig huwelijk de norm is? Denk eens even heel goed na. Frans ouders zijn niet bij elkaar, Bens ouders zijn nooit getrouwd, Billy is gescheiden, ik ben alleen –'

'Jij bent niet getrouwd. Dat telt niet.'

'Het had gekund als een van mijn relaties succesvol was geweest.'

'Dan moet je wel eerst een vriendje hebben, Tessa,' zei Caspar. Uit de mond van de kinderen...

'Nu ben je bijna te ver gegaan. Als je ouders zichzelf belonen met een onderling grapje waar jij buiten staat, of met een knuffel op de bank, of elkaars hand vasthouden in plaats van die van jou, hoor je je gelukkige gesternte te danken. Daarom heb je zo'n goede basis om op te steunen. Daarom heb je een thuis.'

Hij knoeide met een biscuitje. 'Ik voel me buitengesloten.'

'Dus je vindt dat het nu jouw beurt is om hun het leven moeilijk te maken?'

'Kan zijn.'

'Maar de enige die je in moeilijkheden brengt ben jij zelf.'

Caspar kon de redenen voor zijn gedrag of zijn gevoelens niet doorgronden omdat hij ze zelf niet begreep. Hij was een jongen. Hij reageerde kinderlijk. Gooide zijn speelgoed uit de kinderwagen. Het probleem was dat hij op zijn zestiende toegang had tot meer volwassen speelgoed.

Hij wreef met zijn handen over zijn gezicht. Toen hij opkeek stonden er tranen in zijn ogen.

'Je hebt gelijk. Ik ben al mijn vrienden kwijtgeraakt. Zac is een klootzak. Ik weet niet waarom ik naar hem luister. Ik heb het leven van mijn ouders tot een hel gemaakt...'

Ik liep om de bar heen en sloeg mijn arm om hem heen. Hij leunde tegen me aan zoals hij deed toen hij nog klein was. Mijn hart stroomde over van liefde voor hem en ik begon bijna te huilen van opluchting.

'Tessa?' zei hij kalm na een paar minuten.

'Ja?'

'Ik heb vijftig pond uit je portemonnee gestolen.'

Als ik had gedacht dat ik niet nog méér van hem kon houden, had ik me vergist. Ik gaf hem een zoen op zijn hoofd. 'Ik weet het,' zei ik.

'Je hebt niks gezegd.'

'Ik heb gewacht tot jij het me zou vertellen.'

'Het spijt me, Tessa – dat, en van gisteravond, en van mijn gedrag toen je terugkwam...'

'Sst. Geen spijtbetuigingen meer. Niet tegen mij in ieder geval.' Ik hield hem stevig vast, voelde de kracht van een onvoorwaardelijke liefde.

'Heb ik nu een strafblad?'

'Nee,' zei ik. 'Maar het scheelde niet veel en geloof me, een drugsdossier is heel moeilijk van je af te schudden.' Ik wist waarover ik sprak, niet alleen uit juridisch oogpunt, maar ook persoonlijk. Claudia en Al hadden tot adoptie besloten toen hun derde ivf-poging was mislukt. Ze hebben een afschuwelijke tijd doorgemaakt. Al had een strafblad. Hij had vijftien gram cannabis uit Vietnam het land in gebracht. Het was een vergissing natuurlijk. Hij had gedacht dat hij het verloren was, maar het was door een scheur in de voering van zijn tas gevallen. Het adoptieagentschap kon alleen zwart-wit lezen; naar het grijze verhaal van Al werd niet geluisterd. Ironisch genoeg zeiden ze tegen Claudia dat het waarschijnlijker was dat ze een kind zou kunnen adopteren als ze niet met hem getrouwd was, maar Claudia weigerde te luisteren naar zijn voorstel om te scheiden, al was het maar op papier. We dachten allemaal dat zijn onbeduidende strafblad geen rol zou spelen in zijn volwassen leven. We dachten verkeerd.

'Bedankt dat je me uit de penarie hebt geholpen.'

'Dat heb je niet aan mij te danken. De politieagente gaf je het voordeel van de twijfel.'

'Ik hoor haar te bedanken.'

'O, dat kun je. Ik weet waar ze werkt.'

'Ik zal een briefje schrijven...' Hij zuchtte diep. 'Het is over, Tessa,' zei hij tegen mijn schouder. 'Ik ben een klootzak geweest.'

Dat was het moment waarop ik voelde dat de kleine jongen van wie ik gehouden had verdwenen was en een goede volwassen man in zijn plaats naar voren zou komen, zij het niet meteen. Helaas stelde mijn moederlijke instinct niet veel voor.

Tik-tak

Hoe komt het dat ik, als ik weet dat ik goed gekleed en gelaarsd en paraat moet zijn, om vier uur 's ochtends door de deur van mijn flat naar binnen struikel, na negen uur geleden naar buiten te zijn gewipt om even een borrel te drinken? Het was onschuldig genoeg. Ik had de hele week alles wat ik moest doen effectief weten te negeren terwijl ik uren doorbracht met onnodige dingen. Ondanks lange gesprekken met mijn ouders over mijn volgende stap, slaagde ik erin te vergeten ook maar een van de noodzakelijke telefoontjes af te handelen, tot ik midden in een yogales was, in de bioscoop zat of om drie uur 's ochtends wakker lag en langdurig repeteerde wat ik zou zeggen als ik het headhuntersbureau zou bellen. Maar de volgende ochtend at ik een gekookt ei, zette koffie en was vier uur lang vrolijk bezig met naar muziek te luisteren en mijn klerenkast op te ruimen. Uitstellen is een kunst die ik blijkbaar tot in de finesses beheers.

Maar vrijdagavond stuurde een meisje met wie ik vroeger samenwerkte me een smsje dat ze in de buurt was. We spraken af in mijn stamkroeg om snel even bij te praten. Ik zou me eraan onttrokken hebben, al vond ik het meisje erg aardig, omdat ze dichter bij het drama van mijn werk stond dan me op het ogenblik lief was. Maar ze vertelde me dat ze met vrienden had afgesproken om te gaan eten, wat betekende dat we niet in een lange discussie konden raken over mijn ex-baas, en bovendien was ze naar een andere afdeling overgeplaatst. Het zou een vlug drankje worden voordat ik naar huis ging om reine gedachten te denken over het afzweren van de duivel als de tweeling de volgende ochtend gedoopt werd. Ik dronk nota bene gemberbier! In wat voor problemen kon ik komen met gemberbier? Steeds minder limonade, dat is het. Ik ben een zwakke vrouw met een afschuwelijk verlangen om verantwoordelijkheden te negeren – maar dat is natuurlijk slechts de helft van het verhaal. Het liefst zou ik zeggen: 'Sorry, ik kan geen baby-sitter krijgen. Tot over zeventien jaar.'

Ik had nooit mijn flat moeten verlaten, want na nog een paar pinten, en een hoop roddels, leek het een goed idee om de vrienden van mijn ex-collega naar de pub te laten komen waar wij zaten. En toen leken chips een goede vervanging voor een warme maaltijd. En toen ging de bel voor sluitingstijd en opperde iemand een broeierige discoclub om de hoek, waarvan ik het bestaan zelfs niet kende. En toen was er natuurlijk tequila...

De meeste beschaafde doopplechtigheden vinden plaats om drie uur 's middags. Dan ligt het meer voor de hand dat het verzadigde en goed uitgeruste kind het succes zal weerspiegelen van de uitzonderlijk relaxte, begaafde ouders, en tijdens de hele plechtigheid opgewekt zal liggen pruttelen. Het geeft ook de peetouders, gewoonlijk een ras apart, de tijd om bij te komen van hun avondje uit. Maar Helen en Neil kozen voor de dienst van elf uur, gevolgd door een volledig gecaterde champagne-brunch in hun enorme huis. De ochtend na mijn 'vlugge drankje' werd ik wakker, trok het oogmaskertje van een oog en tuurde door de aange-koekte mascara naar de klok. Ik drukte nog een keer op 'snooze', wetend dat ik er gevaarlijk dichtbij kwam mijn eigen persoonlijke snelheids-record voor optutten te breken en tot een onacceptabele paniek op te voeren. In gedachten ging ik mijn outfit na. Mijn haar stonk naar siga-rettenrook, maar ik had niet de tijd om het te wassen en te drogen. Ik vroeg me af of *Febreze* zou helpen. Misschien was een zwaar geparfu-meerde hoed beter. Ik had een heel leuke slappe vilthoed die ik via e-Bay had gekocht en die de vieze geur heel aardig in bedwang zou weten te houden. Maar dan zou ik mijn kleding moeten omgooien. Broekpak. Hoge laarzen. Luchtige, feeërieke, zweverige peettante-look was uit, gangsta-rap, hip-hop queen was in. De wekker ging weer af. Er waren toch niet al twintig minuten voorbij?

Coca-cola en gekleurde extra moisturizing cream met beschermings-factor vijfentwintig waren de eerste dingen die ik klaarzette voor mijn reparatie. Ik nam de cola mee naar de douche en smeerde mijn van drank doordrenkte huid in met grapefruitextract. Ik droeg een plastic douchemuts die zo waterdicht was dat hij lelijke moeten veroorzaakte bij de haargrens, als mijn persoonlijke stigmata. Nog meer geparfumeerde bodycream, haarborstel, geen make-up-make-up, en ik was klaar om de geheiligde portalen te betreden van de St John's Church, op de top van de heuvel waarlangs Ladbroke Road omhooggaat. Claudia kon de goede peettante zijn. Ik zou de peettante zijn die de grootmoeders afkeurend met de ogen deed rollen en de grootvaders liet terugkeren naar de tijd toen ze vijfentwintig waren. Ik zou de yin zijn naast tegen Claudia's yang. Ik wist niet wie de peetooms waren. Vrienden van Neil, nam ik aan, dus had ik ze al afgeschreven.

Mijn taxi arriveerde bij de kerk toen Neils okerkleurige Range Rover Sport achter ons stopte. Ik betaalde, draaide me om en zag een ongelooflijk glamourachtige Helen uit de auto stappen. Ze droeg een strak getailleerd wit pakje met een strakke kokerrok, en extreem hoge hakken. Haar donkere huid glansde, haar haar was naar achteren getrokken en hing in een lange, dikke streng op haar rug. Haar opvallende make-up accentueerde haar grote, taps toelopende ogen. Het enige sieraad dat ze droeg was een diamanten kruis en haar diamanten trouwring. Het gekwelde schepsel dat ik had gezien was verdwenen. Ze was onvoorstelbaar mooi. De metamorfose was moeilijk te bevatten. Ze glimlachte naar me toen iemand haar een bundel kant overhandigde waarvan ik aannam dat het een van haar zoons was. Neil nam de andere bundel. Hij leek bijna uit elkaar te barsten van trots en het deed me eraan denken dat ondanks mijn eigen vooroordelen jegens de man, niemand werkelijk weet wat er zich afspeelt in de beslotenheid van een huwelijk. Het was een geheim genootschap dat slechts twee leden telde. Het mocht niet worden beoordeeld aan de hand van de snippers informatie die voor de voeten vielen van de niet-leden, of achteraf worden bekritiseerd door oningewijden. Neil en Helen glimlachten naar elkaar en ik ging trots achter hen staan in de rij, om weer een keer peettante te worden. Twee keer. Vier keer. Tik-tak.

Claudia was al in de kerk en stond te praten met een gezette vrouw die een stapel gezangbundels in haar hand hield. Ik kon Als kale kruin zien, verborgen achter een nogal logge, ouderwetse videorecorder, die alles moest vastleggen voor het nageslacht. Ik zwaaide naar een paar mensen die ik herkende en realiseerde me een paar seconden later dat ik zwaaide naar de cast van een sitcom waarin Neil had gespeeld, en liet mijn hand weer zakken. Ik wendde mijn blik af en glimlachte naar een pilaar. Ik deed heel erg mijn best om me niet onbeholpen of misplaatst te voelen.

Misschien was het toch beter geweest als ik me niet had uitgedost als Michael Jackson.

'Je ziet er geweldig uit,' zei Claudia, die mijn arm vastpakte.

'Nee, dat is niet zo,' antwoordde ik. 'Maar ik waardeer de leugen.'

'Dat is wel zo,' hield ze vol. 'Waarom vind je het toch altijd zo moeilijk om een complimentje te accepteren?'

'Ik ben pas een paar uur geleden naar bed gegaan.'

'Nu je het zegt, er hangt een vleugje van de brouwerij om je heen.'

'Complimentje, zeg je... Ik had gehoopt dat ik het meeste ervan gecamoufleerd had met grapefruit.'

'Maak je geen zorgen. Ik ben zwanger. Ik heb de neus van een jachthond. Niemand anders zal het merken. Was het leuk vannacht?'

'Ja. Ik had een afspraak met een meisje van mijn werk –'

Claudia trok me opzij. 'O, mijn god. En...?'

Ik liet mijn adem ontsnappen. 'Hij is weg. Hij is gek geworden nadat ik was vertrokken. Hij is opgenomen!'

Claudia's mond viel open.

'Ik weet het. Totale breakdown. Het had feitelijk niets met mij te maken.' Ik kreeg een vreemd gevoel toen ik dat zei. Opluchting. Ongeloof. En een vreselijke droefheid en woede, want als het niets met mij te maken had gehad, waarom was hij me dan naar huis gevolgd? Had hij me 's nachts opgebeld; had naast mijn bureau gestaan en naar me gekeken terwijl ik aan het werk was; waarom had hij ervoor gezorgd dat ik door mijn collega's werd doodverklaard door me bij alles wat ik deed aan te moedigen? En toen een enorme barrière had opgeworpen voor mijn carrière. Als het niets met mij te maken had, waarom was mijn leven dan op zijn kop gezet, in de wachtstand geplaatst? 'Het blijkt dat hij aan een of andere dwangneurose leed; het had zich kunnen uiten in het verzamelen van potloodslijpsel of het vermijden van kieren in het plaveisel. Mijn collega kende de details niet precies. Ze proberen het geheim te houden, maar volgens iemand van een andere afdeling heeft zijn vrouw hem laten opnemen.'

'Iets waar veel vrouwen misschien jaloers op zouden zijn.'

'Jij niet.'

Claudia glimlachte, maar bleef geruststellend op mijn arm kloppen. 'Serieus, je moet je erg opgelucht voelen.'

'Ik voel me opgelucht omdat het bewijst dat ik dit alles niet verzonnen heb.'

'Ach kom, waarom zou je dat doen?'

Om mijn leven interessanter te maken, wilde ik zeggen. Ik zweeg even. 'Omdat mijn werk me verveelde?'

Claudia bewoog haar hand op en neer langs mijn arm. 'Nee, lieverd, dat was reëel.' Als er een subliminale boodschap school in haar woorden, verkoos ik die en mijn eerste antwoord te negeren. Je weet maar nooit.

Al kwam naar ons toe en legde zijn arm om Claudia's middel. Claudia keek stralend naar hem op. Al was slanker dan Ben. En had duidelijk veel minder haar. Maar er waren ook overeenkomsten. Ze hadden allebei een vlotte charme en waren door en door integer. Al sprak met zachte, vriendelijke stem, wat de reden was dat Helen hem ook adoreerde. Verdraaid, we waren allemaal gek op Al. Hij was een door en door aardige man, en die moest je doorgaans met een lantaarntje zoeken. Hij glimlachte terug naar zijn stralende vrouw, en bleef glimlachen tot ze afgeleid werd door de organist, die op de pedalen trapte, en toen zag ik de uitdrukking op zijn gezicht veranderen. De blik die we wisselden was voldoende. Hij wist dat ik het wist, ik wist nu dat hij wist dat ik het wist, en we waren allebei geschrokken. Claudia richtte haar aandacht weer op ons en het ogenblik was voorbij.

'En, Tessa, ben je klaar om Jezus in je hart te verwelkomen?' vroeg Al, zich vooroverbuigend voor een kus.

'Ongetrouwd, intelligent en in staat voor voedsel te zorgen: reken maar,' zei ik.

'Ik dacht dat hij getrouwd was, jurken droeg en een voorkeur had voor prostituees,' antwoordde Al, voordat hij een por in zijn ribben kreeg van zijn vrouw. 'Of was hij getrouwd met een prostituee?'

'Al, we zijn in een kerk!' zei Claudia, die haar ogen ten hemel sloeg.

'De kleding kan ik nog over het hoofd zien, maar getrouwd zijn kan niet.'

'Denk je dat monogamie en monotheïsme van hetzelfde laken een pak zijn?' vroeg Al met zijn hoofd schuin.

'Alexander Ward, wil je soms beweren dat Jezus een tweede vrouw kan hebben gehad?'

'Sst,' zei Claudia.

Ik giechelde. 'Ik denk dat Claudia vindt dat we gevaarlijk dicht bij godslastering komen.'

'Nee,' zei Claudia met een stralende glimlach. 'Jij bent een godslasteraar. Ah, dominee Larkin, mag ik u voorstellen aan Tessa King, de andere peettante.'

Ik draaide me om en zag een knappe man met het boord van een geestelijke. 'Natuurlijk, degene die niet bij ons pre-doopsgesprek kon zijn.'

Ik piekerde me suf welke reden ik kon hebben gehad om een tête-à-tête met deze man te willen vermijden. O, ja. Ik ben geen christen en zie georganiseerde religie momenteel als een belemmering voor maatschappelijk welzijn en wereldvrede. Begrijp me goed, ik heb geen probleem met God. Ik heb een probleem met wat er in Zijn naam wordt gedaan. In welke van Zijn namen dan ook. Is het huichelachtig van me om de rol van peettante te accepteren? Ik heb dat debat al talloze keren met mezelf gevoerd en het antwoord waarmee ik gemakshalve voor de dag ben gekomen is nee. Verkleining van een woord, een extra klinker hier en daar, en religieuze uitspraken worden gemakkelijk omgezet in verstandige morele regels die ik met liefde onder woorden heb gebracht. God wordt Goed, en goed heet ik graag welkom in mijn hart. Het afzweren van het kwaad is een vaardigheid die ik bezig ben bij te slijpen. Bij Caspars doop koos ik Beer in plaats van Heer, wat niet zo slim was, want ik kreeg een giechelbui, maar ik geloof niet dat Fran en Nick het erg vonden. De dag waarop ze trouwden en hun zoon doopten was een dag van alleen maar lachen. We speelden dat we volwassenen waren. Nou ja, ik in ieder geval.

'Claudia vertelde me dat u een min of meer professionele peettante bent, dus u hebt het waarschijnlijk allemaal al eens eerder gehoord.'

Ik keek glimlachend naar de dominee van de Anglicaanse Kerk. Hij wilde vriendelijk zijn, maar zijn woorden hadden een vertrouwde klank van venijnigheid die ik liever niet wilde horen.

'Een herhalingscursus onder het genot van een pint zou toch nuttig kunnen zijn,' antwoordde ik.

De dominee lachte.

Claudia lachte.

'Je bent vreselijk.' fluisterde ze in mijn oor, terwijl we hem nakeken toen hij wegliep.

Ze vergiste zich. Ik wás niet vreselijk. Ik vóelde me vreselijk. Ik wilde geen verleidster zijn, geen roofdier, geen vrouw van lichte zeden. Zo was ik niet echt – zagen ze dat dan niet? Ik verviel alleen maar weer in mijn oude gewoonte, voerde een vertoning op, was wat ze verwachtten dat ik zou zijn. Ik wilde geen professionele peettante zijn. Ik wilde mezelf zijn. Maar wie was dat? Juist als ik dacht dat ik houvast aan haar had, leek ze weer te veranderen.

Waarschijnlijk fronste ik mijn voorhoofd, want Claudia keek bezorgd. 'Wil je dit je wel?' vroeg ze.

Ik knikte als Churchill. Niet de staatsman. De knikkende hond.

'Denk eraan,' zei Claudia. 'Ik weet hoe je je voelt.'

Dat was waar. We hadden allebei een aardig aantal doopplechtigheden achter de rug; dit was de eerste keer dat ze het in zwangere toestand deed.

Ik gaf haar een zoen op haar wang. 'Kom mee,' zei ik. 'We doen het.'

Claudia gaf me een arm en samen liepen we over het middenpad naar onze plaats op de tweede rij.

Veel van mijn ongetrouwde vriendinnen hebben moeite met huwelijken. Weer een schaamteloze herinnering aan wat hun niet was gelukt: iemand vinden die van ze hield. Ik had er geen probleem mee. Ik hou van een fraai huwelijk zolang je de mensen die gaan trouwen echt goed kent. De truc is om het huwelijk te mijden van mensen die je niet zo goed kent maar waarvoor je onverwacht bent uitgenodigd. Ik ben op een paar daarvan geweest, denkend dat als ik nieuwe akkers ging bewerken, dat een alternatieve en spannende oogst zou opleveren. Niet dus. Mijn tafelheren waren homo, prepuber, of zaten rechts van Djenghis Khan. Dus stopte ik met het accepteren van die uitnodigingen. Ze zijn ook walgelijk duur.

Huwelijken van vrienden vind ik gemakkelijk. Ik ga er met geen andere verwachtingen heen dan plezier te hebben met mijn maatjes. Een doopplechtigheid daarentegen is iets anders. Op een huwelijk loop je maar één stap achter. Iets dat aan het eind van de avond ingehaald kan worden.

En zo niet, dan misschien aan het eind van de maand omdat niemand weet wanneer ze 'de ware' zal ontmoeten of in ieder geval 'iemand'. Bij een doopplechtigheid is het maar al te duidelijk dat je twee stappen achter loopt, en plotseling is degene in de witte jurk die alle aandacht krijgt een tandeloos en kwijlend wezen, dat je eraan herinnert dat baby's tijd kosten om te koken, tijd om te maken en dat je nog steeds niemand hebt gevonden met wie je ze kunt maken, en het enige wat je niet hebt is tijd. Ik boog mijn hoofd en deed net of ik bad, wat bijna aanvoelde als bidden. Maak dat mijn moeder sterk blijft. Dat mijn vader blijft leven. Mijn vrienden veilig zijn. Mijn peetkinderen gelukkig. En ik? Wat bad ik voor mijzelf? Ik kneep mijn ogen dicht. Ik wilde kinderen, niet nog meer peetkinderen.

'Hé, Tessa, schuif eens een eindje op.' Het was Neil. 'Dit zijn David en Michael.' Ik keek naar de peetooms. We gaven elkaar allemaal een hand. David droeg geen ring aan zijn vinger, maar op zijn schouder zag ik een krijtachtige vochtplek die me duidelijk opgedroogd spuug leek. En ja hoor, een paar ogenblikken later kwam een klein kind naar hem toe gehold. Het gaf hem een plastic treintje, en rende toen weer weg naar een vrouw met een baby in haar armen. Ze glimlachte naar me. Ik glimlachte terug. Michael herkende ik uit de comedy-wereld, maar ik kon hem niet goed thuisbrengen.

'Complimenten voor *The Pen*, ik vond het prachtig,' zei Claudia dwepend tegen Michael. O, ja, het kwam weer bij me terug. *The Pen* was een heel succesvolle serie, waarin Neil een kleine rol had gespeeld. Michael had de serie geschreven. Ik geloof dat die een hoop prijzen had gekregen. 'De hele wereld ligt nu voor je open,' zei Claudia. 'Het was briljant.'

'Mijn vriendin is weg om te filmen,' antwoordde hij. 'Anders zou ze hier zijn geweest.'

Claudia keek onthutst. 'Natuurlijk,' zei ze, en keek naar mij om te zien of ze het soms verkeerd verstaan had. Dat had ze niet.

'Maar ja, het gaat ons prima,' ging hij verder, en draaide zich toen weer om naar David, de andere peetoom. Het orgel begon te spelen.

'Welkom in mijn wereld,' fluisterde ik in haar oor.

'Ik begrijp het niet.'

'Je draagt je trouwring niet.'

Claudia wierp een blik op haar hand. 'Nou en? Die is bij de juwelier.'

'Hij moest laten weten dat hij bezet is, om zeker te weten dat er geen misverstand kon ontstaan.'

Claudia fronste weer haar wenkbrauwen. De schat, ze speelde al lange tijd niet meer mee. 'Misverstand waarover?'

'Over trouwen met jou en je kind verwekken.'

'Maar ik gaf hem alleen maar een complimentje over de serie,' fluisterde ze woedend boven Mozart uit.

'Je bent een vrouw van een zekere leeftijd, zonder ring aan je vinger, en hij is een man en daarom in jouw ogen een potentiële spermadonor. Hij stelde slechts de grenzen.'

Claudia leunde achterover. Van tijd tot tijd zag ik dat ze haar hoofd even schudde terwijl ze mijn woorden en die van hem liet bezinken.

'Maar ik flirtte absoluut niet.'

Ik haalde mijn schouders op. 'Je deed je mond open.' Claudia schudde weer haar hoofd. Op een gegeven moment kneep ze even in mijn hand.

'Je bent erg dapper, Tessa,' zei ze recht voor zich uit starend.

Ik kneep terug in haar hand voor ik hem losliet. Een compliment van de dapperste vrouw die ik kende wilde ik graag accepteren.

Er zijn een miljoen kleine redenen waarom je houdt van de vrienden die je hebt. Toen Al naast ons kwam zitten, schoof hij dicht naar me toe, zodat ik tussen hem en zijn vrouw zat. Hij legde zijn arm om mijn schouder, boog zich naar voren en gaf de beide andere mannen een hand. Claudia ging een heel klein eindje bij me vandaan zodat zelfs Als vingers haar niet raakten. Al had het waarschijnlijk niet eens gemerkt, maar ik wel. En ook de acteur met de vriendin, want toen we allemaal weer begonnen te praten, hield hij zich opgewekt met mij bezig; hij keek me in de ogen, hij keek naar Al, maar niet een keer naar Claudia. Ze gaf me de ruimte. Niet lang. Wie bij wie hoorde zou gauw genoeg duidelijk zijn, maar voorlopig was ik niet de sociale paria, iemand voor wie je bang moest zijn. Ik was gewoon een redelijk goed uitziende vrouw met voldoende sociale vaardigheden om een professional aan het lachen te maken. Het kon me totaal niets schelen dat hij mij zijn attenties waardig keurde, maar ik observeerde ironisch hoe hij mijn vriendin negeerde. De hele episode duurde een paar minuten, maar ik leerde veel in die tijd.

We zongen gezangen, we luisterden naar lezingen, hoorden het evangelie. Het was een eersteklas productie. Toen liepen we terug over het middenpad naar het stenen doopvont waar water zonder veel plichtplegingen uit een paar tweeliterflessen in een glazen kom werd geschonken. De dominee daalde in mijn achting. Het is moeilijk je voor te stellen dat het water van de rivier de Jordaan uit plastic flessen stroomt, al verlangde hij dat wel van ons. De tweeling gaf geen kik. Ze sliepen tijdens de hele plechtigheid. Vertrokken zelfs geen spier toen het koude water op hun schedels werd gespetterd. Omdat ik die jongetjes nauwelijks iets anders had zien doen dan huilen, was het verbluffend hoe gemakkelijk het was ze schattig te vinden als ze sliepen, en er ging een golf van liefde door me heen, een liefde die ik, moest ik tot mijn schande bekennen, niet eerder had gevoeld.

Helen stond net zo stralend voor de verzamelde menigte als op de dag dat Claudia, Al en ik haar in Vietnam hadden ontmoet. Ik moest er weer aan denken wat een uitzonderlijk potentieel Helen toen had. Potentieel dat nog niet was aangesproken. Misschien zou de tweeling haar succes brengen. Misschien had ze iets nodig om van te houden om haar compleet te maken. Misschien was Neil een middel om een doel te bereiken en was het middel het waard.

'Wendt u zich tot Christus als uw Verlosser?' De dominee keek mij recht in de ogen. Onthutst mompelde ik mijn antwoord, beseffend dat als ik niets hiervan geloofde, ik in staat zou zijn het tegen de starende blik van de dominee op te nemen en zwijgend te blijven staan.

'Onderwerpt u zich aan Christus?' vroeg hij, nog steeds naar mij kijkend.

Is het speciaal voor mij bedoeld, of worden de vragen moeilijker? 'Onderwerpen' is niet een woord dat gemakkelijk over mijn lippen komt.

'Ik onderwerp me aan het leven,' antwoordde ik snel, en slikte de rest in. Ik had die vragen moeten nakijken.

'Komt u tot Christus, de weg, de waarheid en het leven?'

O, hemel, ik voelde het schoolmeisjesachtige gegiechel in me opkomen. Het ongewilde trillen van de spieren naast mijn mond. Claudia kende me goed genoeg om me niet aan te kijken, maar ik zag Al grijnzen achter zijn videocamera. Ik geloof dat we veertien waren toen we uit het kerstliederenconcert van school werden gegooid omdat we in lachen uitbarstten tijdens Oh come All Ye Faithful. Oh, come ye, oh come ye to Bethlehem... Belachelijk, ik weet het, maar ik kon er niets aan doen, ik bleef lachen. Ik deed net of ik moest hoesten. De dominee wendde zijn blik af. Hij had waarschijnlijk genoeg gezien.

De catatonische baby's werden langs de vier peetouders gedragen en we maakten allemaal een kruisteken boven hun ontspannen voorhoofdjes. Dat van mij was meer een kus dan een kruis, maar de liefde die ik voor ze voelde begon reëel te worden. Daarna, toen de plechtigheid meer een groepsbelevenis werd en de aandacht niet langer op ons vieren was geconcentreerd, werd het gemakkelijker. We gingen zitten voor een laatste gezang en het Onzevader. Ik had altijd gehouden van het

Onzevader; ik vond het zinvol en ik zei het altijd enthousiast op. Maar toen veranderden ze de woorden, wat me kwaad maakte omdat ik ze had geloofd toen ze zeiden dat het de woorden waren die de Heer ons had geleerd. Maar hoe kon dat als zij ze veranderd hadden? Ik was dan wel pas dertien, maar ik wist heel goed wanneer ik beduveld werd. Ik begon me af te vragen wat voor andere vrijheden mijn religie zich had veroorloofd in de naam van God. Ik was al jarenlang van plan geweest het aan een geestelijke te vragen. Misschien zou het vandaag zover komen.

Plotseling verschenen er vier trompetters. Claudia, Al en ik onderdrukten nog meer gegiechel, waren het stilzwijgend erover eens dat het een beetje teveel van het goede was. Nog een 'Thanks be to God' en op de klanken van 'Oh When the Saints', waren wij, erfgenamen van de belofte van de geest van de vrede, vrij om te gaan en dronken te worden.

Buiten in de zon stond iedereen te glimlachen. Er werd druk heen en weer gelopen en om foto's geroepen. We stelden ons op bij de muur van het kerkhof en lachten naar een tiental lenzen. De tweeling was blijven slapen, zelfs tijdens het getrompetter, wat ik vreemd vond. Iedereen zei dat ze zo ongelooflijk lief waren. Ik zag Marguerite, Helens moeder, naar de pas gedoopte tweeling lopen en merkte dat zelfs Helens nemesis de verblindende glimlach van mijn vriendin niet kon verstoren. Helen was beschermd door lagen doopjurken, verrukkelijke babygeuren en de liefde van haar vrienden. Ja, dacht ik, terwijl ik Neil een zoen op zijn wang gaf. Misschien was het middel het waard. Niet voor mij, maar voor Helen. Ik was blij voor haar. Ik was blij voor Al en Claudia die nu in elkaar verstrengeld waren. Ik keek op mijn horloge. Ja, ik was blij, blij, blij – nu was het toch zeker wel tijd voor een goed glas?

Niemand maakte kennelijk aanstalten om zich naar het hek te begeven, dus bleef ik hangen en glimlachte nog wat meer.

'Tessa King,' zei een stem met een accent, een stem die ik maar al te goed kende. 'Ben je alleen?'

Nee, ik sta hier met mijn denkbeeldige vriendje, dat zie je toch? Maar Marguerite wist dat. Ze is zich scherp bewust van de macht van het woord. Het is haar grote kracht.

'Marguerite,' zei ik glimlachend terwijl ik me omdraaide. 'Je moet vandaag wel erg trots zijn op je dochter. Ze ziet er verbluffend mooi uit. Echt, ik vind dat ze met de jaren steeds mooier wordt, en dan te bedenken dat ze net een bevalling achter de rug heeft.'

Marguerites glimlach deed niet onder voor die van mij, maar ik wist dat de score een-een stond. Marguerite leek nooit trots te zijn op de schoonheid van haar dochter. Ze was nooit trots op iets wat Helen deed. We wisten allemaal dat de cursus binnenhuisarchitectuur waarmee Helen was begonnen, op niets zou uitlopen, maar in ieder geval had ze iets geprobeerd. Helen was enorm cultureel. Heen en weer jettend tussen haar ruziënde ouders, had ze de kans gehad elke belangrijke kunstgalerie ter wereld te bezoeken en de meeste historische plaatsen van de moderne en de oude wereld, en had ze een verbluffend goed oog gekregen voor mooie dingen. Haar huis in Notting Hill was een eerbewijs aan haar smaak. Maar Marguerite had binnenhuisarchitectuur afgedaan als een speelterrein voor dwaze, rijke blondjes. Helen was er nooit overheen gekomen en liet de cursus halverwege in de steek.

Ik bestudeerde de vriendin van mijn moeder, die zo anders was dan die van mij. Haar lange grijze haar hing in een vlecht op haar rug.
Ze droeg een grijze kasjmierbroek van Nicole Farhi en een bijpassende pasjmina die met een grote barnstenen broche bijeen werd gehouden. De kraag van een helderwitte blouse omlijstte haar lange hals. Ze was het toonbeeld van elegantie, was dat altijd geweest. Marguerite droeg Farhi. Het was haar signatuur, evenals haar korte, rood-zwart-gelakte nagels. Ook had ze haar ogen zwaar en donker opgemaakt, wat ze zich kon permitteren. Ze was Helen, zonder de Chinese gen. Ik wist veel van deze vrouw: ze was ijdel, ze was egoïstisch, ze kon 110 woorden per minuut typen, ze pureerde het meeste van haar voedsel in de blender en ze had zich nooit, nooit moeten voortplanten.

'Ik begrijp de noodzaak voor dit alles niet goed,' zei Marguerite. Haar accent verried nog een spoor van haar alpenjeugd. 'Natuurlijk is het prachtig dat ze erin geslaagd is kinderen te krijgen, maar hadden we die trompettisten nou echt erbij nodig?' Ze glimlachte met een blik van verstandhouding.

Ik verzette me tegen de neiging een valse opmerking te maken. 'Niks mis met trots zijn op je prestaties,' zei ik, kijkend naar de twee bundels kant.

'Tessa, vind je echt dat het krijgen van een kind een prestatie is? Dat kan iedereen.'

Ik keek naar Al en Claudia. Hij stond achter haar, leunde met zijn kin zacht op haar hoofd, zijn armen waren om haar heen geslagen, hun vier handen rustten op haar buik.

'Niet iedereen.'

Marguerite staarde naar Neil die op de rug geklopt werd door andere kleine blanke mannen in gewaagde pakken. 'Je weet wat ik bedoel. Het krijgen van een kind is voor de meeste mensen gemakkelijk genoeg. Laten we maar eens zien hoe ze het eraf brengen als ouders. Misschien is dat minder gemakkelijk dan ze denkt.'

Dat was waarschijnlijk de eerste keer dat ik Marguerite een toespeling hoorde maken op haar eigen talent voor het moederschap, al was het nog zo indirect.

'Ze heeft Rose om haar te helpen,' antwoordde ik. Zo gemakkelijk zou ze er niet afkomen.

'Rose. Natuurlijk. Maar weet je, te veel hulp is iets waarvoor ze moet oppassen. Ik was omringd door de familie van mijn ex-man, die tegen me kwebbelden in het Chinees, Helen voortdurend vastpakten; ik had geen idee wat ik moest doen.'

Moest ik medelijden met haar hebben? Vergeet het maar. Niet na al die jaren van geestelijke kwellingen waarvan ik getuige was geweest. 'Ik denk dat een tweeling toch iets anders is. Ik zie haar nu al nauwelijks meer, en dat is mét hulp. Ze heeft zich volledig verschanst in Babyville.'

'Ze wilde een meisje, weet je. Kun je je voorstellen waarom?' Marguerite zoog haar wangen in. Ik gaf geen antwoord. Ik wilde daar niet op ingaan.

'En in plaats daarvan krijgt het arme kind twee jongens. Wat moeten we in vredesnaam met jongens? Ze zijn zo primitief. Ze moeten worden getraind als honden.'

'Ze houdt van die jongens,' zei ik.

'Weet je dat zeker?'

'Natuurlijk,' antwoordde ik, zonder zelfs maar over de vraag na te denken. 'Jij niet? Het zijn je kleinzoons.'

Ze fronste haar voorhoofd. 'Waarom maak je alles zo persoonlijk? Dat is vervelend.'

'O, hemeltje, Marguerite.' Ik glimlachte opgewekt, plagend, maar ik probeerde wat terrein terug te winnen. 'Vind je het idee van oma zijn een beetje moeilijk te verteren?'

'Tessa, daar ben je te intelligent voor, doe tegen mij alsjeblieft niet of je dom bent. Wat ik wil zeggen, en wat je verkiest te negeren, is dat je misschien alleen ziet wat je wílt zien, wat je verwacht te zien. Helen heeft een man en kinderen, dus moet ze gelukkig zijn. Heb ik gelijk of niet?'

Ik wilde mijn tong uitsteken tegen haar, maar dat zou betekenen drie-een voor haar. Ze keek naar haar kleinzoons. 'Ik geloof niet dat het leven echt zo simpel is,' zei ze. 'Natuurlijk ben ik blij dat ik kleinzoons heb. Maar je verlangt van me dat ik dans van vreugde omdat mijn dochter iets heeft gedaan waarvoor vrouwen nu eenmaal geschapen zijn. We hebben het over baby's. Baby's zijn niet bijster interessant, iets waarvan je je ongetwijfeld bewust bent.'

'Behalve voor hun moeders,' zei ik, weer dieper gravend.

'Dat is niet per definitie zo, Tessa.'

Duidelijk niet, nee.

Marguerite ging verder. 'Stel dat je een kind verwacht en je hebt niet het martelaarsgen dat nodig is om een groot deel van jezelf op te offeren teneinde een kind groot te brengen op precies dát moment in je leven waarop je de vruchten kunt plukken van je eigen opleiding, waarop je iets belangrijks tot stand kunt brengen. Zijn we lemmingen?* Kunnen we die preprogrammering niet doorbreken? Mogen we geen individuen zijn? Het is volstrekt belachelijk.'

Marguerite had in een opzicht gelijk. Ik maakte het persoonlijk. Ik wou dat ik het niet deed, want dan zou ik van sommige van die debatten kunnen genieten, maar ik wist dat ze alleen maar haar eigen slechte moederschap probeerde te rechtvaardigen, terwijl ze eigenlijk hoorde te zeggen 'Sorry'. Meer was er, denk ik, niet nodig. Ik geloof niet dat Helen veel meer verlangde.

'Belangrijke vrouwen en goed moederschap gaan niet hand in hand,' zei Marguerite.

Dus dat is je excuus, dacht ik. Maar ik ben niet zo dapper als ik eruitzie, dus hield ik mijn mond.

'Jij en ik weten allebei dat er voor Helen niet veel opties overbleven. Wat had ze anders moeten doen?'

Je dochter had groot potentieel, ze had betere leiding moeten hebben.

'Logisch,' zei ik.

'Wat is logisch?'

'Alle moeders van mijn vriendinnen met kinderen hebben me verteld dat ze net zoveel van hun kleinkinderen houden als van hun eigen kinderen, zo niet meer.' Ik zweeg even. 'Blijkbaar werkt het ook andersom.'

---

* Knaagdieren – de enige dieren in wier instinct de drang naar zelfdoding zou zijn ingebouwd (van Dale)

'Ik weet dat je het voor een deel met me eens bent, Tessa, of je het wilt toegeven of niet, anders zou je niet nog steeds ongetrouwd zijn. Tenzij je een van die wanhopige vrouwen bent die wachten tot er een man komt die voor hen zorgt?'

Ze dacht dat ze me in de hoek had gedreven, maar ze vergiste zich.

'Ik denk dat het meer gaat om voor elkaar zorgen.'

'Hemel, Tessa, als je iets wilt hebben om voor te zorgen, koop dan een plant. Maar wat je ook doet, wees geen lemming. Dat zou zo'n verspilling zijn.'

Marguerite liet me vreemd gefascineerd achter bij de met mos begroeide stenen muur. Ik plukte aan het zachte groene mos tot ze veilig terug was bij de congregatie. Ik wist dat ze vals was, maar soms vergat ik dat het haar intelligentie was die haar tot zo'n gevaarlijke tegenstandster maakte. Met dat laatste ongewenste compliment had ze de ronde gewonnen. Nu wist ik heel zeker dat ik aan een borrel toe was.

Het souterrain van Helen en Neils huis leek op Carluccio's deli toen we aankwamen, en ik voelde me snel gesust door de fantastische op houtskool gegrilde groenten, plakken parmaham en een vissenkom Gavi di Gavi. Ik had de tafel met het buffet nog niet de rug toegekeerd of David, mijn medepeetouder, kwam naar me toe, de man met het spuug op zijn jasje en het plastic treintje in zijn zak.

'Jij bent Tessa, hè?' vroeg hij. Ik had mijn mond vol, dus knikte ik bevestigend.

'Hoe ken je Helen en Neil?' vroeg hij, terwijl hij iets te eten pakte en dat in zijn mond stopte. Ik slikte snel door. Ik wilde dit heel duidelijk maken. 'Helen is mijn vriendin, ik ken haar al sinds mijn achttiende,' antwoordde ik.

'Neil?'

'Heb ik pas leren kennen toen ze al verloofd waren.'

'Het ging erg snel in zijn werk, hè?'

Vier maanden. Vertel mij wat. 'Als je het weet, dan weet je het, dat zeggen ze tenminste.'

David haalde zijn schouders op. 'Dus jij en Helen zaten samen op school?'

'Feitelijk hebben we elkaar in Vietnam leren kennen.'

'Vietnam? Ik dacht dat Helen half Chinees was.'

'Dat is ze ook. We waren allemaal rugzaktoeristen.'

'Helen met een rugzak?'

'Nou ja, niet precies, maar het was ook geen Louis Vuitton.' Hij leek nog steeds niet overtuigd. Als ze eens wisten hoe ze toen was. Nog steeds was. Onder al dat verguldsel. 'Laat je niet misleiden door de Gaggenhau keuken en de Manolo's. Helen was een authentiek wild kind.'

Daar Helen druk bezig was een overtuigende personificatie te geven van Bree uit 'Desperate Housewives' geloofde mijn medepeetouder me niet, maar ik wilde dat hij de Helen zou kennen die ík kende.

'Echt waar, toen ik haar pas leerde kennen zat ze verstrikt in een hangmat en lachte zich een ongeluk omdat ze er niet uit kon komen. LSD had er veel mee te maken.' David glimlachte. Ik ging door. 'Onnodig te zeggen dat we allemaal als een blok voor haar vielen. De rest van onze reis vormden we een blij en gelukkig viertal, gehypnotiseerd door de zonsondergangen en voortdurend proevend van het plaatselijke product.'

'Waarmee je bedoelt: dat niet op de markt werd verkocht.'

'Dat heb je niet van mij gehoord.'

'Klinkt goed.'

'Het was een van de mooiste tijden van mijn leven,' zei ik naar waarheid. Ik keek naar Helen en voelde een steek van nostalgie. Een van de – of de mooiste tijd? vroeg ik me af. Was dat het? Was dat wat ik steeds weer probeerde te herscheppen? China Beach. LSD. Vrijheid. Alles benadrukt door de pijn van een gebroken hart, dat me zo intens het gevoel gaf dat ik leefde. Ik keek om me heen in de kamer. Helen was verder gegaan. Al en Claudia ook. Vroeger vrienden, nu zoveel meer. Dus alleen ik. Alleen op China Beach, altijd wachtend tot de zon onderging? Ik keek op, verdiept in mijn eigen gedachten, en zag dat Helen naast ons stond.

'Wat zijn jullie beiden aan het bekokstoven?' vroeg ze en glimlachte.

'Tessa brengt me op de hoogte van een paar ontbrekende details over jou.'

'O?' Helen keek naar mij.

'Hij overdrijft,' zei ik, en gaf David een por in zijn ribben.

'Wat heeft ze je verteld? Want voor elk verhaal over mij kan ik je er een over haar vertellen.'

'Hm, dat is een uitdaging,' zei David. 'China Beach.'

Ik dacht dat Helens kalmte haar in de steek zou laten, maar tot mijn opluchting ging haar glimlach over in een lach.

'Dat is waarschijnlijk allemaal waar. Wat Tessa zich kan herinneren tenminste,' zei Helen. 'Maar vraag dat onschuldige kind maar eens naar liften achterop een Honda Eagle in de hoerenbuurt van Aix-en-Provence en topless over de landwegen rijden met een saxofoonspeler...'

Ik wees naar Helen. 'Ik was niet in mijn eentje.'

'Ik ook niet op China Beach.'

Ze draaide zich om naar David. 'Of toen ik schnapps drinkend was blijven plakken in een bar in de bergen en bij fakkellicht met de pisteurs naar huis moest skiën...'

Ze wreef over haar kin. 'Of toen ik in gesprek raakte met een piloot en en een tochtje versierde in zijn vliegtuig...'

Helen legde haar vinger tegen haar slaap. 'Of toen ik op weg naar huis overstapte op het vliegveld van Bali, na met een rugzak door Australië te zijn getrokken, en besloot te blijven toen ik een wereldkampioen surfer naar de douane had zien lopen...'

'Of toen ik –'

'Oké,' lachte ik. 'Jij wint. Ik ben ook losbandig.'

'Ze zeggen dat de jeugd verspild is aan de jeugd,' zei Helen. Ze schudde haar hoofd. 'Maar niet in ons geval, hè, Tessa?' Ze gaf me een vluchtige zoen op mijn wang.

'Het lijkt me dat jullie tweeën dolle pret hebben gehad.'

'Het voordeel van een erfgename zijn en een eeuwige studente.' Helen gaf me een knipoog.

'Wat heb je gestudeerd?' vroeg David aan Helen.

'Ik niet. Dít is de slimmerik.' Helen gaf me een arm. 'Tessa heeft rechten gestudeerd. Fijn voor mij, want ze had vaak vakantie.'

'En moest vaak hard werken,' antwoordde ik.

'Dat is zo knap van jou, je weet die twee dingen zo goed te combineren.' Helen draaide zich om naar David. 'En, David, ben jij wel eens in Vietnam geweest?'

Hij schudde zijn hoofd met een domme glimlach. Ik herkende die uitdrukking. Ik had die al honderdduizend keer gezien. Mijn medepeetouder was zojuist smoorverliefd geworden op de moeder van zijn peetkinderen.

Ze raakte zijn arm aan. 'Je moet erheen. Neem de kinderen mee, het gaat allemaal zo gemakkelijk daar. En het eten...' Ze sloot even haar ogen, haalde herinneringen op. 'We hebben een fantastische tijd gehad.'

Ik glimlachte ook. Want het was waar.

'Als ik doodga, wil ik mijn as laten verstrooien op China Beach.'

'Helen! Een volkomen ongepast onderwerp van gesprek bij de doop van je kinderen!'

'Het is belangrijk,' hield ze vol met een heel ernstig gezicht. 'Je weet nooit wat je te wachten kan staan.'

Ik schudde mijn hoofd. 'China Beach zal waarschijnlijk zoiets zijn als de Goudkust als jij de pijp uitgaat, allemaal casino's en bars.'

'Goed dan, elk strand is oké.'

'Mijn vrouw komt uit een idioot adellijke familie,' zei David. 'De hele familie haat elkaar, maar als ze doodgaan worden ze allemaal opgeborgen in een reusachtige grafkelder, of ze begraven willen worden of niet. Persoonlijk vind ik het een mooie gedachte om op een strand te worden verstrooid. Zou dat kunnen? Niet tenzij ik ga scheiden, wat ik niet van plan ben, anders krijgen onze kinderen niet hun stuk van de taart.'

'Dat meen je niet!'

Hij lachte. 'Een of andere ouwe idioot heeft dat als voorwaarde gesteld voor het geld.'

'Wat raar,' zei ik.

Helen glimlachte en maakte haar excuus als de professionele gastvrouw die ze was. We zagen haar moeiteloos naar een ander groepje gasten gaan om die in haar ban te brengen. 'Dit is de eerste keer dat ik echt gepraat heb met Helen,' zei David. 'Ze is heel anders dan ik dacht.'

'Dat zei ik je toch.'

'Je hebt gewoon geen idee,' zei David, haar nastarend.

'Dat komt omdat je een vriend van Neil bent.' Het kwam er negatiever uit dan ik bedoeld had. 'Ik bedoel, weet je, er zijn dingen die je je man niet vertelt, denk ik...'

David keek weer naar mij.

'Je bent toch niet zijn mysterieuze broer, hè? Lieve help, zoiets gebeurt mij nu altijd.'

'Ik wist niet dat Neil een broer had.'

'Dat weet niemand. Daarom is hij een mysterie.'

Neil liep langs met een fles champagne in de hand. Ik probeerde David het zwijgen op te leggen, maar het was al te laat. Ik wist waarom Neil niet omging met zijn familie, Helen had het me verteld. Hij geneerde zich voor hen.

'Hallo, Neil,' zei David. 'Is je broer hier?'

'God, nee,' zei Neil, zonder te blijven staan, al kon ik zien dat hij zich

106

kwaad maakte. 'Hij en ik lijken niets op elkaar. Geloof me, je zou zijn gezelschap niet op prijs stellen.'

Maar ik zou dol op hem zijn. Mijn gedachten stonden kennelijk op mijn gezicht te lezen, want David glimlachte weer naar me.

'Wat is er?'

'Je bent het niet eens met de keuze van echtgenoot van je vriendin, hè?'

Ik trok een lelijk gezicht. 'Nee, ik bedoel, ja... Natuurlijk wel. Ze is heel gelukkig...'

'O, wees maar niet bang, je geheim is veilig bij mij. Eerlijk gezegd, ken ik hem niet zo goed.'

'Hè?'

Hij boog zich wat dichter naar me toe. 'Ik werk bij de BBC. We hebben een paar uitzendingen samen gedaan, maar ik zou ons geen echte vrienden willen noemen.'

'Waarom heeft hij je dan gevraagd om peetoom te zijn?' vroeg ik. Ik was waarschijnlijk een beetje traag van begrip.

David keek wat ongemakkelijk. 'Ach, we kunnen best met elkaar opschieten. Ik denk dat ze hopen op mooie cadeaus.'

Ik schudde mijn hoofd. 'Ze zijn niet bepaald armlastig. Ik denk niet dat het dat is. Wat doe je bij de BBC?'

'Hoofd van de comedy-afdeling.'

'Aha,' zei ik.

'Aha, inderdaad.'

'Waarom heb je ja gezegd?'

'Hoe kun je nee zeggen?'

'Weet ik niet,' antwoordde ik. Juist toen ik eindelijk een beetje warm, goed gevoel begon te krijgen voor Neil, werd ik eraan herinnerd wat een etter hij was. Van alle mannen ter wereld die Helen had kunnen trouwen, waarom moest ze in godsnaam met hem trouwen?

'Geen zorgen,' zei David. 'Mijn vrouw is geweldig en Al en Claudia lijken me heel aardig; we zullen gewoon bij elkaar moeten blijven en wanstaltig dronken worden op al hun verjaardagsfeesten en om de beurt Kerstmis overslaan.'

'En peetoom nummer twee – gaan we niet dronken worden met hem?' fluisterde ik.

'Nee, tenzij je de hele dag over Michael Kramer wilt praten.'

'Zoiets vermoedde ik al.'

Een vrouw boog zich over Davids schouder. 'Hallo, ik hoef niet te vragen over wie je hatelijk staat te doen, hé?'

'Tessa, mijn vrouw, Ann.'

Onwillekeurig deed ik een stap achteruit. Ik wilde niet dat die vrouw zou denken dat ik achter haar man aan zat. 'Het is oké,' zei David. 'Tessa vindt Neil ook een klootzak.'

Ik verborg mijn gezicht in mijn handen.

'David, je wordt geacht het licht van Jezus over de wereld te laten schijnen, niet je gastheer af te kraken.'

'Zoals je ziet, is Ann een veel aardiger mens dan ik ben,' zei David.

'Zo aardig dat ik helemaal hiernaartoe gekomen ben om je te vertellen dat Sam alles ondergepoept heeft.'

Dat was het moment waarop de echtgenote de echtgenoot herinnerde aan zijn familiale plichten en hem uit mijn web plukte.

'Leuk,' zei David. 'Neem me niet kwalijk, Tessa, het is mijn beurt.'

'O, nee, geen sprake van. Ik zit liever tot over mijn ellebogen in de babypoep dan te moeten luisteren naar Michael Kramer die vertelt hoe geweldig hij is, omdat hij denkt dat ik alles aan jou zal overbrieven en jij hem daarna aan werk zult helpen.'

'Sorry.' David keek oprecht verontschuldigend.

'Ik ben eraan gewend. Ik krijg er alleen zo genoeg van als ze denken dat ze me voor hun karretje kunnen spannen.' Ze keek naar mij. 'Sorry, ik wil niet overkomen als een zure taart, maar het is bijzonder ergerlijk als mensen alleen tegen je praten omdat je man een bepaalde baan heeft.' Ze trok haar schouders recht. Ik vond haar aardig. 'Goed, ik ga ervandoor.'

'Waar is Luke?' vroeg David. Hij draaide zich weer naar mij om. 'Onze zoon van drie.'

'Hij probeert de ogen van de tweeling open te peuteren. Ik neem aan dat er personeel genoeg in huis is om te voorkomen dat er iets rampzaligs gebeurt.' Ann pakte een glas champagne van de bar. 'Meer drank, denk ik. Tot straks,' zei ze met een glimlach naar mij. 'Ik ben degene die naar poep stinkt. Misschien zal dat alle ambitieuze acteurs van mijn lijf houden.'

'Bij Neil zal het ongetwijfeld succes hebben,' zei ik.

'Geen luierverschoner?'

Ik schudde mijn hoofd.

'Nou, dan hoop ik maar dat hij hete shit in bed is,' zei ze en liep weg, me dankbaar achterlatend dat ik geen antwoord hoefde te geven. Neil was geen fantastische vader en, naar wat Helen me verteld had, ook geen fantastische minnaar. Was hij een goede echtgenoot? Ik kon natuurlijk niets bewijzen, maar... ik wilde daar niet aan denken. Alleen maar positief denken. Ik excuseerde me bij David en ging op zoek naar mijn peetzoons.

Ik vond Claudia bij de tweeling.

'Is het normaal dat baby's zo lang slapen?' vroeg ze me toen ik dichterbij kwam. 'Moeten ze niet gevoed worden op een gegeven moment?'

'Waarschijnlijk hebben ze veel voeding gehad voor de doop.' Ik keek op mijn horloge. Het was bijna drie uur. 'Waarschijnlijk heeft Helen de boel voor de gek gehouden en ze voor het eerst in hun leven vlees en twee groentes gegeven. Ik herinner me dat toen Billy Cora van de borst nam en haar voor het eerst kip gaf, ze zo'n zes uur achtereen sliep. Haar lichaam nam gewoon rust om de maaltijd te verteren.'

'Je zult onmisbaar zijn als onze baby is geboren,' zei Claudia. Ik ging naast haar zitten en nam een slapende baby op schoot. We hadden er elk een.

'Enig idee wie wie is?' vroeg ik.

'Geen flauw idee,' zei Claudia.

De baby op mijn schoot rekte zich uit. 'Het leeft!' riep ik uit, en boog me over hem heen. Slaperig deed de baby een oog open en keek me aan.

'Hallo, kleine,' zei ik. 'Je hebt alle opwinding gemist.'

Hij geeuwde met een oog open, opende toen langzaam het andere. Hij was nog erg slap na zijn diepe slaap maar presteerde een tandeloze grijns toen ik naar hem lachte. Als door een wonder begon ook de baby op Claudia's schoot tot leven te komen. Claudia en ik kirden en streelden onze kleine pakketjes en werden beloond met nog meer slaperige lachjes van ons verrukte publiek. Ik zag dat Helen naar ons keek. Haar gezicht stond bezorgd. Ik wilde haar geruststellen dat het uitstekend ging met haar zoontjes.

'Ze zijn net wakker,' mimede ik, om de baby's niet aan het schrikken te maken. Helen liep weg bij de mensen met wie ze had staan praten en kwam haastig naar ons toe. Ze lachte niet.

'Het gaat prima,' stelde ik haar weer gerust. 'De drugs zijn net uitgewerkt, dat is alles.'

Ze bleef stokstijf staan.

'Wát?'

'Ik meende het niet serieus,' zei ik haastig. 'Het was als een grapje bedoeld.'

'Dat was een ongelooflijk stomme opmerking, Tessa.' Helen tilde de baby van mijn schoot en riep het kindermeisje om de andere baby te komen halen. Ik kreeg het gevoel dat het kind bij me werd weggenomen. Hij kromde zijn rug en begon lastig te worden, net zoals vorige week toen ik bij hen thuis was.

'Het ging uitstekend met ze,' stelde ik Helen gerust, in een poging het pijnlijke van de situatie weg te nemen. Het hielp niet. Ik maakte het juist nog erger.

'En nu niet meer,' zei ze. Implicerend dat het mijn schuld was, of was ik paranoïde? De gasten begonnen te merken dat de sterren van de dag, die tot nu toe grotendeels afwezig waren geweest, wakker waren geworden. Er begon zich een menigte te vormen. Ik zag Helens hele fysiek veranderen toen de mensen naderbij kwamen en vroegen of zij ze vast mochten houden. De tweeling werd nog onrustiger en het jongetje in de armen van het kindermeisje begon te huilen.

'Honger,' zei Helen luid en ging achteruit, bij de anderen vandaan. 'Ben zo terug.' Ze stormde de kamer uit. Ik had gehoord over vrouwen die hun pasgeboren kinderen op een bijna psychotische manier wilden beschermen, maar dit was belachelijk. Was Helen soms bang dat ik haar kinderen zou besmetten?

De volgende avond, toen ik thuis zat, in mijn verrukkelijk afzichtelijke joggingpak, mijn pijnlijke voeten en lever gesust met een pot kamillethee en eigengemaakte koekjes (ja, ik kan bakken), belde ik Ben. Ik vertelde hem over mijn woordenwisseling met de Boze Heks, de sexy dominee en het feit dat de peetoom Neil en Helen nauwelijks kende.

'... en toen veranderde haar houding plotseling. Ik zat met de baby op schoot en toen ze dat zag, kwam ze naar me toe geholt en rukte de baby bij me vandaan.'

'Ik weet zeker dat je overdrijft.'

'Dat doe ik niet,' hield ik vol. 'Ik had eigenlijk gehoopt dat jij er zou zijn.'

'We hebben de beleefde uitnodiging ontvangen, maar Sacha's maatje was er het weekend, je weet wel, Carmen met haar man...'

Ik wist het en ik wist het niet. Dat was 'hun wereld' en daar hoorde ik niet echt thuis. Behalve ik zijn al Ben en Sasha's vrienden en vriendinnen getrouwd. Sasha gaf altijd grote diners voor ze. Ze inviteerde dan mij en een of andere bankier uit de City, maar toen ze het drukker kreeg en vond dat ik haar pogingen niet waardeerde, gaf ze het op.

'Het ging goed tot Sash en ik zo achterlijk waren om een duet te zingen. O, lieve hemel, je hebt geen idee wie we tegen het lijf liepen. Dat raad je nooit.'

'Geef eens een hint,' zei ik.

'Raakte zijn vinger kwijt toen hij een bom probeerde te maken.'

'Nee. Die mafkees, Kevin, Trevor –'

'Keith.'

Ik slaakte een gil. 'Keith Jackson, natuurlijk! Waar waren jullie? Mist hij nog steeds een vinger?'

'Hij is een heel hoge piet.'

'In de karaoke?'

'Ik heb hem niet horen zingen.'

'Idioot. Ik bedoel, heb je hem ontmoet in de karaokebar?'

'Nee. Hij is het hoofd van ICI of zoiets. Ik geloof niet dat dergelijke mensen naar karaokebars gaan.'

'Wauw, Keith Jackson.'

'We gingen eerst naar een trendy nieuw restaurant, waar we een hoop geld verspilden aan duur water. Hij was er ook met een sexy blondje.'

'Keith Jackson en een sexy blondje?'

'Ik zei het toch, hij heeft goed geboerd. Hij kwam naar onze tafel omdat hij me herkende. Kon niet geloven dat we allemaal nog vrienden waren. Hij wil een reünie. Ik geloof dat hij het erg leuk zou vinden je weer terug te zien.'

'Hou op, zeg. Ziet hij er nog net zo uit als vroeger?'

'Exact hetzelfde.'

'Bedankt. Ik kom niet...' We babbelden verder, over de 'Antiques Roadshow' en het nieuws. Ten slotte begon mijn oor te warm en te kriebelig te worden om verder te kunnen praten, dus maakte ik een eind aan het gesprek.

'Maak je geen zorgen over Helen,' zei Ben. 'Het zijn de hormonen, denk daaraan en vat het niet persoonlijk op.'

'Zie je op Neils party.'

'Hou van je,' zei Ben en hing op.

Ik had naar Ben moeten luisteren. In plaats daarvan lag ik in bed te piekeren over die geschiedenis met Helen. Alles ging goed zolang we op oud en bekend terrein bleven, maar zodra het ging om haar man en kinderen werd ze defensief en nerveus. Ze had het kind uit mijn armen gerukt: persoonlijker kon het niet worden. Ten slotte kwam ik tot de trieste conclusie dat ze door de poort verdwenen was en niet meer terugkwam. Haar kinderen waren belangrijker voor haar dan onze vriendschap, vanzelfsprekend, maar moest dat betekenen dat er voor die vriendschap helemaal geen ruimte meer was? En als dat gold voor Helen, zou het dan ook gelden voor Claudia en Al? Zou ik ze allemaal kwijtraken? Ik stompte een paar keer op mijn kussen. Om de een of andere reden kon ik mijn draai niet vinden. Normaal raakte ik op zondagavond in paniek of mijn gestoomde kleren wel in de kast hingen en omdat ik om half tien in bed moest liggen, maar plotseling herinnerde ik me dat ik de volgende ochtend niet om acht uur mijn pas gestoomde pakje hoefde aan te trekken; ik kon de hele dag blijven slapen als ik dat wilde. Dus dwong ik me op te staan, naar de keuken te gaan en wat te eten te maken, waarna ik op de bank ging liggen zappen tot ik een stomme film vond waarnaar ik bleef kijken. Het was half drie toen ik eindelijk in slaap viel.

Wimpels voor de baby

Ik vond het altijd heerlijk om bij Claudia thuis te komen. Haar trap bevatte een permanente expositie van mijn leven. Iedere keer dat ik die achttien-bij-vijfentwintig-centimeter grote foto's zag, was ik weer verbaasd hoe levendig de herinneringen waren, hoe open de wonden, en hoeveel pret we toen hadden. Ze gaan in chronologische volgorde langs de trap omhoog. Ik verschijn voor het eerst bij de derde tree. Toen was ik zeven. Claudia had uitgerekend dat ze met veertig geen treden meer over zou hebben. Ze zal helemaal geen ruimte meer aan de muur hebben als de baby geboren wordt. Wanneer, bedoel ik. Ik bedoelde wanneer. Haar fotoverzameling is bijna identiek aan de mijne, behalve dat die van mij in een grote sporttas onder mijn bed ligt.

Feitelijk was Claudia's huis een getuigenis van de tijd toen ze probeerde een baby te krijgen, en van de cursussen die ze had gevolgd om het geen obsessie te laten worden. Geen ervan had succes gehad. Haar tekeningen waren van kinderen, haar sculpturen waren foetaal, haar kussenovertrekken waren pastelkleurig en haar breiwerk kwam maar in een maat. Het eindresultaat was dat haar kleine cottage ten zuiden van de rivier een heel gezellig ouderwets gevoel gaf. Het enige wat ontbrak was een baby. Omdat ik die week niets te doen had, had ik enthousiast toegestemd Claudia te helpen de kinderkamer te schilderen met niet-toxische verf. Al was op weg naar Singapore om zich te oriënteren voor de bouw van een nieuw hotel. Claudia had de omtrek van wimpels op driekwart hoogte van de muur getekend. Ik hoefde alleen maar haar kleurenschema te volgen.

Ik wachtte op haar op de derde tree, starend naar onszelf toen we zeven waren, met een ernstig gezicht, hand in hand, fronsend tegen de zon. Ik zweer dat we niet veel veranderd zijn. Zij heeft nog steeds glanzend donker haar, ik blond krulhaar (dat met veel hulp op kleur wordt gehouden sinds ik grijs begin te worden). Zij had nog steeds blauwe ogen, ik bruine, behalve als ik de boel bedrieg en gekleurde contactlenzen draag. We zijn fysiek nog steeds elkaars tegenpolen. Ik was altijd een stuk langer dan zij. Ik ben zo recht als een lat. Zij heeft rondingen. Haar huid is als porselein; die van mij is pokdalig (overdreven natuurlijk – ik heb twee kleine karaktervolle littekentjes van jeugdpuistjes, maar voor mij zijn het pokputjes). Haar neus is een knopje, de mijne meer een snavel. Mijn benen zijn lang, die van haar lopen omlaag zonder van vorm te veranderen. Vaak hebben we van lichaamsdelen geruild en geconcludeerd dat we in combinatie perfect zouden zijn. Hoewel ik altijd vond dat er meer van haar moest zijn en zij van het tegendeel overtuigd was. We hadden eens een dronken ruzie erover. Meiden kunnen soms heel mal doen.

Op de foto een paar treden hoger stonden we in een groep met onze geüniformeerde klasgenootjes van de school in Camden. Ben en Al waren er ook bij. Het was een historische foto, want het was het schooljaar waarin Al zich aansloot bij ons drietal. Ben en Al hadden elkaar leren kennen toen Bens moeder korte tijd in New Yorkshire had gewoond. Door een speling van het lot verhuisden Als ouders, om heel andere redenen, naar het zuiden. Op een dag zat een slungelige Al zenuwachtig achter zijn lessenaar. Hij bleef niet lang de nieuwe jongen: Ben herinnerde zich hem onmiddellijk, hun vriendschap ging verder waar die was afgebroken na Bens plotselinge vertrek, en ons drietal werd een viertal. Al bracht het platteland in ons stadsleven. In Regent's Park ploegden we akkers en hoedden we koeien. Onze spelletjes waren even reëel als de dierentuin. We waren een heel gelukkig viertal.

Claudia kwam achter me aan de trap op met koffie voor mij en kruidenthee voor haar.

'Dat is mijn lievelingsfoto,' zei Claudia, wijzend naar de enige die ik zelf ook heb ingelijst. Hij was genomen toen we in de hoogste klas zaten en op het punt stonden uiteengerukt te worden door onbarmhartige ouders die andere opvattingen hadden over onze verdere opleiding. We gingen met de trein en emmers cider naar de zuidkust. We zaten bijeen op een kiezelstrand, in de ondergaande zon, dronken, vrolijk en vrij. Een voorbijganger had de foto genomen. Ben en Al zitten met hun armen om mij en Claudia heen. We lachen allemaal om iets dat Al zei, zonder

114

op de fotograaf te letten. Het is een prachtig shot; de kiezels zijn fuchsia-kleurig en de lucht achter ons is dieppaars. Ik benijd onze jeugd en wens vaak dat ik weer terug was op dat strand. Het was allemaal zo plato-nisch, zo onschuldig, onbezorgd. Al en Claudia werden pas bijna tien jaar later een 'echt' koppel. Ze plaagde me altijd dat áls er iets zou ge-beuren, dat tussen mij en Ben zou zijn. Wauw, had zij het even mis!

'Wat zei Al dat we zo moesten lachen?'

'Ik kan het me niet meer herinneren,' zei Claudia.

Ben ging niet doorstuderen. Zijn moeder wilde dat hij geld ging verdie-nen zodat ze niet meer afhankelijk zou zijn van minnaars. Op zijn zes-tiende was hij nog steeds betoverd door haar zorgeloze, vrije levenswij-ze. Later pas besefte hij dat die noch zorgzaam, noch vrij was. Dus nam hij een baan aan in een post-productiemaatschappij als koerier. Daar leerde hij Mary kennen. Mary was twee jaar ouder dan wij en werkte in de receptie. Het was een belachelijk serieuze relatie. In de weekends, als Claudia, Al en ik misselijk waren van de whisky met limonade, speelde Ben voor huisman. Hij en Mary hadden etentjes met avocado als hors d'oeuvre. Mary was best aardig, maar zelfs voor haar oudere leeftijd was ze oud. Ik denk dat het kwam omdat Ben geen normaal gezin kende. In Bens huis was er nooit iets te eten. In dat van Mary waren alle levens-middelen voorradig die je maar kon bedenken, en ook een moeder, een vader, een lief broertje en een hond. Ze hadden zelfs eens per week seks, als een oud getrouwd stel. Ben was pas zeventien; we vonden het alle-maal een giller. Nou ja, dat vonden Al en Claudia. Ik had een beetje de pest in.

'Ik ben hem kwijtgeraakt in de Mary-jaren,' zei ik, kijkend naar een andere foto van mij, Al en Claudia in Camden Market, zonder Ben.

'Dat zijn we allemaal,' zei Claudia.

'Dat bedoelde ik.'

Mijn ouders hadden toen wat geld – twee inkomens, één kind, en dus vonden ze dat ik naar een particulier College moest. Ik wilde er niet heen, maar ik moet toegeven dat ik betere cijfers kreeg dan wanneer ik zou zijn gebleven. Ik moest gedwongen worden me te concentreren omdat we te veel rotzooiden. Dat lukte nu omdat ik een nieuw meisje was op een nieuw college, en mijn ouders een hoop geld kostte. Door de week werkte ik hard en in de weekends was ik samen met Claudia en Al. (En Ben, als hij los mocht lopen.) Ik vond de rijkere kinderen moeilijk te begrijpen – ze verlummelden hun tijd in de collegebanken, sommigen maakten nauwelijks hun opwachting; ze schenen zich helemaal niets aan te trekken van de examens of van wat dan ook. Het was een openbaring voor me en ik holde terug naar degenen bij wie ik me op mijn gemak voelde. Mijn oude vrienden. Het was niet dat ik geïntimideerd was, al geloof ik dat mijn ouders dat dachten; ik was teleurgesteld. Dit waren intelligente kinderen, intelligenter dan ik, en heel bevoorrecht, maar ze lapten hun opleiding aan hun laars, ik denk omdat ze dachten die niet nodig te hebben. Het is typerend voor die tijd dat ik het college verliet met hoge cijfers maar zonder vrienden. Ik weet dat mijn ouders gelijk hadden om ons uit elkaar te halen – mijn carrière, mijn onafhankelijkheid, mijn heerlijke flat, heb ik in wezen te danken aan die mooie cijfers – maar soms wenste ik dat het niet zo was. 'En deze?' zei Claudia, wijzend naar een foto van Ben met zijn been in rekverband. Al leunde liefdevol over hem heen. Ik knikte. En die? Het was de zomer na ons eindexamen. De zomer waarin we met ons vieren naar Vietnam zouden gaan. Ben had tijd los weten te peuteren omdat hij in september een betere baan zou krijgen. Het ging minder goed tussen hem en Mary in die tijd – goddank – en we hoopten allemaal dat hun relatie niet opgewassen zou zijn tegen de tijdelijke scheiding. Maar er was geen sprake van een scheiding. Ben brak zijn been een week vóór ons vertrek. Ik was bij hem toen het gebeurde. Ik staarde naar Bens been en zijn allesbehalve opgewekte gezicht. Veel van mijn leven hangt samen met die breuk. Maar dat is een ander verhaal.

Claudia trok aan mijn mouw. Ik volgde haar naar boven waar ze me een van Als oude hemden gaf. Gehoorzaam trok ik het aan. Ik had half en half een kiel verwacht met mijn naam erop.

Ik begon met de groene wimpels. Claudia koos vermiljoenrood. We zetten Magic FM aan op de radio, deden het raam open en zongen in onze verfkwasten als er een favoriete song kwam.

'Hoe lang blijft Al in Singapore?' vroeg ik boven het lawaai uit van Claudia die zich mee liet slepen door 'Stay' van Shakespeare's Sisters.

'Maanden. Goed getimed, hè? Maar het is een enorm bouwproject en we zullen het extra geld nodig hebben. Het plan is dat hij aan dit contract werkt tijdens mijn zwangerschap en dan een tijdje vrij neemt als de baby geboren is.' Claudia lachte. Mijn borst kromp samen van angst.

'Herinner je je nog hoe Ben vroeger wegsloop bij Mary en ons ontmoette in Ed's Easy Diner?'

Claudia legde haar verfkwast neer. 'Tessa, alsjeblieft, laat me erover praten,' zei ze. 'Er zal niets ergs gebeuren.'

'Sorry.' Ze had natuurlijk gelijk, maar ik maakte me zo ongerust over haar. Ik denk dat voor een deel de reden waarom ik zo opgewekt mijn leventje voortzette was dat ik niet dezelfde wanhopige behoefte voelde om een kind te krijgen als Claudia. Hoewel dat aan het veranderen was, wilde ik het toch liever voor Claudia dan voor mijzelf.

'Ik herinner me Ed's nog. Vooral die lekkere frieten. Wat zou ik er nu graag een paar hebben,' zei Claudia. Er lag een verlangende blik in haar ogen. Ik sloeg mijn arm om haar heen. 'Je bent echt zwanger, hè?'

Ze glimlachte naar me. Ze voelde zich zo gelukkig. 'Ik verzin verlangens, alleen om ergens naar te kunnen hunkeren. Ik draag zwangerschapskleding, ook al hoeft dat niet. Het is gewoon zielig. Al heeft vanmorgen roomijs voor me gekocht voor hij wegging.'

'Pas jij maar heel goed op, Claudia Ward. Het aantal calorieën dat nodig is bij een zwangerschap staat gelijk met één yoghurt per dag. Geen bak Ben en Jerry's.'

Claudia doopte haar kwast in het verfblik en liep terug naar de muur. 'Hoe weet je dat allemaal?'

'Osmose,' antwoordde ik.

'Vreemd.'

'Niet echt. Iedereen die ik ken heeft baby's gehad of krijgt ze. Ik ben een wandelende encyclopedie op dit gebied. Kloven in je tepels? Gebruik Kamilisan – ook een heel goeie lippengloss. Ruwe babybilletjes? Olijfolie. Talkpoeder is nu uit de gratie, de fijne deeltjes komen in hun longen. Spenen worden nu aangemoedigd. Ik wil niks hiervan weten, ik heb het beslist niet nodig, maar, de lieverds, ze vertellen het me toch en denken om de een of andere voor mij onbegrijpelijke reden dat het enorm boeiend is.'

'Ik doe daar ook aan mee, hè?'

'Van jou vind ik het niet erg. Misschien ben ik een beetje te veel in het defensief. Ik denk dat ik het voorlopig maar in mijn geheugen zal opslaan in de hoop dat ik het op een dag boeiend zal vinden.'

'O, Tessa, dat zul je ook. Je moet alleen iemand leren kennen.'

'Heb je het niet gehoord? Het is geen kwestie meer van iemand leren kennen.'

'Hè?'

'Nee, ik heb mijn carrière voor laten gaan boven mijn biologische

117

klok. Er schijnt nu een apparaat te zijn waarop alle carrièrevrouwen zoals ik kunnen pissen om erachter te komen hoeveel eitjes we nog over hebben. Voor het geval ik op een dag naar een bespreking ga en mijn kans misloop om een baby te krijgen.'

'Ik volg je niet.'

Ik leunde tegen een droog stuk muur. Eerlijk gezegd, kon ik het zelf ook niet meer volgen. Het artikel had me woedend gemaakt. Al die tijd had ik gedacht dat ik werkte om mijn hypotheek en de rekeningen te betalen en mezelf van eten en drinken te voorzien, omdat niemand anders het zou doen. Blijkt dat ik in plaats daarvan heel egoïstisch een carrière heb opgebouwd. Ik móet werken. Ik heb geen kinderen omdat ik een baan heb, ik heb geen kinderen omdat ik niemand heb ontmoet om kinderen mee te krijgen. 'Als ze een apparaat uitvinden waarop na het pissen een blauw telefoonnummer van mijn ideale partner op het scherm verschijnt, dan ben ik in de markt.'

'Je hebt geen apparaat nodig, je zult gauw genoeg iemand leren kennen. Niemand weet wat er zich om de hoek bevindt.'

'Hoeveel hoeken, Claudia? Ik heb het idee dat ik alle hoeken al heb gehad.' Het gesprek deprimeerde me. Ik dacht liever niet aan dat alles. 'Ik leer voortdurend mensen kennen. Het draait nooit ergens op uit. Ik weet niet waarom.'

'Hmm,' zei Claudia.

'Waarom, wat vind je dat ik verkeerd doe?'

'Wil je het echt hierover hebben?' vroeg ze, op meer serieuze toon.

'Ja, ik heb alle hulp nodig die ik kan krijgen. Ik wil dit gauw. Echt waar. Vertel me, wat doe ik verkeerd?'

Claudia legde haar kwast neer. Ik deed hetzelfde.

'Ik geloof niet dat je iets verkeerd doet,' zei Claudia, terwijl ze de radio zacht zette.

'Maar...?'

'Maar aan de andere kant laat je niemand echt dicht genoeg bij je om je iets verkeerd te laten doen. Je jaagt het niet weg. Maar je grijpt het ook niet vast. Ik heb gezien hoe mannen zich van je afkeren omdat je hun geen houvast geeft.'

Ik pakte mijn verfkwast weer op.

'Dat is geel,' zei Claudia.

'Sorry.' Ik legde hem weer neer.

'Ben je het niet met me eens?'

Ik liet mijn adem ontsnappen. 'Ik heb het gevoel dat ik tastend naar dingen grijp. Ik weet dat het afgelopen jaar niet geweldig was, maar dat was begrijpelijk. Twee weken geleden heb ik seks gehad met een man, als dat iets helpt.'

'Dat telt niet. Die zie je niet meer terug.'

'Het is niet mijn schuld dat ik op de verkeerde mannen val.'

'Wiens schuld is het dan? Bovendien is dat onzin, want je valt niet alleen op de verkeerde mannen.'

Ik ontweek de vraag. 'Afgelopen weekend heb ik een aardige vent ontmoet. Het werd heel hitsig op de dansvloer, maar toen moest ik weg om te zorgen dat Caspar niet in zijn eigen braaksel stikte.'

'Maar je hoefde niet echt voor Caspar te zorgen, je had Fran kunnen bellen.'

'Dat kon ik niet.'

'Dat kon je wél. Je verkoos het niet te doen.'

'Hij had mijn hulp nodig – geloof me, Caspar bij zijn ouders dumpen zou erger zijn geweest, en bovendien heeft die man niet om mijn nummer gevraagd.'

'Je had het hem moeten geven.'

'Onmogelijk. Herinner je je nog die man die naast je zat tijdens de doopplechtigheid?' Claudia knikte. 'Hij vernederde je, alleen maar omdat je hallo tegen hem zei. Je kunt tegenwoordig geen belangstelling laten blijken. Je wordt afgeschreven als een stalker als je zelfs maar zinspeelt op een telefoonnummer...' Ik zweeg even voor een dramatisch effect. Maar toen ik erover nadacht was het heel reëel wat ik zei. Het was een harde wereld. Of het me wérd aangedaan, of dat ik het mezelf aandeed, wist ik niet, maar ik begon het gevoel te krijgen dat ik een mislukkeling was alleen al door het idee dat ik misschien een man en een paar kinderen wilde. Was het echt zo verkeerd om te verlangen naar wat ieder ander had? Waarom moest ik alles zelf doen terwijl alle anderen hulp kregen? Wanneer zou er iemand voor mij zorgen? Ik pakte een stokje en roerde verstrooid in de verf. Ik hield niet van dit soort gesprekken. 'Ik heb me gekwetst gevoeld. Ik denk dat ik nu meer barrières heb opgeworpen.'

'Kom me niet aan met dat standaardantwoord. Iedereen is weleens gekwetst geweest; dat is geen reden om je achter een muur te verschansen. En het gaat ook niet over je baas.'

'Ex-baas.'

'Hoe dan ook, Tessa, ik heb het over iets dat al heel, heel lang aan de gang is, en dat weet je.'

'Sinds wanneer?'

'Tessa...'

'Ik weet niet waar je het over hebt. Vertel het me maar.'

Claudia keek me aandachtig aan. Ik hield me van de domme. Een houding die ik zo geperfectioneerd had dat ik me er meestal zelf van wist te overtuigen dat ik geen idee had wat ze wilde insinueren.

'Je bent lesbisch.'

Heel even was het stil, toen barstten we allebei in lachen uit.

'Mafkees,' sputterde ik.

'Ik had je mooi te pakken, hè?' Ze lachte weer.

'En als ik dat eens was? Je had het me moeilijk kunnen maken.'

Claudia lachte weer. Die vrouw had een hart van steen. 'Flauwekul. Ik heb vaak genoeg gewenst dat je het was. Ik ken een paar geweldige lesbische vrouwen die perfect voor je zouden zijn.'

'En daar moet ik je dankbaar voor zijn? Maar ik moet bekennen dat ik weleens een meisje heb getongzoend, en dat was best prettig.'

'Misschien kun je eens naar een acupuncturist gaan en haar vragen de vrouwelijke kant van je naar voren te brengen.'

'Mannelijke kant, malle.'

'Hangt ervan af of je de man of de vrouw wilt zijn in de relatie.'

'De vrouw. Nee, de man. Nee, de vrouw. Ik wil geen afstand doen van mijn vrouwelijke hulpmiddelen en ik wil ook liever niet dat een mannelijke vrouw zich scheert in mijn badkamer, dus zou het een externe geliefde moeten zijn. Dus ben ik de vrouw, ik zou een baan hebben – ik moet mijn eigen geld hebben – alleen wonen, en mijn vriendin, die een man is in vermomming, bij me roepen voor wat seks nu en dan. Wacht eens even, is dat niet precies een omschrijving van mijn leven?'

Claudia lachte weer. 'Hou op, ik doe het in mijn broek.'

Ze liep de kamer uit. Ik hoorde haar lachend de trap oplopen naar de kleine badkamer op de overloop. Malle meid. Ik zuchtte van opluchting. Claudia was een verstandige vrouw. Verstandig genoeg om geen oude koeien uit de sloot te halen. Maar heel even dacht ik dat ze me had uitgedaagd – en ik weet niet of ik net zo gemakkelijk tegen Claudia zou kunnen liegen als ik herhaaldelijk tegen mijzelf deed.

Ik zette de radio harder en ging verder met de pot ballpointblauw. De wimpels begonnen er goed uit te zien. Het was tijdens mijn laatste jaar op school dat ik besefte dat ik een probleem had. Misschien was het Mary, die praatte over de plannen die zij en Ben maakten, of misschien kwam ik pas laat op gang en deden mijn hormonen zich pas gelden toen ik zeventien was, of misschien had ik hem altijd aardiger gevonden dan ik had moeten doen. Het zou niet moeilijk zijn geweest. Op zijn veertiende zette Ben de deur open voor meisjes. Hij was geen dwingeland en hij wist hoe hij met vrouwen om moest gaan, en al werkte hij het ene na het andere meisje af, hij maakte er altijd op een aardige, hoffelijke manier een eind aan. Iedereen, tot en met de leraressen, was dol op hem, maar hij koos mij uit om zijn vriendin te zijn. Mij. Er gebeurde nooit iets, maar een hoop mensen dachten van wel. Ik werd met de nek aangekeken door meisjes die verliefd op hem waren en mij als een bedreiging beschouwden. En ik veronderstel dat ik de grootste bedreiging was van allemaal. Ik was zijn beste vriendin en dat gaf me een voorsprong. Ik werd doodsbang toen ik me realiseerde dat ik meer wilde dan alleen vriendschap. Niet alleen riskeerde ik die vriendschap te verliezen, maar ik was net als alle anderen geworden en ik wist precies hoe hij over die anderen dacht.

Ik vertelde nooit iemand dat ik hem zo aardig vond. Zelfs Claudia niet, al vermoed ik dat zij en Al tot in details de mogelijkheid van 'ons' hebben besproken. Het zou een mooi einde zijn geweest, niet? Maar ze wisten niet wat er was gebeurd op die dag toen Ben zijn been brak. De enige die het weet is Helen. En ik vertelde het haar alleen omdat, toen we elkaar tegenkwamen op een strand in Vietnam, ik dacht dat ik haar nooit meer zou zien.

Ik hoorde weer een liedje eindigen. Dat was het vierde sinds Claudia naar de badkamer was gegaan. 'Claudia? Kom je nog terug?'

Geen antwoord. Ik legde mijn kwast neer en veegde mijn handen af aan Als hemd. Ik deed de deur open. 'Hé, lui varken, je kunt me niet vragen om hier te komen werken terwijl jij een dutje doet.'

Nog steeds geen antwoord. Heb ik al gezegd dat het huis niet groot was? Je kon op het bovenste portaal het kattenluik horen klepperen.

De badkamer was maar een halve trap hoger. De deur stond op een kier.

'Claud, ben je daar?'

Ze gaf geen antwoord. Maar ik wist dat ze daar was. Ik kon haar aanwezigheid voelen. Voorzichtig duwde ik de deur open en liep naar binnen. Ik zou liever met blindheid zijn geslagen dan te zien wat ik die dag zag. Claudia zat op de wc-pot met haar zwangerschapsjeans rond haar enkels. Haar knieën waren wijdopen gespreid. Ik kon haar gezicht niet zien omdat ze in de wc staarde, maar haar arm was omhoog gestrekt naar mij. In de palm van haar hand hield ze een tissue vol bloed dat tussen haar vingers was gedropen en op de withouten vloer rond haar voeten gevallen. In de palm van haar hand zag ik... tot op de dag van vandaag weet ik niet wat het precies was. Het zag eruit als een grauw stuk vergane spons. Het feit dat het niet rood was joeg me angst aan, het had de kleur van een grafsteen.

De geur van bloed die Claudia uitstraalde was doordringend – aards, zoet en benauwend. Ik hoorde druppelende geluiden. Het ene was een snel, hoog geluid, alsof een metronoom was aangezet met het gewicht aan de basis. Het andere was een langzamer, doffer ritme. Pas toen Claudia door haar haren heen naar me opkeek, besefte ik wat het was. Helderrood bloed vloeide uit haar lichaam. Met tussenpozen deponeerde het donkere, kleverige bolletjes in de wc. Ze zonken door het rode water omlaag en stolden op de bodem van de pot.

'Ik krijg die rode verf er niet af,' zei ze, starend naar haar hand.

'Oké, lieverd.' Ik nam het ding uit haar hand en rilde toen ik het als rauwe lever door mijn vingers voelde glibberen. Ik gooide het in het bad. 'Je moet even gaan liggen, schat. Oké? Kun je dat?'

'Ik krijg de verf er niet af,' zei ze weer.

'Dat geeft niet. We maken ze later wel schoon. Leun op mij. Leun op me.' Zodra we stonden besefte ik dat ik haar spijkerbroek had moeten uittrekken. Maar het was te laat, ik kon niet terug. Ik zag een straaltje bloed langs de binnenkant van haar been druipen. Ik wikkelde een handdoek rond haar middel, hield haar en de handdoek vast, en zo schuifelden we als een paar bejaarden naar haar kamer. Ik bekommerde me niet om haar met de hand geborduurde lakens. Ik sloeg ze open, legde haar neer en bedekte die afgrijselijke massa tussen haar benen. Toen liet ik haar alleen, omdat ik met haar dokter moest praten en ik niet wilde dat ze het zou horen. Ik zou het alarmnummer wel hebben gebeld, maar ik wilde niet dat ze naar het dichtstbijzijnde ziekenhuis zou worden gebracht. Ze had haar eigen specialisten, mensen die begrepen wat ze in werkelijkheid verloor.

'118 118, met Craig –'

'Het Lister Hospital, Londen.'

'Sorry, wat zegt u?'

'Het Lister Hospital. Alstublieft, dit is een spoedgeval.'

'Welke stad?'

'Londen. Jezus, luister dan!'

'Ik kan geen nummer voor u bellen als ik niet weet −'

'Het spijt me.' Het speet me helemaal niet. Ik wilde hem een oplawaai geven.

'Wilt u een rechtstreekse verbinding?'

'Ja.'

'Er komen extra −'

'Dat kan me geen donder schelen.'

Even was het stil, en een afschuwelijk ogenblik lang dacht ik dat hij de verbinding verbroken had. Toen ging de telefoon over. Ik weet niet wat ik zei tegen de vrouw die opnam, maar even later sprak ik met iemand die Claudia kende en zei zachtjes haar naam. Hij wilde weten wat ik had gezien, hoeveel bloed ze had verloren en wat voor kleur het had. Ik vertelde het hem.

'Ze verliest de baby,' zei de stem.

'Dat wéét ik verdomme,' gilde ik. 'Zeg hoe ik het moet stoppen, zeg het gewoon, zeg hoe ik het moet stoppen, alsjeblieft, alsjeblieft, zeg hoe ik het moet stoppen...' Mijn stem sloeg over toen ik het hem de eerste keer vroeg, maar ik kon niet ophouden de woorden te herhalen want ik wist dat als ik het niet meer vroeg ik onder ogen zou moeten zien dat er geen antwoord was. Claudia verloor haar dochtertje en ik kon er niets tegen doen. De wimpels tuimelden omlaag.

Vergetelheid voorwenden

Ik holde naar boven naar Claudia's kamer. Ze had zich niet bewogen. Ik vertelde haar wat de dokter mij had verteld. 'Er komt een ambulance. Ze brengen je naar het ziekenhuis voor onderzoek. Zelfs het verlies van een grote hoeveelheid bloed wil nog niet zeggen dat iemand haar baby kwijtraakt.'

Ze scheen niet te begrijpen wat ik zei. Ze keek me slechts aan. Haar haar plakte nog tegen haar gezicht. Ik haalde de lakens van haar af. De handdoek was verschoven. Overal was bloed. Te veel, dat wist ik, maar ik behield mijn geruststellende glimlach. Ik trok haar broek uit, veegde haar zo goed mogelijk af en trok haar toen een schone broek aan. Ik vond maandverband in de badkamer, een halfleeg pak. Te veel bloed was in de afgelopen negen jaar in dit huis verspild. Ik legde twee maandverbanden in haar broek en trok hem omhoog. Ik pakte een washandje en maakte haar handen en benen zo goed en zo kwaad als het ging schoon. Alles kreeg een roze kleur. Voorzichtig zette ik haar overeind, trok een rok over haar hoofd en omlaag over haar middel. Ik wilde zoveel mogelijk verbergen, maar de waarheid kon ik niet verbergen.

Claudia zei niets, ze bleef slechts haar hoofd schudden. Het was een kleine beweging van grote betekenis. Ik hielp haar opstaan. Ze schreeuwde het uit, verkrampte en viel weer op het bed met haar hoofd tussen haar knieën. Haar ademhaling was een kort, staccato gehijg. We wachtten tot de pijn over zou zijn. Langzaam zag ik haar gezicht ontspannen. Toen kokhalsde ze. Ze kotste op de grond.

'Ik geloof dat het er net uitkwam,' zei ze, naar me opkijkend.

'Oké. Het is oké.' Het is verdomme niet oké, stop met te zeggen dat het oké is. Ik trok haar broek weer omlaag. Ik voelde me misselijk en vertrok mijn gezicht om te voorkomen dat ik kokhalsde. Ik probeerde niet te kijken.

'Is het mijn baby?' vroeg Claudia. Ik haalde het doorweekte ondergoed weg en gooide het in het bad. Het was meer van hetzelfde. Grijze spons. Als placenta zonder bloed. Dood.

'Nee, schat,' riep ik terug. 'Alleen nog meer bloed.' Alsof dat oké was? Ik liep terug naar de slaapkamer. Claudia staarde me aan.

'Te veel bloed?' vroeg ze.

'Ik weet het niet,' zei ik. Maar ik wist het wél. Ik herhaalde de procedure met het maandverband en het ondergoed en hielp Claudia naar beneden. De ambulance kwam snel. Ik ging met haar mee. Ze ging op de brancard liggen en liet haar topje omhoogtrekken door een medicus. Ze droeg nog steeds Als hemd. Wij allebei. Ik ben gewend aan het onderhandelen met een God in wie ik niet weet of ik geloof. Als de MS van mijn moeder weer zijn lelijke kop opsteekt, begin ik me in te dekken en deals aan te bieden aan elke god die maar wil luisteren. Maar terwijl ik naar de technicus keek die een heldere gelei spoot op Claudia's buik, bad ik harder dan ik ooit in mijn leven gebeden had. Het werd doodstil in de ambulance. Ik hield mijn adem in toen de dokter de ultrasound door de gelei stuurde, over haar buik. We wachtten of er enig bewijs van leven door de versterker zou klinken. Een hectische hartslag die zijn best deed om sterker te worden. Maar we hoorden niets dan statica. Ik zag dat de medicus zijn schouders liet zakken. Ik greep Claudia's hand.

'In het ziekenhuis hebben ze meer geavanceerde apparatuur,' zei hij. 'De baby kan in een vreemde houding liggen. Hoeveel weken?'

'Veertien,' zei ik.

'We zullen u er zo snel mogelijk naartoe brengen. Het is mogelijk dat ik de hartslag niet oppak.'

Claudia glimlachte zwakjes. De dokter sprak met de chauffeur, de ambulance schoot naar voren en sirenes verscheurden de stilte. Ik kon het beeld van die grijze, sponsachtige materie niet uit mijn hoofd krijgen. Mijn kleine, perfecte, duimzuigende peetdochter was dood. Ik wist het.

Het bloeden werd minder toen we bij het ziekenhuis kwamen, stopte zelfs bijna, en we werden plotseling weer hoopvol. Claudia werd haastig naar de scanningruimte gereden waar ze meer gelei kreeg. Meer valse hoop. Ze zetten het geluid van het apparaat af en draaiden het weg van Claudia. Alleen ik zag de omtrek van de baby. Zwevend in het donker.

Roerloos. Er was meer leven te zien geweest op de foto die Claudia me had gegeven dan nu op het scherm. Op een gegeven moment bewoog de technicus het apparaat en het leek of de baby bewoog. Ik onderdrukte een zachte kreet, maar de technicus schudde snel haar hoofd. Ze veegde de gelei weg, trok Claudia's topje omlaag en reed toen haar stoel naar Claudia.

'Het spijt me heel erg, mevrouw Harding. De foetus is dood.'

Hemel, moest ze dat zo cru zeggen? Ik zag dat Claudia op haar lip beet. Misschien moest het inderdaad. Misschien was het de enige manier om een moeder te laten geloven dat het onzichtbare leven dat ze in zich had meegedragen, weg was. Ze had zich zelfs niet ziek gevoeld.

'We zullen u wassen en dan zal de specialist met u komen praten over uw opties.'

Ik pakte Claudia's hand. We knikten allebei, zonder iets te zeggen.

Ze probeerden Claudia in een rolstoel te laten zitten, maar ze weigerde. Ze kwam van het bed af en liep met opgeheven hoofd de kamer uit.

Er viel niets te zeggen. Na een tijdje keek Claudia me aan.

'Al,' zei ze.

Ik liet haar hand los. 'Ik zal een bericht voor hem achterlaten.'

'Vertel het hem niet.'

'Dat zal ik niet doen. Ik zal alleen zeggen dat hij moet bellen. Claudia, ik vind het zo verschrikkelijk.'

'Ik weet het,' zei ze, en staarde weer naar haar schoot. Toen ik terugkwam was ze in gesprek met de specialist. Hij gaf haar de keus tussen twee dingen: de miskraam op natuurlijke wijze laten doorgaan, of een algehele narcose om de baarmoeder leeg te halen. Ik kon me niets ergers voorstellen dan nog meer van wat ik in Claudia's huis had gezien.

'Hoe lang zou het duren zonder die narcose?'

'Niet te zeggen, maar hooguit tien dagen.'

Ik keek naar Claudia.

'Dat kun je jezelf niet aandoen.'

'Zijn daar risico's aan verbonden?' vroeg ze.

'Met het oog op een nieuwe zwangerschap is een narcose waarschijnlijk beter; minder risico dat er nog iets achterblijft. Het wordt vaak gedaan als inleiding tot een ivf-behandeling, omdat het voor een brandschone omgeving zorgt, maar het is inwendig en u hebt al veel inwendige behandelingen gehad.' Claudia had me eens verteld dat ze

126

een filmcrew in haar vagina had. Maar in dit geval zou ze tenminste bewusteloos zijn.

Ik geloof niet dat Claudia naar de specialist luisterde dus probeerde ik te bedenken wat Al zou doen als hij hier was. Hij zou willen dat ze zo min mogelijk te lijden zou hebben; hij zou willen dat het voorbij was. Geen bloed en smurrie meer. Hij zou niet willen dat Claudia brokken van zichzelf uit haar lichaam voelde vallen en zich eeuwig zou afvragen wat ze in haar hand had gehouden, welk onderdeel.

'Kunt u die narcose vandaag geven?'

'Ik kan het nu doen.'

Claudia keek weer naar mij. Ik knikte. Ze draaide zich weer om naar de specialist. 'Ik wil het zo gauw mogelijk definitief afgehandeld hebben,' zei ze. Het was een zinloze opmerking. Iets als dit is nooit definitief afgehandeld.

Ik bleef bij haar tot ze vanaf tien begon terug te tellen. Ik zag hoe de anesthesist het verdovende middel via haar pols toediende. Verder dan zeven kwam ze niet. Ik keek naar de specialist. 'Zorg dat u alles eruit haalt. Geen complicaties. Geen infecties. Geen bloedingen meer. En kom me alstublieft halen zodra ze bijkomt.'

Ik werd doorverwezen naar een kleine groene wachtkamer. Toen ik zeker wist dat ik alleen was, maakte ik mijn portefeuille open en haalde de scan van twaalf weken eruit die Claudia me had gegeven toen ze de grens van drie maanden had overschreden. Ik staarde naar het kleine hoofdje, de kleine duim, de perfecte lippen en het profiel van de baby. Ik gleed erlangs met mijn vinger. Toen ik begon te huilen, was het voor Claudia, voor die kleine baby die ik nooit zou leren kennen, en ik kon niet meer ophouden. Ik jammerde stilletjes, mijn gezicht verborgen in mijn handen. Ik dacht aan die negen jaren, de eerdere mislukkingen, de onschuldige hoop die ze had gekoesterd, wie we waren geweest vóór dit alles, waar we hadden gedacht dat we nu zouden zijn, waar we waren, waar ik was, mijn eigen kinderloosheid, mijn eigen eenzaamheid, en een nieuwe stroom van tranen overviel me. Ik kon niet langer dapper zijn. Niet voor Claudia, niet voor mijzelf. En dat maakte dat ik nog harder begon te huilen. Hoe kon ik medelijden hebben met mijzelf? Ik was niet degene die een baby had verloren. Een zuster kwam binnen en trok de verkeerde conclusie. Ik was een treurende moeder. Ze sloeg haar arm om me heen en bood me een papieren zakdoekje aan. Ik weet niet waarom ik haar niet uit de droom hielp. Maar ik deed het niet. Het was zo'n fijn gevoel om voor de verandering eens iemands arm om mij heen te voelen.

Mijn mobiel trilde in mijn zak. Ik keek naar het nummer. Ik draaide me om naar de verpleegster.

'Het is de vader,' zei ik.

Ze ging weg. Ik wachtte tot de deur dicht was en beantwoordde toen de telefoon.

'Tessa? Gaat het goed met Claudia?'

'Ja. Maar –'

'De baby.'

'Het is verschrikkelijk, Al. Ze heeft een miskraam gehad.'

'Kan ik haar spreken?'

'Ze is in de operatiekamer. Ze zijn bezig haar te opereren.'

'O, mijn god...'

'Het ging allemaal heel snel.'

'Zeg haar dat ik met het eerstvolgende vliegtuig naar huis kom. Zeg dat ik van haar hou. Vergeet het niet.'

'Ik beloof het.'

De telefoon zweeg. Ik stelde me voor hoe Al door Singapore Airport rende, probeerde iemand te vinden die hem kon helpen naar huis te gaan. Zonder te willen uitleggen waarom, maar daartoe gedwongen door mensen die hem anders niet serieus zouden nemen. Misschien zou hij zelfs moeten overdrijven, alsof dat wat er gebeurde al niet erg genoeg was. Een op de drie vrouwen had een miskraam, zo erg was dat toch niet? Dat was het ook niet, tot het jouw beurt was. Er werd zachtjes op de deur geklopt. Een andere verpleegster kwam binnen. 'Ze is bij uit de narcose.'

Er waren zevenentwintig minuten voor nodig om weg te halen wat negen jaar en achtennegentig dagen tot stand hadden gebracht.

Claudia deed net haar ogen open toen ik de verkoeverkamer binnenliep. Ze keek wazig en sprak onduidelijk. Ze glimlachte naar de specialist. Toen naar mij.

'Ik heb Al gesproken. Hij is op weg naar huis.'

'Zeg dat hij geen medelijden met me moet hebben,' zei Claudia. 'Ik heb een pracht van een dochter thuis.'

De specialist en ik keken elkaar even aan.

'Hij wil je laten weten dat hij met heel zijn hart van je houdt,' zei ik.

'Hij zal me nu in de steek laten.'

'Nee. Dat zal hij nooit doen.'

'Zorg dat hij me niet in de steek laat. Waar is mijn baby? Tessa, wat heb je met mijn baby gedaan?'

'Het is goed, mevrouw Harding.' De specialist kwam dichterbij. 'U bent wat wat in de war. U bent in het ziekenhuis, weet u nog? We hebben u moeten opereren. U hebt de baby verloren. Maar er zullen meer baby's komen.'

'Niet meer,' zei Claudia. 'Ik wil dat niet nog eens doormaken. Ik wil dat niet nog eens doormaken. Alsjeblieft, Tessa, ik wil dat niet...' Haar stem stierf weg. Ze viel in slaap. Ik was ongerust.

'Het is de nawerking van de narcose,' zei de specialist om me gerust te stellen. 'Laat haar maar slapen. Om een uur of zes kunt u haar mee naar huis nemen.'

Ik liet haar over aan het ziekenhuispersoneel. Hield een taxi aan en keerde terug naar het huis van Claudia en Al.

Het was doodstil in huis. Ik liep langs de foto's zonder ernaar te kijken en ging de kinderkamer binnen. Onze rode en groene wimpels staken af tegen de witte muur. Onze verfkwasten waren hard. Ik liep verder de trap op. De badkamer was een puinhoop. Ik trok een paar gummihandschoenen aan, raapte op wat in het bad lag en stopte alles in een vuilniszak. Ik gooide Claudia's jeans en onderbroekje er ook in. Ik trok de wc door zonder te kijken. Toen het water ophield met stromen, controleerde ik of alles verdwenen was. Dat was niet het geval. De dikke, leverachtige substantie kleefde aan de bodem. Ik pakte de wc-borstel, draaide die rond tot het water rood werd en trok toen weer door. Ik deed het drie keer tot het kleverige goedje definitief verdwenen was. Ik smeet de wc-borstel in de vuilniszak, samen met al het andere. Ik haalde het bed af en bracht de bebloede lakens naar de wasruimte. Ik stopte alles in de wasmachine op de kookwas en ging weer naar boven voor de matras en het braaksel. Ik boende de matras af waar het bloed erdoorheen gesijpeld was en legde hem op zijn kant. Ik nam de inhoud van Claudia's maag op van het tapijt en boende dat ook schoon. Toen ging ik weer naar beneden en keek naar de lakens in de ronddraaiende wastrommel. Ik keek op mijn horloge. Ik had hulp nodig.

Twintig minuten later deed ik de deur open voor Ben. Hij had zijn pak nog aan. Hij was uit een vergadering weggelopen om mijn telefoontje te beantwoorden en was niet meer teruggekeerd. Zodra ik hem verteld had wat er gebeurd was had hij het kantoor verlaten. 'Ik weet niet wat ik moet doen, Ben. Ik weet niet of ik eroverheen moet schilderen of niet. Maar ik kan het niet zo laten en de witte verf dekt niet. Ik wil geen rood gebruiken, en roze heeft te veel associaties...'

Hij strekte zijn armen naar me uit. Ik liet me domweg erin vallen en liet me door hem vasthouden. Ik had nu hulp. Op de een of andere manier zouden we het redden.

'Sst,' zei hij en streek over mijn haar.

'Ik vind het zo verschrikkelijk voor Claudia, Ben. Het was afschuwelijk – het ene ogenblik waren we aan het schilderen, lachend om allerlei stomme dingen, en het volgende heeft ze een bloeding. Overal was bloed. We moeten die kamer opnieuw schilderen. Ze komt vanavond al thuis.'

'Oranje.' Ben liet me los en pakte twee blikken verf van de drempel. 'Die kleur is helder, maar donker genoeg om te bedekken wat jullie al op de muur hebben geschilderd. Ik heb de verf onderweg gekocht.'

'Je bent fantastisch. Dank je.'

'Doe niet zo mal. Het gaat om Al en Claudia. Hoeveel tijd hebben we?'

'Het ziekenhuis zal me bellen als ze zeker weten dat het bloeden is gestopt. Maar ze hopen dat het niet langer dan twee uur zal duren.'

'Laten we opschieten.'

We zeiden niet veel terwijl we schilderden. Ik concentreerde me zo intens op het opbrengen van de verf dat ik nergens anders aan dacht. We schilderden eerst de muur met de meeste wimpels. Toen legde ik de verfkwast neer en ging naar beneden om weer een lading lakens te wassen. Ik haalde het eerste stel uit de wasmachine. Er was een roze vlek te zien met een donkerrode omtrek. Ik vloekte hardop. Ik kon niet anders dan ze weggooien. Ik stopte ze in een vuilniszak en liep weer naar boven. Ben schoot goed op met de tweede muur.

'Gaat het? Ik moet het bed opmaken.'

'Hulp nodig?'

'Nee. Blijf jij maar schilderen. Je hebt trouwens verf in je haar.'

'Sasha zal denken dat ik een midlife crisis heb en mijn haar wil verven.'

'Hoeveel midlifecrisissen zouden dat inmiddels zijn?' vroeg ik met een poging tot een glimlach.

'Eén teveel,' zei hij en draaide zich weer om naar de muur. Ik legde de matras recht, zocht schone lakens en begon het bed op te maken. Toen ik klaar was, zag ik een druppel bloed op het kleed. Ik ging naar de badkamer om een natte spons te halen en zag ook nog bloed in het bad. Plotseling had ik het gevoel dat er overal bloed was. Ik kon nog de vage roze weerschijn op de bodem van de wc-pot zien. Ik kon het niet weg krijgen. Plotseling voelde ik me kotsmisselijk en viel om. Ik sloeg met mijn hoofd tegen de deurknop toen ik naar voren tuimelde en gaf een gil van pijn. Ik bevoelde mijn hoofd, het was nat van het zweet. Dit was niet het moment om griep te krijgen. Ik probeerde op te staan, maar wankelde en viel met een smak op de grond.

'Tess, gaat het goed met je?' Ik hoorde Ben de trap op rennen, de deur van de badkamer openen en een kreet slaken toen hij me op de grond zag liggen met een bloederige spons in mijn hand.

'Ik krijg het bloed er niet uit,' jammerde ik. Ik dacht dat ik misselijk zou worden, maar Ben pakte me vast, trok me overeind, klapte het deksel van de wc neer en zette mij erop. Hij deed een raam open en zei dat ik stil moest blijven zitten. Een paar minuten later kwam hij terug met sinaasappelsap en een banaan.

'Eet, je hebt een van die rare aanvallen van je.'

Ik voelde me een idioot. Ik heb lichte hypoglykemie. Soms, als ik gestrest of moe ben of niet heb gegeten, zakt mijn bloedsuikerspiegel tot op de grond. Of mijn insuline stijgt tot aan het dak. Die dag was alle drie het geval. Ik at de banaan bijna in zijn geheel op en dronk in een paar slokken de helft van het pak sap. Ik gaf het pak terug aan Ben.

'Kom hier,' zei hij en trok me weer tegen zich aan. De tranen rolden over mijn wangen. Ik moest stoppen met zo te huilen, ik was niet het slachtoffer. Hij streek over mijn haar. 'Hé, jij, sst. Het komt heus goed met ze. Ze hebben elkaar die twee, het komt heus goed.'

Ik mompelde tegen Bens borst. 'Toen Claudia bijkwam, zei ze dat Al haar nu in de steek zou laten.'

Hij hield me een eindje van zich af en keek me aan. 'Al zou Claudia nooit in de steek laten. Wat zij samen hebben is reëel, echt, gebaseerd op een heel leven. Ik beloof je dat hij haar nooit in de steek zal laten.'

Ik snufte. Ben bood zijn mouw aan. Toen streek hij mijn haar achter mijn oor. 'Kom, mallerdje, we moeten verder met schilderen.'

Ik knikte. Toen we terugliepen naar de trap, vroeg ik hem hoe hij zo zeker wist dat Al nooit weg zou gaan.

'Omdat ik het hem eens gevraagd heb, toen een van die ivf-behandelingen gefaald had. Vertelde hem dat hij, nou ja, je weet wel, een andere weg kon kiezen.'

'Je suggereerde dat hij Claudia in de steek zou laten?' vroeg ik, plotseling kwaad.

'Ik suggereerde het alleen maar. Hij sprong me ook naar mijn keel. Ik denk dat ik het in die tijd moeilijk had met Sasha en gedesillusioneerd was wat het huwelijk betreft. In ieder geval had hij gelijk. Vrouwen als jij en Claud kom je niet vaak tegen.' Hij keek langs de trap omhoog naar mij. 'Feitelijk kom je ze maar één keer in je leven tegen.'

Ik wendde mijn blik af omdat hij dat niet deed. Ik keek naar de foto aan de muur. Die van Ben met zijn been in het rekverband. Zijn gebroken been. Ben volgde mijn blik. We keken weer naar elkaar. Hij stond twee treden onder me, onze ogen waren op één hoogte. Alles om me heen werd heel stil. Het deed me denken aan Claudia's baby.

'De vlek in het kleed,' mompelde ik, en holde naar boven.

Ben was nog steeds bezig de laatste muur te schilderen toen ik wegging om Claudia uit het ziekenhuis te halen. Toen we terugkwamen was de kamer niet alleen klaar, de verfpotten waren verdwenen, er stond verse soep en brood op de keukentafel, en een fles van Claudia's rode lievelingswijn. Ben omhelsde haar. Bij ontstentenis van Al was hij de op één na beste. Ben had met Al gesproken vlak voordat hij aan boord ging van het vliegtuig naar huis. Al had niet een van de dingen gezegd die hij volgens Ben had gezegd. Al was in een volkomen shocktoestand, hij kon nauwelijks spreken, maar Ben kende Al goed genoeg om te weten wat hij zou hebben willen zeggen, en hij bracht het perfect over.

Ik maakte de soep voor ons warm terwijl ik naar Ben luisterde die zat te praten met Claudia. Hij probeerde het niet rooskleuriger voor te stellen. Hij zei niet dat het zo beter was. Hij zei dat ze moest rouwen. Hij zei dat ze moest overwegen een korte rouwdienst te laten houden. Hij zei dat ze de foto van de scan moest laten inlijsten als ze dat wilde. Hij hield haar in zijn armen toen ze huilde en zei niet dat ze moest proberen kalm te zijn. Ik wachtte in de keuken, roerde in de soep tot het huilen uit zichzelf bedaard was. Later, toen we Claudia naar bed hadden gebracht, gaf ik Ben een zoen op zijn wang.

'Dank je,' zei ik. 'Zonder jou had ik dit nooit gekund.'

'Dat hoef je ook niet,' zei hij. We zaten in de keuken en dronken de rest van de wijn. We praatten. We hielden bespiegelingen over de vraag wat Al en Claudia nu zouden doen. Zouden ze het nog een keer probèren? Zouden ze naar het buitenland gaan om een kind te adopteren? Rusland? Sri Lanka? China? Zouden ze gaan reizen? Verhuizen? Instorten? Overleven?

'Ze zullen het overleven,' zei Ben.

Ik knikte.

'Dat zullen ze, Tess.' Ben stond op en rekte zich uit. 'Wil je een lift naar huis?'

'Nee. Ik blijf hier tot Al terugkomt.'

'Waar ga je slapen?'

'Op de bank.'

'Wil je dat ik bij je blijf?' vroeg Ben.

'Nee. Het is goed. Er is trouwens toch geen ruimte.'

'We hebben wel vaker op die bank geslapen.'

'Alleen als we zo dronken waren dat ik je niet kon horen snurken.'

'En ik jouw benige ellebogen niet voelde.'

Hij gaf me een zoen op mijn voorhoofd. 'Ja, die heb je. En je laat scheetjes in je slaap.'

Ik duwde hem weg en volgde hem naar de voordeur. We omhelsden elkaar opnieuw, heel lang. Zo'n dag was het. Hij streek mijn haar weer achter mijn oren.

'Je bent een geweldige vriendin, Tess. Wij zijn degenen die niet zonder jou kunnen.'

Ik was te moe om iets te zeggen. Te moe om mezelf te vertrouwen om iets te zeggen. Ik staarde hem slechts aan met emotioneel uitgeputte ogen. Hij legde zijn hand om mijn gezicht en streek zachtjes met zijn duim over mijn wang.

'Goddank dat je hier was. Goddank dat je terug was,' zei Ben. Toen boog hij zich verder naar me toe en kuste me op mijn mond. Het was niet omdat het een fractie langer duurde dan gewoonlijk dat er een elektrische schok door me heen ging. Het was het feit dat hij nog steeds zijn hand om mijn gezicht hield. Ik voelde hoe zijn vingers de zijkant van mijn gezicht en mijn haar streelden. Onze gezichten waren nog steeds centimeters van elkaar verwijderd. Geen van beiden bewogen we ons. Het enige wat ik kon voelen was de zachte massage van zijn duim in mijn haar.

'Ik heb je meer gemist dan ik had behoren te doen, Tessa,' zei Ben.

Ik legde mijn hand tegen zijn wang, met de bedoeling hem weg te duwen, maar in plaats daarvan kleefde mijn hand aan de zijne en ik voelde me meegesleurd door zijn ernst. We kwamen zó langzaam naar elkaar toe dat toen onze lippen elkaar raakten, het leek of iemand me brandde met een vlam, die slechts bedwongen kon worden met nog meer spanning. De kus verspreidde zich over onze lippen. Mijn hart bonsde terwijl we dicht tegen elkaar aan stonden. Toen brak de dam en zonder enige waarschuwing lieten onze lippen elkaar los, onze hoofden bogen weg van elkaar, onze armen sloegen zich om elkaars lichaam en gedurende een onderdeel van een seconde werd een onzichtbare grens overschreden en veranderde de kus volledig.

'Al? Al? Help me!'

Ogenblikkelijk lieten we elkaar los. We bleven nog een paar seconden hijgend tegenover elkaar staan. Ik schudde mijn hoofd, ik weet niet waarom — ongeloof, waarschuwing, schaamte? Claudia riep weer; ik draaide me om en holde de trap op.

Toen ik terugkwam, was Ben verdwenen. Ik ging boven aan de trap zitten, staarde tussen mijn vingers door, voelde me dwaas en verward. Wat was er gebeurd? Wás er iets gebeurd? Een kus op de mond was niet bepaald wereldschokkend; Ben omhelsde me altijd als het slecht ging. Mijn verbeelding speelde me parten. Dat was alles. Er was niets gebeurd. Er zou niets gebeuren. Ben was getrouwd, Ben was mijn vriend; hij zou mijn vriend blijven. Eind van het verhaal. Ten slotte bleef mijn blik rusten op de foto van hem met zijn been in rekverband. Ik liep erheen en haalde hem van de muur. Ik nam hem mee naar de zit-kamer, ging op de bank liggen met de rest van mijn glas wijn en staarde naar de foto tot mijn ogen begonnen te tranen.

Ik gaf nooit toe aan die oude, weggestopte herinnering, maar vandaag was geen gewone dag, en het leven leek daardoor uitvergroot. Het kwam door de zomer. Ik had net mijn eindexamen gehaald, met betere cijfers dan ik verwacht had en ik kon aan mijn rechtenstudie beginnen. Ben en ik waren alleen in Camden. Al was naar Cheshire op familiebezoek, Clau-dia deed werkervaring op in Reading, Mary was op reis met haar ouders en Ben had deze keer verkozen niet weg te gaan. Zijn moeder was in het westen en vierde de zomerse zonnewende en mijn ouders bleven vol-komen kalm toen ik ze vertelde dat ik een week bij Ben zou gaan logeren. En waarom zouden ze het niet kalm opvatten? Het was al zo vaak gebeurd. Ik weet niet of ik ze vertelde dat Bens moeder weg was, maar omdat ze haar toch niet erg verantwoordelijk vonden, geloof ik niet dat het een grote rol speelde bij het nemen van hun beslissing. Ik had hard gewerkt en me aan de regels gehouden. Dit was mijn beloning.

Vier dagen lang spraken we en zagen we niemand. We keken samen in bed naar *Halloween* 1 en 2 en raakten enorm opgewonden. We kookten en dronken wijn in de zon en praatten aan één stuk door over het volwassen leven dat voor ons lag. We brachten veel tijd in de pub door. De tweede dag begon ik een pijnlijk verlangen te voelen. Ik liep hem in de weg, alleen om zijn hand op me te voelen als hij me opzij duwde. Ik kietelde hem, stompte hem, gaf hem een arm, porde hem in zijn ribben. Ik was aan hem verslaafd. Ik vond het heerlijk om naar hem te kijken terwijl hij normale dingen deed. Een pint bestelde, een T-shirt uitzocht, thee voor me zette. Er was een goedkope Italiaan bij hem in de buurt waar je spaghetti bolognese kon krijgen voor 1.99 pond; daar aten we de derde avond. Ik moet te veel goedkope rode wijn hebben gedronken omdat ik suggestieve opmerkingen begon te maken die altijd taboe waren geweest in onze vriendschap. Hij dacht dat ik dronken was.

Die nacht lag ik wakker naast hem, half verteerd door wellust en half door angst. Als zijn arm langs mijn huid streek, gingen de haren op mijn arm overeind staan. Ik moest met open mond ademhalen, zo verstikkend was de gewaarwording dat hij zo dicht bij me lag en ik hem toch niet kon aanraken. Om een uur of vier in de ochtend stak ik mijn hand uit en greep die van hem vast. Hij kneep erin. Ik kneep terug. Geen van beiden lieten we los. We knepen steeds harder, het bloed klopte in mijn vingers en ik haalde hijgend adem. Het lijkt nu belachelijk dat iemands hand vasthouden zo erotisch kan zijn, maar dat was het. Elke gedachte die ik over hem had gehad, elk moment dat ik hem bijna had verteld wat ik voor hem voelde, elke keer dat ik meende hem erop te betrappen dat hij naar me keek, stroomden door mijn hand naar de zijne. In die krachtige greep werd meer kenbaar gemaakt dan ik in woorden had kunnen uitdrukken. Het was een fysieke verklaring van begeerte. Ik denk dat ik tijdens die greep een orgasme kreeg; zoals de spieren in mijn hand brandden van de inspanning van het knijpen, verkrampten alle andere spieren in mijn lichaam. Misschien was het geen fysiek orgasme, misschien zat het meer in mijn hoofd. Niet dat ik het me verbeeldde, maar het leek dieper te gaan dan simpel vlees en bloed mogelijk maakten. Ik hield van hem. Ik hield van hem met alle energie die ik kon opbrengen, en het enige wat ik kon doen was volhouden. Er werd geen woord gesproken. Hand in hand vielen we in slaap. De volgende ochtend zinspeelden we geen van beiden op wat er gebeurd was en ik begon me af te vragen of ik het me niet allemaal verbeeld had.

De volgende dag had Ben plotseling dingen te doen waar ik niet bij betrokken was. Ik voelde me verlaten. Buitengesloten. Verward. Ik raakte in paniek. Ik belde een paar vrienden van de universiteit en sprak met ze af in het park. Ik hield de schijn op van een picknick: frisbee, warme wijn en koude worstjes. Maar al die tijd kon ik alleen maar denken aan zijn hand in de mijne en me afvragen of ik de enige was geweest die door de bliksem getroffen was. Die avond ging ik naar huis. Liever dan terug naar Bens huis. Maar ik moest mijn voeten dwingen erheen te gaan, stap voor stap, in de tegenovergestelde richting van waar ik naar- toe wilde. Mijn moeder was wakker. Ze riep me bij zich in hun kamer.

'Alles in orde?'

'Ja. Waarom?'

'Ben heeft gebeld. Ik dacht dat je bij hem was.'

'Hij had een paar dingen te doen, dus heb ik afgesproken met een paar vrienden van de universiteit.'

'O. Nou ja, hij heeft gebeld, ik geloof dat hij zich ongerust maakte.'

Ik hield me van de domme. 'Ik zal hem wel even bellen.' Sinds die tijd heb ik me van de domme gehouden.

We hadden toen nog geen mobieltjes. Ik draaide zijn nummer thuis. Wat verwachtte hij van me? Dat ik de hele dag thuis op hem zou zitten wachten?

'Waar ben je?'

'Thuis.'

'O.'

En? O en wat?

'Ik wist niet hoe lang je weg zou blijven.'

'Ik moest alleen een paar dingen ondertekenen voor mijn nieuwe baan, dat had ik je verteld.'

Heus? Was ik zo overgevoelig? Onredelijk? Waarom had ik twee uur buitenshuis als verraad beschouwd? 'Sorry. Dat heb ik verkeerd begre- pen. Ik dacht dat je de hele dag bezig zou zijn.'

'Als met jou maar alles in orde is.'

'Het gaat me prima.'

'Zeker weten?'

'Ja. En met jou?'

'Goed.'

'Oké. Dan zien we elkaar morgen.'

'Oké,' zei hij. Kreunend hing ik op.

De volgende avond sprak Ben met me af om te gaan eten in een duurder restaurant dan we ooit waren binnengegaan. We praatten om het onderwerp 'ons' heen. Hoe geweldig die tijd samen geweest was, dat hij me gemist had toen ik er de vorig avond niet was; dat hij er eigenlijk niets voor voelde om met Mary te praten. Ik wist niet of hij naar iets toe stuurde of zinspeelde op onze 'vriendschap' om me te herinneren aan de gestelde grenzen. Alles kon op twee manieren worden opgevat. Hij vertelde me dat hij van me hield. Maar dat wist ik al. Wat ik niet wist was *hoe*. Of hoeveel.

Toen we uit het restaurant kwamen, liepen we door een smalle steeg. Aan het eind stond één straatlantaarn. Onze voetstappen weergalmden tegen de hoge muren toen we zwijgend naar de lichtvlek liepen. Iets deed ons stilstaan. Een geluid? Intuïtie? Wie zal het zeggen? Maar we draaiden ons gelijktijdig naar elkaar toe. De tunnel gaf ons het gevoel dat de wereld niet langer bestond. Geen Mary. Geen kwartet vrienden. Geen verwachtingen. Alleen maar Ben en ik. Onze wereld. Geschapen door vier dagen samenzijn.

'Wat gebeurt er?' vroeg hij.

'Ik weet het niet.'

'Dit maakt me gek.'

'Mij ook,' was het enige wat ik kon uitbrengen.

'Wat gaan we eraan doen?' We konden zelfs niet hardop zeggen waarover we praatten. Ik durfde niet te spreken. Ik wilde het wél. Maar ik was doodsbang om alles wat we hadden te bederven. Hij liep naar me toe. Wat zou één kus doen? Leiden tot een volgende. En nog meer. Hoe lang zou dat duren? We waren achttien. Het zou niet ons leven lang duren. Uiteindelijk zouden we uit elkaar gaan en daarmee onze vriendschap verliezen. Ik raakte in paniek. In plaats van hem naar me toe te trekken, pakte ik zijn hand.

'Laten we naar huis gaan,' zei ik en duwde hem naar het eind van de steeg. Ik had tijd nodig om na te denken. Want als we eenmaal gezoend hadden, zouden we niet meer terug kunnen.

Had ik maar de moed gehad van mijn overtuiging. Had ik mijn hart maar laten spreken en niet mijn hoofd, had ik maar wat meer tijd doorgebracht in die steeg, dan zou de fietser langs ons heen zijn gereden en zou ik de naam Elisabeth Collins niet hebben gekend. Had ik hem maar geantwoord met een vraag. Of hem in de ribben gepord en hem uitgelachen zoals ik talloze malen had gedaan. Of hem gewoon gezoend, zoals ik wilde doen – zou dat zo erg zijn geweest? Maar ik deed het niet. Ik was laf. Ik zei: 'Laten we naar huis gaan' – wilde het uitstellen, er een nachtje over slapen, erover nadenken, tijd winnen, weglopen, alles liever dan ermee geconfronteerd worden.

Waarmee we in plaats daarvan geconfronteerd werden was een fietser, die gekronkeld op de grond lag, vijftien meter van de plaats waar we uit de steeg waren gekomen. Ze was in volle vaart omlaaggereden over het hellende plaveisel; ze had geen licht en geen helm. We waren niet eens blijven staan om uit te kijken voor voetgangers, laat staan voor fietsers. Ze reed pardoes tegen Ben aan, vermorzelde zijn been. Ik zag haar van haar fiets vallen en over Bens lichaam vliegen toen hij ineenzakte op de grond. Ik zag dat haar hoofd een lantaarnpaal met een millimeter miste. Ze schoof over de grond, schuurde de huid van haar gezicht en rolde toen de goot in. Ben liet mijn hand los en kromp ineen van de pijn. Welk moment er ook was geweest, het was voorbij. De wereld van alledag was teruggekomen om me eraan te herinneren dat niets zo wreed is als het leven en dat je ermee rotzooit op eigen risico.

Het meisje had zo'n zware hersenschudding dat ze haar naam niet wist, dus bleef ik bij haar. Ben werd met een andere ambulance weggebracht. Toen ik hem in het ziekenhuis vond, zaten Mary en haar familie aan zijn bed. Ik kon niet bij hem komen, en toen het me eindelijk lukte voelde ik me opgelaten, niet op mijn gemak. Ik kon het beeld niet van me afzetten van de fietser die langs de lantaarnpaal vloog. Een millimeter dichter erbij en ze was dood geweest; ik zou haar dood op mijn geweten hebben. Het was een duidelijke waarschuwing dat ik Ben met rust moest laten. Twee weken later landde ons vliegtuig in Hanoi en bracht ik de volgende paar maanden door met leren om net te doen of ik het vergeten was.

Zoals ik al zei, veel van mijn leven is verbonden met die beenbreuk.

Om zes uur de volgende ochtend hoorde ik een sleutel in het slot. Ik ging rechtop zitten toen Al de zitkamer binnenkwam. Hij leek ook niet veel geslapen te hebben. Ik omhelsde hem, vertelde hem dat Claudia nog sliep, dat de dokter haar een paar slaappillen had gegeven, maar dat ze in haar droom had gegild. Toen ging ik weg en reed door Londen naar huis. Pas toen ik thuis was, realiseerde ik me dat de foto van Ben in het rekverband nog in mijn zak zat. Ik stopte hem in de la van mijn nachtkastje, sloeg de deken terug en stapte in bed. In elkaar gerold, met het dekbed hoog over mijn hoofd getrokken, viel ik in slaap, zuigend op mijn duim, wensend dat dit allemaal niet echt gebeurde.

Troostdekentje

Ik wist niet wat Claudia zou willen eten, áls ze al iets wilde, dus haalde ik bacon, eieren, yoghurt, organische muesli, vers brood, kiwi's, sap, amandelcroissants, groene thee en mokkakoffie voor iedereen. Ik belde aan en luisterde naar Als zware voetstappen toen hij de trap afliep. Met een gespannen uitdrukking op zijn gezicht deed hij de deur op een kier open. Ik zag dat zijn hersens registreerden dat er een vriend en geen vijand op de stoep stond; zijn gezicht verzachtte, zijn lichaam ontspande zich en ten slotte ging de deur verder open. Instinctief nam hij de tassen van me aan. Ben en Al zijn wat dat betreft uit hetzelfde hout gesneden.

'Ik weet niet hoe ik je moet bedanken,' zei Al, terwijl hij de plastic tassen in een stevige omhelzing om me heen sloeg. 'Goddank dat jij er was. Kom binnen. Ze slaapt.'

Ik volgde hem de gang door naar de keuken. Op de muur zag ik de vage grijze omtrek van een ontbrekende foto. Ik vloekte zachtjes bij mezelf. De foto lag nog thuis, maar dat was niet waarom ik vloekte. Ik staarde naar de tree en zag nog eens, zoals ik die nacht al duizend keer had gedaan, een kus die bijna twintig jaar te laat was gekomen. Ik legde mijn vingers tegen mijn lippen; de herinnering maakte me duizelig van verlangen.

Al schonk de koffie in mokken, zette ze in de magnetron om op te warmen en pakte voor ons allebei een croissant. We hadden geen van beiden veel geslapen en we hunkerden naar een flinke dosis suiker. Ik had iets klaargemaakt dat gezond was en langzaam verteerde, maar wat we nodig hadden was een hit. Ik doopte de croissant in de koffie en zoog. Al deed hetzelfde.

'Je denkt aan alles, hè, Tessa? Ik kon het gewoon niet geloven toen ik zag dat je alles had overgeschilderd in de...' Kinderkamer. Logeerkamer. Constante herinnering aan hun onvruchtbaarheid.

'Zonder Ben had ik het niet gekund. Hij heeft de verf uitgezocht.'

'Jullie zijn het beste stel vrienden dat iemand zich kan wensen.'

Ik had Ben op de trap gezoend. Ik heb jouw persoonlijke tragedie gebruikt om een grens te overschrijden. Wat voor soort vriendin ben ik dan? Als Claudia niet had gegild... Weer waren mijn gedachten op mijn gezicht te lezen, want Al keek bezorgd.

'Ik vind het heel erg, het moet afschuwelijk voor je zijn geweest,' zei hij.

Ik deed zijn bezorgdheid achteloos af. 'Wat ga je nu doen?'

'Hier wegwezen,' zei Al onmiddellijk. 'Alles is al geregeld. Ik heb het Claudia alleen nog niet verteld.'

'Verhuizen?'

'Nee. Ik bedoel het land uit. Ik heb nog steeds werk in Singapore. We zijn ondergebracht in een zusterhotel van het hotel waar we mee bezig zijn. Het is magnifiek. Claudia kan rusten, haar dagen doorbrengen in het kuuroord, zwemmen, herstellen in haar eigen tempo. Het werk is niet inspannend. We zullen de meeste dagen samen kunnen lunchen, de omgeving verkennen in de weekends, eilanden bezoeken. Mijn bazen kennen de situatie en zijn soepel, niet eeuwig, maar voor een tijdje in ieder geval wél.'

'Hoe lang zou je wegblijven?'

'Een paar maanden. Lijkt het je geen goed idee?'

'Ik vind het een geweldig idee, ik wil alleen niet dat jullie weggaan. Maar je moet het absoluut doen.'

'Ik wil ook proberen het huis te verkopen. Ik heb met een makelaar afgesproken om het morgen te komen bekijken als Claud bij de dokter is. Ik weet dat het veel gevraagd is, maar ik dacht dat jij misschien een oogje in het zeil zou kunnen houden bij de verkoop.'

'Natuurlijk,' zei ik. 'Natuurlijk doe ik dat.'

Hij legde zijn hand op de mijne. 'Dank je, Tessa. Ik wist dat ik op je kon rekenen.'

Het gevoel van voldoening kwam sneller in me op dan de ontmoedigende gedachte aan de reden waarom Al me vroeg het huis voor hem te verkopen. Ik kon het niet helpen. Ik had altijd veel voor mijn vrienden gedaan, ze waren mijn familie, dus deed het me goed dat Al en Claudia het gevoel hadden dat ze van me op aan konden. Hoewel dit hén overkwam, losten we het samen op, zoals ik altijd geweten had dat we zouden doen. 'Je hebt het allemaal goed geregeld,' zei ik toen Al zijn hand terugtrok. Hij roerde in zijn koffie. 'Ik heb geleerd op het ergste voorbereid te zijn.' Hij wreef in zijn ogen. Het was een willekeurige beweging, maar het herinnerde me aan de ongelooflijke spanning waaronder hij al die jaren geleefd had. Je kunt niet altijd de sterkste zijn en blijven. Op een gegeven moment gaat het niet meer.

'Je bent een heel bijzonder mens, Al. Claudia mag zich gelukkig prijzen dat ze jou heeft.'

'Vind je dat? Waarschijnlijk zou ze in een handomdraai zwanger zijn met een ander. Ze had in ieder geval kunnen adopteren.'

'Zo mag je niet denken. Jij bent de enige, jij alleen, en dat zul je altijd blijven,' zei ik.

'Maar we weten allemaal dat dat niet waar is. Mensen verliezen hun man, hun vrouw, en vinden nieuwe mensen om van te houden en zijn net zo gelukkig, soms zelfs gelukkiger. Er is niet maar één man of vrouw. Claudia zou iemand anders vinden.'

Hij joeg me angst aan. 'Al, gaat dit over jou of over haar?'

'Over haar. Zij is degene die boven in de slaapkamer ligt, onder de verdovende middelen om de pijn niet te voelen die ik haar aandoe.'

'Jij hebt dit Claudia niet aangedaan, net zo min als Claudia het jou, of haarzelf, heeft aangedaan,' zei ik. 'Het is gewoon iets vreselijk rottigs dat jullie allebei is overkomen. Ik weet dat Claudia kinderen wil, maar niet zonder jou. Dat zou een te hoge prijs zijn.'

'Dit is al een te hoge prijs, Tessa,' zei Al. 'Ik kan niet aanzien dat ze dit nog een keer moet doormaken.'

'Ik weet zeker dat ze dat niet wil. Als jullie weer eens over adoptie gingen denken?'

'Dat kunnen we niet. Mijn strafblad.'

'Niet hier, maar in het buitenland, waar ze wat minder streng zijn. China, Afrika, Estland, Rusland. Overal zijn weeshuizen, Al. Talloze kinderen die een thuis nodig hebben.'

'Misschien wordt het tijd daar eens onderzoek naar te doen,' zei Al. Eigenlijk verbaasde het me dat ze dat niet al eerder hadden gedaan.

'Het zou opwindend kunnen zijn,' zei ik, in een poging positief over te komen.

'Misschien. Maar Claudia moet zich erbij neerleggen dat de ivf gefaald heeft en ze nooit de moeder van ons kind zal zijn.'

'En jij?'

'Als Claudia weer gelukkig is, kan ik zonder kinderen leven. Maar haar overlevingsmechanisme tijdens dit alles was dat het ultieme falen geen optie was. Ze móest geloven dat het succes zou hebben. Zo niet deze keer, dan de volgende. Ze moest dat geloven, anders had ze de volgende dag niet onder ogen kunnen zien. Hoe maak je dat onwwrikbare vertrouwen ongedaan? Het is of je iemand opdraagt niet meer in God te geloven.'

'Dus jij zou het in overweging nemen?'

'We waren voor adoptie nog voordat we de ivf uitprobeerden, omdat ze ons vertelden dat we maar zo'n kleine kans hadden. We wilden adopteren en ze belazerden ons. Ik belazerde mezelf. Ik belazerde óns.'

'Hou op. Laten we dat niet meer oprakelen. De drugs waren door de voering van je tas gevallen, het had ons allemaal kunnen overkomen. We waren allemaal schuldig.'

'Maar ik wist dat ze ontbraken. Ik had beter moeten zoeken. Hoe is het mogelijk dat één seconde in de tijd, bijna twintig jaar geleden, me nog steeds blijft achtervolgen, mijn maag doet omdraaien en me de adem beneemt?'

Laten we naar huis gaan. 'Ik weet het niet,' zei ik, en kreeg het vertrouwde gevoel van een wild kloppend hart en geblokkeerde luchtwegen. Maar het wás mogelijk.

Ik zat naast Claudia's bed. Het bed dat ik de dag tevoren had afgehaald en weer opgemaakt. Ik keek naar het kleed. Ik kon nog steeds de vage roze vlek zien van die ene druppel bloed. Ik vroeg me of die er altijd zou blijven. *Weg, weg, verdomde vlek.* Misschien had Al gelijk. Het huis had te veel trieste herinneringen. Al en Claudia hadden behoefte aan verandering. Singapore was net zo'n goede plek om te beginnen als alle andere. Claudia bewoog haar hoofd op het kussen. Heel langzaam deed ze één oog open en keek naar me. Ze glimlachte en deed het weer dicht. Het ging weer open toen ze geeuwde en ik zag dat ze haar andere ooglid open dwong; ze knipperde een paar keer met haar ogen om ze te beletten weer dicht te vallen. Het was of ik haar weer zag bijkomen uit de narcose. Het was of ik de tweeling zag ontwaken na de doop.

'Hallo, jij,' zei ik zachtjes.

'Hallo,' zei Claudia schor.

'Ik kom je wat versgeperst sap brengen en groene thee.'

Ze glimlachte en begon overeind te komen. Een paar seconden later lag ze weer onderuitgezakt op het kussen. 'Waar is Al?'

'Beneden. Zal ik hem halen?'

'Gaat het goed met hem?'

Ik streek een haarlok naar achteren. 'Hij maakt zich ongerust over jou. Hoe voel je je?'

'Verdoofd. Nee, niet verdoofd. Leeg.'

Ik pakte haar hand.

'Hebben ze je verteld waarom?' vroeg ze.

Ik knikte. Dit was moeilijk. 'De placenta was losgeraakt van de wand van de baarmoeder.'

'Mijn baby is doodgehongerd.'

'Nee, Claudia. Zo mag je niet denken.' Ik liep om het bed heen en ging naast haar liggen. 'Toen de zuurstoftoevoer stopte, moet het heel snel zijn gegaan. Ze zal niets gevoeld hebben.'

'Ik dacht dat ik haar voelde bewegen toen we aan het schilderen waren. Hoe is het mogelijk dat ik niet door had dat er iets mis was? Had ik niet iets moeten voelen? Wat voor moeder ben ik?'

'Hou op. Hier schiet je niets mee op en het verandert niets aan wat er gebeurd is. Het was een medisch probleem, een dat zelfs niet ongewoon is. De dokter zei dat er geen reden is om aan te nemen dat de ivf niet weer zou aanslaan en deze keer zullen ze je geregeld controleren en je in bed houden. Hij zal het je morgen allemaal uitleggen als je naar hem toe gaat.'

Claudia liet langzaam haar adem ontsnappen. We bleven een tijdje stil liggen terwijl ik over haar haar streek en wachtte tot me een paar troostende woorden te binnen zouden schieten. Ze kwamen niet. Al vond ons daar een paar minuten later. Claudia's thee was koud geworden. Ze richtte zich op van het kussen en liet zich tegen de borst van haar man vallen. Hij hield haar in zijn armen als een kostbaar pakketje en wiegde haar langzaam heen en weer. Ik kon horen dat Claudia huilde en ik kon zien dat Al dat ook deed.

Het was mijn tijd om te gaan. Er zijn sommige dingen waar vrienden voor zijn. En andere waarvoor je een echtgenoot nodig hebt.

Ik was halverwege de trap toen ik Al hoorde. Hij holde achter me aan, omhelsde me stevig en gaf me toen snel een zoen op mijn mond.

'Van ons allebei,' zei hij. 'We houden van je.'

Hij omarmde me weer een onderdeel van een seconde en keerde toen terug naar zijn vrouw. Ik stond op de trap. Het was niet nodig me te bedanken, maar ik voelde me erkentelijk, op één ding na: elk idee dat wat er de vorige avond gebeurd was tussen Ben en mij op diezelfde trap, onder dezelfde omstandigheden, zuiver platonisch was, was belachelijk. Wat er zojuist gebeurd was met Al was platonisch. Meer dan dat, het was familiaal, broederlijk, vaderlijk. Wat er gebeurd was tussen Ben en mij was iets totaal anders en ik had geen flauw idee wat ik eraan moest doen. Ik trok zachtjes de voordeur achter me dicht en liep naar mijn auto, gebukt onder schuldbesef en droefheid. Wat het zoenen met Ben toen ik achttien was ook voor vreselijke gevolgen had kunnen hebben, het kon niet erger zijn dan dit.

Mijn telefoon trilde in mijn zak. Het was Bens telefoon thuis. Ik keek ernaar. Als ik zijn oproep negeerde, zou dat gelijk zijn aan toegeven dat er iets echt mis was. Ik had nog nooit een telefoontje van Ben genegeerd. Als ik antwoordde, zou dat het dan erger maken? Kon ik net doen of er niets was gebeurd Ik staarde naar de telefoon... Wie hield ik voor de gek? Ik deed al jaren net alsof.

'Hoi,' zei ik vriendelijk.

'Hallo, Tessa. Ik dacht dat je misschien een opkikkertje kon gebruiken.'

Het was Ben niet. Natuurlijk was het Ben niet, hij belde me altijd op zijn mobiel. Nooit thuis.

'Sorry?'

'Ben heeft me verteld wat er gebeurd is.'

Nee. Nee. Nee. 'Wat?'

'Het gaat niet goed met je, hè? Ben zei dat je er de hele nacht gebleven bent. Al is terug?'

'Ja.'

'Ben je nog steeds bij ze?'

'Ik sta op het punt om weg te gaan.'

'Oké, ik accepteer geen nee. Ik zie je in dat organische café in Battersea. ik ga nu weg.'

'O, Sasha, dank je, maar ik —'

'Nee, Tessa. Ik ga met je lunchen, je volstoppen met linzen en organische wijn en dan neem ik je mee naar huis. Het wordt tijd dat iemand voor je zorgt. Over twintig minuten ben ik er.'

'Echt, Sasha, ik —'

'Tessa, je kunt niet voortdurend andermans shit op je schouders nemen. Dat kán gewoon niet. Je moet een beetje ruimte laten voor jezelf.
Ik stap nu in de auto.'

Ze hing op, liet me geen keus. Waarom moest ze zo verdomde aardig
zijn? Om dezelfde reden waarom ze altíjd zo aardig is geweest. Ze is het
gewoon. Daarom zou onder normale omstandigheden samen met Sasha
alfalfabonen eten en wijn drinken, daarna liggend op een bank scheten
laten en gezellig kletsen, een geweldige manier zijn om een zaterdag
door te brengen. Maar onder normale omstandigheden zou ik niet net
met haar man hebben gezoend.

Het café is klein, maar we waren vroeg en Sasha had een tafeltje bij het
raam dat uitkeek op een drietal kleine winkeltjes. Sasha is een aantrekkelijke vrouw met Annie Lennox-haar en -figuur. Ze draagt een smalle
rechthoekige bril die haar zowel een intelligent als een trendy uiterlijk
geeft. In werkelijkheid is ze intelligenter en minder trendy dan haar bril.
Haar nogal slordige kledij is waarschijnlijk heel goed – als ze chic gekleed was zou ze intimiderend zijn en als ze een pakje aan heeft, stel ik
me haar onwillekeurig voor met een zweep in de hand.

Ze is altijd heel lief en vriendelijk bij me overgekomen; ik bedoel niet
lief in de zin van flikflooiend, maar omdat de scherpe kantjes ontbreken.
Ze is eigenzinnig, zoals de meesten van ons, maar je voelt je niet in een
hoek gedreven door haar argumenten; ze valt je niet aan zoals sommige
mensen doen. Ze komt langzaam en zeker op een woordenstrijd af en
slaagt er op de een of andere manier in alle op haar gerichte pijlen af
te weren tot ze in jouw hoek staat met haar vlag stevig in de grond ge-
plant. Ik denk dat het komt door haar diepgewortelde, essentiële zelfvertrouwen. Ik ken Sasha's familie niet zo goed, maar ik heb haar ouders
en haar twee jongere broers leren kennen, en ze hebben allemaal dat
identieke zelfvertrouwen. Ik denk dat het de machtige combinatie is van
een aangemoedigd individualisme en een hechte familieband. Ze heeft
alle eigenschappen die Ben nodig heeft. Daarom heb ik de keus van mijn
vriend altijd alleen maar kunnen toejuichen.

Sasha gaf me een flinke knuffel en iets groens en sterks te drinken. Ik
dronk het dorstig op. Iets groens en sterks bleek precies te zijn waar ik
behoefte aan had. Sasha kende me goed. Ik wilde de vrouw zijn die ze
kende. Ik wilde niet de nerveuze, verwarde, schuldbewuste vrouw zijn
die tegenover haar zat.

146

'Vertel me wat er gebeurd is,' zei Sasha. Ik veronderstelde dat ze, om- dat ze me een lunch aanbood, doelde op het feit dat Claudia haar baby had verloren en niet dat ik haar man gezoend had. Ik verdiepte me in de herinnering. Het was niet moeilijk om op die manier alle andere ge- dachten uit te wissen.

'Het was afschuwelijk,' zei ik. 'We waren bezig de kinderkamer te schilderen, giechelend over de rampzalige toestand van mijn liefdesleven – ik geloof dat Claudia suggereerde dat ik maar lesbisch moest worden of dat ik lesbisch was maar het zelf nog niet wist; ze legde gewoon haar verfkwast neer en liep lachend om haar fenomenale gevoel voor humor naar de wc. Geen waarschuwing, niks. Ik ging rustig door met schilde- ren, het drong niet eens tot me door dat ze niet terugkwam. Ze gaf geen kik toen het gebeurde. Ze bleef domweg op de wc-pot zitten en zo vond ik haar.'

Terwijl het eten gebracht werd en de borden weer werden afgeruimd, vertelde ik Sasha over het bloed, de krampen, mijn pogingen om alles schoon te maken. Ik vertelde haar over het ziekenhuis en mijn huilbui in de armen van een verpleegster die ik niet uit de droom had geholpen toen ze dacht dat ik een baby had verloren. Ik vertelde haar over de vreemde druppels bloed die aan de bodem van de wc-pot kleefden. Ik vertelde haar over het dikke, extra grote maandverband en hoe ik Clau- dia's ogen had zien wegdraaien terwijl ze vanaf tien terugtelde. Ik vertel- de haar alles, in de meest afgrijselijke details, tot aan het moment waar- op ik Claudia naar bed had gebracht. Toen sloeg ik een stukje over.

'Ben ging weg en ik sliep zo goed en zo kwaad als het ging op de bank, tot Al om zes uur thuiskwam en ik naar huis ging.'

'En hoe was ze vandaag?'

'Vol zelfbeschuldigingen en nog halfverdoofd. Al wil niet dat ze het nog een keer doormaakt.'

'Het verbaast me dat ze het zo vaak hebben geprobeerd.'

Datzelfde had ik ook gedacht. Maar elke keer dat ze ermee wilden stoppen was er weer een nieuwe techniek, een nieuwe man met een nieuwe methode, betere statistieken. In medisch opzicht is ivf een onge- looflijke groeisector; veel avant-garde behandelingen worden met goede bedoelingen ontwikkeld in prima klinieken, maar niet allemaal. Claudia bracht uren door op het internet; het wonder waarover een ander ver- telde kon haar zo fascineren dat ze zich weer in een ander donker gat stortte.

'Ze is niet eens het lichtgelovige type,' zei Sasha.

'Maar ze wil er zo graag in geloven. Over een gemakkelijk doelwit gesproken.'

'Waarom adopteren ze niet gewoon? Ik snap dat niet.'

'Dat hebben ze geprobeerd,' zei ik. 'Het lukte niet.'

'Jaren geleden.'

'Ik denk dat ze nu te oud worden gevonden voor adoptie.'

'Hier misschien, maar niet in China.'

'Ik heb erover gesproken met Al. Hij zegt dat ze het zullen overwegen.'

Sasha trok een ongelovig gezicht. 'Nu, na negen jaar, willen ze het overwegen?'

Ik stak mijn handen naar voren. Sasha herhaalde mijn eigen gedachten. 'Ik denk dat het erg moeilijk is om die ivf verschillende keren door te maken – al die inwendige behandelingen, de volledige uitroeiing van seks omwille van de seks – zonder er honderd procent in te geloven, en als je jezelf ervan kunt overtuigen dat het wél succes zal hebben, doe je het weer en komt adoptie op de tweede plaats. Ik weet het niet. Het lijkt me zo onzinnig.'

'Kinderen zijn niet jouw en Bens ziel en zaligheid, dus logisch dat je zo denkt.'

Sasha trok een vreemd, afkeurend gezicht, maar ze ontkende het niet. 'Wil jij kinderen?'

'Natuurlijk.' Als ik heel eerlijk was, zou ik haar vertellen dat het enige wat me angst aanjoeg de gedachte was dat ik geen kinderen zou hebben. Ik wilde het niet, maar het wás zo, het maakte me doodsbang. Hoe kon ik Sasha dat vertellen? Hoe kon ik Sasha vertellen dat mijn kinderwens mijn gedrag begon te beïnvloeden? Mijn oordeel ondermijnde? Me naar haar man deed kijken met een verlangen waar ik me geen raad mee wist? Dat kón ik haar niet vertellen. 'Ik zat gisteren in het ziekenhuis te huilen door die angst die ik ben gaan voelen.'

'Angst waarvoor?'

'Dat ik geen kinderen zal hebben. Sasha, ik huilde om de denkbeeldige kinderen die ik misschien nooit zal hebben terwijl Claudia's echte baby uit haar werd weggesneden. Ik ben een verachtelijk mens.' Ik wás verachtelijk, maar niet specifiek om die reden.

'Nee, dat ben je niet, Tessa, kom nou. Ik denk dat het op jouw leeftijd soms moeilijk is om single te zijn, maar, weet je, kinderen hoeven niet per se de oplossing te zijn.'

'Dat komt omdat jij dat niet voelt. Ik benijd je. Het is een vreselijk gevoel en het maakt me wanhopig. Ik heb nooit gedacht dat ik wanhopig was, maar alleen het woord al maakt...' Ik wreef in mijn ogen. 'Ik weet het niet.'

'Je vergist je. Ik heb heel sterke gevoelens wat het hebben van kinderen betreft, Tessa.'

Ik keek op van het eten waarin ik wat rond had zitten prikken en staarde naar Sasha. 'Hè?'

'Het is mijn overtuiging dat mensen te vaak kinderen hebben om de verkeerde redenen.'

'Hoe kan het verlangen naar een baby een verkeerde reden zijn?'

'Omdat er een enorm verschil is tussen een baby willen hebben en een vader of moeder willen zijn. Ik vrees dat het komt door al dat babygedoe. De perfecte Pampers-baby die we allemaal verondersteld worden te krijgen.'

'Dat is moederinstinct.'

'O, nee, het is het verlangen om je voort te planten.'

'Sasha, kom nou. Ik wil geen mini-Tessa, ik wil een baby, een kind, een mens, om lief te hebben. Een individu.'

'Ga dan naar China en haal er een.'

'Zo simpel is het niet.'

'Omdat...' Sasha liet de vraag in de lucht hangen.

Omdat ik een kind van mijzelf wil? Omdat ik een mini-Tessa wil? Omdat ik een man wil die gek op me is, een baby met zijn ogen en mijn benen? Omdat ik wil wat alle anderen hebben? 'Zelfs het vriendje lukt me niet.' Het was een zielige ontwijking van de vraag en Sasha wist het, maar ze riep me niet tot de orde. In plaats daarvan bestelde ze een decaf soya latte en worteltaart. Ik was kwaad en voelde me in de verdediging gedreven. Ik vond dat Claudia en Al onze steun nodig hadden, en niet een diepgaand onderzoek naar hun beweegredenen. Ik zag over het hoofd dat Sasha bijna precies hetzelfde zei wat ik zelf tegen Al had gezegd. Maar toch was ik kwaad op haar.

Natuurlijk had ze gelijk. Er was een enorm verschil tussen de wens om een kind te hebben en de wens om een moeder of vader te zijn. Het ene was zelfzuchtig, het andere was onzelfzuchtig. Als die twee toevallig samengingen, prachtig. Maar vaak was dat niet het geval, want als dat wél zo was, dan zouden er geen slechte ouders bestaan. En zoals Ben, Helen, zelfs mijn eigen moeder kon getuigen, waren er hopen slechte ouders. Ik was kwaad op Sasha omdat ik een moeder wilde zijn. Ik was kwaad op Sasha omdat ik me midden in de nacht verbeeldde dat ze getrouwd was met de vader van mijn ongeboren kinderen. Ik was kwaad op Sasha omdat ik dol op haar was en wist dat ze met de juiste man getrouwd was en ik die kinderen nooit zou krijgen.

De serveerster zette de koffie en cake op tafel.

'Sorry, Sash, ik liet me teveel gaan.'

'Tegen mij mag je je nooit verontschuldigen. Er is niets waarvoor je je hoeft te verontschuldigen.'

Om de een of andere reden smaakte het stukje wortelcake dat ik in mijn mond stak lang zo goed niet als het had moeten doen. Ik keek naar Sarah, die langzaam en methodisch bruine suiker door haar koffie roerde.

'Ik ben degene die me hoort te verontschuldigen,' zei ze. 'Het is een onderwerp waarbij ik me te veel betrokken voel, te persoonlijk. Wat Claudia zichzelf aandoet moet ze zelf weten.'

'Ze wil alleen maar moeder zijn.'

Diezelfde vreemde, afkeurende blik. 'Dat is nou precies wat ik bedoel.'

'Dat begrijp ik niet,' zei ik.

'Als alle vrouwen dachten zoals Claudia, zou ik geen moeder hebben.'

Ik fronste mijn voorhoofd. 'Maar je hebt een fantastische moeder die alles voor jou en je broers doet.'

'Ja, dat is zo. Maar zoals je heel goed weet, heeft zij me niet op de wereld gezet.'

Ik leunde achterover. Natuurlijk... Sasha's biologische moeder had de benen genomen toen ze nog een baby was. Haar vader hertrouwde toen Sasha een jaar of zes was. Zij was degene die Sasha mama noemde. Ik was volkomen vergeten dat ze niet Sasha's echte moeder was. En dat was kennelijk wat ze bedoelde.

'Hou op met te denken aan het krijgen van een kind, Tessa, en begin er eens over te denken of je echt een moeder wil zijn. Niet de fantasie – een vrolijke baby die blaakt van gezondheid, een man die je aanbidt, huisje-boompje-beestje, maar de harde realiteit, een onthutsende verantwoordelijkheid die je hele leven verandert.

Dat is het moederschap met alle risico's die dat met zich meebrengt. Als je antwoord dan nog ja is, dan kun je het. Tegenwoordig is er niets meer dat je nog tegenhoudt. Als je het echt wilt.'

Die ochtend was ik wakker geworden met een hoofd vol zelfmedelijden en wanhopige, ronduit verraderlijke gedachten, maar ik liep mijn flat wat opgeluchter binnen omdat ik geluncht had met de enige die ik gezworen had niet te willen zien. Zelfs mijn missie van barmhartigheid naar allerlei winkels om dingen te kopen voor Claudia en Al was slechts een schijnbare goede bedoeling. Ik kon mijn eigen gezelschap niet verdragen omdat ik sinds mijn ogen waren geopend alleen maar aan Ben kon denken. Het was gemakkelijker om me weer te verdiepen in het drama van Al en Claudia, omdat ik dan niet meer aan Ben hoefde te denken. Een angstaanjagende fantasie was begonnen zich in mijn hoofd af te spelen met alarmerende details en herhalingen. Ben die zijn eeuwige liefde verklaarde. Sasha en Ben die op vriendschappelijke wijze hun eigen weg gingen en Ben en ik die de zonsondergang tegemoet dansten en verschillende kleine Bens en Tessa's kregen. Het was afgrijselijk. Het was verrukkelijk. Het was verleidelijk. Het was weerzinwekkend. Het was perfect. Het was stompzinnig.

Ik schopte mijn schoenen uit en ging op de bank zitten. Het belangrijkste eerst. Ja, we hadden een grens overschreden. Maar slechts een onderdeel van een seconde. Het was een behoefte die was voortgekomen uit ellendige omstandigheden en daarmee bedoelde ik de omstandigheden in het leven van onze beste vrienden. Niet de huidige toestand van mijn leven.

We waren allebei naar Claudia toe gehold zodra we haar stem hoorden. Als we echt ontrouw waren geweest, zouden we Claudia's uitroepen hebben genegeerd en waren we onze gang gegaan. Per slot was ze verdoofd en had ze niet eens geweten dat ik er was en haar kussens had opgeschud, haar deken over haar heen had getrokken, aan het raam had gemorreld. Ze was zich niet bewust van het uitstel dat plaatsvond onder het mom van een goede verpleging. Ben vertrok. Hij had niet gewacht om te erkennen wat er gebeurd was, het te bespreken of opnieuw op gang te brengen. De betovering was verbroken. Er was geen fietser die tegen een lantaarnpaal botste. Er was geen schade aangericht. Er was niets gebroken. Er was niets gebeurd dat niet ongedaan kon worden gemaakt. Het was een moment geweest en dat moment was voorbij. De rest van het weekend hield ik me koest.

Het beste wat ik kon doen, het enige wat ik kon doen, was het vergeten en me concentreren op de toekomst. Mijn toekomst. Ik moest headhunters bellen. Ik moest uren en uren onderzoek doen, om te erachter te komen wat ik anders met mijn juridische opleiding kon doen dan weer terug naar de advocatuur. De ironie was dat Sasha me geïnspireerd had. Het werd tijd om erover te gaan denken wat ik werkelijk met mijn leven wilde, en dan doorzetten en het doen. Wilde ik moeder worden? Die vraag was te indringend om mee te beginnen. Dat was te veel op de dingen vooruitlopen. Wat ik moest uitzoeken was wát ik wilde doen en hóe ik het zou doen. Hoe en waarom – niet wie en wanneer. Om klokslag negen uur maandagmorgen was ik klaar. Ik haalde diep adem en nam de telefoon op.

'Hallo, met Tessa King. Ik wil graag iemand van de juridische personeelswerving spreken.'

'Ik verbind u door.'

Ik wachtte. De reden waarom ik dit had uitgesteld was dat ik ertegen opzag te moeten uitleggen waarom ik momenteel geen werk had. Maar ik moest verder. Ik moest een eind maken aan de stilstand in mijn leven waaraan die man schuldig was. Daarmee bedoelde ik mijn ex-baas, maar nu ik erover nadacht...

'Tessa King, met Daniel Bosley, hoofd van de juridische afdeling. Ik had gehoopt dat u zou bellen.'

'O?'

'Ja, u staat al een tijdje op mijn radar, maar ik dacht niet dat we u ooit bij de rechtbank vandaan konden lokken.'

'Eh...' Ik haalde weer diep adem.

'U hoeft niets te zeggen. Ik weet er alles van. Maakt u zich daarover geen zorgen, zet er een streep onder, we kunnen gewoon verdergaan...'

Vanaf dat punt ging het gesprek heel plezierig. Ik moest mijn cv insturen. Dat cv was goed, het bevatte geen kwalijke bijzonderheden. Feitelijk stelde mijn cv me in een heel gunstig daglicht. Consequent. Consciëntieus. Niet belemmerd door de wereld van waterpokken en sportdagen. Ik kon vroeg op kantoor komen en laat vertrekken en het risico van zwangerschapsverlof was snel aan het minderen. Ik zou mijzelf ook in dienst nemen.

Moedig geworden ging ik verder. Waarom zijn dit soort telefoontjes meestal minder moeilijk dan je denkt en denk je toch altijd het ergste? Ik was de rest van de dag druk bezig. Ik printte formulieren en vulde ze in, ik streepte lijsten af, ik printte mijn cv verscheidene keren op mooi, dik papier en besefte toen dat iedereen tegenwoordig alles per e-mail deed. De tijden waren veranderd sinds ik in de markt was voor een baan.

Toen mijn telefoon ging was ik zo verdiept in mijn werk dat ik de stem aanvankelijk niet herkende.

'Hallo,' zei een diepe mannenstem.

'Hallo,' antwoordde ik.

'Tessa, ben jij het?'

Ik kreeg het plotseling benauwd. 'Met wie spreek ik?' vroeg ik.

'Caspar,' zei Caspar.

Ik liet mijn adem luid ontsnappen. Langzaam ontspande mijn hand om de telefoon zich en ik ademde nogmaals uit. Mijn palmen waren vochtig van het zweet. Wanneer was Caspars stem zo diep geworden?

'Tessa, ben je daar?'

Niet zo goed als ik dacht. Eén stap naar voren. Drie stappen naar achteren. Verdomme. Verdomme. Verdomme. 'Sorry, lieverd, wat kan ik voor je doen?'

'Ik bel alleen maar om hallo te zeggen.'

O, ja? 'Gelul, m'n lieve jongen.'

'Echt waar, ik wilde je alleen maar bedanken omdat je me afgelopen weekend uit de nesten hebt geholpen.'

'Caspar, ik hou van je, dat weet je, maar in zestien jaar heb je me nooit gebeld als je niet iets wilde. Het geeft niet, ik vind het niet erg, daar ben ik voor.'

'Ik hou van die iPod.'

Hij was volhardend, dat moest ik hem nageven.

'Mooi. Heb je er al muziek op?'

'Ja. Ik ben naar die hippe zaak gegaan waar je 800 nummers kunt downloaden in...' Op dat punt liet ik het langzaam afweten. Caspar is een beetje een technologische fanaticus. Altijd prachtige cijfers voor wiskunde en natuurkunde en informatica. Hij was een genie met computers. Zonder de IT-man die kwam om mijn laptopproblemen op te lossen, was ik hulpeloos. Ik was zo kinderachtig om bij het eerste teken van moeilijkheden opnieuw op te starten.

'... Ik kan langskomen om die van jou te updaten als je wilt. Je zult langzamerhand wel genoeg hebben van Abba.'

'O, ik vergat je te vertellen dat ik tegenwoordig naar Eminem luister.'

'O o – een blanke rapper. O, heel trendy, Tessa. Wat gaat ze straks nog doen?'

'Caspar, je bent een vreselijk kind. Heeft iemand je dat weleens verteld?'

'Voortdurend. Heb je mijn ouwelui de laatste tijd nog gesproken?'

'Waarom, wat is er gebeurd?' Dat was dus de reden voor het telefoontje.

'Nou, mam zit me weer enorm op mijn nek. Ik vroeg me af of jij niet eens met haar kon praten.'

'Wat heb je gedaan?'

'Niks. Ik zweer het je.'

Ja, ja. Ik liep van mijn bureau naar het raam. Een politieboot tufte langzaam stroomopwaarts. 'Nou, wat is er dan aan de hand?'

'Er was een feest. Ik heb wat bier gepakt, maar —'

'Caspar!'

'Wat nou? Vier verrekte blikjes bier. Goedkope rommel ook nog. Lullig eigen merk.'

'Hé, je taalgebruik.'

'Ja, nou ja, je hebt wel eerder de lucht weten te zuiveren.' Dat was een probleem. Was ik een maatje, een slecht voorbeeld, of een goed excuus, vroeg ik me af. Wat het ook was, ik begon te denken dat ik misschien niet de ideale persoon was om Caspar in toom te houden; hij klonk beslist niet of hij gauw instructies van mij zou aannemen. 'Ik heb nagedacht over wat je zei, Tessa, en ik denk dat ze zo tegen me zijn door wat jij hebt gezegd. Je hebt gelijk, je snapt het, je slaat de spijker op zijn kop, hè? Goed, dus nu weet ik het. Ik pik het niet, om geen enkele reden, snap je?'

Wat zou dat in mensentaal precies betekenen? 'Hè?'

'Dingen over het hoofd zien, dat hebben zij gedaan; ze weten niet wat er gaande is, wat normaal is, toch? Het is alsof de tijd voor ze heeft stilgestaan. Hadden een opkikkertje nodig. Vier biertjes, man. Zac pikt voortdurend wodka van zijn pa en niemand die het merkt.'

Hoeveel flessen wodka moest een kind gappen voordat het opviel, vroeg ik me af, maar Zac was mijn probleem niet. 'Nou, dan is het dus oké.'

'Mooi zo.'

'Nee, ik bedoelde het sarcastisch.'

'Ik heb de hasj opgegeven, maar ze kan me niet voortdurend binnenhouden.'

Waarom niet? Op een ochtend gaat je schat van een zoon uit en komt 's middags terug, vloekend en arrogant en je overdonderend met middenklasse 'straattaal'.

'Alleen omdat zij nooit uitging.'

Manipulerende kleine etter. Ik vond het niet erg om Caspar te laten denken dat hij me te slim af was als het ging om traktaties en het loskrijgen van extra zakgeld, maar ik weigerde mee te werken aan zijn plannen om zijn ouders te slim af te zijn. Niet bewust tenminste.

'Verdraai mijn woorden niet. Ze waren een stuk ouder dan jij.'

'Kom, T-bird, je weet hoe de zaken staan. Het is allemaal relatief. Alsjeblieft. Naar jou zullen ze luisteren.'

T-bird? Ik had geen idee waar hij het over had. 'Ik zal met je moeder praten, maar laat één ding duidelijk zijn, zij is de baas.'

Hij lachte.

'Ik meen het serieus,' hield ik vol en probeerde te klinken als een echte volwassene.

Na het telefoontje klonk Caspars lach nog na in mijn hoofd. We hadden veel gelachen in de loop der jaren – het was de basis van onze speciale vriendschap – maar dit was niet de vrolijke, hartverwarmende lach die ik vroeger had gehoord. Dit was een schrillere, valse lach, die me nare oprispingen bezorgde.

Als er steeds weer tieners in luierreclames op de tv werden gepresenteerd, zou ik misschien niet zoveel last hebben van mijn eierstokken. Mijn sympathie voor Francesca en Nick nam toe. Voor baby's zorgen was ongetwijfeld moeilijk, maar het halfvolwassendom, dat was pas een uitdaging. Ik wist dat Fran een hoop brutale opmerkingen kreeg van Katie en Poppy, vooral van Katie, die op alles een antwoord had, maar ze konden nog altijd naar hun kamer worden gestuurd, of gedwongen worden op de 'stoute traptree' te zitten. Wat deed je als ze groter waren dan jij? Wat deed je als ze je uitlachten?

Ik ging terug naar mijn bureau en klapte de laptop dicht. Ik voelde me erg voldaan toen ik mijn papieren opruimde, de laptop terugdeed in het etui en de printer terugschoof onder het Ikea-bureautje dat in een hoek van mijn kamer staat. Het had geen zin om steeds maar over anderen te piekeren, ik moest verder met mijn eigen leven. Ik waste de koffiepot af en de mok die ik had gebruikt. Mijn flat is te klein om iets te laten slingeren, dus heb ik geleerd om netjes te zijn. Van nature ben ik erg slordig, dus kostte het een enorme hoeveelheid energie om mijn netheidsgen op te sporen en te trainen. Nu lijk ik op een bekeerde roker, ik haat rommel. Waarschijnlijk omdat ik weet dat mijn hele leven slechts één vuil koffiekopje verwijderd is van chaos.

Maar die maandag, ondanks alles wat er gebeurd was, voelde ik dat ik de dingen goed onder controle had. Ik had een reusachtige eerste stap gedaan om mijn leven terug te eisen en besloot me te belonen met een uitstapje naar de videotheek. Ik kon films bestellen via internet – meestal deed ik dat – maar ik was bang dat het weer een weg naar de buitenwereld zou afsluiten, dus sinds ik niet meer werkte, was ik daarmee opgehouden. Voedsel, wasgoed, boeken, cd's en cadeaus regelen via internet betekende dat mijn contacten verwaterden en daarom wipte ik vaak de pub binnen om dat goed te maken. Nu ik meer tijd had besefte ik dat dat niet altijd zo'n goed idee was, dus trok ik een mooie spijkerbroek aan en wandelde naar de videotheek. Ik vond het altijd prettig te babbelen met de beetje sullige hardwerkende lieden achter de toonbank, hoewel ze, net als alle anderen, steeds jonger leken te worden. Ze bevolen *Guess Who's Coming to Dinner* aan – de oorspronkelijke versie natuurlijk; ik had het tot mijn roeping verklaard alle beroemde klassieke films te zien. Ik was nog niet ver gekomen.

Om acht uur keek ik naar de film. Om tien uur nam ik een bad. Om half elf ging ik naar bed. Om half twee 's ochtends lag ik nog steeds naar het plafond te staren. Mijn voornemen om Ben te vergeten was verpulverd. Plotseling snapte ik het. Ik kon alle tieners aan. Ik kon de hele verdomde boel aan. Ik wilde zwangerschapsstrepen. Kom maar op met de aambeien, laat mijn baarmoeder maar verzakken en maak me incontinent als dat nodig is om me compleet te maken. Ik wilde kinderen, geen peetkinderen, en ik wist ook waar en met wie. Ik ging op mijn elleboog liggen, trok de la van mijn nachtkastje open en haalde de foto eruit van Ben met zijn rekverband. Ik legde het koele glas tegen mijn wang en ging weer op het kussen liggen. Ik voelde me weer net als toen. Nee, ik voelde meer. Het deed pijn, echt pijn. De foto was een vreemd soort troostdekentje, maar ik was ook op een vreemde leeftijd. Ik had nu meer dan ooit in mijn leven geruststelling nodig.

Op eieren lopen

De volgende ochtend pakte ik een klein koffertje en vluchtte naar de cottage van mijn ouders in de buurt van Marlow. Tot de laatste minuut had ik die verdomde foto in mijn koffer, maar vlak voordat ik de flat verliet plukte ik hem eruit en verborg hem tussen de boeken op mijn boekenplank. Twee keer ging ik bijna terug.

Ik nam afscheid van Roman, vertelde hem dat ik een of twee nachten wegbleef, maar een week later was ik nog in Buckinghamshire. Het viel me moeilijk de constante warmte waarmee mijn ouders me omgaven in de steek te laten. Bovendien vertrouwde ik mezelf niet in Londen zonder chaperonne. Het was prettig om voor je te laten koken, met een boek bij de open haard te zitten, om zes uur een glas wijn te krijgen of je erom vroeg of niet, naar bed te worden gestuurd. Het was prettig om uitvoerig over mijn reis te vertellen in de wetenschap dat ze werkelijk geïnteresseerd waren. Het was prettig om mijn telefoon uit te kunnen schakelen. Het was prettig om over het ruiterpad te kunnen lopen en rustig urenlang aan hem te kunnen denken. Het was gemakkelijk mijn langdurige verblijf te verklaren als ze daarnaar vroegen. Ik had ze niet meer gezien sinds ik uit India terug was en omdat ik niet werkte, was het prettig om er langer dan een gehaast weekend te blijven hangen. Normaal gesproken werd het altijd zondagavond op het moment dat de stressraderen in mijn gestel net waren gestopt met draaien.

Maar ik hoefde niets uit te leggen, want ze vroegen het niet. Er was bijna een week verstreken en ik dacht al dat ik eronderuit zou komen, tot mam en ik de laatste bramen gingen zoeken.

Ik lag hachelijk gebogen over een doornige braamstruik toen ze me te pakken nam.

'Tessa?' vroeg ze op bezorgde toon.

'Ja?'

'Is er iets waarover je wilt praten?'

Ik gooide de bramen in de oude ijsbak die ze in haar hand hield. 'Hm, ik heb veel nagedacht over de toestand in het land.'

'Serieus,' zei ze smekend. 'Pap en ik maken ons zorgen over je.'

'Niet doen.'

'Ja, dat zeg je nu wel, maar je lijkt me een beetje...' Ze deed haar best om de juiste woorden te vinden.

Ik kon de leemte ook niet opvullen. De weg kwijt... In trance... Versuft en verward... Wanhopig en alleen... Op het punt gek te worden...

'Gaat het goed met je?'

'Ja.'

'Weet je zeker –'

'Mam, ik voel me prima.'

We gingen verder met bramen plukken. De ontspannen stilte tussen ons was verdwenen. De lucht vibreerde van verwachting. Ik wachtte tot mam de moed zou verzamelen om me weer aan te vallen. Ik kan vreselijk traag van begrip zijn als ik dat wil. Ik zou het haar niet gemakkelijk maken.

'Je bent hier nu een week...'

Aha. Ze liep precies in de val waarop ik gehoopt had. 'Ik dacht dat het leuk zou zijn. We doen dit nooit. Ik ben altijd op draf.'

'Je moet me niet verkeerd willen begrijpen, Tessa. Daar ben je erg goed in.'

'Mam, straks ben ik weer aan het werk, dan is het weer terug naar nu en dan een zaterdagavond.'

'Ga je weer werken?'

'Natuurlijk.'

'Je probeert dus een andere baan te krijgen?'

Ik was verontwaardigd. 'Dat heb ik je verteld. Heb je niet geluisterd? De headhunter die ik heb gesproken was erg positief over het vinden van een andere baan voor me.'

Mijn moeder snoot haar neus in een zakdoek.

'Je krijgt het koud, mam,' zei ik, onmiddellijk bezorgd. 'We moeten naar huis.'

'Ik heb nergens last van. We hebben nog niet genoeg bramen,' zei ze, schuddend met de ijsbak. En ik vraag me af waar ik die traagheid van begrip vandaan heb?

'Je hebt me niet verteld dat je een baan zoekt,' ging ze verder. 'Je hebt ons verteld over Caspar en het bezoek aan Billy's ex Christoph in Dubai, en de doopplechtigheid, maar –'

'Het spijt me, ik dacht dat ik het je verteld had,' zei ik.

'Dat probeer ik je juist duidelijk te maken...' Ik wachtte. De hand van mijn moeder bleef boven de braamstruik hangen. 'Ik bedoel, je schijnt je heel erg op je vrienden te concentreren...'

'Ik weet dat ik veel getelefoneerd heb met Claudia, maar ze heeft een miskraam gehad.'

'Dat is het niet alleen.'

'Wat wil je dat ik doe, haar vertellen dat ze er overheen moet komen?'

Mijn moeder liet eindelijk de schijn varen dat ze bramen zocht en keek me recht in het gezicht. 'Schat, je was er altijd voor je vrienden, het is een van je beste eigenschappen. Begrijp me alsjeblieft niet verkeerd, maar...'

'Maar wat, mam? Al was in het buitenland.'

'Dit heeft niets met Claudia te maken. Ik maak me ongerust dat, nou ja, terwijl jij druk bezig bent alle anderen te helpen, je eigen leven op de een of andere manier...' Ze haperde.

Ik viel haar in de rede, voordat ze de tijd had haar angst onder woorden te brengen. 'Mam, kom nou, ik heb een rotjaar gehad, ik ben er een tijdje tussenuit geknepen, maar gezien alles wat er gebeurd is, vind ik dat het me best goed gaat.'

'Natuurlijk. Ik wilde alleen weten of al het andere ook in orde is.'

Mijn moeder was dapper. Meestal kon ik haar veel gemakkelijker afleiden. Maar ik had me ook nog nooit in een situatie als deze bevonden. Ik bedoel, dat had ik wel – jarenlang – maar ik had het me nooit gerealiseerd. Ik hield van een man die ik niet kon krijgen en had me in plaats daarvan tevreden gesteld met de kruimels van Sasha's tafel. Hoe minder je eet, hoe minder je hoeft te eten, of dat denk je tenminste, tot je zo verzwakt bent dat je vitale organen je in de steek laten. Ik begon te denken dat dat met mij gebeurd was. Ik was zo lang ondervoed geweest dat ik het hongergevoel niet meer herkende. Ik neem aan dat ik in het begin jong genoeg was om mijn leven niet te veel te laten beïnvloeden door een tot mislukken gedoemde, denkbeeldige liefdesrelatie. De anderen gingen uit en amuseerden zich, namen het leven niet al te serieus, we deden alles samen. Maar langzamerhand werden de singles paren, vervolgens drie- en viertallen, terwijl ik nog steeds op kruimels teerde.

'Weet je zeker dat alles goed gaat, lieverd?'

Ik draaide haar mijn rug toe en staarde naar de kleine doornen die me beletten te krijgen waar ik het meest naar verlangde. Nee, het ging niet goed. Niet in het minst. Ik voelde tranen prikken achter mijn oogleden. Ik deed doelbewust mijn ogen dicht, om ze te dwingen zich te gedragen.

'Tessa?'

Ik wilde haar niet bezorgd maken. Ik wilde haar niet tot last zijn. Ik wilde niets toevoegen aan de diepgewortelde angst die ze voortdurend met zich mee moest dragen. Mijn taak was het om het beter te maken, iemand te zijn op wie ze trots was. Maar ze was mijn moeder en, god, ik moest het íemand vertellen...

Ik draaide me om. Over het pad kwam mijn vader aangelopen, in mosterdkleurig corduroy. Hij zwaaide enthousiast naar me.

'Hallooo,' brulde hij.

Mijn moeder staarde me nog steeds aan.

Ik liep bij de struiken vandaan.

Ze pakte mijn hand. 'Tessa?'

Ik keek even naar haar, gaf een kneepje in haar hand en trok me terug. 'Het gaat prima allemaal. Als het niet zo was, zou ik het je vertellen, daar kun je van op aan.' Dat was natuurlijk de allergrootste leugen. Mam had latente MS, die in haar lichaam sluimerde als een ondergedoken terrorist en elk moment de kop op kon steken en toeslaan. Mijn vader was in de tachtig. Ze hadden al genoeg te stellen met alles zonder dat ik hun zorgen nog eens vererergerde. Ik sprong op mijn vader af.

'Goed getimed,' zei ik. 'De mooie bramen zijn moeilijker te vinden.'

Hij lachte naar me. Ik zag dat zijn gebit begon af te brokkelen. Ik wendde mijn blik af. Papa gaf me een arm en we liepen terug naar mam. Hij tuurde in de ijsbak. Hij pakte er een paar bramen uit en gooide die terug in de struik. 'Hm,' zei hij, 'je moet geen ouwe lelijke bramen plukken, dat is de moeite niet; je kunt er wel jam van maken, maar die smaakt lang zo goed niet.'

Ik keek naar mijn vader, toen weer naar de bramen en ten slotte naar mijn moeder.

'Dat is juist,' zei ze knikkend. Ze keek me recht aan. 'Zeer juist.'

Die middag maakten we jam en gelukkig kwam het onderwerp van mijn leven niet meer ter sprake.

Hun vrienden kwamen eten. Ze scheppen graag met me op, al ben ik me er scherp van bewust dat ze minder nieuws te vertellen hebben dan ze graag zouden willen. We gingen een middag naar de naburige stad en ik dwong mijn moeder wat onnodige accessoires te kopen. Mijn vader en ik hadden een heftig schaakgevecht. Het was leuk, want ik won. Dat gebeurde niet vaak; ik durf er een eed op te doen dat hij me nooit met iets liet winnen toen ik nog klein was, zelfs niet met hardlopen. Ik hoorde mijn moeder een keer smeken me eens een kans te geven, omdat ik pas zes was, maar hij was niet te vermurwen. Zei dat het niet goed was om te denken dat het leven een makkie was. Ik verlangde ernaar hem te verslaan. Nú deed ik dat, maar ik wilde dat het niet zo was.

Zo ging het niet bij Claudia thuis. Ze was enig kind en als ze een poepje deed, klapten haar ouders in hun handen. Ze heeft weliswaar geen carrière gemaakt, maar ze heeft een intrinsiek geloof in zichzelf dat haar goed van pas is gekomen. Als ik mijn vader zag rondscharrelen in de tuin, dacht ik bij mezelf dat zijn methode eigenlijk heel goed was. Want diep in mijn hart, onder alle twijfel en onzin, heb ik ook een intrinsiek geloof in mezelf. Alleen vergeet ik het soms.

In de tweede week had de magie van mijn bezoek aan mijn ouders zijn werk gedaan. Ik voelde me een stuk positiever. Alleen al het zien van hun vreemde dagelijkse routine, herinnerde me eraan de dingen niet té serieus te nemen en tegelijkertijd heel serieus. Het is een moeilijke combinatie om goed mee om te kunnen gaan. Ik was bijna, bijna vergeten te denken aan de reden waarom ik hierheen gevlucht was.

Maar toen belde Claudia en vertelde me dat ze het land ging verlaten. Ik had het verwacht, maar niet zo snel. Zoals altijd had Al gedaan wat hij had gezegd dat hij zou doen. Die zondag vertrokken ze naar Singapore.

Het was Claudia's idee om de dag voordat ze zouden afreizen een afscheidslunch te geven voor haar beste vrienden. Ze zei dat ze niet stiekem via de achterdeur wilde vertrekken. Ze wilde niet net doen of er niets gebeurd was; ook wilde ze haar miskraam niet tot een taboe maken of iemand een ongemakkelijk gevoel geven. Ze had de baby verloren, ze was er kapot van, maar mettertijd, zei ze, zou ze over het ergste heenkomen. Meer nog, ze wilde dat het een gezellige, vrolijke lunch zou worden. Ik zag er tegenop. De dag waarop ze me belde vroeg ze me 'de anderen' te bellen en ze te laten weten waar en hoe laat. Ze zei dat zij niet wilde bellen omdat ze zich ervan bewust was dat niemand zou weten wat ze tegen haar moesten zeggen. Ze dacht dat het gemakkelijker zou zijn voor iedereen als ik het deed. Ze gaf me de lijst: zij en Al, Helen en Neil, Ben en Sasha en ik. Zeven. Ik ben altijd het oneven getal.

Eerst handelde ik de gemakkelijke dingen af. Ik reserveerde een tafel in een drukbezocht Italiaans restaurant waar ik wist dat het eten redelijk geprijsd was en de obers uitzonderlijk beleefd en vriendelijk waren. Niets zo goed voor de stemming als een perfecte Italiaanse ober. Geen zure Fransen. Daarna belde ik Helen. Ik legde de reden van mijn telefoontje uit.

'Lijkt me grote pret,' zei Neil.

Nou, niet als jij erbij bent, dacht ik vals. 'Het gaat eigenlijk heel goed met Claudia. Ze wil alleen nog even lachen met haar beste vrienden voor ze vertrekken.'

'Goed voor ze, twee maanden in het Verre Oosten. Ik wou dat ik mijn humeurige vrouw weg kon sturen.'

Daarom had ik zo de pest aan die man. Ik dacht niet dat ik onredelijk was.

'Ze wil haar bed niet uit,' zei Neil.

'Gaat het goed met haar?'

'Natuurlijk gaat het goed. Ze slaapt alleen de hele dag.'

'Waarschijnlijk omdat ze de hele nacht moet opstaan.'

'De jongens slapen uitstekend. Ze is alleen maar neurotisch over een wiegendood of zoiets. Ze gaat voortdurend bij ze kijken. Wat heeft het voor zin om Rose hier te laten wonen als ze niet zo nu en dan eens een nacht kan oppassen?'

Ik had gezien hoe Neil tegen Rose sprak, en dat was niet plezierig. Het was een onderwerp waar ik niet op in wilde gaan, het maakte me te pissig. 'Waarom zeg je niet tegen haar dat ze op moet houden met die borstvoeding? Echt, ik geloof dat het heel slecht voor haar is. Ze is gewoon zichzelf niet meer.'

'Wat moet ze dan doen? Ze heeft nu al twee kindermeisjes. Ze hoeft zich niet bepaald uit te sloven.'

'Ja, maar iedere dag die hoeveelheid melk produceren is of je een minimarathon loopt. Het is fnuikend.'

'Ik heb er alles over gelezen: immuniteit, astma, borst is best, zoals ze zeggen,' zei hij. 'Natuurlijk betekent het wel dat ik ze niet in mijn handen kan houden.'

162

Ik dacht niet dat hij de tweeling bedoelde. Ik zou van onderwerp veranderd zijn, maar ik wilde dat Neil besefte wat het voeden van die baby's zijn vrouw kostte. Dus bleef ik over borsten praten.

'Nou, vertel haar dan in ieder geval dat ze de melk aftapt en ze door iemand anders' – waarmee ik jou bedoel, luie klootzak – 'laat voeden. Ze drinken erg langzaam.'

'Heeft ze tegen jou zitten klagen?'

'Nee.' Ik wilde Helen niet in moeilijkheden brengen. 'Ze sluit zich uren op in de kinderkamer boven. Ik geloof niet dat dat goed voor haar is.'

'Hoe weet jij dat, Tessa? Jij hebt geen kinderen.'

En ik had gedacht dat dit het gemakkelijke telefoontje zou zijn.

'Denk je dat je bij de lunch kunt zijn?' vroeg ik, en dwong me tot een vriendelijkere toon. 'Het zou erg belangrijk zijn voor Claudia en Al.'

'Geen probleem.'

'Mooi. Zal ik je het nummer van mijn ouders geven voor het geval Helen nog wil bellen?'

'Nee. Het gaat prima met haar. Tot zaterdag.'

Goed. Ik hing op. Ik speelde vals en belde Sasha's mobiel. Een lange toon. Sasha was weer in het buitenland.

'Sasha Harding.'

'Hé, met mij, kun je praten?'

'Sorry, meid, niet echt.'

'Het gaat over een afscheidslunch voor Al en –'

'Wanneer?'

'Zaterdag.'

'Mooi. Ik ben vrijdag terug. Bel Ben maar. Geef hem de details. Moet ervandoor.'

Ik haalde diep adem en toetste Bens nummer in. Ik staarde ernaar. Natuurlijk kende ik het nummer uit mijn hoofd. Ik moet het zeker tien keer hebben gebeld toen ik in Buckinghamshire was, maar ik had nooit op de groene knop gedrukt om verbinding te krijgen. Ik wilde het wél. Ik wilde zijn stem horen. Ik wilde die gewaarwording levendig houden. Ik wilde in mijn dromen leven. Ik kon zijn lippen nog op de mijne voelen. Ik kon me nog zo goed het moment herinneren waarop we onze monden verder openden en ik in aanraking kwam met de zachte binnenkant van zijn mond.

De telefoon rinkelde in mijn hand.

'Is daar iemand?' schreeuwde mijn vader.

Ik drukte op de groene knop en zag Bens telefoonnummer verdwijnen. 'Hallo?' zei ik.

'Hallo?' antwoordde een vrouw. 'Hallo,' zei een man, gevolgd door een verwarde stilte.

'Tess?'

'Mam?'

'Hallo, mevrouw King.'

'Met wie?'

Ik wist wie het was.

'Met Ben, mevrouw King.'

'Ben, in godsnaam, noem me niet mevrouw King. Je loopt toch al tegen de veertig? Het is onbehoorlijk.'

'Oude gewoonte,' zei Ben.

'Hoe gaat het trouwens met je? We hebben je in eeuwen niet gezien.'

'Heel goed. En met jou?'

'Ik weet me net buiten de moeilijkheden te houden. Heb campagne gevoerd voor een limiet van dertig kilometer buiten het schoolhek, vergat het toen zelf en kreeg drie punten op mijn rijbewijs.'

Ben lachte. Het was allemaal waar. Het mag misschien een vreemde reactie hebben geleken op een vraag naar haar gezondheid, maar ik kende mijn moeder goed en wist wat haar verhaal betekende. Het was bedoeld om te laten weten dat haar MS nog in toom werd gehouden, dat ze nog steeds autoreed en een zelfstandig bestaan leidde, nog steeds in het volle leven stond. Tijdens een slechte periode zegt ze meestal zoiets als 'Puzzel veel' of 'Werk mijn fotoalbums bij.'

Ben en mam babbelden verder. Ik liet ze graag hun gang gaan, want ik leek geen woord te kunnen uitbrengen.

'Tessa heeft me verteld hoe geweldig je die avond geholpen hebt.' Ik trok een lelijk gezicht naar de andere telefoon. 'Goddank dat jullie allemaal zulke goede vrienden zijn. Doe Sasha mijn groeten. Ik laat jullie samen babbelen, maar denk eraan dat we om zeven uur eten.'

Weer een van mijn moeders grapjes. Het was pas drie uur 's middags. Ben en ik staan erom bekend dat we uren kunnen praten. Ik dacht niet dat dit een van die keren zou zijn. Ik hoorde de klik van de tweede telefoon in het huis. We waren alleen.

'Hallo, Tess.'

'Hallo, Ben.'

Stilte. Een vreemde stilte, omdat hij absoluut niet pijnlijk was.

'Ik dacht dat ik je kwijt was geraakt,' zei hij.

'Sorry. Had ik niet verteld dat ik hiernaartoe ging?'

'Nee.'

'Sorry,' zei ik weer.

Gevolgd door een andere stilte. Een tikkeltje ongemakkelijker.

'Ik heb geluncht met Sasha,' zei ik.

'Dat heeft ze me verteld.' Ik wachtte. 'Ze zei dat ze het zo leuk vond je te zien.'

Met andere woorden, je hebt de boel niet in het honderd gestuurd.

'Het was fijn haar te zien. Ze was erg behulpzaam. Heeft me een goed advies gegeven.' Ik was benieuwd of hij zou vragen waarover, maar dat deed hij niet. Ik had de deur op een kier gezet. Ben had hem weer gesloten. Zelfs al wilde ik die deur intrappen, ik zou hem dicht moeten laten.

'Ze is een verstandige vrouw,' zei Ben.

'Ja, dat is ze,' zei ik.

'Ik wilde eigenlijk alleen maar even weten of het goed met je ging. Ik weet dat het in de eerste plaats om Claudia gaat, maar het was ook afschuwelijk voor jou.'

Ik dacht eraan hoe ik in de wc-pot had gestaard, zette toen snel die herinnering van me af.

'Ik vind het verschrikkelijk voor ze. Ik denk dat het goed is dat ze weggaan.'

'Dit is het dus? Geen ivf meer?'

'Dat heeft Claudia niet gezegd, en de dokter heeft me verzekerd dat het volgende keer anders zou gaan, dus, wie weet...'

'Anders, maar niet per se succesvol.'

'Ze zijn slim, die dokters, ze kiezen hun woorden heel zorgvuldig.'

'Nou ja, het is hun vak,' zei Ben. 'In ieder geval bofte ze dat jij er was. Heeft die oranje verf geholpen?'

'Ja. Heel erg bedankt dat je me bent komen helpen.'

'Doe niet zo mal. Je weet dat ik altijd alles in de steek zou laten als je me nodig hebt.'

Maar niet je vrouw. Mijn maag draaide om. Zet die slechte gedachte uit je hoofd. Weg ermee! 'Ik weet het. Dank je.'

'Al belde me over de lunch zaterdag, zei dat jij het regelde.'

'Ik wilde net je nummer draaien toen jij belde.'

'Nou, de telepathie komt een beetje laat; ik heb er bij je op aangedrongen me te bellen sinds afgelopen maandag. Een miserabel ogenblik lang dacht ik dat je terug was naar die Zwitserse dame in de ashram.'

En zo draaiden we nog een kwartier om de hete brei heen. We roerden het onderwerp een paar keer bijna aan, al zou niemand die ons gesprek afluisterde dat door hebben. Ik realiseerde me toen dat we die vaardigheid in de loop der jaren geperfectioneerd hadden, sinds Ben was aangereden door die fietser. Het was wederzijds — we waren allebei schuldig eraan — maar Ben was beter af. Hij had Sasha. Een ongelooflijke vrouw die precies bij hem paste, tot en met het geen kinderen willen hebben. Ik had niemand. Ik geloof dat het dat was wat Marilyn Monroe in *Some Like it Hot* noemde 'het kale stokje van de lollie' krijgen. Ben zou zijn vrouw niet voor mij verlaten en bovendien zou ik dat niet willen. Ik wilde een parallel universum bewonen dat niet bestond buiten mijn verbeeldingswereld. Ik wilde dat de dingen anders waren. En dat zouden ze nooit worden als ik er nu niet iets aan deed.

Ik moest een besluit nemen. Ik moest mijn levenspatroon wijzigen. Ik moest een eind maken aan een denkbeeldige relatie van twintig jaar. Ik moest scheiden van een man met wie ik nooit getrouwd was. Ik moest verder met mijn leven. Om te kunnen overleven moest ik accepteren dat de man die ik om de een of andere reden als de mijne had beschouwd, dat niet was, nooit was geweest en nooit zou zijn. Ik moest afscheid nemen en toch zou hij nooit weten dat ik dat had gedaan.

'Ik moet ophangen, Ben,' zei ik krachtdadiger dan ik me voelde.

'Goed, lieverd. Tot zaterdag.'

Goed, nu was het zaterdag en ik voelde me straalmisselijk. Ik duwde de deur van het Italiaanse restaurant open en snoof de geur op van knoflook en olijfolie. Al, Claudia, Ben en Sasha zaten al aan tafel. Dat liet drie lege stoelen over tussen Sasha en Ben. Ik gaf iedereen een zoen om ze te begroeten. Eerst Ben, wat waarschijnlijk normaal was. Toen ging ik naast Sasha zitten, wat niet normaal was. Ik had het gepresteerd. Ik had de eerste breuk gepresteerd. Ik ging altijd naast Ben zitten. Ik zou er niet eens over hebben nagedacht; het zou een automatische reactie zijn geweest. Niet langer. Ik, Tessa King, had mijn leven onder controle.

De obers drongen erop aan dat we wijn zouden bestellen, brachten brood en olijven en lieten ons toen met rust zodat we het menu konden raadplegen. Ik schonk de wijn in. Plechtig hieven we onze glazen.

'Gezondheid en geluk,' zeiden we in koor. Onze belangrijke wens werd elke dag belangrijker.

'Helen en Neil?' vroeg ik.

'Ze hebben niet gebeld om het af te zeggen,' zei Claudia.

'Helen komt,' zei Al.

Dat mag ik verdomme wel hopen, dacht ik.

Hoe meer we probeerden ons te ontspannen, hoe geforceerder de stemming werd. We wisten allemaal waarom we daar waren maar niemand wilde het hardop zeggen. In plaats daarvan praatten we over alle bezienswaardigheden in en rond Singapore die Al en Claudia konden bezoeken. We praatten erover waar ze naar toe zouden gaan maar niet waarom. De twee lege stoelen tussen mij en Ben leidden me af van het doel van de lunch: Claudia vrolijk uitgeleide doen. Ik bleef op mijn horloge kijken.

'Misschien kan ik haar beter even bellen,' zei ik ten slotte. 'Ik heb niet rechtstreeks met Helen gesproken, maar met Neil. Misschien heeft hij het haar niet verteld.'

'Nee, Helen belde me om te vragen of het goed met me ging,' zei Claudia. 'Ze komt vast en zeker. Waarschijnlijk heeft het iets te maken met voedingsschema's of zo.'

Ik wilde zo gauw mogelijk van dit onderwerp afstappen.

'Waar was je van de week, Sasha?' vroeg ik, mijn blik afwendend van Claudia.

'Weer Duitsland. Berlijn.' Ze schudde haar hoofd en glimlachte ondeugend. 'Het is een wilde stad. Het wordt altijd veel te laat als ik daar ga stappen.'

'Pas maar op, Ben,' zei Al. 'Sasha zal eindelijk beseffen wat een vreselijke keus ze heeft gemaakt en ervandoor gaan met een breedgeschouderde, bierdrinkende Bratwurst die Bruno heet.'

'Aardige alliteratie,' zei Ben.

'Dank je.'

'Ik geloof niet dat Ben zich zorgen hoeft te maken over mij,' zei ze met een liefdevolle blik naar haar man. Er klonk een opeenvolgend 'Ah' rond de tafel. Niet van mij; ik vroeg me af over wie Ben zich dan wél zorgen moest maken als het niet over Sasha was. Of bedoelde ze dat hij degene was die reden gaf tot zorgen?

'Ik heb de meeste mannen leren kennen met wie Sasha wekelijks op

reis gaat en dat zijn voornamelijk kleine, dikbuikige types met een overbeet en –'

'Heel grote hersens,' zei Sasha, de zin voor hem afmakend. 'En die
wél 75 procent van de Europese geldmarkten beheersen.'

Ben keek naar de verzamelde menigte. 'Ik ben belazerd.'

'Gelukkig ben ik niet op zoek naar een spermadonor, dus voorlopig
ben je veilig.'

Het was een goeie grap onder normale omstandigheden, maar dit waren geen normale omstandigheden. Sasha besefte onmiddellijk dat ze een
verkeerde opmerking had gemaakt. Ik kon niet zo gauw iets bedenken
om haar er overheen te helpen. Ik kon het zelfs niet nog erger maken,
want dat zou het nog erger hebben gemaakt voor Claudia. Sasha plaatste
een denkbeeldig pistool tegen haar slaap en haalde de trekker over.

'Sorry, Claud,' zei ze.

Claudia sloeg met haar handen op de tafel. 'Hou op,' zei ze. 'Jullie allemaal. Hou op met net te doen alsof we niet hier zijn omdat Al en ik
weer een baby hebben verloren. Daarom wilde ik deze lunch,' zei ze nadrukkelijk. 'Dus hoeven we echt niet te doen alsof. Ik heb geen kanker.
Ik ga niet dood. We hebben het geprobeerd, het is niet gelukt, misschien proberen we het nog een keer. Misschien lukt het ook een volgende keer niet. Het kan mijn leven beheersen, het heeft mijn en Als leven beheerst, daar heb ik eeuwig spijt van, maar het hoeft niet onze
vriendschap te beheersen. Ik wil weten met wie je voor de grap het bed
in bent gedoken, Tessa, ik wil weten dat kinderen krijgen het allerlaatste
is waar je aan denkt, Sasha, ik wil dat Ben tegen Al zegt dat hij wil dat
Sasha stopt met naar seks in allerlei rare posities te verlangen –'

'Hoe weet je dat?' vroeg Ben.

Maar Claudia liet zich niet afleiden. 'Jullie kunnen "menstruatie" zeggen zonder een kleur te krijgen. Ik wil dat mijn vrienden met kinderen
kunnen jammeren over hun kinderen zonder zich schuldig te voelen. Als
Helen komt, wil ik tegen haar zeggen dat ze een fantastische moeder is
zonder dat dit gezelschap erin stikt. Begrijp je?'

We knikten allemaal. 'Niet meer eromheen draaien. Niet meer alsof je
op eieren loopt. Begrepen?'

We knikten weer.

'Dus laten we bij het begin beginnen,' zei Ben. 'Met wie duikt Tessa
voor de grap het bed in?'

De meest beladen vraag die ik ooit gehoord had. Maar ik speelde niet meer mee. 'Ik ben laatst tot een griezelige conclusie gekomen,' antwoordde ik. 'Ik ben single, maar niet seksueel gefrustreerd, wat maar één ding kan betekenen.'

'Goeie elektronica,' zei Sasha.

'Ik ben nooit zo'n elektronicafan geweest,' zei ik.

'Dat zou je moeten zijn. De enige manier waarop ik trouw blijf op die zakenreizen is omdat ik een klein apparaatje bij me heb.'

'Vergeet dat klein,' zei Ben.

'Is dat waar?' vroeg Claudia. Sasha knipoogde. Een lange, sexy knipoog. Poeslief. Verleidelijk.

'De mannen hebben hun porno. De vrouwen hun speeltjes; we gaan allemaal vrolijk naar huis naar onze man en vrouw. Het zijn degenen die niet naar porno kijken of geen speeltjes hebben voor wie je op moet passen.'

'En die mensen beheersen 75 procent van de Europese geldmarkten?' vroeg Al.

'Ja.'

'Schat, ik denk dat het tijd wordt om yens te kopen,' zei hij.

'Ik denk dat het tijd wordt om te bestellen. We gaan vuilbekken, en het is nog niet eens één uur,' zei Claudia.

'Waar blijven Helen en Neil toch?' zei ik.

Claudia die met haar gezicht naar de deur zat, wees naar de ingang. 'Daar zijn ze.' Toen fronste ze haar wenkbrauwen. Ik draaide me om. Helen stond in de deuropening en worstelde met een reusachtige kinderwagen die ze probeerde het kleine restaurant binnen te krijgen. De wagen had een bord 'exceptioneel transport' moeten hebben en een escorte. Sommige obers probeerden haar te helpen, met glimlachjes en kreten van 'Mooie bambinos', waarvan ik wist dat ze onoprecht waren: de tweeling verkeerde nog steeds in de James Gandolfini-fase. De obers hielden slechts de schijn op. Omdat het Italiaanse obers waren en ze hun reputatie hoog moesten houden, en hun fooi. Maar dat was niet waarop ik mijn aandacht richtte. Het was tot daaraan toe om je best te doen om niet op eieren te lopen rond Claudia, het was heel iets anders om twee krijsende recent geboren baby's mee te nemen naar een lunch met een vrouw die twee weken geleden haar eigen kind door een miskraam was kwijtgeraakt.

Ben stond op. 'Het lijkt me dat ze wel wat hulp kan gebruiken.'

'Waar is Neil?'

Niemand gaf antwoord. In plaats daarvan keken we naar Helen die de belachelijk grote kinderwagen rond de tafeltjes manoeuvreerde, botsend tegen mensen, tassen en jassen. Ze moest zeker twintig keer sorry hebben gezegd tussen de deur en onze tafel achter in het restaurant. Als het ook maar één seconde bij me was opgekomen dat Helen de tweeling mee zou brengen, zou ik een ander restaurant hebben uitgezocht, en je kunt het vreemd vinden maar ik had eigenlijk aangenomen dat ze zou weten dat het niet zo'n goed idee was.

'Het spijt me dat ik zo laat ben,' zei ze.

Laat? Het spijt je dat je zo laat bent? Bedoel je niet dat het je spijt dat je je eigen nageslacht zo belangrijk vindt dat je volkomen ongevoelig bent geworden voor de mensen om je heen?

'Helemaal niet erg,' zei Claudia. 'Ik ben blij dat je er bent.' Soms is Claudia's lankmoedigheid erg irritant. Zegt niemand dan iets over de ongepastheid hiervan?

'Waar is Neil?' vroeg ik weer, met een verbeten glimlach.

'Druk, eh, moest naar zijn werk. Sound-editing...'

Dus weer een late vrijdagavond, dacht ik. Ik kon niet veel medeleven opbrengen. Iedereen verschoof zijn stoel om ruimte te maken voor de tweeling.

'Ik wist niet dat je de tweeling mee zou nemen,' zei ik tegen Helen toen ze naast me ging zitten.

'Het kindermeisje heeft vandaag haar vrije dag. Neil zou voor haar invallen, maar toen moest hij naar zijn werk, en ik wilde zo graag komen, en... Als het een probleem is, gaan we weg.'

'Doe niet zo gek,' zei Claudia. 'Ik zal mijn peetzoons een paar maanden niet zien, dus ben ik blij dat ze er zijn.'

'Ze hebben te eten gehad, dus zullen ze wel slapen.'

Ik nam Helen aandachtig op. Ze had zich zwaar opgemaakt, maar zelfs Touche Eclat kon de leugens niet verhelen. Ze verdedigde die klootzak van een man van haar weer, zoals altijd. Ze had donkere kringen onder haar ogen en ze beefde. Vroeger vertelde ze me altijd over de avonden dat Neil op stap ging, maar na een tijdje vond ze het waarschijnlijk te pijnlijk worden, omdat hij niet leek te veranderen en zij niets deed om er een stokje voor te steken. 'Ik maak het niet laat.' 'Nog één slokje en dan kom ik.' Of het klassieke 'Ik ben onderweg naar huis.' Maar dan gingen er uren voorbij en Helen maakte zich dodelijk ongerust. En dan strompelde hij eindelijk naar binnen, te bezopen om zich zelf te kunnen uitkleden. Ik zei dat ze hem in dat geval buiten moest sluiten, maar ze was te bang dat hij haar in de steek zou laten.

Ik vermoedde dat Helen het grootste deel van de nacht wakker had gelegen, óf woedend op Neil – ik denk dat ze het stadium van ongerustheid nu wel voorbij was – óf op de tweeling die onmogelijk overdag zoveel kon slapen en dan 's nachts ook nog. Misschien was Neil thuisgekomen, misschien niet. Hoe dan ook, hij zou niet in staat zijn geweest op de tweeling te passen. Helen moest zich opgepept hebben met koffie en zichzelf en de tweeling toen naar het restaurant hebben gesleept. Het zou beter zijn geweest als ze niet was gekomen.

'En Rose?' vroeg ik. Ik kon de harde klank in mijn stem horen, maar ik scheen me niet te kunnen bedwingen. Helen keek me nerveus aan. Ik maakte haar nerveus. Mooi.

'Ze heeft drie weekends achter elkaar gewerkt. Ik kon het haar niet vragen.'

'Maar ik weet zeker dat ze wel een paar uur op ze gepast zou hebben.'

'Ze had andere plannen.'

Om de een of andere reden geloofde ik geen woord van wat ze zei.

'Je hebt een glas wijn nodig,' zei Al.

'Dat kan niet. Ik geef nog borstvoeding,' zei Helen.

'O, toe nou,' spoorde ik haar aan. 'Eén glas kan toch zeker geen kwaad.'

'Het probleem is dat ik niet maar één glas wil,' zei Helen.

Iedereen lachte.

'Zo erg?' zei Al.

'Het zijn schatten als ze slapen,' zei Helen. 'Maar ze jutten elkaar op als ze wakker zijn.'

'Sasha heeft vriendinnen van de universiteit met een tweeling,' zei Ben. 'Ze zeiden dat het een hel was in het begin, maar als je eenmaal over dat baby-tijdperk heen bent, zijn ze een zelfstandig stel dat met elkaar speelt. Je krijgt de beloning later.'

'Spelen of vechten?' vroeg Helen.

'Al haat ik sexuele stereotypes op zo jonge leeftijd, ze schijnen urenlang plaatjes in te kleuren.'

'Ik weet niet zeker of jongens dat doen,' zei Helen, met naar ik dacht enige trots. Ik had haar door elkaar willen rammelen. Ik keek naar Claudia. Ze had een glimlach op haar gezicht geplakt. Stop, wilde ik schreeuwen. Dit is verkeerd. We horen niet over je baby's te praten. Doe Claudia dit niet aan. Ze heeft al genoeg meegemaakt.

Ik was te kwaad om een uitweg te kunnen vinden uit de situatie, maar Al gebruikte zijn hersens. Hij riep een ober en kondigde aan dat we klaar waren om te bestellen, wat natuurlijk niet zo was, omdat we het menu nauwelijks bekeken hadden. Een tijdje was de aandacht tenminste afgeleid en toen de bestelling was opgenomen, was Al bezig te vertellen over de bouwprojecten waaraan hij had gewerkt in India. Het was een grappig verhaal. Half luisterde ik en half hield ik in gedachten een gesprek met Helen om haar te vertellen hoe ik over die stunt van haar dacht. Al moest oude grappen uit de doos halen om Helen te beletten zijn geliefde vrouw verdriet te doen.

Ik kan niet omgaan met woede. Ik kan niet omgaan met enige extreme emotie jegens een ander. Het borrelt naar de oppervlakte en explodeert. Ik kan mijn gevoelens van teleurstelling, woede of droefheid niet onderdrukken. Als ik verward ben, zie ik er verward uit. Ik zou een hopeloze spion zijn. De andere kant van de medaille is dat ik als ik me gelukkig voel, luid kan lachen, glimlachen tegen vreemden; als ik tevreden ben straal ik rust uit. Er is nog een derde kant van de medaille: mijn strakke, afwerende gezicht. Dat is gereserveerd voor heftige emoties en bevalt me totaal niet. Maar Helen vocht niet terug, dus werd mijn woede steeds groter. Tijdens die lunch voelde ik dat mijn haren overeind gingen staan zodra Helen haar mond opendeed. Ik kon horen hoe gemeen mijn eigen stem klonk als ik tegen haar sprak. Ten slotte ging ik naar de wc, alleen om uit de buurt van Helen te komen.

Ik stond naar mijn spiegelbeeld te staren toen Claudia de wc binnenkwam. Ik glimlachte medelevend naar haar, meende te weten waarom ook zij ontsnapt was.

'Gaat het goed?' vroeg ik haar.

'Het zal goed met me gaan zodra jij ophoudt met op Helen te vitten.'

'Wát?'

Claudia leunde tegen de wasbak. 'Zij kan het niet helpen dat Neil naar zijn werk moest.'

'Als hij op zijn werk is.'

'Tessa, vind je niet dat je een beetje onredelijk bent? Hoe vaak heeft je vriendin Billy de kinderoppasregeling niet verknald en moest jij Cora uiteindelijk op sleeptouw nemen? De kinderen gaan voor, dat is de harde waarheid. Als het oké is voor Fran en Billy, is het ook oké voor Helen.'

'Dat weet ik, maar dit ligt wel een beetje anders, dacht je niet?'

'Heb je niet geluisterd naar wat ik boven zei? Natuurlijk is het moeilijk, dat is het al jarenlang. Ik tel de baby's op straat. Hoeveel ik er zie. Mijn record is vierenveertig op één dag. Vierenveertig baby's die niet van mij waren.'

'Precies, dit is je afscheidslunch. Je hebt een hel doorgemaakt.'

'Je begrijpt niet wat ik zeg. Ik wilde niet dat die vierenveertig moeders geen baby hadden. Ik wil niet dat Helen haar tweeling niet zou hebben. Ik wil dat jij kinderen krijgt, als je die wilt. Ik wil dat je me verveelt met elk oprispinkje en poepje als het zover is. Ik zou jou er ook mee willen vervelen, dat is alles. Niet in plaats van. Maar samen met. Als Helen was weggebleven omdat ze dacht dat ik dat liever zou willen dan haar met haar kinderen te zien, dan zou ik zo geïsoleerd raken dat ik doodongelukkig zou zijn. Ik voel me gevleid dat zij ze heeft meegebracht.'

'Ik denk dat je haar te veel eer bewijst. Ik geloof dat ze volkomen verblind is door die baby's en die afgrijselijke man van haar.'

'Ik weet zeker dat je gelijk hebt, Tessa. Ik weet zeker dat ze dacht toen Neil werd weggeroepen, fijn, we gaan met z'n allen naar Claudia's afscheidslunch die wordt gegeven omdat Al en Claudia hun baby een week geleden hebben verloren. Geweldig toch?'

'Ik geloof niet dat Neil werd weggeroepen.'

'Doet er niet toe. Neil is misschien niet mijn vriend, maar Helen is mijn vriendin. Haar besluit was gebaseerd op het bevestigen van een normale omgang tussen ons. Als ik geen miskraam had gehad, zou ze vast en zeker met de tweeling zijn gekomen. Ik wil dat jullie allemaal normaal zijn en doen, zodat ik niet verdrink in de waanzin die dreigt zich van me meester te maken.' Claudia slikte moeilijk en streek een paar keer met haar vingers door haar donkere haar voor ze weer naar me keek. Ik nam haar aandachtig op. Nu haar haar naar achteren was gekamd, zag ik voor het eerst dat haar haargrens begon te wijken. Omdat ze haar haar kort had laten knippen, viel het altijd naar voren, maar feitelijk, bij nadere inspectie – ik keek wat opmerkzamer – bleek het dun te zijn.

Ik keek weg toen Claudia me aankeek. 'Het feit dat Helen met de tweeling hier komt, dwingt me normaal te zijn. Dat moet je begrijpen.'

'Maar het moet zo moeilijk voor je zijn.' Emotioneel en zo te zien, ook fysiek.

'Zelfs al was het te moeilijk, dan is het niet te moeilijk voor jou. Waarom ben je zo kwaad?'

Ik staarde haar aan.

'Tessa, wat is er?'

Ik schudde mijn hoofd.

'Maar er is iets, hè?'

Dat is het probleem met oude vrienden. Geen kans om iets te verzinnen.

'Ben je zwanger?'

Mijn mond viel open. 'God, nee.'

'Als je het was, zou je het me vertellen, hè?'

Ik trok Claudia naar me toe, zodat ze mijn opluchting niet kon zien. 'Ik word niet zwanger. Ik heb niet eens een vriend.'

'Ja, maar je vrijt wel met een hoop mannen.'

'Dank je.'

'Ik wil alleen maar zeggen dat een ongeluk in een klein hoekje ligt.'

'Nee, dat is niet waar. Mensen nemen een risico en lopen in de val. Ik neem geen risico's –'

Claudia opende haar mond om te protesteren.

'Echt niet.'

'Nonsens. Heb je een condoom gebruikt toen je laatst met die vent naar bed ging?'

Niet de eerste keer, dat geef ik toe, of de tweede keer onder de douche. 'Niet eerlijk. Dat waren uitzonderlijke omstandigheden.'

Claudia sloeg haar armen over elkaar. 'Met andere woorden, "Nee, Claudia, dat heb ik niet, omdat ik een idioot ben."'

'Ik ben aan de pil,' zei ik, om me te verdedigen.

'Weleens gehoord van chlamydia? Om het voor de hand liggende maar niet te noemen.'

'Natuurlijk, maar –'

'Jou gebeurt dat niet.'

'Het was maar een keer, Claudia.'

'Hmm.' Ze was niet overtuigd. 'Hoe zou je het vinden als je eindelijk iemand vindt en probeert een gezin te stichten, en dan tot de ontdekking komt dat je geen kinderen kunt krijgen omdat je met iedereen naar bed bent geweest zonder condoom? Om je gek te lachen, hè?'

'We zijn hier niet om over mij te praten.'

'Mooi afgeweerd, dame. Maar daar ben je goed in.'

'Claudia,' zei ik gepikeerd. 'Het spijt me dat ik onaardig was tegen Helen, maar wees niet kwaad op me.'

'Soms kan ik me doodergeren aan je.'

Ik was in de war. Helen was degene op wie we kwaad waren – de verwende, egoïstische Helen met haar gigantische kinderwagen en bijpassende luiertassen.

'Je verzwijgt iets voor me, ik weet het,' zei Claudia. Haar blauwe ogen staarden me aan.

'Nee.'

'Vind je het geen tijd worden om een paar dingen onder ogen te zien?'

Wat, zoals jij accepteert dat je geen kinderen kunt krijgen? Ik draaide de kraan open en waste zorgvuldig mijn handen. Ik wilde een eind maken aan dit gesprek voor ik iets zei waar ik spijt van zou krijgen.

'Het spijt me dat ik kwaad was op Helen omdat ze de tweeling had meegenomen.' Ik liep naar de handendroger en zwaaide met mijn handen eronder.

Er gebeurde niets. Claudia gaf me wat wc-papier.

'Dank je. Ik zal me intomen, ik beloof het je. Denk je dat Helen het gemerkt heeft?'

'Je hebt een krachtige persoonlijkheid, Tessa, en als je de pest in hebt, duiken we allemaal onder de tafel.'

'Jij bent ook geen doetje, kindlief.'

'Het maakt me van streek als ik je zie...' Claudia zweeg even. Ik greep de kans.

'Ik zal aardig zijn tegen Helen, ik beloof het.'

Claudia legde haar hand op de mijne en keek me lang en doordringend aan. 'Tessa, maak je je weleens ongerust dat we klem zitten? Ik en dat babygedoe, jij en...' Weer maakte ze haar zin niet af, en ik was niet van plan haar te helpen. Ik keek haar nietszeggend aan. Het gaat er maar om hoe goed je pokerface is. Dat van mij is uitstekend. Nu ik eraan denk, ik zou moeten leren pokeren, want ik mag mijn emoties dan duidelijk tonen als het om anderen gaat, ik kan een onbeklimbare muur optrekken en dat uren volhouden als het om mij gaat. Het maakt mijn moeder dol. Claudia gaf het op. 'Ik weet dat je Neil niet kunt uitstaan, maar Helen is niet zo sterk als jij. Ze had een basis nodig. Bij haar moeder vandaan. In ieder geval heeft ze dat bereikt.'

'Van de regen...'

175

'Misschien. Maar je zou moeten leren een beetje meer begrip te hebben. Jij bent geliefd geweest sinds het moment van je geboorte. Je verwacht dat soort liefde en wilt niets anders accepteren. Dat is goed – je moet geliefd zijn. Maar Helen heeft dat nooit gekend, dus geef haar een beetje de ruimte als ze oogkleppen op heeft wat die jongetjes van haar betreft. Ik wed dat het een tweesnijdend zwaard is om de intensiteit van haar eigen moederliefde te ontdekken en voor het eerst te beseffen hoe weinig liefde ze zelf ooit heeft ondervonden. Voeg daarbij de hormonen, en ik kan getuigen dat die de meest nuchtere mens van de wijs kunnen brengen, een niet-ondersteunende echtgenoot, te veel geld, geen slaap – en, eerlijk gezegd, vind ik dat ze het heel aardig doet.' Ik wilde dat de woede in me zou verdwijnen, maar hij klemde zich koppig vast aan mijn ribbenkast.

'Ze heeft je nodig, maar ze zal er nooit om vragen,' zei Claudia.

Dat werkte. Ik vind het prettig om nodig te zijn. 'Ik zal je missen,' zei ik. 'Zelfs al ben je een feeks.'

'Kom naar Singapore. We zouden een paar weken aan het strand kunnen doorbrengen, Al zijn werk laten doen en hem een beetje rust gunnen van zijn gepieker over mij.'

Dat klonk eigenlijk niet gek. 'Dat zou ik kunnen doen.'

'Dat zou je, ja.'

'Ik bedoel, ik zou het echt kunnen.'

Claudia knikte enthousiast. 'En zul je intussen ophouden met Helen de stuipen op het lijf te jagen?'

'Ja.'

'Mooi.' Claudia pakte mijn hand. 'Laten we nu gaan en nog een glas wijn drinken. Ik moet een kléin beetje profiteren van het feit dat ik niet zwanger meer ben.'

Ik kon Helen niet mijn excuses aanbieden, maar ik keek wel in de kinderwagen en maakte gepaste geluidjes, zei dat de jongens er zo goed uitzagen en zo lief waren. Ze sliepen net zo vast als tijdens de doop en ik vroeg me af of Helen haar 'nachtmerrie' en uitputting door slapeloosheid had overdreven om te maskeren wat haar werkelijk 's nachts wakker hield, namelijk een afwezige echtgenoot. Helen ontspande zich zichtbaar en ik had een kwaad geweten dat ik zoveel macht over haar had, dus vertelde ik haar weer hoe fantastisch ze er had uitgezien tijdens de doopplechtigheid en hoe goed alles was verlopen.

'Het spijt me dat ik zo stilletjes verdween,' zei Helen kalm tegen me. 'Ik denk dat ik beleefd buiten de conversatie werd gehouden. Het spijt me dat ik tegen je snauwde.'

'Dat heb je niet gedaan.'

'En het spijt me dat ik zo'n mopperpot ben geweest. Ik zal mijn leven beteren, ik beloof het. We gáán die avond uit waar we het steeds over hebben' – anderhalf jaar lang nu – 'niet de lanceringsparty, maar jij en ik, net als vroeger.'

'Dat zou geweldig zijn,' zei ik. Maar ik zou ik me er niet te veel op verheugen.

'Ik zou best een avondje met vriendinnen uit willen,' zei Sasha, die erbij kwam staan. 'Veel te veel mannen in mijn leven tegenwoordig.'

'Ik laat de jongens achter bij Neil, hij kan ze naar bed brengen.'

'Naar wat ik ervan gehoord heb, zal dat een grote schok voor hem zijn,' zei Ben.

Ik wachtte of Helen verontwaardigd zou opstuiven en mij op de vingers tikken omdat ik geroddeld had, maar dat deed ze niet. 'Vertel mij wat,' zei ze lachend. 'Ik geloof niet dat hij weet wie wie is als hun naam er niet op staat.'

Iedereen lachte, Helen het hardst van allemaal. Het hele gezelschap aan tafel stond achter haar. Ik had blij moeten zijn dat Helen mijn verwachtingen van haar overtrof, maar in plaats daarvan voelde ik me vreemd genoeg niet op mijn gemak. Ik bestelde meer wijn en schonk de glazen weer vol. We begonnen al spoedig het effect te voelen van wijn in lunchtijd, behalve Helen, en onze tafel werd steeds luidruchtiger. De baby's waren engelachtig en we wensten stuk voor stuk dat ook wij door alle flauwe grappen en oude verhalen, waar we blijkbaar nooit genoeg van kregen, heen konden slapen. Claudia glimlachte stralend naar me. Ze kreeg wat ze had gewild, tegen alle verwachtingen in: we hadden een gezellige, ontspannen, vrolijke lunch, een groepje oude vrienden zonder een zorg in de wereld, terwijl de werkelijkheid niet verder van de waarheid had kunnen liggen.

Al en Claudia zouden de volgende ochtend heel vroeg vertrekken. Om vijf uur betaalden we eindelijk de rekening en lieten een rommeltje van lege glazen achter op het vuile witte tafelkleed. Helen was al eerder vertrokken toen de baby's zich begonnen te roeren. We drongen erop aan dat ze zou blijven, maar ze zei dat ze de tweeling onmogelijk in een restaurant de borst kon geven, en de baby's raakten snel overstuur. Ik vermoedde dat ze zich ervan bewust werd dat borstvoeding in Claudia's aanwezigheid een brug te ver zou zijn.

Er is verschil tussen streven naar normaal doen en iemand met de neus erin wrijven, en zwijgend juichte ik het gebaar toe.

We stonden met ons vijven op het trottoir. Het was zover. Het afscheid. Eerst omhelsde ik Al en verbaasde me dat ik zijn ribben kon voelen. Hij had nog meer gewicht verloren. Ik vertelde hem weer hoe fantastisch hij was. Toen knuffelde Sasha Al en ik knuffelde Claudia en zei dat ik zou kijken wanneer de vluchten gingen. Toen omhelsde Sasha Claudia en ik stond naast Ben. Al hield een taxi aan. Claudia en Sasha stonden met elkaar te praten. Mijn arm raakte die van Ben; ik kon de hitte voelen door mijn shirt. Ben sloeg zijn arm om mijn rug en kneep in mijn schouder, liet toen zijn arm vallen en liep naar Al. We zwaaiden naar Al en Claudia tot ze om de hoek verdwenen waren. En toen waren er nog drie.

Sasha zag een bus. 'Kom mee, die gaat regelrecht naar huis.'

'Een bus?' zei Ben.

'Doe niet zo snobistisch. Kom, hollen, lui varken.'

Hij draaide zich naar mij om.

'Kom mee!' Sasha was al halverwege de bushalte, wild zwaaiend met haar hand.

'Toe dan,' drong ik glimlachend aan.

'Ik wil je hier niet alleen achterlaten,' zei hij.

'Het gaat prima,' zei ik.

'Zeker weten?'

'Ga maar,' zei ik weer en gaf hem een zacht duwtje.

'Ik zie je op de première?'

'De première?'

'Neils tv-stunt.'

Hemel, ik was volkomen vergeten dat hij dat zou doen. 'Reken maar!'

'Afgesproken dan.' Hij blies me een kus toe, draaide zich om en rende weg. Ze zwaaiden naar me vanaf het bovendek, dronken lachend. Ik zwaaide terug, vloekend terwijl ik dat deed. De dagen waarin ik Ben gebruikte als gezelschap waren geacht voorbij te zijn. Er moest een eind komen aan de dagen waarin ik in Sasha's schoenen kon staan. Dat had ik mezelf beloofd. Ik trok mijn jasje om me heen. *Ik wil je hier niet alleen achterlaten. Ik wil je hier niet alleen achterlaten. Ik wil je hier niet alleen achterlaten.* Ik staarde de bus na.

'Doe het dan niet,' zei ik, en liet mijn hand zakken. Ten slotte verdween ook de bus om de hoek en nam mijn laatste vrienden mee. En toen was er nog maar één.

Wellust

Maandagochtend werd ik met een wanhopig gevoel wakker. De week strekte zich voor me uit met niets in mijn agenda behalve een interview met een headhunter op woensdag en een afspraak met mijn accountant op vrijdag. *Whoopee!* Doe daar nog een paar yogalessen bij, wat huishoudelijke karweitjes en de noodzakelijke boodschappen, en dan bleef er nog een enorme hoop tijd over die moest worden ingevuld.

Ik miste Claudia en Al. Niet dat ik ze iedere week zag, maar ik miste hun aanwezigheid. Sasha had me verteld dat ze de hele week weg was, wat betekende dat ik Ben ten koste van alles moest vermijden tot mijn fantasie niet langer op hol sloeg. Helen zei dat ze deze week met de tweeling en Rose naar haar buitenhuis ging, om goed uitgerust te zijn en er op haar best uit te zien voor Neils party in het weekend. Helen zag er altijd schitterend uit op grote bijeenkomsten, maar ik wist dat ze zich er niet op haar gemak voelde. Voor zo'n mooie vrouw was ze ongelooflijk verlegen en weinig zelfbewust. Tussen de regels door lezend dacht ik dat Neil waarschijnlijk gestraft werd omdat hij de avond voor Claudia en Als afscheidslunch was doorgezakt. Ondanks zijn tegenzin om zijn handen vuil te maken door voor de tweeling te zorgen, leed het geen twijfel dat hij hield van zijn zoons en erfgenamen, zoals hij ze noemde. Of, zo hij niet van de jongens hield, dan in ieder geval van het feit dat ze bestonden, wat waarschijnlijk voldoende was tot ze ouder waren en beter gezelschap. Ik was blij dat Helen wat meer ruggengraat leek te krijgen.

Buiten was de lucht stralend herfstachtig blauw. Ik vertikte het om op mijn gat te blijven zitten en nog langer naar de wereld te staren. Ik zag fietsers op de brug. Dat zou ik doen – ik zou mijn fiets tevoorschijn halen en een eindje gaan fietsen. Snel belde ik Frans nummer voor ik me zou bedenken.

'Hallo, Fran, heb je het druk?'

'Leuk ben je.'

Ik vond niet dat ik leuk was.

'Waar ben je?'

'Ik sta op het punt van school naar huis te fietsen.'

'Mooi, wil je in plaats daarvan met mij afspreken? Battersea Park, een eindje fietsen en dan koffie?'

'Hm...'

'Het is een prachtige dag.'

'Ach, waarom ook niet. Die was kan wel wachten. Ik ben er over twintig minuten.'

'Prima. Ik heb twintig minuten nodig om de spinnenwebben van mijn fiets te vegen. Ik zie je bij het hek, aan de kant van Chelsea Bridge.'

'Prachtig,' zei Frances. 'Precies wat ik nodig heb.'

Roman lachte me uit toen ik met mijn helm en reflecterende strip verscheen. Mijn fiets was niet van zijn plaats geweest sinds ik hem had gekocht na een ferm besluit om elke dag naar mijn werk te fietsen. Het zou me een vermogen besparen als ik niet meer naar het fitnesscentrum zou gaan om daar op een trainingsapparaat te fietsen. Die bevlieging duurde één dag. Naar mijn werk fietsen was geweldig; het probleem was het naar huis fietsen. Ik had die avond een afspraak met vrienden in de City en verdwaalde na een paar borrels in de achterbuurt van Aldgate East om ten slotte, ik weet nog steeds niet hoe, af te dalen in de Limehouse Link tunnel waar ik gedwongen was als een bezetene kilometers lang in de koolmonoxideschemering te fietsen voor ik weer bovenkwam bij Canary Wharf. Niet in staat de kwade dampen en angst weer onder ogen te zien, hield ik een taxi aan en was een vermogen kwijt om mijn fiets en mijzelf weer thuis te krijgen. Ik had wekenlang blikken billen. De fiets werd verbannen naar het souterrain, en sindsdien had ik me er niet meer mee naar buiten gewaagd. Maar dit was een nieuwe ik.

Francesca zat op haar ouderwetse fiets met een mand vol met Joost mag weten wát en klemmen rond haar broekspijpen. Haar golvende bruine haar was praktisch kort geknipt, haar kleren camoufleerden haar figuur, maar haar huid was nog jeugdig en glad. Ik denk dat het kwam omdat ze haar krachten te veel spaarde. Maar ze zag er wel een beetje mal uit, op een aardige, excentrieke, maar toch alledaagse manier. Ik stond op het punt haar te plagen, maar ze lachte me uit voordat ik de kans kreeg háár uit te lachen. Ik denk dat ik een beetje beteuterd keek – een splinternieuwe fiets met bijbehoren voor een vrouw die nooit fietste. We peddelden met een bedaard, damesachtig gangetje door het hek. Ik wilde met haar praten over Caspar, maar ik was van plan er eerst een beetje omheen te draaien.

'Hoe gaat het met Nick?'

'In Saigon.'

'Bofferd. Ik hield van Saigon.'

'Hij krijgt niet veel meer te zien dan het interieur van een hotel. Hij woont een internationale conferentie bij over kinderarbeid – je weet wel, kinderen die flitsende sportschoenen maken. Aan de andere kant van het universum maak ik in Woolworth ruzie met een kind van vijf over diezelfde flitsende sportschoenen.'

'Is dit een retorische discussie?' vroeg ik. Mijn wangen begonnen te gloeien van het fietsen.

'O, nee. Poppy bleef aan een stuk door gillen toen ik nee zei. Je had de blikken van de andere moeders eens moeten zien; 4.99 pond zou de rust hebben hersteld. Het gaat om het principe. Je kunt niet toegeven. Als je dat doet, ben je aan de heidenen overgeleverd. Je woord betekent niets; je kinderen lopen over je heen. Ik ging alleen naar binnen voor een blikopener.'

Ik moest lachen.

'Ja, jij hebt mooi lachen, jij wordt niet eeuwig en altijd in het openbaar vernederd door je kinderen.' ·

'Nee,' zei ik, en ging een beetje harder rijden om een eekhoorn te verjagen. 'Maar dat kan ik zelf heel goed in mijn eentje.'

Fran haalde me in. Ze leek absoluut niet buiten adem. 'Ze vertelde me dat ik haar leven verpestte! Vijf jaar oud! Ik had haar kunnen vermoorden,' zei ze. Ik onderdrukte een glimlach. Ik zou hopeloos zijn op het gebied van discipline. Ik weet zeker dat ik een giechelbui zou krijgen.

'Ik ben bezig een zuurpruim te worden. Dat komt door de zomervakantie, die duurt eindeloos.'

'Zomervakantie? Fran, het is oktober!'

'Precies. En ik ben nog steeds niet bijgekomen. Nick is zo vaak weg; Caspar, zoals je weet, is nogal moeilijk; de meiden weten precies wanneer ze de duimschroeven moeten aandraaien. Het hangt me de keel uit, ik heb er genoeg van om aan alle fronten te moeten vechten.'

Fran had me de perfecte opening gegeven voor het volgende gespreks-onderwerp. Caspar. Ik benutte het moment. 'Hoe gaat het met mijn charmante Caspar?'

'Komt me de strot uit. Hij gelooft echt dat ik er niks van snap. Dat ik het niet begrijp, dat ik nooit een jeugd heb gehad. Het is om je dood te ergeren, want het is alleen maar een eeuwige herhaling. Ja, ik geloof wel dat kinderen tegenwoordig onder meer druk staan dan wij vroeger, maar te denken dat ik het niet begrijp...' Francesca schudde haar hoofd onder haar helm. 'Het is zo stom. Ze zijn zo verbolgen, en alles wat ik doe is verkeerd. Nogmaals bedankt dat je hem laatst de reddende hand hebt toegestoken. Hij luistert naar je, en dat is al heel wat.'

Ik kleedde mijn volgende vraag zorgvuldig in. 'Hij vertelde me dat je hem huisarrest hebt gegeven vanwege dat bier.'

'Is het heus? Heeft hij dat verteld?'

'Hij belde laatst voor een babbeltje.'

'Een babbeltje?' Ze remde. Ik hield ook op met trappen en fietste terug om haar aan te kijken. Het was duidelijk dat Francesca ook niet geloofde in zijn vriendschappelijke telefoontje.

'Heeft hij erbij gezegd dat het niet ons bier was?'

'Eh, nee.'

'Nee, dat geloof ik graag. Hij sloop de keuken van de buren binnen om het te pakken. Ze hebben kinderen van dezelfde leeftijd, dus heb-ben we een soort openhuispolitiek, en we lunchten samen... Maar toch schaamde ik me vreselijk. In ieder geval zei ik dat hij huisarrest had. Waarop een hoop gesmijt met deuren volgde. Ik wil er echt niet meer aan denken.'

'Dat mormel. Nee, dat heeft hij allemaal niet verteld.'

'Ik weet niet wat hem bezielt, echt niet.'

Ik dacht aan mijn eigen slechte gedrag als kind. Het was allemaal niet zo ernstig, maar ik herinnerde me dat ik maandenlang een wrok had ge-koesterd tegen mijn ouders omdat ze me niet naar een feestje hadden laten gaan en, net als Poppy, vond dat ze mijn leven verwoestten.

'Heb jij iets gedaan waarvoor hij je straft?'

Francesca keek me ontsteld aan.

'Ik bedoel niet iets dat je verdient, maar iets dat hij denkt dat je hebt gedaan?'

Francesca schudde langzaam haar hoofd, maar fietste weg zonder echt antwoord te geven. Ze reed in de richting van de vijver en ging sneller fietsen. Ik volgde haar op een afstandje. Het was niet mijn bedoeling geweest haar te beledigen. Halverwege rond de vijver ging ze langzamer rijden en ik haalde haar in.

'Zo is het beter,' zei ze. 'Een beetje lucht in de longen pompen.'

'Misschien moet je er eens een paar dagen tussenuit en Nick met die kinderen thuis achterlaten. We zouden naar een kuuroord kunnen gaan. Ze hebben heel goede doordeweekse aanbiedingen. Ik geloof dat ik ergens nog een voucher heb liggen die ik op een of andere liefdadigheidsveiling heb gewonnen. Ik zou je mee kunnen nemen! Misschien ben je gewoon bekaf.' Over bekaf gesproken, ik merkte dat ik zat te hijgen. En zij heel beslist niet.

'Ik heb nog wat ginseng nodig,' zei ze, mijn uitnodiging voor het kuuroord negerend. Ik wist niet of het kwam omdat ze me niet had gehoord in de kakofonie van de ganzen rond de vijver, of dat ze niet in mijn voucher-verhaal trapte en geen liefdadigheid wilde accepteren.

'De pot op met die ginseng, je moet een avondje uit. Ik bedoel écht uit. Kleed je mooi aan, was je haar als dat de ozonlaag niet te veel beschadigt, trek hoge hakken aan, toon die mooie benen van je en ga met mij de hort op.'

'Me op een barkruk hijsen en me laten versieren?'

'Ik dacht meer in de richting van een echt feest. Zonder drilpudding en saaie vrouwen die het over de stofwisseling hebben.'

Dat bezorgde me een schop. Het is goed je grenzen te kennen.

'Beroemdheden, gratis drank, live entertainment en meer dan genoeg oppervlakkige gesprekken. Hoe denk je erover?'

'Klinkt goed.'

'Geweldig. Kom zaterdag naar Neils Channel 4-party.'

'Neil als in Neil en Helen?'

Francesca was een beetje geïntimideerd door Neil en Helen.

'Hij kan het niet eens opbrengen me zelfs maar aan te kijken, laat staan zich mijn naam te herinneren, dus zal hij me zeker niet uitnodigen voor zijn party.'

'Het is niet zijn party, en bovendien hoeft hij dat helemaal niet. Je kunt komen als Claudia, Nick zal een pracht van een Al zijn, en ik neem Billy mee als mijn date. Zij kan ook wel een beetje lol gebruiken, denk ik.'

'Afgesproken. Ik zal Caspar vragen te babysitten.'

'Ik dacht dat je tegen kinderarbeid was.'

'Bitch!'

Ik glimlachte en ging harder rijden, fietste door een zwerm dikke duiven die aan een half brood zaten te pikken. Was dat een vleug endorfine of iets anders? Ik was tevreden.

Met Fran, Nick en Billy zou ik naar Neils party gaan en een eigen bufferzone hebben.

Toen ik terugkwam in de flat belde ik Caspar. De arme ongelukkige jongen heeft een eigen mobiel. Ik heb op dat ding moeten wachten tot ik tweeëndertig was.

'Hallo?' hoorde ik een fluisterstem.

'Hoi, Caspar, met mij, kun je praten?'

'Nee, ik zit in de klas.'

'Waarom neem je je telefoon dan op?'

'Waarom bel je me onder schooltijd?'

'Niet zo brutaal, jij.'

'Dat vind je eigenlijk heel leuk.'

'Waarom ben jij in zo'n goeie stemming?' Ik wilde niet achterdochtig klinken.

'Jezus, het is ook nooit goed, hè?'

'Sorry, jongen. Luister, Caspar, dat gedoe met dat bier −'

'Daar gaan we weer. Hoor eens, Tessa, je bent niet mijn moeder, dus laat het alsjeblieft.'

'Maar −'

'Maar wat?'

'Ik probeer je te helpen. Bel me na school.'

Een halfuur later kwam ik druipend uit de douchecel, wikkelde me in een handdoek en nam de telefoon op. Maar het was niet Caspar, het was Billy.

'Sorry dat ik je stoor,' zei Billy. Billy verontschuldigt zich altijd voor alles. 'Heb je het druk?'

'Allesbehalve,' antwoordde ik, wikkelde een tweede handdoek om mijn haar en ging op bed liggen om te drogen.

'Ik wil je een heel grote gunst vragen,' zei Billy.

'Voor de dag ermee.'

'Ik heb een paar geldproblempjes en −'

'Hoeveel heb je nodig?'

'Ik hoef niks te lenen, maar, eh, het is Christoph, hij heeft een paar dingen niet betaald die hij had moeten voldoen, en ik heb geprobeerd met hem te praten, maar je weet hoe hij is, altijd op reis, dus...'

'Hoe lang geleden?'

Billy vond het vreselijk als ze me moest vertellen dat Christoph zich slecht had gedragen. Haar trouw aan de man die haar hart had gebroken, haar leven had verwoest en een van de meest fantastische kinderen die ik ken de rug had toegekeerd, was me een gruwel. 'Vier maanden.'

'En hij beantwoordt je telefoontjes niet?'

'Nou, zoals ik al zei, hij was weg en —'

'Billy.'

'Ik weet het, ik weet het, daarom heb ik je hulp nodig. Ik heb morgen een afspraak met de advocaat.'

'Geweldig, dat is geweldig.'

'Zou jij het erg vinden om Cora van school te halen?'

'Helemaal niet. Graag zelfs. Het zal het hoogtepunt van de week zijn.' Wat waar was. 'Eerlijk, jij doet mij een plezier. Luister, als jij het ermee eens bent, neem ik haar mee om bij Nick en Francesca thuis te spelen. Katie en Poppy zijn dol op haar.'

'O, prachtig. Dank je.'

'Daar zijn peettantes voor.'

'Je bent een schat, Tessa. Bedankt.'

De volgende dag stond ik om half vier bij het hek van Cora's school. De drom mensen die rondslenterde met kinderwagens en fietsen, honden en scooters was verbijsterend. Cora had geluk, haar school ging maar tot elf jaar, dus hoefde ze zich niet een weg te banen door een menigte dringende, oudere, intimiderende kinderen, die de neiging hadden hun spierballen te tonen aan de kleintjes. Cora was tenger; ze was zeven maar zag eruit als vijf, en ik was altijd bang dat ze het op haar voorzien zouden hebben. Sinds haar geboorte had ze altijd onder het laagste percentiel van de meetlat gestaan. Als ze me dat vertelde, antwoordde ik dat het beter was dan tot de doorsnee te behoren.

Ze grijnsde naar me en kwam naar buiten gehold, haar lange haren wapperend achter haar aan. Ze ziet eruit als een zigeunerinnetje, met haar bleke huid, grote bruine ogen, missende tand en smalle beendergestel. Ik hurkte op de grond, spreidde mijn armen uit en wachtte tot de bundel energie me in volle vaart zou raken.

'Hallo, mooi kind,' zei ik.

'Hallo, peetmammie, je hebt een gekke kleur,' zei ze.

Ah ja. Een vervagende bruine teint, te veel vrije tijd en een oude fles nepbruin, die ik had gevonden toen ik bezig was het kastje in de badkamer op te ruimen, konden dat aanrichten.

'Ik hoopte dat het niet te veel zou opvallen.'

'Het is streperig, niet opvallend.' Cora pakte mijn hand. 'Net als de zebra kun je je verstoppen in het struikgewas en niet worden opgegeten door een leeuw.'

Goed, dat is tenminste een gunstig ding. Ik zie eruit als een idioot maar zal niet worden opgegeten door een leeuw.

'Heb je mijn olifant met de kleine oren meegebracht?' Dat kind ontgaat niets.

'Ligt in de auto.'

Ze straalde.

We babbelden over school en vriendinnetjes van haar die ik nooit goed had leren kennen, en hadden een langdurig dispuut over sokken die tijdens de gymles verwisseld raakten. Cora vond het duidelijk dolkomisch. Ik kon het allemaal niet zo goed volgen wat ze zei, maar dat deed er niet toe, ik liet haar luchtige gebabbel over me heen komen en voelde me gesust door de klank van haar stem.

'En hoe gaat het met mammie?' vroeg ik.

'Boos op Christoph.' Cora had haar vader altijd Christoph genoemd, ook al probeerde Billy haar daarvan af te brengen. Billy was bang dat Christoph de paar keer dat hij zich verwaardigde hen met zijn gezelschap te verblijden, zich van haar af zou keren. Alsof iemand zich ooit van Cora zou kunnen afkeren. Ik denk dat het een uiting was van Cora's aangeboren wijsheid. Christoph was dat dierbare woordje 'pappie' niet waard. Mijn peetdochter mag dan pas zeven zijn, geestelijk loopt ze meer tegen de zeventig. Soms zegt ze de wonderlijkste dingen die me haar verbaasd doen aanstaren; ik zou ze willen opschrijven en in 'fortune cookies' stoppen omdat ze zo wereldwijs klinken. Cora zegt... Misschien ben ik gewoon bevooroordeeld. Andere keren haalt ze heel volwassen woorden door elkaar. Het kwam omdat ze luisterde naar een overwegend volwassen wereld met slechts een zevenjarig brein om die te ontraadselen.

Cora wees naar de plaatselijke supermarkt toen we naar de auto liepen. 'We moesten al onze boodschappen teruggeven aan de mevrouw in de winkel, ook al had ik geholpen alles in te pakken en zo, maar we kregen wel onze bonen en het brood, dus was het niet zo erg. Het is Christophs schuld, hij is een gemene leugenaar.'

Arme Billy. Ik zou haar gemakkelijk geld kunnen lenen. Maar ze was te trots.

'De winkeldame gaf me een lollie, maar zei dat ik het aan niemand mocht vertellen.'

'Waarom vertel je het dan aan mij?' vroeg ik, door haar haren woelend.

'Omdat jij geen echte volwassene bent.'

Ik pakte een denkbeeldige pen, krabbelde een denkbeeldig briefje, maakte er een denkbeeldig rolletje van en stopte het in een denkbeeldig koekje. Cora zegt... Je bent geen echte volwassene.

We kwamen bij het huis van Nick en Francesca. Katie en Poppy vonden het prachtig als Cora kwam spelen, en Cora vond het heerlijk om ernaar toe te gaan. Cora was voor hen het ideale speelkameraadje. Katie en Poppy waren de zusjes die zij miste. Ze was feitelijk het ideale middelste kind. Ze gaf Katie haar zin en moedigde Poppy aan en omdat ze zich vaak alleen amuseerde, voelde ze niet de behoefte om te wedijveren om aandacht. Als gevolg daarvan gaven de meisjes zich over aan Cora's rust en kalmte, er werd een kloof overbrugd en drie volmaakt gelukkige meisjes verdwenen in een wereld waarin noch ik, noch Francesca of Billy hen kon volgen.

Na de worstjes en puree gingen ze spelen en lieten Francesca en mij achter om nog een pot thee te zetten, rustig te gaan zitten en wat bij te praten. Een gesprek dat niet voortdurend onderbroken werd. Ik begon al aardig gewend te raken aan conversaties die doorspekt waren met: 'Eén seconde, ik moet even... een stuk speelgoed pakken, het water bijvullen, de televisie aanzetten, een ruzie beëindigen, een pleister halen, een paar billetjes afvegen, een Barbie zoeken', gevolgd door het: 'Waar waren we gebleven?' dat onvermijdelijk gevolgd werd door: 'Eén seconde, ik moet even...' Maar het drietal speelde achter in de tuin en behalve een merkwaardig verzoek om houten lepels en juspoeder, werden we voor het merendeel genegeerd.

'En hoe gaat het tegenwoordig met het wonderkind?' vroeg ik.

'Iets beter, moet ik bekennen. Hij heeft vanmorgen het ontbijt klaargemaakt.'

'O, mooi.' Het was het antwoord dat ik gehoopt had te horen.

'Je hebt weer met hem gepraat, hè?'

188

'Even maar,' antwoordde ik. Caspar had me die avond eindelijk terug-gebeld, op het moment dat ik besloten had tot de benadering die het beste werkt bij kinderen: chantage. Ik had hem vriendelijk herinnerd aan het politierapport, de speed, en het bijna stikken in zijn eigen braaksel, en toen, voor hij de kans kreeg pissig te worden, zei ik dat ik, als hij nog eens zoiets uithaalde als het gappen van andermans bier, de iPod terug zou vorderen. Ik was blij dat hij mijn dreigementen serieus had genomen.

Francesca schonk weer thee in onze mokken. 'Ik denk dat het huisar-rest succes heeft gehad. Ik denk dat je gelijk had, misschien hebben we wat te weinig rekening met hem gehouden.' Maar dat had ik gezegd voordat hij het bier had gestolen. 'Dus hebben we afgesproken dat we zullen beginnen hem te betalen voor de karweitjes die hij doet in plaats van aan te nemen dat hij het niet erg vindt om te babysitten of de heg te snoeien of wat dan ook. Hij zegt dat hij dacht dat Rachel, onze buur-vrouw, tegen hem had gezegd dat hij best wat drank mocht pakken als hij dat wilde. Het is een beetje ongeloofwaardig, maar hij is tamelijk be-rouwvol nadat hij met jou heeft gesproken, dus bedankt.'

Een beetje ongeloofwaardig?

'Weet je, hij wil sparen voor zijn rijlessen. Dat is een hoop geld, maar hij heeft een jaar de tijd.'

'Goed zo. Dat is tenminste positief.'

'Dat vind ik wel, ja.'

'Ik zal op zijn verjaardag hetzelfde bedrag bijpassen dat hij heeft ge-spaard,' bood ik aan.

'Daarom zei ik het niet. Misschien doet hij er twee jaar over.'

'Maar ik wil het graag. Dat deden paps en mams altijd voor mij als ik iets wilde dat meer dan 50 pence kostte.'

'Ja, maar jij was alleen; het is wat moeilijker met drie kinderen. We zouden voortdurend geld op tafel moeten leggen. Ik zweer je dat het als sneeuw voor de zon verdwijnt. Bovendien zou het niet eerlijk zijn tegen-over de meisjes. En nu we het toch over ze hebben, ik moet maar eens gaan kijken wat ze uitspoken.'

Ik hoorde de voordeur dichtslaan, een tas vallen en iets zwaars de trap op stommelen. Fran was buiten met de kinderen aan het onderhandelen over de de tijd die ze nog hadden voor ze in bad moesten. Ik stond op, liep de gang in en riep langs de trap omhoog: 'Hé, Caspar, zou je niet even goedendag komen zeggen?'

'Wie is er?' hoorde ik een norse stem.

'Tessa.'

'O, hoi, Tessa,' zei Caspar achter zijn deur. 'Ik wist niet dat jij hier was.'

'Kom beneden en zeg goedendag.'

'Ik kom zó, wacht even.'

Mijn handtas hing over de knop van de trapleuning. Ik tilde de flap op en keek even naar mijn portefeuille, vroeg me af of ik de inhoud ervan moest nakijken. Ik liet de flap weer vallen en zette die gedachte uit mijn hoofd. Vertrouwen is alles. Als Caspar zei dat hij niet meer gebruikte, dan was hij klaar met de drugs.

Francesca kwam terug; ze waren een tijd van tien minuten overeengekomen.

'Caspar is thuis,' zei ik, terwijl ik het laatste bordje afwaste. 'Ik geloof dat hij zich voor me verstopt.'

'Hij voelt zich waarschijnlijk nog een beetje gegeneerd. Jij bent zijn idool, dus dat hij kotste uit het raam van een taxi op die avond dat jij hem te hulp kwam, zit hem waarschijnlijk nog behoorlijk dwars.'

Ik had natuurlijk met Francesca gesproken over die rampzalige zaterdagavond en al had ik haar een heel verwaterde versie gegeven van de gebeurtenissen, toch geloofde ik niet dat ik dat had gezegd. Wat hád ik eigenlijk gezegd? Het was al bijna een maand geleden. Dat was het probleem met leugens; ze waren veel moeilijker te onthouden dan de waarheid. Ik had het aan Caspar overgelaten hoeveel hij zijn ouders wilde opbiechten. En al had ik niet verwacht dat hij alles zou vertellen, ik had ook niet gedacht dat hij zou liegen. Ik wilde weten wat het was waaruit ik Caspar had gered, maar besefte dat ik dat beter niet aan Francesca kon vragen.

'Iedereen bezat zich wel eens, het is een overgangsrite. Een die ik nog steeds doormaak,' zei ik, een visje uitwerpend.

'Ja, maar het was verkeerd van Zac om zijn drankjes zo op te peppen.'

O, dus dat was zijn verhaal. Allemaal Zacs schuld. Geen woord over de marihuana, de speed, het gestolen geld of de aanvaring met de politie. Ongeloofwaardig was niet het juiste woord.

'Ik ben zo dankbaar dat hij zo verstandig was om jou te bellen,' zei Fran. Een hele prestatie als je bewusteloos bent. De rat. Toen herinnerde ik me zijn hulpeloze gezicht, zijn plechtige belofte dat hij zou stoppen met de drugs, zijn nadrukkelijke bewering dat hij dat ook had gedaan.

Ik wilde niet te hard voor hem zijn – stomdronken worden en kotsen was een overgangsrite. Net als vreselijk stoned en paranoïde worden. En het zou niet de eerste keer zijn dat een tiener drank stal uit het huis van de buren. Oké, de speed was dan misschien niet zo alledaags, maar toch ook niet zo heel ongewoon. Ik had mijn ouders nooit verteld over die keer dat Ben zijn vingers in mijn keel moest steken omdat ik te veel rum had gedronken, en toen was ik nog jonger dan Caspar.

Ik was juist bezig Fran het verhaal te vertellen hoe we de drankkast van Bens moeder hadden geplunderd, toen Caspar eindelijk tevoorschijn kwam. Hij was helemaal gewassen en opgepoetst, hij had gel gesmeerd in zijn natte haar en kennelijk schone kleren aangetrokken. Het maakte me onmiddellijk achterdochtig. Toen rook ik de tandpasta, samen met een doordringende aftershave, en mijn achterdocht nam toe. Ik keek aandachtig in Caspars ogen, maar die leken niet bloeddoorlopen en hij sprak niet onduidelijk. Misschien moest ik me met mijn eigen zaken bemoeien. Aan de andere kant, wat als hij eens niet was gestopt met drugs, als het eens erger werd?

'Hé, Caspar, ik weet dat je brandschoon bent, maar ik geloof dat je mijn auto nog een keer zou wassen.' Ik keek op mijn horloge. De tien minuten van de meisjes waren voorbij. We hadden ongeveer een uur tot de meisjes in bad waren geweest en ik Cora naar huis bracht.

'Wanneer wil je dat ik dat doe?'

'Wat zou je zeggen van nu?'

'En zijn huiswerk?' vroeg Fran.

'Dat doe ik later wel. Al papa's spullen liggen onder de trap.' Caspar verliet de kamer.

'Duidelijk een verbetering.' Fran vroeg zelfs niet waarom haar zoon mijn auto zou moeten wassen, dus vertelde ik het haar niet. In plaats daarvan zei ik dat ik het bad vast in gereedheid zou brengen. Ik pakte Cora's pyjama en liep naar boven. Ik draaide de kranen een fractie open en liet het bad langzaam vollopen. Ik berekende dat ik ruim tien minuten had voor Fran de meisjes binnen en naar boven had gebracht.

Ik hoorde Caspar naar buiten gaan en liep stilletjes de trap op naar zijn slaapkamer. Ik keek onder de zitzak. Achter de boekenplanken. Ik vond een pornoblad opgerold achter het hoofdeinde van het bed, maar geen blikje incriminerende drugs. Ik ging op mijn knieën liggen en keek onder het bed.

'Wat doe je, Tessa?'

'Fran – wauw, wat ben jij gauw terug.'

Drie kleine meisjes staarden beschuldigend naar mijn achterwerk. 'Het is tijd voor het bad,' zei Katie.

'Die afspraak van tien minuten werkt goed, hè?' zei ik, terwijl ik opstond.

'Wat zocht je?'

Ik stak mijn kale pols omhoog. 'Stom eigenlijk. Ik ben een van de armbanden kwijt die ik in India gekocht had, en ik dacht dat ik hem heel misschien hier had verloren.' Leugenaar, schreeuwde een stem in mijn hoofd.

Ik volgde het groepje kleine hoofdjes naar de badkamer, waar een half gevuld koud bad op hen wachtte. Ze waren niet erg onder de indruk. Ik ging weer op mijn knieën liggen om de zaak recht te zetten.

'Bubbels?'

'Ja,' zei Poppy.

'Nee,' zei Katie.

Ik draaide me om naar Cora. 'Half,' zei ze, wat ik een maf antwoord vond tot ik zag hoe ze twintig minuten lang vrolijk de bubbels aan Poppy's kant hielden, vrolijk krijsend als de ongehoorzame bubbels over de scheidslijn ontsnapten.

Ten slotte waren ze schoongeboend, afgedroogd, en met gepoetste tanden klaar om naar bed te gaan. Ik weet niet of er iets verrukkelijkers is in deze wereld dan drie kleine meisjes die samen in een bad spelen. Behalve misschien drie kleine meisjes in schone pyama's, met in elkaar gestrengelde armen en benen, aandachtig luisterend terwijl ik *Cat and Fish* voorlas. Ik vond het verhaal een beetje flauw, maar de meisjes schenen het prachtig te vinden.

Het waren veertig magische minuten en ik ademde hun gezamenlijke geur in en prentte het gevoel in mijn geheugen van kleine handjes die verstrooid over mijn huid streken. Toen liet Poppy een enorme scheet en iedereen lag dubbel van het lachen. Ik besloot dat het tijd was om Cora naar huis te brengen voor we de smalle grens overschreden die engeltjes scheidt van duiveltjes. Je wist nooit precies waar die liep, maar als je er eenmaal overheen was, besefte je dat je het had zien aankomen. Ik gaf de meisjes een nachtzoen en tilde Cora op. Ze was nog steeds heel gemakkelijk te dragen. Soms maakte ik me weleens bezorgd dat ze holle botten had. Caspar kwam de trap op. Ik gaf mijn peetzoon in het voorbijgaan een zoen, bedankte hem voor het schoonmaken van de auto en beloofde binnenkort met hem te gaan lunchen.

Frances kwam uit Katies kamer toen ik halverwege de trap was met mijn menselijke pakketje.

'Tot zaterdagavond,' zei ze. 'Heb je Caspar naar je armband gevraagd?'

'Niet belangrijk,' zei ik.

Fran was te ordelijk om het daarbij te laten. Ze wilde de ontbrekende stukjes van een puzzel vinden, al deed ze er de hele dag over en moest ze de hele speelgoedverzameling ervoor ondersteboven halen. 'Hoe ziet hij eruit?'

Ik zat in de val. 'Kralen. Koraal. Rood.'

'Tessa denkt dat ze misschien een armband heeft verloren in je kamer...' Fran draaide zich weer naar mij om. 'Waar heb je gekeken?'

Verdomme. 'O, bij de zitzak en onder het bed. Het was een slechte sluiting.' Ik was even erg als Caspar en hij wist het. Zijn gezicht verried het. Leugenaar, gemene leugenaar.

'Heb jij hem misschien gevonden?' vroeg zijn moeder.

Hij schudde langzaam zijn hoofd, keek me nog steeds op een onbehaaglijke manier aan. 'Ik geloof niet dat je een rode armband droeg, Tessa,' zei hij. 'Weet je niet meer dat je die dag alleen maar wit droeg?'

'Wat een geweldig geheugen heb je toch, Caspar,' zei Fran en gaf haar zoon een kus op zijn hoofd. 'Je ruikt lekker,' zei ze, blind voor de verontrustende blik waarmee Caspar naar mij keek.

'Lach eens, Caspar,' zei Cora. Zoals ik al zei, niets ontgaat dat kind. Cora volgde Frances de trap af. Ik stond op en keek naar Caspar.

'Caspar, het spijt me –'

'Je hebt in mijn spullen gesnuffeld. Dat zouden zelfs mijn ouders niet doen.'

'Ik maak me ongerust over je.'

'Ik ben verdomme geen kind meer.'

'O ja, dat ben je wél.'

Zodra ik het gezegd had, wist ik dat het de verkeerde opmerking was.

'Christus, Tessa, bemoei je nou maar met je eigen zaken, wil je?'

'Jij hebt mij gebeld, weet je nog?' Wie was nu het kind? 'Ik bedoel, je kon wel wat steun gebruiken.'

'Jouw idee van steun verlenen is mijn kamer doorzoeken?'

Hij draaide zich om en liep weg.

'Caspar?'

Hij reageerde niet.

'Caspar?'

'Vergeet het maar, Tessa. Ik heb je bemoeizucht niet nodig.'

Hij deed de deur achter zich dicht.

Op de terugweg naar Billy luisterde ik maar met een half oor naar Cora. Mijn gedachten waren bij Caspar. Cora vond het maar niets dat ik niet het juiste antwoord gaf op haar vragen. Toen ze bijvoorbeeld vroeg: 'Hoe komt het dat haren krullen?' antwoordde ik: 'Zijn er bijna.' De tweede keer toen ik er volkomen naast zat, werd ze kwaad en zei dat ik niet naar haar luisterde. Dat klopte. Met al mijn goede bedoelingen kon ik mijn aandacht niet bij Cora's gebabbel houden.

Ik stopte voor hun smalle bakstenen benedenflat in Kensal Rise. Billy deed de deur al open voordat we aan het eind van het door onkruid overwoekerde pad waren. Ze zag eruit als een danseres, Billy. Ze had het lange, donkere haar dat haar dochter van haar geërfd had, al was het nu doorstreept met grijs, ze had dezelfde stevige benen en grote bruine ogen. Haar uiterlijk was niet veranderd sinds ik haar ontmoet had in de gang tussen onze gehuurde slaapkamers: een Slavische zigeunerin, wat ze ook was, veronderstel ik. Haar rok bevatte altijd voldoende stof om zich tien keer in te wikkelen en haar topjes zaten altijd strak om haar gespierde, smalle lijf. Het was een opvallende look die in de tijd dat we elkaar kennen vier keer in en uit de mode is geraakt. Alleen in de tijd met Christoph had ze haar uiterlijk veranderd. Hij gaf de voorkeur aan korte rokken en hoge hakken, waarin ze eruitzag als een minderjarige turnster van achter het IJzeren Gordijn die zich verkleed had als 'sexetaresse' om een fout jurylid te behagen. Haar sieraden waren een socioeconomische afspiegeling van haarzelf – etnisch en minimaal – wat wilde zeggen dat ze ermee wegkwam. Billy lachte naar haar dochter. 'Jij bent absoluut het beste wat me ooit is overkomen,' riep ze uit en knuffelde haar kind.

Slecht nieuws dus van de advocaat, dacht ik, terwijl ik toekeek hoe Cora Billy's wangen plette tussen de palmen van haar handen. Billy zocht troost bij Cora. Ik wou dat ze troost zocht in de wereld om haar heen. Maar daarin scheen ze haar plaats niet te kunnen vinden. Ze stak zoveel energie in het gedoe met Christoph, dat ik me soms afvroeg of er nog iets overbleef.

'Plezier gehad?' vroeg Billy.

'O, het was zo enig, we hebben apentaart gebakken in de tuin met magische kristallen die je achterste groen kunnen kleuren.'

Billy keek naar mij. Ik haalde mijn schouders op.

'Dat begrijp je toch niet,' zei Cora, terwijl ze de flat binnenging die ze deelde met haar moeder en Magda, de Poolse au pair. De flat had maar twee slaapkamers, dus was het nogal krap. Cora had vroeger haar eigen kamer en Billy betaalde een dure kinderoppas waardoor ze iedere maand rood stond. Cora, in de wetenschap dat haar moeder alleen was, sloop 's nachts naar de kamer van haar moeder en als Billy wakker werd vond ze een klein, ineengerold lijfje naast zich. Iedereen zei haar dat ze streng moest zijn en Cora terug moest sturen naar haar eigen bed. Het probleem was dat Cora het zo stilletjes deed dat Billy nooit wakker werd om Cora weer naar haar eigen kamer te brengen. Ten slotte stelde ik Cora voor te profiteren van Cora's in de steek gelaten kamer en een interne hulp aan te nemen die haar 's morgens een handje kon helpen, Cora van school kon halen en het fort bemannen tot Billy thuiskwam uit haar werk. Niet alleen dat ze hulp zou hebben als ze die het hardst nodig had, het zou haar een derde kosten van wat ze de babysitter betaalde. We maakten een nieuwe schatting van haar maandelijkse uitgaven en kwamen tot de conclusie dat ze dan met haar geld uit zou komen. Door niets te veranderen aan haar zuinige levenswijze had ze snel haar schuld afgelost. Magda bleek een zegen. Ze had zelfs een leuke vriend, zodat Billy genoeg avonden voor zich alleen had, en ze was altijd beschikbaar als Billy een babysitter nodig had, wat niet vaak voorkwam. Iedereen was gelukkig. Zelfs Cora, die nu het bed en de klerenkast van haar moeder deelde. Cora was haar leven begonnen op de intensive care en lag daarna maanden op een zaal. Ze kon altijd overal en door alles heen slapen. Billy ging naar bed, scharrelde wat rond, las, verzorgde haar gezicht, en al die tijd lag dat kleine wezentje zachtjes ademend onder het dekbed, schijnbaar ongestoord. Zoals ik nu mijn troost zocht bij een ingelijste foto die niet eens van mij was, zocht Billy troost bij haar dochter.

Ik genoot die avond het voorrecht Cora in Billy's kamer naar bed te mogen brengen, maar de laatste kus was zoals altijd gereserveerd voor haar moeder. Billy deed zachtjes de deur achter zich dicht en liep met me mee naar de ijskast. Ze gaf me een fles witte wijn, pakte twee glazen en een kurkentrekker uit de kast en volgde me naar de bank.

'Wat is er gebeurd?' vroeg ik.

'Ik moet weer naar de rechter.' De uitdrukking op haar gezicht was neutraal.

'Waarom?'

'Hij heeft zijn boekhouding veranderd. Ik krijg 17 procent van wat hij verdient.'

'Dat moet toch ruim voldoende zijn?'

'Niet als hij het niet declareert. Hij bouwt nu boten exclusief voor een of andere schatrijke kerel in het buitenland, maar het geld komt niet in Engeland. Hij beweert dat hij veel minder verdient, wat natuurlijk een extra belasting is voor zijn uitgaven, en dat betekent dat hij een verzoek kan indienen om het percentage te verminderen tot, in het ergste geval, 10 procent.'

'En dan krijg jij?' Ik probeerde me niet op te winden. We hadden die gesprekken over Christoph al het grootste deel van Cora's leven gehad.

'Geen barst. Hij beweert niet dat hij het geld niet heeft verdiend, hij brengt het alleen niet het land in, dus moet ik een rechtszaak beginnen om hem te dwingen meer geld in Engeland te declareren. Het probleem is dat het allemaal contanten zijn in neutrale enveloppen en smeergeld. God mag weten...'

'En zijn andere' – ik stotterde even zoals meestal als ik over dit onderwerp begin – 'gezin?' Christoph heeft een nieuwe vrouw en twee kinderen, die naar de beste particuliere scholen gaan en die het aan niets ontbreekt. Behalve aan een aardige papa, denk ik.

'Zij heeft geld. Daar leven ze van, geloof ik.'

'Slim.'

'Ik denk dat het al opgegeven is aan de belastingen.'

'Ze vertrouwt hem wél,' zei ik en nam een slok wijn. 'Arm mens, ik krijg bijna medelijden met haar.'

'Dat doe je als je getrouwd bent, Tessa.'

Ik was verbijsterd. Ze verklaarde zich nader.

'Je vertrouwt je wederhelft.'

'Ja, Nick en Al misschien en –' Plotseling zag ik waar dit toe leidde en wilde snel terugkrabbelen. Maar het was te laat.

'En Ben. Ik weet het, al die fantastische mannen die trouw en goudeerlijk zijn. Maar dat was Christoph voor mij en dat zal hij ook zijn voor zijn nieuwe vrouw. Je geeft je niet willens en wetens aan een man van wie je denkt dat hij alles neukt wat op zijn weg komt, je geld uitgeeft en je in de steek laat met een paar kinderen en zonder geld.'

Een secondelang verscheen er voor mijn geestesoog een beeld van Helen die haar huis uit moest, met twee kinderen op sleeptouw, en Neil die er met een blondje vandoor ging in zijn sportwagen. Het was niet helemaal onaangenaam, omdat ik daarna aan de horizon verscheen, net als Zorro, om de boel te redden.

'Weet je, die dingen gebeuren, je gelooft alleen niet dat ze jou zullen gebeuren. Waarschijnlijk bedenkt ze hoe briljant Christoph is en verheugt ze zich op de aankoop van een Zwitsers chalet, een Toscaanse villa en een huis op dat verdomde Palmeiland.'

Ik fronste weer mijn wenkbrauwen.

'Dat is in Dubai, waar die rijke vent van dat schip woont. Doet er niet toe, ik wil alleen maar zeggen dat je aanneemt dat je man niet tegen je liegt. Dat moet je wel,' ging Billy verder.

Ik kon alleen maar denken aan Sasha, die Ben een afscheidszoen gaf toen ze weer een week naar Duitsland ging.

'Ik wil geen rechtszaak tegen hem beginnen, Tessa. Ik wil dat niet meer. Hij heeft Cora dit jaar twee keer gezien, het gaat vooruit.'

'Hoe bedoel je dat je dat niet meer wilt? Dat heb je nooit gedaan. Billy, begrijp me alsjeblieft niet verkeerd, maar je hebt elke verdomde keer toegegeven. En het is nu oktober, dat kun je nauwelijks geregeld contact noemen.'

'Hij is veel op reis...'

Ik had dat allemaal al eerder gehoord. 'Kom nou, Billy, wat schiet je hiermee op? Denk je dat hij je dankbaar zal zijn omdat je zoveel begrip hebt getoond? Hij geeft geen donder om wie dan ook, behalve om zichzelf. Het spijt me, Billy, maar wanneer zul je dat eindelijk eens inzien?'

'Ik denk dat zij het hem moeilijk maakt om ons te komen bezoeken.'

'Zij?'

'Zijn nieuwe vrouw.'

Ik stond op. Ik was te kwaad om te kunnen blijven zitten. 'Nieuw? Billy! Nieuw? Ze hebben twee dochters!'

'Hij heeft me eens verteld dat ze erg veeleisend is.'

Inwendig schreeuwde ik het uit. 'Je meent het... Arme man: een vrouw die verwacht dat haar man zijn bijdrage levert aan het gezinsleven. Je hebt volkomen gelijk, ze moet een feeks zijn.'

'Het bevalt haar niet dat wij bestaan.'

'Vast niet, nee. Het herinnert haar eraan wat een klootzak haar man is.'

'Tessa!'

'Nou? Wil je mijn hulp of niet? Want ik kan dat geld waarschijnlijk wel voor je krijgen.'

'Zonder dat ik naar de rechter hoef te stappen?'

Ik had haar door elkaar willen rammelen. Maar toen ik erover nadacht... misschien was er wel een manier om dit te doen zonder rechtszaak. Feitelijk... ik voelde de prikkeling van een plan. De verlokking van een research.

'Wat is het?' vroeg Billy, 'Je hebt een vreemde blik in je ogen.'

'Als ik een manier kan vinden om te bewijzen dat Christoph meer verdient dan hij zegt...'

'Dat klinkt als spioneren.'

Ik wimpelde haar bezorgdheid af. 'Niet meer dan die schoft verdient.'

'Tessa.'

Doe toch niet zo zielig, wilde ik zeggen, maar ik zei het niet. Ik was niet meer te stuiten. 'Ik heb een goede vriend die werkzaam is op dit gebied. Ik verzeker je dat mannen voortdurend geld verbergen voor hun vrouw, meestal vlak voor de aankondiging dat ze van plan zijn haar te verlaten. Het is een harde wereld. Als je gelijk hebt wat die neutrale enveloppen betreft, zal hij niet willen dat ik rondsnuffel.' Ik draaide me om en keek Billy strak aan. 'We kunnen hem bang maken zodat hij meer geld geeft. Een dreigement met de rechter is misschien al genoeg!'

Even speelde er een vals glimlachje om Billy's lippen.

'Nou, wat vind je ervan?' vroeg ik.

'Ga je gang, maar doe niets zonder het eerst aan mij te vertellen.'

'Ik beloof het je.'

'Een echte belofte. Geen Tessa Kingbelofte.'

Ik legde mijn hand op mijn hart en veinsde geschoktheid. 'Wat wil je daarmee zeggen?'

'Rafelig rond de randjes.'

'Ik beloof het je plechtig. En laten we nu wat te eten bestellen. Ik rammel.'

Dat was een leugen. Ik had veel te veel worstjes van de kinderen gegeten, maar ik wist dat als ik een uitgebreide Chinese maaltijd bestelde en betaalde, Billy er een paar dagen van kon leven.

'En,' zei Billy later met volle mond, 'nog wat slecht gedrag waarover je me kunt vertellen?'

Ik schudde mijn hoofd, en nam nog wat meer eten waar ik geen trek in had.

'Ik neem aan dat die man niet gebeld heeft?'

Ik wist niet zeker in hoeverre ik dat 'Ik neem aan' van haar op prijs stelde, maar ik schudde weer mijn hoofd. De fantasie van Sebastian, de rijksambtenaar die in de stromende regen voor mijn flatgebouw stond te wachten om me te vertellen dat hij me niet uit zijn gedachten kon zetten, was vervangen door een veel minder aangename, die waarin ik een huwelijk verwoest. Waarin ik de trouw en affectie van mijn oude vriendschappen verspeel, waarin die kus niet eindigde met Claudia's roep om Al.

'Gewoon weer een kerf op de lat,' zei ik ten slotte. 'En jij?' vroeg ik, wetend dat het geen zin had. Billy had de draden doorgesneden die een signaal uitzonden naar het andere geslacht. Niet dat ze 'hard to get' speelde. Daarvoor moest je eerst een verleidingsdans doen. Zij speelde dat er niets te krijgen viel. En het werkte.

'Hoe zit het met de mannen die in de behandelkamer komen?' vroeg ik, in een poging tot aanmoediging. Billy werkte bij een tandarts in de buurt.

'Mensen met tanden,' zei ze. Dat is wat ik bedoelde met geen signaal. 'Ik ben niet wat de doorsnee man wil. Bijna van middelbare leeftijd met een kind van zeven. Gescheiden. Arm.' Ze vergiste zich natuurlijk. Als zij kon zien wat ik kon zien, zouden we die draden weer kunnen herstellen. Ze was mooi, etherisch, zorgzaam; ze was eerlijk en trouw, toegewijd en consciëntieus en ze zag er fit genoeg uit om als ruiter mee te rijden in de Grand National of Giselle te dansen. Toen Christoph haar in de steek liet, stal hij een chip uit haar lijf, wat haar inert maakte. Het was de ergste manier om een hart te breken. Hij wilde haar niet, maar hij zorgde ervoor dat ook niemand anders dat zou doen.

'O, dat was ik bijna vergeten,' zei ik, in een poging haar wat op te monteren. 'Ik wilde je vragen of jij zaterdagavond mijn date wil zijn. Channel 4 geeft een groot feest voor de lancering van de comedyserie waarin Neil een rol heeft. Nick en Fran komen ook,' voegde ik er snel aan toe, voor Billy te huiverig zou worden. 'Francesca was wel toe aan een avondje uit; we kunnen ons optutten en rond onze handtassen dansen.'

'Ik weet niet, babysitters zijn op zaterdagavond −'

'Billy, Magda wordt geacht twee avonden per week te babysitten voor je en dat hoeft ze nooit te doen.'

'Nee, maar ze past op als ik laat uit mijn werk kom en −'

'Er is gratis drank. Je kunt eerst naar mij toe komen en dan gaan we samen. Alsjeblieft. Het zal net als vroeger zijn...'

Wat ik wilde zeggen was: 'Waar ben je zo bang voor?'; in plaats daarvan glimlachte ik. 'Mooi. Ik zie je daar.'

'Ik weet niet...'

'De ene goede daad verdient de andere. Ik zal me hierin verdiepen,' zei ik, kloppend op het dossier. 'En jij wordt mijn date.'

'Jij bent degene die achter Christoph aan wil.'

Ik legde het dossier weer op tafel en zette mijn handen in mijn zij. 'Dus je wilt niet dat ik het doe?'

Ze knipperde een paar keer met haar ogen.

'Kom, Billy, nu niet weer.'

Ze zwaaide met haar hand over het dossier. 'Oké, neem maar mee. Maar ik weet zeker dat je honderden dates hebt met wie je erheen zou kunnen.'

'Nee, Billy, die heb ik niet. Ik dacht alleen dat het voor ons allemaal leuk zou zijn om weer eens uit te gaan, dat is alles.' Het leek wel of je eerst tanden moest trekken bij haar.

'Oké. Ik kom.' Wat was dat? Een gedwongen overgave. Soms zou ik haar door elkaar willen rammelen, haar eraan herinneren dat ze leefde, haar uit het drijfzand trekken waarin ze terecht was gekomen. Maar ik kon het niet, want uiteindelijk moest ze zelf beslissen. Ik zag dat Billy weer een geeuw onderdrukte, dus bracht ik het blad met de half opgegeten maaltijd naar de keuken, gaf haar een zoen en wenste haar welterusten, pakte het dossier op met de vernietigende bewijzen tegen de vader van mijn peetdochter en reed naar huis.

Pompoenentijd

Bij de Channel 4-party ging ik alleen naar binnen. Dat ik dat kan is iets waar ik trots op ben. Het geeft me zelfvertrouwen om over de drempel te stappen van een zaal vol mensen die ik niet allemaal persoonlijk ken. Dat extra beetje zelfvertrouwen brengt me tot aan de bar, verder moet de alcohol het doen.

Channel 4 had een enorm restaurant in Mayfair afgehuurd, compleet met hypermoderne wc's, die eruitzagen of ze zo van de set van Cocoon kwamen, en een vipbar waar je, als je er niet binnen kon komen, tenminste van bovenaf in kon kijken. De wc's waren trouwens boven de vip-ruimte, zodat je eigenlijk je ontlasting losliet op de hoofden van de elite die van ons gewone stervelingen gescheiden was door een gevlochten rood koord. Terwijl ik op mijn drankje wachtte, vroeg ik me af of de architect hier iets mee had bedoeld.

Bij de bar heerste het gebruikelijke gedrang. De mensen van de tv kenden het klappen van de zweep – zorg dat je zoveel mogelijk drankjes naar binnen krijgt voor het een betalende bar wordt en wijk niet af van wat er wordt aangeboden. Wodka-cranberry cocktails waren gratis, wodka-tonic kostte zeven pond. Ik koos voor een gratis flesje bier en zette dat juist aan mijn mond, toen een elleboog uit het niets verscheen en het hard tegen mijn tanden sloeg.

'Au!' riep ik uit.

'O, mijn god, heb ik je pijn gedaan? Het spijt me verschrikkelijk.'

Ik proefde bloed.

'O, shit, je bent een tand kwijt.'

Ik legde mijn hand voor mijn mond. Tandeloosheid beloofde niet veel goeds als je op zoek was naar een spermaproducerende partner.

'Misschien was dat niet grappig.'

Ik schudde mijn hoofd. Ik overtuigde me ervan dat ik een volledig stel tanden had voor ik me eindelijk omdraaide naar mijn aanvaller.

'Assepoester,' zei hij.

De peper-en-zoutman. 'Au,' zei ik, al deed het vreemd genoeg niet langer pijn.

'Je zou er voortreffelijk uitzien op een vampierfeest.'

Ik fronste mijn wenkbrauwen.

'Nog steeds niet grappig?'

Ik schudde weer mijn hoofd maar begon te glimlachen.

'Het is maar goed dat ik ervoor gekozen heb acteurs te vertegenwoordigen in plaats van er een te worden.'

'Ik betwijfel of je een keus had.'

'Je hebt gelijk. Die had ik niet. Al heb ik altijd gedacht dat ik over het potentieel beschikte om zo'n acteur te worden die op het toneel van een lelijk eendje in een zwaan veranderde.' Hij haalde zijn schouders op. 'Maar het had geen succes. Ik moet erop vertrouwen dat ik in plaats daarvan ongelooflijk rijk word.'

'Zit die kans erin?'

'Wel eens gehoord van Ali G?'

Ik was onder de indruk. 'Vertegenwoordig je Ali G?'

'Nee. Maar dat zou kunnen. En daar gaat het om, zoals ik mijn moeder blijf vertellen.'

Ik glimlachte weer.

'Mag ik je een drankje aanbieden?'

'De drankjes zijn gratis,' zei ik.

'Ik bedoel niet nu.'

Geraffineerd. Ik begon een beetje opgewonden te raken over de avond. Heel wat anders dan thuis op de bank zitten en me afvragen of ik er op de een of andere manier onderuit kon komen.

Ik stak mijn hand uit. 'Tessa King. Voor het geval je het bent vergeten.'

Hij pakte mijn hand aan. 'James Kent. Voor het geval je het nooit hebt geweten.'

Wat zeg je daarvan, ik zou niet eens mijn initialen hoeven te veranderen. Hoe kwam ik in vredesnaam op die gedachte? Ik leek wel gek.

'Gaat het goed met je? Je kijkt bedenkelijk. Dat maakt me nerveus. Wat je ook over me gehoord hebt, het is niet waar. Oké, ze was vijftien. Maar ik was elf, dus dat telt niet.'

202

'Waar heb je het over?'

'Mijn laatste seksuele ervaring. Waar dacht jij aan?'

Ik hoorde een ritmische beat in mijn hoofd, een komische beat. Je leest het in scripts. Iemand zegt iets grappigs, dan een beat.

'Aan mijn volgende.'

Ik draaide me weer om naar de bar en dronk mijn bier. Niet te geloven dat ik dat gezegd had. *A dirty mind...*

We liepen samen de zaal door. James scheen iedereen op de party te kennen, wat hem vreemd genoeg nog sexier deed lijken, en ik was nuchter, dus bier was niet de oorzaak. Hij stelde me voor aan bijna iedereen met wie hij sprak, wat ik prettig vond. Ik heb er een hekel aan om als een aanhangsel beschouwd te worden. Als hij het niet deed, verontschuldigde hij zich later en zei dat hij zich de naam van de ander niet had herinnerd. Toen stelde hij me voor aan iemand die geen introductie behoefde. Helens moeder. Ik had geen idee wat zij hier deed. Ik vergat altijd dat ze hoofdredacteur was van een kwaliteitskrant en dus geen invitaties nodig had, ze zag er natuurlijk schitterend uit.

'Tessa. Hoe gaat het? Nog steeds single?'

'Feitelijk ben ik lesbisch tegenwoordig. Ik vrij met een vrouwelijke opperrechter. Die getrouwd is. Maar zeg het tegen niemand.'

Marguerite lachte en toonde haar perfecte van kronen voorziene tanden.

'Schat, ik ben zo blij dat je dat eindelijk geaccepteerd hebt. Maar echt, je moet het de mensen vertellen, het zal geen verbazing wekken, dat kan ik je verzekeren.'

Verdomme, daar was ik ingetrapt. Voor ik de kans kreeg om te antwoorden, ook al zou het perfecte antwoord pas vierentwintig uur later bij me opkomen, tikte ze James op de arm. 'James, ik was van plan je te bellen.'

'Kan ik iets voor je doen?' vroeg James, naar haar glimlachend. Ik had met mijn stilettohak op zijn schoen willen trappen.

'Ik hoopte dat je in overweging zou willen nemen om lid te worden van ons mediapanel.' Die vierkant afgeknipte, donkerrode nagels die ik maar al te goed kende, staken uit de lange manchet van een witzijden blouse.

'Maandelijks overleg in de Groucho Club, diner voor mijn rekening. We hebben een paar heel bijzondere leden.' Ze noemde er een paar op. Ik had geen idee wie het waren, maar James was duidelijk onder de indruk. 'We zouden graag willen dat je erbij kwam. Jij bent onze eerste keus.'

Marguerite zag er goed uit die avond, in een zwartleren broek en fantastische laarzen, maar het is verbluffend hoe lelijk schoonheid kan zijn bij de verkeerde vrouw. Ik merkte dat haar hand een fractie te lang bleef rusten op James' arm. Ik had al genoeg concurrentie van vrouwen die in de twintig waren; als ik ook nog tegen veertig- en vijftigjarigen moest opboksen, kon ik het wel schudden. Dat riep een andere, nog ergere gedachte op; Marguerite was er niet op uit om zich te settelen en een gezin te stichten – voor een man met bindingsangst was ze perfect. Ik voelde een enorme aandrang om James bij haar vandaan te trekken, maar zelfs ik (ondoordacht als ik ben) wist dat dat onbehoorlijk zou zijn.

'We zouden samen kunnen lunchen,' zei ze. 'Of iets drinken na het werk.'

Ik rolde met mijn ogen. 'Ik heb laatst je kleinzoons gezien,' mengde ik me in het gesprek. 'Ze zullen binnenkort al kunnen praten – wat zal het worden? Grandmère? Grootmama? Oma?'

'Ik heb geen idee. Ik heb er echt nog niet over nagedacht,' antwoordde Marguerite. 'Tessa, ik wil je een gunst vragen.'

Ik kneep mijn ogen samen. Wat voerde ze nu weer in haar schild?

'Zou je een beetje op Helen willen letten? Ik ben bang dat ze zich hier niet helemaal thuis voelt. Afgezien van een paar vrienden, hebben ze eigenlijk alleen topmensen uitgenodigd. Het is belangrijk voor Neil.'

'Kom nou, je hoeft je heus geen zorgen te maken,' zei ik. 'Helen hoeft geen woord te zeggen, de mensen verdringen zich om haar heen om met haar te praten.'

'Precies. Ik denk dat de mensen wat meer diepgang van haar verwachten,' zei Marguerite. 'Ik wil alleen maar zeggen dat ze misschien je steun kan gebruiken. Denk alsjeblieft na over mijn aanbod, James, en bel me volgende week,' zei ze voor ze zich omdraaide. De wreedheid lag in haar subtiliteit. Je kunt je verweren tegen regelrechte beledigingen; het is moeilijk als ze onderhuids zijn. We liepen verder de zaal door.

James keek me fronsend aan. 'Je schijnt een heel speciale relatie te hebben met Marguerite. Je weet toch dat ze de reputatie heeft iedereen te vernietigen die haar dwarsboomt?'

'Ze zou niet durven. Ik weet te veel.'

'En hoe komt dat als ik vragen mag?'

Ik haalde mijn schouders op. 'Ze is Helens moeder.'

'O, ik begrijp het.' Even was het stil.

'Vind je het erg als ik vraag wie Helen is? Het is alleen dat me een essentieel detail lijkt te ontgaan.'

'Neils vrouw,' zei ik verward.

'Is Neil getrouwd?' Het kwam er spontaan uit. Hij probeerde het te verdoezelen terwijl ik probeerde de intonatie in zijn stem te negeren. Maar ik wist wat de vraag betekende. Het betekende dat Neil zich niet gedroeg als een getrouwd man. Hij vertelde niet dat hij getrouwd was. En hij droeg geen trouwring omdat hij zei dat het hem verwijfd deed lijken. 'Ze hebben een tweeling. Mijn peetzoons.'

'Jezus, nog meer peetkinderen.'

Ik verbeeldde me dat meneer Kent een kruisje zette in de negatieve kolom.

Bijna vijf. 'Vier,' zei ik. Gek hoe de dingen kunnen veranderen. Vroeger was het een compliment als je een paar peetkinderen had. Het betekende dat je goede vrienden had; je werd boven anderen uitverkoren om te zorgen voor de belangrijkste mensen in hun leven; het betekende dat je uithoudingsvermogen had, dat je vrienden van je op aan konden. Op dit moment voelde het als een molensteen om mijn nek. Leproos. Outcast. Onbevrucht. Meelijwekkend, maar kon nuttig zijn in de toekomst – moest een baan hebben.

'O, ja,' zei James. 'Ik herinner het me weer. Tuurlijk. Stom.' Hij probeerde zijn bluf te verdoezelen. Ik had hem beslist niets verteld over mijn peetkinderen toen we onze speciale versie van dirty dancing ten beste gaven op de avond waarop Caspar zich bewusteloos dronk, en het maakte dat ik medelijden met hem kreeg. Het was niet zijn schuld dat Neil zijn vrouw geen enkel respect betoonde.

'Kom mee, dan zal ik je aan haar voorstellen. Ze is een van mijn oudste vriendinnen.' Ik wilde er niet aan denken Vanavond niet.

'Nog een ding, en dan zal ik het er niet meer over hebben.'

'Wat dan?' vroeg ik, misschien agressiever dan nodig was.

'Is het Cherie Booth?'

'Hè?'

'De rechter met wie je vrijt. Is het Cherie Booth?'

Ik gaf hem een knipoog.

Helen bevond zich in de ruimte voor de vips. De week die ze op het buiten had doorgebracht had zijn uitwerking niet gemist: ze zag er fenomenaal uit. Lenig en slank in een strakke zwarte jurk van Dolce & Gabbana die geen enkele bobbel vertoonde, laat staan de verzakte tweelinghuid die ze beweerde te hebben. Dat Helen iets meer dan vijf maanden geleden twee baby's van zes pond in haar buik had rondgedragen leek onmogelijk. Een week was niet lang genoeg om je te laten opereren en ervan te herstellen, toch? Nee, Helen was gewoon zo geboren. Ze ving mijn blik op en liep onmiddellijk naar het rode koord. Ze keek zo opgelucht dat ze me zag dat het me eraan herinnerde wat een tweesnijdend zwaard schoonheid was. Ze wilde er op haar best uitzien, maar haar best maakte haar praktisch ongenaakbaar. Ze omhelsde me stevig. Lang.

'Goddank dat je er bent. Kom erin.'

'Sorry, er is een lijst van genodigden,' zei een broodmagere vrouw met een klembord.

'Ik zal Neil even halen,' zei Helen.

'Doe geen moeite.'

'Geen probleem. Wacht hier even.' Helen kwam een paar minuten later terug, zenuwachtig en gegeneerd. Ik kon zien dat het gesprek met Neil niet goed verlopen was. Ik had zelf gezien hoe hij haar had laten wachten – hij had het te druk met zijn hofhouding. Hij had haar nauwelijks laten uitspreken, had naar mij gekeken en toen snel iets in het oor van zijn vrouw gefluisterd voordat hij zich weer omdraaide naar zijn gretige gehoor. Blijkbaar was ik niet belangrijk genoeg. Ik hielp Helen uit haar lijden.

'Ik kan niet. Ik heb Billy beloofd dat ik in de buurt van de deur zou blijven en ze kan elk moment hier zijn. We komen je later opzoeken.'

'Maar –'

'Het is goed. Jij werkt vanavond en intussen genieten wij van het feest. Niet eerlijk. Overigens, je ziet er fantastisch uit, dus ga terug naar die heilige ruimte en imponeer ze. Maar voor ik ga – dit is James Kent.' Het was niet mijn bedoeling het als een aankondiging te laten klinken. Dit is James Kent, de vader van mijn ongeboren kinderen. 'Hij kent je moeder,' voegde ik er snel aan toe om mijn hormonen te maskeren.

'Arme jij,' zei Helen.

'Hoe zijn de gedresseerde apen daar?' vroeg James.

'Ze vechten om in de schijnwerpers te staan.'

'Daarom worden ze apart gehouden. Channel 4 weet dat hun acteurs beter gezien dan gehoord kunnen worden. In het dagelijkse leven zijn het allemaal humeurige klootzakken.'

Ik hoopte dat hij niet te ver was gegaan. Helen werd onmiddellijk defensief als ze dacht dat Neil werd aangevallen, maar niet die avond. Die avond had ze munitie nodig.

'Daar heb je gelijk in,' zei ze glimlachend.

'Ik vind het prettig om kennis met je te maken. Neil is een gelukkig man.'

We draaiden ons om en wilden weggaan toen ik de gelukkige man zelf hoorde. 'James, James, jij staat op de lijst, jongen. Kom erin, dan haal ik een glas champagne voor je.' Hij keek fronsend naar Helen en mij. 'Zijn jullie beiden dan nooit uitgepraat? Tessa, het spijt me dat je er niet bij kunt komen. Als het aan mij lag...' Hij keek naar James. 'Maar je hoefde niet in de rij te staan, man.'

'Dat deed ik niet,' zei hij.

'Kom erbij, kom erbij.'

'Dank je, maar Tessa en ik gaan op zoek naar...' De pauze was bijna onmerkbaar. 'Billy. Maar het was me een groot genoegen om met je beeldschone vrouw te praten.' Verbeeldde ik het me, of legde James een ongewone nadruk op het woord 'vrouw'?

'Tessa is met jou?' Neil kon de ongelovige klank in zijn stem niet verbergen.

'Feitelijk liep ik met haar mee. Zie je straks. Hoop dat de serie een succes wordt.' Hij legde zijn arm om mijn schouders, draaide ons rond als een vogel in een koekoeksklok, en we liepen giechelend weg. Ik was niet van plan om te zeggen dat de man van mijn vriendin een klootzak was, en hij was niet van plan om te zeggen dat de man van mijn vriendin een klootzak was, maar ik wist dat we het allebei dachten. Ik vond het alleen jammer dat we Helen niet konden meenemen.

James werd een paar keer aangeklampt. De derde keer zag ik Nick en Francesca binnenkomen, dus maakte ik me uit de voeten en liep ze tegemoet. Pas toen ik nog geen halve meter van ze af was, besefte ik dat Ben en Sasha vlak achter hen aan kwamen. Ik voelde dat mijn voeten even dienst weigerden en dat bracht me zo in de war dat ik zenuwachtig om hen heen liep. En liever dan te riskeren Ben met een zoen te moeten begroeten, zoende ik ze geen van allen en hield me stuntelig op de achtergrond. Ik geloof niet dat iemand het merkte. Alle vier waren ze in een stralend humeur. Ik begreep dat beide stellen elkaar in een kroeg in de buurt hadden ontmoet, die ze beiden onafhankelijk van elkaar waren ingedoken voor een vlugge oppepper. Het waren er drie geworden. Ik lachte naar allemaal, maar probeerde niet naar Ben te kijken, met als gevolg dat ik natuurlijk naar hem keek, wat me weer het gevoel gaf dat ik staarde. Stom.

James was me gevolgd. Ik stelde hem voor aan mijn vrienden, maar het leek me nu minder leuk. Ik voelde me onpasselijk en liet ze in de steek met het aanbod de strijd aan te binden bij de bar. Mijn hart bonsde. Ik had echt gehoopt dat dit voorbij was. Ik voelde een koele hand rond mijn schouders. Ik draaide me om. Het was Sasha.

'Ik dacht dat je misschien wat hulp kon gebruiken.'

'Dank je.'

'Wie is dat stuk?'

'Ik heb hem net ontmoet aan de bar.'

'Ik heb Ben ontmoet aan een bar.'

Dat weet ik. Je hebt hem opgepikt. 'Niet doen. Je stimuleert mijn reeds overactieve fantasie. Ik probeer niet te bedenken welke kleur onze woonkamer moet hebben.'

We lachten. Maar het trieste was dat het gedeeltelijk waar was. Of geweest was, tot Ben en Sasha kwamen.

'Hm, hij lijkt me een goeie vent.'

De meesten van mijn vrienden wilden niets liever dan me gekoppeld zien en zwanger, maar Sasha hoorde daar gewoonlijk niet bij. Ze bewees me meer eer dan ik verdiende en geloofde dat ik in deze situatie verkeerde omdat ik dat zelf verkoos.

'Intelligent, geestig, welbespraakt, aantrekkelijk.'

'Er moet ergens een addertje onder het gras zitten,' zei ik.

'Misschien is hij getrouwd,' zei Sasha.

'Waarom zeg je dat?' vroeg ik balorig.

'Hij lijkt me goed getraind. O, Tessa, kijk niet zo verschrikt, ik maakte maar gekheid. Ik ken je regels, geen getrouwde mannen.'

En waarom? Omdat ik sinds mijn dertigste van verdomd veel getrouwde mannen een oneerbaar voorstel heb gehad. Maar mijn morele vaste grond begon aan te voelen als drijfzand. Ik besloot dat het beter was van onderwerp te veranderen.

'Hij had het over zijn moeder.'

'Ah,' zei Sasha. 'Dat zal het addertje zijn.'

We gingen terug naar de tafel met drankjes voor de gretige drankzuchtigen. Ik probeerde me te herinneren hoe ik normaal omging met mijn vrienden, maar ik kon het niet. Helen was er niet om mijn woede op te koelen en ik kon Ben niet de rug toekeren en een serieus en diepzinnig gesprek beginnen met iemand anders omdat we dicht op elkaar rond een klein tafeltje zaten en er geen serieuze, diepzinnige sfeer heerste. De vrouwen bewonderden de strakke kontjes van de jongemannen die de drankjes ronddeelden en de mannen probeerden zoveel mogelijk borsten te zien te krijgen. Ik vermoedde dat hun aperitiefjes dubbele drankjes waren geweest of dat ze langer in de pub waren blijven hangen dan ze van plan waren geweest. Francesca was opvallend schor. Ik was verrukt haar te zien in strakke jeans, hoge zwarte laarzen en een geribbelde zwarte polotrui – perfecte bohemien-chic. Nick zat haar vol adoratie aan te staren. Sasha zag er geweldig uit, zoals altijd, en Ben glimlachte ongedwongen naar me, praatte ongedwongen met me, dronk ongedwongen zijn bier. Speelde deze hele dramatische episode zich in mijn hoofd af en uitsluitend in mijn hoofd? Ik dronk nog meer bier en ging over op wodka. Iemand pakte mijn wangen beet en kneep erin. Het was Ben.

'Lach eens, poes,' zei hij.

Ik staarde hem aan.

'Wat is er?' Hij vroeg het zacht genoeg, maar iedereen draaide zich en wilde het antwoord horen.

'Niks.'

'Je kijkt zo bezorgd,' zei Ben.

Ik ben een stom, stom, stom wijf. 'Ik vroeg me af waar Billy blijft, ze had beloofd dat ze vanavond zou komen.'

'Ze komt wel,' zei hij en draaide zich weer om naar de tafel.

'Ik denk dat Tessa zich eigenlijk afvraagt waar die knappe James Kent is gebleven,' zei Nick.

'Dat doe ik niet.'

'Ik heb je zelden zo ingetogen gezien op een party, miss King. Heeft deze man vat op je gekregen?'

'Ik heb hem net ontmoet.'

'Aan de bar,' zei Sasha.

'Sasha heeft Ben aan een bar ontmoet,' zei Francesca giechelend.

DAT WEET IK.

'Dat heb ik haar verteld.'

'Could it be, yes it could,' neuriede Nick, klikkend met zijn vingers. Nick was een schat van een man, maar hij dronk bijna nooit, dus steeg het hem snel naar zijn hoofd.

'O, Tessa, laten we wat drinken om het te vieren,' zei Francesca. Feitelijk schreeuwde ze het.

'Er valt niks te vieren,' hield ik vol.

'Goed, laten we dan toch maar wat drinken.'

'Wat bezielt jou?' vroeg ik lachend.

'Ik ben een moeder die een dagje vrij heeft. Stoor me niet. O mijn god, hij kijkt weer hierheen, geloof ik!'

Sasha boog zich samenzweerderig naar voren. 'Hij wil natuurlijk weten waar je bent. Laten we hem eens testen,' zei ze – en zij wordt geacht de volwassene te zijn van het groepje.

'Hoe?' vroeg Nick enthousiast.

'Tessa moet opstaan en ergens naartoe gaan; we zullen zien of hij hierheen komt als ze weggaat.'

'Hij moet zien dat ze weggaat,' zei Nick. 'Anders heeft het geen zin.'

'Ja, sta op, en als Francesca je een teken geeft, doe je net of je naar de wc gaat.'

'Net doen of ik naar de wc ga?' vroeg ik verstrooid. Ik dacht dat alleen mijn toon al het overduidelijk zou maken dat ik niet van plan was hun spelletje mee te spelen.

'Wacht, wat is het teken?' vroeg Francesca, een beetje heen en weer zwaaiend.

Stel ik me ook zo stom aan als ik dronken ben? vroeg ik me af. Onmogelijk. Zo stom voelde ik me niet. Ik vond altijd dat ik ongelooflijk geestig was en bijzonder goed tegen drank kon.

'Een knipoog,' zei Nick.

'Te opvallend,' zei Sasha.

'Je hebt gelijk,' zei hij en keek een beetje ontmoedigd.

'Ik zeg "nu", maar heel zacht,' schreeuwde Francesca.

Iedereen knikte.

'Goed, sta op, Tessa, maar blijf staan tot Fran zegt –'

'Ik sta niet op.'

'Kom, het wordt interessant,' zei Sasha.

'Niet interessant, belachelijk.'

'Ach, kom, Tessa, geef ons braaf getrouwde mensen iets om over te praten.' Het was Nick die dat zei, en ik weet dat hij er niets mee bedoelde omdat die man geen greintje kwaad in zijn lijf heeft, maar echt, wat dachten ze dat ik was – een gedresseerde zeehond? Ik voelde een onzichtbare rode bal op mijn neus balanceren en kreeg een onweerstaanbare aandrang om mijn hoofd achterover te gooien en luid te blaffen in de hoop dat ze me de kop van een makreel als beloning zouden toegooien. Ik stond op. Ik was er niet voor hun amusement.

'Zo ken ik je weer,' zei Nick.

'Ik laat jullie alleen omdat jullie je belachelijk aanstellen, en ik heb een paar shots nodig van iets sterks voor ik een van jullie ook maar enigszins leuk –'

'NU,' schreeuwde Francesca, en iedereen keek in de richting van James Kent, die tot mijn opperste verbazing naar onze tafel kwam.

Ik draaide me om naar Francesca en voelde dat ik een kleur kreeg. 'Subtiel, hoor,' zei ik.

'Sorry.'

'Plan B?'

'Doe net of je wilt telefoneren om deze herrie te ontvluchten,' zei Sasha, die een paar van haar beroemde hersencellen had weten op te sporen.

'Ik wil jullie wél zeggen,' zei ik, terwijl ik mijn telefoon uit mijn tas haalde, 'dat ik jullie haat, jullie allemaal.' Ik keek naar mijn mobiel. Drie gemiste oproepen. Allemaal van Billy. Goddank, een acceptabele reden om als een zoutpilaar te blijven staan. Ik begon verwoed een nummer in te toetsen. Ik zag dat Fran haar ogen opensperde dus wist ik dat James achter me stond. Ik draaide me om.

'Komt de pompoen al voorrijden?' vroeg James.

'Ik ga niet weg, ik moet alleen even telefoneren.'

'Er is niemand in de hal,' zei hij, en pakte mijn arm beet. Vier paar ogen volgden ons toen we wegliepen. Ik keek achterom. Iedereen lachte. Nou ja, Nick, Fran en Sasha lachten. Ben niet. Na irritant hun duim te hebben opgestoken kropen ze weer bij elkaar om zichzelf geluk te wensen. Maar Ben bleef me aankijken. Ik raakte gevangen in zijn starende blik. Zelfs toen James me de deur door naar de ingang bracht, bleven Bens ogen op me gericht en die van mij op hem.

De dubbele deur zwaaide weer dicht en verzwolg het lawaai van de party, en daarmee verdwenen die starende diepblauwe ogen uit het zicht. Het trappenhuis was een verademing na het gewoel in de zaal. Mijn oren suisden terwijl ze zich aanpasten aan het geringe aantal decibellen, mijn longen genoten dankbaar van de rookvrije lucht. De rust was van korte duur. Boven, op straatniveau, heerste een hevig tumult. Een brede rij gezichten vulde het trottoir, heen en weer lopend en turend of iemand in het gebouw hen naar binnen kon loodsen.

'Shit,' zei ik. 'Het lukt haar nooit om binnen te komen.'

'Misschien kan ik helpen,' zei James. 'Vraag of ze in de rij staat.'

Ik toetste Billy's nummer in.

'Het spijt me vreselijk,' zei ze onmiddellijk.

'Wat spijt je?'

'Ik was te laat. De rij loopt helemaal om het blok heen, ik wilde net weggaan...'

'Waag het niet! Kom naar de ingang.'

'Maar —'

'Kom nou maar naar voren. Ik sta bij de deur.'

'Het lukt je nooit; er staat iemand van de tv achter me. Er zijn te veel mensen binnen, zeggen ze.'

'Dat zeggen ze altijd. Loop naar het begin van de rij. Blijf aan de telefoon.' Ik keek naar James. 'Weet je zeker dat het je lukt? Ik kan Neil gaan halen, het kan me niet schelen wat hij zegt.'

'Vertrouw me maar,' zei hij. 'Het lukt heus wel. Ze is alleen, hè?'

Ik legde de telefoon weer tegen mijn oor. 'Je bent toch alleen?'

'Eh, dat wil zeggen...'

'Heb je iemand meegebracht?' Ik was verrukt, ondanks de problemen die het kon veroorzaken.

'Ik dacht niet dat twee een probleem zou zijn en...'

'Het doet er niet toe. Het is oké.'

Ik maakte een grimas en stak twee vingers op naar James, twee vriendelijke vingers.

'O, ik kan je zien,' zei Billy. Ik wees James waar Billy stond en besloot het aan hem over te laten. Voor het geval het niet zou lukken. Ik wilde na Helen niet ook hem nog in verlegenheid brengen. Ik keek uit de verte toe, probeerde te zien wie van de mannen die zich tegen Billy aandrukten de date van mijn date was. De menigte, die voelde dat het rode koord iets omhoogging, drong naar voren. Ik zag Billy met een sprong naar me toe komen. Ik zag James' hand zich naar haar uitstrekken, en ik zag haar door de menselijke barrière van gespierde uitsmijters heen triomfantelijk in de koele vestibule arriveren. James Kent was een magiër. Billy raakte weer verloren in een groep mensen die stonden te wachten om hun jas af te geven. James kwam terug.

'Hoe heb je dat in vredesnaam voor elkaar gekregen?'

'De uitsmijter is een acteur.'

'Een goeie?'

'Nee. Maar hij komt maandagmiddag op mijn kantoor.'

'Ik ben je wat verschuldigd.'

'En ik kom incasseren.'

Billy had haar jas afgegeven en kwam naar ons toe. Ze glimlachte schaapachtig. 'Het spijt me dat ik zo laat ben.'

'Geeft niet. Wie heb je meegenomen?'

Ze wilde juist antwoord geven toen ik mijn naam hoorde galmen door de stenen hal. Achter Billy sprong een verschijning in groen fluweel naar voren, immuun voor de starende blikken en verbluffte stilte die haar hoge stem had veroorzaakt bij de andere gasten die even aan het lawaai wilden ontsnappen en wat rust zochten.

'PEETMAMMIE TEEEEEEEE!' Elke voetballer zou trots zijn geweest op Cora's snelle run tussen deze hoeveelheid benen door. Met een korte verwijtende blik naar Billy, hurkte ik neer en spreidde zoals gewoonlijk mijn armen uit en bereidde me voor op wat kwam. Ze droeg de lange groene ballerinarok en het kleine groenfluwelen jasje dat ik haar voor Kerstmis had gegeven wat haar nog meer op een kleine kabouter deed lijken. 'Wat een verrassing jou hier te zien, kleintje,' zei ik, haar subtiele geur inademend.

'Je komt altijd op mijn feesten,' zei Cora.

Dat was waar. Ik had er nooit een overgeslagen. Er was een periode in Cora's leven waarin we dachten dat ze misschien niet één verjaardag zou halen, dus leek het heiligschennis een ervan te missen.

'Mammie had zich vergist in de dag en had Magda gevraagd om morgen te komen. Magda had voor vanavond kaartjes voor het optreden van een band en kon dat niet overslaan. Maar zeg niet dat ik het je heb verteld, want ze denkt dat jullie allemaal denken dat ze incontinent is, maar het was gewoon een vergissing.'

Ik klemde mijn kaken op elkaar om mijn lach te bedwingen. Dit was Cora ten voeten uit – vol wijsheid en door elkaar gehaalde woorden.

Billy verscheen achter Cora; haar lange haar was gewassen en zweefde in lange vlechten achter haar aan. Als ze gestrest is, kun je de nerveuze energie met supersnelheid door haar heen zien trekken. Als ze ontspannen is, ziet ze eruit of ze zou kunnen vliegen. Die avond was ze op supersnelheid.

'O, hemel, het spijt me – zo laat. Magda had kou gevat en ik wilde jullie zo graag zien en dus stelde Cora voor haar mooie jurk aan te trekken, en zijn we dus allebei gekomen.'

Dat laatste was waar, dat wist ik.

Achteraf gezien had ik er misschien iets te veel bij Billy op aangedrongen, als ze dacht dat een zevenjarig kind meenemen naar een overvolle, rokerige, met coke bezwangerde mediaparty beter was dan mij bellen en zeggen dat ze niet kon komen. Met een brede glimlach keek ik naar Cora en toen naar Billy. 'Fantastisch idee. Jullie zien er allebei beeldig uit.'

Cora straalde.

James kwam naar ons toe. 'Ik denk dat je wel iets zult willen drinken na die ervaring. Ik ga naar de bar, kan ik iets voor je halen?'

Hij sprak tegen Billy. Ze keek verward, dus stelde ik hen aan elkaar voor. Billy is er niet aan gewend om te praten met mensen die ze niet kent. Ik denk dat ze denkt dat ze onzichtbaar is.

'Wat zou je zeggen van champagne?' vroeg ik, terwijl ik mijn creditcard tevoorschijn haalde. 'Om je te bedanken voor de wonderbaarlijke stunt die je zojuist hebt uitgehaald.'

'Stop die weg,' zei James, zo vastberaden dat ik gehoorzaamde.

'En wat kan ik voor jou halen, Cora?' vroeg James.

Cora straalde weer. 'Ananassap alstublieft.'

'Cora, lieverd, misschien dat ze dat niet –'

James viel me in de rede. 'Dit is een vijfsterrenclub. Als ze geen ananassap hebben, verdienen ze hun sterren niet.'

'Er zit een meisje in mijn klas dat sterren krijgt die ze niet verdient,' zei Cora ernstig. 'Dus dat gebeurt wel eens, denk ik.'

'Je hebt gelijk,' zei James. 'Maar al te vaak.'

Cora knikte instemmend en fronste haar wenkbrauwen. 'Anders appelsap, appel horen ze te hebben.'

'Het is een mierenhoop daar,' zei ik tegen Billy.

'We blijven niet lang.'

'Het spijt me,' zei ik. 'Vond je het een nachtmerrie om de stad in te gaan?'

'Eerlijk gezegd vond ik het erg leuk om ons samen op te tutten,' zei ze, de vraag ontwijkend hoe ze Cora op een zaterdagavond de metro in had gesleept. 'We hebben in ons ondergoed door de kamer gedanst en High Five-liedjes gezongen. De nieuwe Abba.'

Ik gaf Billy een arm en pakte Cora's hand vast. 'Herinner je je nog de uren die we nodig hadden om ons te kleden zodat we er net zo uit zouden zien als iedereen?'

'En we dronken wijn uit mokken.'

'Of uit de fles, als we niet hadden afgewassen.'

'Dat is lang geleden,' zei Billy.

'Zeg dat niet, ik heb het gevoel dat het gisteren was.'

'In jouw geval was het dat waarschijnlijk ook.'

Ik gaf haar een por in haar ribben. We waren bij de dubbele deur. 'Klaar?'

Billy en Cora knikten. We duwden de deur open en liepen tegen een muur van geluid op. Ik baande me duwend en dringend en worstelend een weg naar onze tafel. Iedereen was verrukt Cora te zien en ze ging onmiddellijk als een trofee van hand tot hand, tot ze zich eindelijk installeerde op Bens knie. Ben is haar lieveling. Kon ook moeilijk anders, ze kent hem het best. We zijn heel vaak de surrogaatouders als Billy even behoefte heeft aan wat rust en Sasha er niet is.

'Waar zijn de mieren?' vroeg Cora.

'De wát?'

'De mieren van de mierenhoop?'

Iedereen lachte. Behalve ik. Ik staarde naar Cora, die met Bens oor speelde. En vroeg me af hoe lang ik al het kind van een ander leende om te spelen met de man van een ander en mezelf wijsmaakte dat het normaal was.

'Waar zijn Helen en Neil?' vroeg Francesca.

James Kent kwam met twee flessen champagne en zeven glazen. Ik sprong op. 'Ik zal haar gaan zoeken,' zei ik. 'En haar meeslepen om iets met ons te komen drinken.'

Ik ging terug naar de vipbar en liep naar de uitgemergelde vrouw. Ze wendde haar ogen af, dus maakte ik mijn bedoelingen heel duidelijk.

'Ik wil niet binnenkomen, ik hoopte alleen dat mijn vriendin Helen Zhao even naar buiten kon komen om iets met ons te drinken.'

'Ze is er niet.'

Ik keek haar fronsend aan.

'Ik weet het zeker,' zei de vrouw. 'Er was ruzie.'

'Ruzie?' vroeg ik verward.

'Ze heeft wat te veel gedronken. Waarschijnlijk vindt u haar wel in een van de wc's.'

'De vrouw van Neil Williams. Weet u het zeker?'

'Ja, zijn vrouw. Nogal pijnlijk voor hem, moet ik zeggen.'

Ik ergerde me verschrikkelijk aan haar ongepaste familiariteit, vreesde wat de reden daarvan kon zijn, maar maakte me vooral ongerust over Helen. 'Ze heeft net een tweeling gehad,' zei ik, al wist ik eigenlijk niet waarom.

De vrouw haalde haar schouders op. Het kon nietszeggende bedoeld zijn, maar mij leek het meer 'Stom van haar', of erger nog 'Wat verwacht je dan?' Plotseling voelde ik iets voor Helen wat ik nooit eerder gevoeld had. Geen wonder dat ze te veel gedronken had in die verraderlijke ruimte; ze moest zich beschermen tegen de anorexische feeks tegenover me, en de rest van haar soort. Ik vind weinig dingen in het leven zo verwerpelijk als het verbreken van de *sisterhood*.

Ik liet haar staan achter het koord en liep naar de wc's. Er waren er acht. Unisex, geen teken of ze bezet waren en geen rij. Het was daarom onmogelijk te zien in welke daarvan Helen zich zou kunnen bevinden. Ik begon eromheen te lopen, boog bij de geringste beweging mijn hoofd naar achteren en naar voren. In gedachten stelde ik ze op als slagschepen en streepte ze af als ik mannen en vrouwen eruit zag komen, meestal in paren.

Na een minuut of tien waren er nog twee die geen teken van leven vertoonden. Ik was eens een heel huwelijksfeest misgelopen omdat ik bewusteloos was geraakt in een draagbaar toilet, dus ik wist dat het mogelijk was. Ik liep naar de eerste. Ik klopte zachtjes op de deur. Geen antwoord. Ik boog me er dichter naar toe en riep Helens naam toen ik een geluid hoorde dat klonk als kokhalzen.

'Helen? Gaat het goed met je?' riep ik luid genoeg om een paar mensen in mijn buurt te doen opkijken.

Het kokhalzen stopte. Mijn ervaring is dat kotsen niet stopt op commando.

'Sorry,' zei ik tegen de witte plastic deur en liep weg toen het kokhalzen weer begon. Ik dook weg tot de mensen wier aandacht ik had getrokken weg waren. Vijf minuten later ging de deur van het kokhalzen open en een man en een vrouw kwamen naar buiten, liepen naar de trap en gingen zonder een woord te zeggen uiteen. Lag het aan mij of begon de sfeer te verharden?

Ik liep naar de laatste wc die nog geen activiteit had getoond. Gelukkig was het de wc die het verst van de trap vandaan was en de deur was tegenover de muur. Ik klopte herhaaldelijk, maar kreeg geen antwoord.

Ik boog me ernaartoe. Ik hoorde geen kokhalzen of grommen, maar wel iéts. Het klonk mechanisch. Een pulserend, mechanisch geluid, alsof daarbinnen iets niet goed functioneerde. Ik keek of ik een bordje Defect zag, maar dat was er niet. Toen hoorde ik een menselijk geluid. Een gesnik. Als ik eraan terugdenk klonk het meer als janken, meer dierlijk dan menselijk, maar het was vrouwelijk.

'Helen?' zei ik nadrukkelijker. 'Ik ben het, Tessa. Laat me erin.'

Geen antwoord.

'Goed dan,' zei ik luid. 'Ik ga iemand halen om de deur open te maken.'

'Nee!' was de onmiddellijke reactie.

'Laat me er dan nu in. Er is niemand in de buurt, niemand kan –'

De deur ging op een kier open.

'Ik zie je.' Ik trok de deur verder open, keek nog even vluchtig om me heen of niemand me zag, en liep toen de wc in.

Helen staarde me aan vanaf de wc-bril. Haar zwarte oogmake-up was uitgelopen over haar gezicht. In haar linker neusgat zat snot. Haar onderlip hing omlaag als die van een bokser na een gevecht. Haar blote schouders waren naar voren gebogen. Haar jurk hing rond haar middel, haar bovenlichaam was halfnaakt. Op elke kleine borst zat een doorzichtige plastic kegel die trok aan het niet meegevende vlees. Het geluid dat ik had gehoord was zuigen. Onder aan elke kegel zaten twee doorzichtige buisjes die bijeenkwamen in een derde, zoals een stethoscoop, in de buurt van haar navel. Dat ene buisje liep in een plastic fles die Helen zo stevig vasthield dat de knokkels van haar hand wit zagen. Ze leek ongevoelig te zijn voor de herhaalde ruk aan haar borsten. Ik wrikte het apparaat uit haar hand, vond de schakelaar en zette het uit. Eén kegel viel met een plof van Helens borst. De huid hing los en leeg over haar ribbenkast. Haar tepel was paars en gewollen. Voorzichtig trok ik de tweede kegel los. Op dat moment zag ik de kleine plekjes bloed op Helens tepel. Ik keek naar de fles in mijn hand. In de paar druppels dun grijs vocht onder in de fles drupte bloed omlaag.

Helen bood geen weerstand toen ik haar jurk omhoogtrok en haar dunne armen door de bandjes stak. Ze deed geen poging om te helpen toen ik worstelde om de bandjes weer op hun plaats te krijgen op haar benige schouders, maar haar ogen wendden zich geen moment van me af. Ik legde mijn handen om haar hoofd en trok haar naar me toe en hield haar zwijgend tegen mijn buik, wachtend tot ze bij zou komen uit haar trance. Eindelijk sprak ze.

'Ik bederf je mooie jurk,' zei Helen.

'Die jurk kan me geen flikker schelen,' antwoordde ik. 'Wat is er gebeurd?'

'Ik wilde alleen wat plezier hebben, net als vroeger.'

'Hoeveel heb je gedronken?'

'Ik heb niet gedronken,' zei Helen nadrukkelijk.

'Het is niet erg dat je wat gedronken hebt, Helen, niemand zal je dat kwalijk nemen.'

'Ik kan niet drinken. Ik geef nog steeds borstvoeding.'

'Waarom verstop je je hier dan? Daarmee?' Ik wees naar het apparaat dat roerloos in het fonteintje lag. Helen keek even naar de elektrische borstpomp en toen weer naar mij.

'Tessa?'

'Ja?'

'Denk je dat hij van me houdt?'

Van iemand met professionele oogkleppen op, had ik het moeten zien aankomen. Maar nee. Ik raakte in paniek. 'Kom, Helen, we brengen je naar huis.'

'Ik kan daar niet meer terug.'

'Goed, ik heb een plan.' Ik sms'te een alarmbericht naar Billy, terwijl ik Helen tegen me aangedrukt hield. Toen bukte ik me en streek Helens haar uit haar gezicht. Wat vochtig wc-papier en professionele camouflage kan veel verhelpen, en na een leven van puistjes en vlekjes was ik een meesteres in dat werk. Helen had een donkerdere huid dan ik, dus zag ze een beetje bleek toen ik klaar was, maar in ieder geval leek ze niet langer krankzinnig. Er werd op de deur geklopt. Helen schrok op.

'Zeg het niet tegen Neil,' zei ze.

'Wát zeggen?'

Helen gaf geen antwoord. Ik deed de deur van het slot. Billy stond klaar met onze jassen. Ze gaf me mijn jas aan door de kier van de deur. Terwijl ik Helen in mijn jas hielp, keek ze me ongerust aan. 'Ik heb geprobeerd een goede moeder en echtgenote te zijn, waarom is het zo moeilijk, waarom kan ik het niet?'

Ik voelde de hysterie in haar opkomen. De hysterie die haar in een plastic hokje had gedwongen en haar make-up had doen uitlopen. De hysterie die haar gebroken, willoos en uitgeput had achtergelaten. Ik trok haar overeind.

'Je moet hier weg. We regelen alles wel als we thuis zijn.' Wie verbeeldde ik me eigenlijk dat ik was om zulke veelbelovende uitspraken te doen? Het was veelzeggend dat ik werkelijk meende met louter wilskracht alles beter te kunnen maken voor iedereen. Ook voor mijzelf.

De party verkeerde al in het derde stadium toen we de wc verlieten. Ik pakte de borstpomp op en sloeg mijn andere arm om Helen heen. Niemand knipperde met zijn ogen toen ze twee vrouwen uit de wc zagen komen, in de armen vallen van een derde en wankelend de trap aflopen. We gaven Helen ieder een arm en troonden haar als een beroemdheid de zaal uit. Bij de deur stond Francesca te wachten met Cora. Cora gaf haar moeder een hand en met ons vieren liepen we naar de uitgang.

'Moeten we James Kent niet goedendag zeggen?' fluisterde Francesca in mijn oor.

Ik keek haar fronsend aan. Niet nu. Er waren belangrijkere dingen om ons zorgen over te maken.

Leugens

Het was kwart voor twaalf toen ik met Helen in een taxi stapte. Omdat Helen en Billy elk aan een andere kant van de stad woonden, gaf ik Billy voldoende geld om met Cora een taxi naar huis te kunnen nemen.

Een paar minuten nadat de taxi was weggereden, herinnerde Helen zich dat ze geen sleutels bij zich had. Ik nam aan dat Rose ons wel binnen zou laten, maar Helen stond erop dat we terug zouden gaan en ik haar tas uit de vipbar zou halen. Ik vond het nogal zinloos, maar Helen was te gespannen om haar tegen te spreken, dus vroeg ik de chauffeur om te draaien en terug te rijden. Als we dat niet hadden gedaan, had ik Billy niet bij de bushalte zien zitten, met Cora als een extreem grote kat slapend op haar schoot. Billy zag ons niet voorbijkomen, waar ik blij om was.

Ik vond Helens tas vrij gemakkelijk, maar ik kon Neil nog maar net ontwijken door weg te duiken op de dansvloer. Daar gaven Ben en Sasha voor zo'n oud echtpaar een heel aardig staaltje dirty dancing weg. Ik bleef stokstijf staan tussen de golvende massa lichamen die ik zag ronddraaien, swingen, knuffelen, lachen en lachen en lachen. Heel even keek Sasha me recht in het gezicht, toen zwaaide Ben haar weer ondersteboven. Ze keek niet meer om. Ik moest daar weg.

Toen ik me door de mensenmassa terug had geworsteld naar de taxi was de meter alweer vijf pond hoger geklommen en waren Billy en Cora in de bus gestapt en verdwenen. Ik nam Helen in mijn armen en hield haar stevig vast terwijl we in de zaterdagavonddrukte door de straten van swingend Londen reden. Op haar schoot lag de inactieve borstpomp. Ze liet het lege plastic buisje als een rozenkrans door haar vingers glijden.

Toen ik Helen, volledig gekleed, in bed had gestopt, besloot ik even bij de tweeling te gaan kijken. Toen ik op de bovenste verdieping kwam, stapte Rose uit de schaduw tevoorschijn op de overloop, en ik schrok zo hevig dat ik bijna de trap afviel. Ze keek me achterdochtig aan, wat ik niet onbegrijpelijk vond, als je bedacht dat ik midden in de nacht in het donker door het huis sloop.

'Verdomme, Rose, ik schrik me een ongeluk. Ik ben het, Tessa. Ik heb Helen net thuisgebracht,' fluisterde ik.

'Wat is er gebeurd?'

'Ik denk dat ze iets gedronken had, al is ze er kennelijk niet aan gewend. Ze is er niet best aan toe.'

'Hoeveel?'

'Weet ik niet. Ze ontkent het.'

Ze knikte, wat mij het gevoel gaf dat ze me van top tot teen opnam. Ik realiseerde me dat het midden in de nacht was en dat ze waarschijnlijk al wakker was gemaakt door de tweeling, maar ze toonde niet veel medeleven. Wat ik in die wc gezien had was een vrouw die heel erg overstuur was. Misschien was Helen zenuwachtig geworden, had ze te veel gedronken en zich toen schuldig gevoeld ten opzichte van de tweeling, en wilde ze niet dat Neil het zou weten. Maar misschien was het ernstiger dan dat.

'Gaat het goed met de tweeling? Hebben ze honger?' vroeg ik.

'Ze slapen. Ze moet ze niet storen.'

'Dat ben ik met je eens. We moeten haar zo lang mogelijk laten slapen. Je zult de kinderen een flesje moeten geven als ze wakker worden. Heb je flesvoeding?'

Verbeeldde ik het me, of keek Rose me fronsend aan? Was ze ook een borst-is-best goeroe? Sinds wanneer werd flesvoeding zo geminacht? Rose draaide zich om en ging terug naar haar kamer. Ik wist niet zeker in welke kamer de kinderen sliepen, omdat Helen ze altijd in haar eentje boven wilde voeden. De kamer was ook boven in het huis, en ik had nooit voldoende aandacht opgebracht voor de belachelijk dure handgemaakte wiegen in de naar een bepaald thema perfect ingerichte kinderkamer van Dragons of Walton Street om vier verdiepingen te trotseren. Bovendien, omdat de kinderen altijd gepoederd en schoon in identieke reiswiegen beneden werden gebracht, leek het onnodig. Helen zei dat ze fit bleef door het trap op, trap af hollen naar de kinderkamer. Ik werd al moe als ik er maar naar keek. Caspar sliep de eerste zes maanden van zijn leven op een babymatrasje in het bad omdat Nick en Fran in een eenkamerflat woonden. Cora lag in het ziekenhuis, maar toen ze naar haar kamer verhuisde, kende ik die van A tot Z. Ik wist waar alles was opgeborgen. De slofjes. De slabben. De luiers. Ik liep de trap weer af, me bewust van de vier deuren vóór me. Ik wist niet achter welke mijn peetkinderen sliepen, en of ze zelfs wel bij elkaar sliepen.

Ik liep naar Neils drankkast en schonk whisky in een kristallen tumbler die te groot was om hem met mijn hand te kunnen omvatten. Ik tilde het deksel van de ijsemmer op in de verwachting niets te zullen vinden, maar werd verwelkomd door vers ijs. Dus dat was wat fulltime, inwonend personeel betekende – verse ijsblokjes en, als Marguerite gelijk had, niet meer dan een vluchtige kennis van je kinderen. Ik mikte een paar blokjes in de whisky en plofte neer op een van de drie reusachtige crèmekleurige banken. Wacht maar tot de kleurkrijtperiode, dacht ik, en smeltende ijslollies, en Marmite-soldaatjes, en Play-doh... maar ik zette die gedachte van me af. Al die beelden waren van een gelukkig thuis en iets in dit huis voelde niet erg gelukkig. Ik trok mijn voeten onder me. Was ik werkelijk zo betrokken geweest bij wat er gaande was op het werk dat ik geen aandacht had gehad voor Helen, of was het iets anders? Iets minder aangenaams – en ik begon de nare smaak ervan al te proeven. Ik was jaloers. Daarom had ik niet geluisterd naar Helens klachten over aambeien, kortademigheid, zwangerschapsstrepen en maagzuur. Bij afwezigheid van een fatsoenlijk rolmodel, maakte Helen zich ongerust of ze wel een goede moeder was. Ik deed die angst met een nonchalant gebaar af. Als Neil naar haar keek en zei dat ze op een olifant leek, lachte ik omdat het niet waar was. Ze zag er tot aan de bevalling prachtig uit. Maar Helen had het waarschijnlijk serieus opgevat. Ik had een onzichtbaar krachtveld geschapen tussen Helen en mijzelf. Ik had haar toenaderingspogingen afgewimpeld. Waarom? Omdat ze me in de steek had gelaten. Mijn vrolijke, feestende, roekeloze, alle voorzichtigheid overboord gooiende speelkameraadje had me in de steek gelaten. En ik liet haar ervoor boeten. Het was erger dan pure jaloezie, omdat ik jaloers was op iets dat ik zelf niet eens zou willen.

Ik kon Neil niet uitstaan. Ik wist dat Helen een liefdeloze jeugd had gehad en dat het geld dat ze van haar vader had geërfd het nooit zou kunnen goedmaken. Ik wist dat ze onzeker was, geen zelfvertrouwen had, gekooid was door haar eigen schoonheid, en diep gekwetst kon raken door mensen die haar op geen enkele wijze hoorden te beïnvloeden. Dus onder de jaloezie school woede. Ik dacht dat ik kwaad was op haar omdat ze zichzelf te kort deed, maar feitelijk was ik kwaad op mijzelf omdat ik me op de een of andere manier aangetrokken voelde tot het idee van mezelf te kort doen. Het probleem was dat ik zelfs dat niet voor elkaar scheen te krijgen. Ik zette het lege glas op de bijzettafel en krabbelde overeind van de bank. Het was twee uur in de ochtend. Ik sleepte me de trap op en vond een lege logeerkamer, kleedde me uit, plofte neer in het luxueuze, verende bed en viel onmiddellijk in slaap.

Ik wist niet of ik wakker was geworden door de geur van rook, of het aanhoudende gebons dat door de vloer heen resoneerde in mijn ribben. Met tegenzin opende ik mijn ogen en nam mijn omgeving in me op. Het ochtendgloren omlijstte de zware gordijnen. Ik ging rechtop zitten, knipte de bedlamp aan en keek op mijn horloge. Ik sloeg de ochtendjas van wafelstof die aan de deur van de aangrenzende badkamer hing om me heen en liep de gang in. Ik hoorde een geluid boven me. Rose boog zich over de trapleuning en tuurde de trap af. Toen ze mij zag, schudde ze haar hoofd en liep terug.

Ik begon aan de afdaling. Twee meisjes zaten diep in gesprek op de onderste tree en zwaaiden met hun sigaretten.

'Neem me niet kwalijk,' zei ik toen ik tussen hen doorliep. Ze lieten zich niet storen. 'Zouden jullie niet eens een asbak gaan halen,' zei ik, wijzend naar de lange boog as die aan de sigaret hing. Ik had ze net zo goed om een nier kunnen vragen. Ik volgde het geluid van de bas in de zitkamer waar ik een paar uur geleden nog weemoedig een whisky had zitten drinken. Vijf mensen zaten rond de lage glazen tafel. Er stonden allerlei open flessen op de tafel, elke asbak puilde uit van de peuken, waarvan sommige nog smeulden. Ze moesten er zeker al een paar uur zijn. Neil stond bij de hypermoderne stereo met de afstandsbediening in de hand, danste wild op de plaats, schudde zijn hoofd heen en weer, met zijn gezicht naar de muur.

'Vind je het erg om dat wat zachter te zetten?' zei ik tegen Neil. 'Je maakt de baby's wakker.'

'Jezus, ik schrik me wild!' riep Neil uit terwijl hij zich omdraaide. 'O, god, ik dacht dat je het kindermeisje was. Kom erbij zitten, drink wat. Vond je het een leuke party?'

Ik droeg een kamerjas, maar dat scheen niet tot Neil door te dringen.

'Kun je alsjeblieft die muziek zacht zetten? Helen is bekaf en ik wil niet dat ze wakker wordt.'

'Sinds wanneer ben jij zo'n saaie piet geworden, Sasha?' zei Neil. Hij zag eruit als een koe die staat te herkauwen. Zijn kaak bleef voortdurend in beweging.

'Tessa,' verbeterde ik hem.

'O, verrek, sorry, ik haal jullie altijd door elkaar. Jullie lijken verdomd veel op elkaar, weet je dat? Heb je dat weleens bedacht?' Neil wist niet wat hij zei. Hij had verbale diarree. Lulde maar wat. 'Kom, neem een drankje. Jij was altijd al avontuurlijker dan Helen. Ik hield van je spirit. In het begin dacht ik dat je een loser was, maar ik bewonder je. Je bent zo onafhankelijk, ik wou dat mijn vrouw zo was.' Ik wilde dat hij zijn mond hield. Ik schudde zijn zware, bezwete arm van me af.

'Ze moet eens goed kunnen uitslapen. Het is zes uur in de ochtend. Is het geen tijd dat iedereen naar huis gaat?'

Ik keek naar de mensen rond de tafel. Het was een beroerd uitziend stelletje. Cocaïne is slecht voor de huid. Ze staarden me aan met grote, verwijde pupillen.

'We zijn er net,' zei Neil.

De meisjes van de trap kwamen binnen. 'Is er nog coke?' vroeg een van hen.

Neil haalde een pakje uit zijn zak en gooide het op tafel. Twee mannen doken erop af. Ik wist dat ik een verloren strijd streed; niemand zou naar me luisteren, dus draaide ik stiekem het geluid van de stereo zacht, trok me terug en deed de deuren achter me dicht. Terwijl ik de trap weer opliep naar mijn kamer, vroeg ik me af of dit eenmalig was of niet. Ik wist dat Neil vaak de hort opging; ik wist niet dat hij er een gewoonte van had gemaakt de club mee naar huis te nemen. Ik stapte weer in bed. Een halfuur of zo later hoorde ik de muziek weer. Hij dreunde tot acht uur door in mijn bewustzijn. Ten slotte stond ik op, nam een bad, trok mijn feestjurk aan en na voorzichtig Helens deur op een kier te hebben geopend om te zien of ze nog sliep, ging ik naar boven om de kinderkamer te zoeken.

Gelukkig was het de eerste deur die ik opendeed. De kinderkamer was precies zoals ik verwacht had: een tempel voor geprivilegieerd ouderschap. Alles was er. Handbeschilderde wiegen met nogal meisjesachtige gordijnen. Vloerkleedjes met figuren van Beatrix Potter. Muziekdozen die Mozart speelden. Apparaten die lichten projecteerden op het plafond.

Apparaten die de temperatuur en vochtigheidsgraad van de kamer aangaven. Er stonden een stoel en bijpassende kruk in een blauwe gingham ruit voor het voeden van de kinderen. En verder was er van alles twee. Kinderstoelen. Commodes. Boxen. Po's. Nog meer Beatrix Potter-figuren, boven de plint gesjabloneerd, compleet met de woorden van miss Tiggywinkle. Een aankomend kunstenaar had op het plafond een blauwe lucht geschilderd met donzige witte wolken, in sommige waarvan engeltjes met ronde billetjes glimlachend omlaagkeken. Ik wist niet zeker of de combinatie Renaissance en Potter wel zo goed werkte, maar nou ja, het was niet mijn nageslacht dat in de war werd gebracht.

Er waren twee ingebouwde garderobekasten. In een ervan hing een collectie designer labels die een volwassen vrouw de tranen in de ogen zou brengen, behalve dat zelfs de kleinste en magerste vrouw zich niet in die piepkleine ensembles had kunnen persen. Achter de andere kastdeur zag ik een magnetron, een elektrische ketel, een koelkast/vriezer en verder alle accessoires die ik ooit op de babyafdeling van John Lewis had gezien, en andere die ik nog nooit had gezien. Helen nam geen risico. Ik maakte de vriezer open en werd geconfronteerd met rijen miniatuur zakjes – een stationair leger van gekolfde melk gereed voor gebruik. Ik herinnerde me het tweekoppige monster dat aan Helens vroeger zo opmerkelijk fraaie borsten knaagde. Ik keek om me heen in de lichte, luchtige kamer, verbijsterd over alles wat je kon verzamelen als je geld had en de neiging alles te kopen, en dacht weer aan de kinderkamer van baby Caspar. Een babymatrasje in het bad. Die van Cora was de life-support unit in het St Mary's Hospital. In beide gevallen had ik hun moeders nooit zo overstuur, gedesoriënteerd en slonzig gezien als Helen gisteravond. Ik trok de deur achter me dicht. De kinderkamer bevatte alles wat een aanstaande moeder maar kon verlangen. Behalve een ding. Waar waren de baby's?

Achter een andere deur vond ik een extra kamer die vroeger bewoond werd door de kraamverpleegster. Ik klopte en hoorde de stem van Rose. Ze kwam naar de deur, nogal achterdochtig, vond ik, en opende die op een kier. Ze bekeek me van onder tot boven en snoof met overduidelijke afkeuring. Eerst voelde ik me beledigd maar toen herinnerde ik me de cocaïnehoertjes beneden; ik droeg nog steeds mijn feestjurk en Rose had Helen en mij gezien na enkele van onze eigen lange nachten. Maar dat was allemaal verleden tijd. Ik hoopte dat ik er die ochtenden beter had uitgezien dan zij.

'Ik was niet beneden bij Neil. Ik heb geprobeerd wat te slapen,' zei ik om haar te sussen. Ze ontdooide niet zoals ik verwacht had. Ze keek me met een strak en kwaad gezicht aan.

'Gaat het goed met je?'

'Wat denk je?'

Ik was ook kwaad, maar ik begreep Rose' vijandige houding niet. Ze was een vriendelijke vrouw die onvoorwaardelijk van Helen had gehouden. Misschien was dat aan het veranderen. Misschien was Helens keus van echtgenoot een omstandigheid die ze niet kon verwerken.

'Is de tweeling bij je?' vroeg ik.

'Nee,' zei ze.

'Waar zijn ze dan?'

'Bij hun vader,' zei ze woedend.

'Hun vader!'

'Hij wilde met ze spelen.'

'Ze zijn bij Neil?'

'Zoals ik zei, hij wilde met ze spelen.'

'Maar hij is...' Stoned als een garnaal. 'De hele nacht op geweest.'

'Hij is hun vader. Ik ben maar een minderwaardige Filippino die betaald wordt om te doen wat haar gezegd wordt.'

Ik wist onmiddellijk van wie die walgelijke uitdrukking afkomstig was.

'O, Rose. Wat erg.' Ik wilde geen excuses maken voor Neil, want die waren er niet. Ik had daar de hele dag kunnen staan en Rose mijn medeleven betonen. Ik had rustig uren met haar erover kunnen praten hoe verschrikkelijk Neil was, hoe racistisch, hoe onvolwassen, hoe seksistisch, hoe stom, maar ik maakte me zorgen over mijn peetzoons. Dus liet ik haar alleen. Ik hoefde me niet aan dezelfde grenzen te houden als Rose en had er geen moeite mee Neil precies te vertellen hoe weerzinwekkend hij was.

Ik hoop nooit meer te zien wat ik die ochtend zag. Neil hield al dansend een van de baby's boven zijn hoofd. De andere lag tussen twee meisjes in die om de beurt tegen hem kirden en daarna een lange trek van hun sigaret namen, terwijl ze praatten over hun eigen wens om zich voort te planten. Ik zag een van hen een peuk uitdrukken en toen met diezelfde hand het gezichtje van de baby strelen. De kamer stond vol rook, dus wat deed het er ook toe? – de jongens hadden al flink wat rook te pakken – maar het beeld van de met nicotine bevlekte vingers bij het mondje van die kwetsbare baby vervulde me met haat. Ik ging eerst op hem af.

'Waar zijn jullie verdomme mee bezig!' schreeuwde ik terwijl ik de baby van de bank pakte. Ik draaide me om naar Neil. 'Die verdomde imbecielen weten kennelijk niet beter, maar jij bent hun vader. Het stinkt hier. Er ligt cocaïne op tafel. Ben je helemaal gek geworden?'

'Ik heb gezegd dat ze hier niet horen,' zei een kerel die onderuitgezakt in een fauteuil zat. Ik negeerde hem. Ik liep met de baby die ik in mijn armen hield naar de gang en legde hem op het tapijt. Toen ik terug kwam, was Neil bezig me uit te schelden. Ik hoorde hem zeggen 'kutwijf', wat me niets deed, want hij interesseerde me niet. Ik wilde alleen mijn peetzoon uit zijn handen zien te krijgen. Ik liep naar de zware gordijnen en trok ze open en zag met voldoening dat iedereen ineenschrompelde als oesters in citroensap toen het heldere zonlicht naar binnen scheen. De dichte grijze rook hing als flarden mist om ons heen. Ik ontgrendelde het raam en gooide het wijdopen. Toen ging ik de andere baby halen. Gelukkig was Neil te zat om veel tegenstand te kunnen bieden, al probeerde hij het wel.

'Je bent ze niet waard, en je bent Helen ook niet waard.'

'Sodemieter op.' Hij deed een wankele stap naar me toe. 'Geef Tommy terug, stom wijf.'

'Als je me aanraakt, bel ik de politie. Ik zweer het je, Neil, ik bel de politie.'

'Laat haar maar, man,' zei de kerel in de fauteuil. 'Ze heeft gelijk. Ze horen niet hier. Kom, gabber, drink nog wat.'

Ik verliet de kamer, pakte de baby die, zoals ik nu wist, Bobby was, en liep op mijn hoge hakken met de tweeling de trap op. Op de eerste overloop was ik buiten adem. De jongens waren zwaar en vormden een dood gewicht. Mijn spieren deden pijn. Ik schopte mijn schoenen uit en wist de volgende vier trappen op te komen. Ik kon de rook op hun identieke babykleertjes ruiken en haatte hun vader nog meer en intenser dan ik ooit voor mogelijk had gehouden. Vier ronde kastanjekleurige ogen staarden me aan. Ik bleef me tegen ze verontschuldigen. Ik zoende ze herhaaldelijk op hun ronde, warme voorhoofdjes terwijl het woord 'sorry' uit mijn mond bleef komen. Eindelijk had ik ze boven in hun smetteloze kinderkamer en deed de deur achter me dicht.

'Het is in orde, jongens, we trekken jullie die stinkende kleren uit en jullie krijgen weer frisse lucht. Peetmammie T neemt de touwtjes in handen.'

Ik zette Bobby op Peter Rabbit en Tommy op Jemima Puddleduck en ging terug naar de kamer van Rose. Ik klopte weer. Deze keer deed ze open in haar jas.

'Ik heb je hulp nodig,' zei ik meteen.

Ze schudde haar hoofd.

'Je snapt het niet, Helen is uitgeput en Neil is met die afschuwelijke mensen en ik heb geen −'

'Het spijt me.'

'Alsjeblieft, ik weet niet hoe −'

'Het is mijn vrije dag.'

'Alweer?'

Rose fronste haar wenkbrauwen.

'Sorry, dat meende ik niet. Ik weet dat je non-stop werkt. Maar kun je alsjeblieft blijven? Ik weet zeker dat Helen je ervoor zal betalen, ik zal je betalen wat je maar wilt.'

Ze kneep haar ogen samen. 'Geld!' zei ze vol afkeer.

'Het was niet mijn bedoeling je te beledigen.' In mijn paniek haalde ik de dingen door elkaar. 'Maar ik wil zo vreselijk graag dat Helen kan uitslapen, dat is alles.'

'Ik ben teruggekomen voor de kinderen. Maar ik kan niet langer blijven.' Ze pakte een koffer op die ik over het hoofd had gezien en deed de deur verder open.

'Waar ga je naartoe?'

Rose gaf geen antwoord.

'Ga alsjeblieft niet weg. Helen heeft hulp nodig.'

'Ja, dat is zo. Maar niet van mij.'

'Maar ze is de wanhoop nabij,' smeekte ik.

'Dat weet ik. Ik kan haar niet helpen zolang ze op deze manier doorgaat.'

'Het is niet haar schuld. Het is Neil!'

'Tessa, je kunt alle excuses ter wereld verzinnen, maar ik wil hier niet blijven om te zien wat Helen zichzelf aandoet.'

Ik wist wat ze bedoelde. Ik vond het ook verschrikkelijk om te zien. Ik vond het afschuwelijk wat Neil haar aandeed, maar dit zou haar niet helpen. Rose zag de jongetjes door de open deur van de kinderkamer op hun respectieve kleedjes liggen. Heel even dacht ik dat ze haar koffer

228

wilde neerzetten, maar toen schudde ze weer haar hoofd en rechtte haar rug. Toen ze achterom keek naar mij meende ik tranen in haar ogen te zien. Ik zag haar de trap aflopen en een paar minuten later hoorde ik de voordeur met een ferme klap dichtslaan. Ik ging terug naar de kinderkamer, kleedde de jongens uit, keek of ze geen poepluier hadden en pakte opgelucht nieuwe outfits die niet bij elkaar pasten. Tommy droeg iets met een treinmotief, Bobby het berenpakje. T voor trein. T voor Tommy. B voor beer. B voor Bobby. In ieder geval kon ik ze nu bij hun naam noemen.

Ik moest die belachelijke jurk uittrekken, dus sloop ik naar Helens kamer en vond een joggingpak en gymschoenen die mijn maat leken, maar natuurlijk te klein waren. Ik durfde niet weer naar binnen te gaan, dus wrong ik me in het roze fluweel en hoopte dat ik niemand tegen zou komen die ik kende. Je moet heel erg mooi zijn om roze fluweel te kunnen dragen. Ik droeg de jongens weer naar beneden – geen geringe prestatie – naar het souterrain, waar ik wist dat de kinderwagen stond. Ik was al weer drie keer naar de kinderkamer geweest toen ik me bedacht dat ik een voorraadje melk mee moest nemen. Ik pakte de bevroren melk maar vergat de flesjes. Toen moest ik iets warms gaan halen om ze aan te trekken. En toen werd Bobby misselijk, dus moest ik hem weer naar boven dragen om hem schone kleren aan te trekken. Gelukkig waren er twee van alles, dus een ander berenpakje was gauw gevonden. Deze keer dacht ik tenminste aan de luiers. Toen ik weer buiten kwam was ik uitgeput en had Tommy veertig minuten in de kinderwagen liggen wachten. Hij had duidelijk de pest in. Ik kon het niet opbrengen nog een keer naar boven te gaan, dus zocht ik iets voor hem waarmee hij zich kon amuseren. Het dekseltje van de jampot kon zijn goedkeuring wegdragen en hij viel prompt in slaap. Een gunstig ding was dat Neil met alle anderen was verdwenen.

Ik liet een briefje achter voor Helen dat ze me moest bellen als ze wakker werd en dat ik de tweeling had en alles goed ging. Toen liep ik de straat af met mijn pupillen, op zoek naar wat brandstof voor mijzelf. Ik keek op mijn horloge. Was half elf niet te vroeg voor een flinke borrel? Ik zou genoegen moeten nemen met cafeïne. Notting Hill Gate was vol leuke kleine cafés om rustig te zitten en luierend de ochtend door te komen, maar ik zag geen kans om de kinderwagen door die deur te manoeuvreren, laat staan tussen de tafeltjes door. De kinderwagen mocht dan state-of-the-art zijn, hij was ook belachelijk groot en eerlijk gezegd een beetje te protserig om veel sympathie te wekken. Ik merkte, toen ik voor een café stond waaruit verleidelijke warme bakgeuren kwamen en me afvroeg of ik er binnen zou kunnen komen, dat degenen aan de andere kant van de ruit me met openlijk vijandige blikken aankeken. Met weinig slaap en verschrikkelijke kleren, zag ik er perfect uit in mijn rol van uitgeputte nieuwe moeder.

Ik liep door en ging op weg naar de enige plek die ik kende waar ik mijn muts aan de kapstok kon hangen en mijn vrachtje kwijt kon. Gewoonlijk meed ik Starbucks als de pest. Niets maakte me zo bewust van mijn eierstokken als een bezoek aan Starbucks. Meestal werd je geconfronteerd met een vrouw die borstvoeding gaf, of zelfs meerdere als een groepje jonge moeders 'bijeenkwam', voordat je de moeilijk te begrijpen barista had bereikt. En in de twintig minuten die je warme melk nodig had om te arriveren, had je diverse vrouwen horen discussiëren over het drogen van hun lagere regionen met een haardroger, en kende je de lijst tepelzalven uit je hoofd. Maar er was een dubbele deur en er waren vrouwen met baby's om je te helpen die open te houden. Niemand keek me spottend aan. In plaats daarvan kreeg ik een medelijdende blik van de een en een begrijpende blik van een ander die zeiden 'Ivf, hè?' Ik bestelde een extra grote en sterke cappuccino en ging opgelucht op de met roos bedekte bruinfluwelen stoel zitten. Iemand had een krant achtergelaten en een paar heerlijke ogenblikken las ik die, dronk koffie en dacht: Hé, dit is zo slecht nog niet.

Bobby werd het eerst wakker en zette het op een huilen. Prima, dacht ik. Melk. Geen probleem. Ik haalde een grote beker heet water en gooide er een zakje bevroren melk in. Dat was waarschijnlijk mijn eerste fout. Ik had er twee moeten halen. Het duurde een eeuwigheid voor de melk ontdooid was. Intussen werd Bobby steeds onrustiger en kreeg hij algauw genoeg van het verfrommelen van de bruine suikerzakjes in zijn mollige vingertjes. Persoonlijk vond ik dat de tweeling best een paar maaltijden kon overslaan, maar dat vonden zij kennelijk niet. Tommy werd wakker en ging onmiddellijk van het sabbelen op het jampotdekseltje over in een luid gekrijs. Ik ging terug naar de toonbank en vroeg om meer heet water. Een lief meisje bood aan de melk voor me te verwarmen in de magnetron. Ik had haar kunnen omhelzen.

'Ik heb ook een tweeling,' zei ze, wat me verbaasde want ze zag er niet veel ouder uit dan twaalf. Ze nam de zakjes en de flesjes van me over en een paar minuten later, die meer uren leken, kwam ze met een verontschuldigend gezicht terug. Ik wist onmiddellijk dat er iets mis was.

'Het spijt me heel erg,' zei ze, boven het toenemende lawaai van Tommy's honger uit. 'Het schijnt geschift te zijn. Er stond geen datum op de zak. Hoe oud is die melk?'

Ik haalde mijn schouders op. 'Het zijn niet mijn kinderen. Ik pas op ze voor een vriendin.'

Ze keek bezorgd. Ik voelde me afschuwelijk.

'Wat moet ik doen?'

'Ga naar Boots en koop een pak kant-en-klare babymelk.'

'Maar ze krijgen alleen borstvoeding.'

'Of zoek hun moeder.'

Ik vloekte in mezelf. 'Weet je zeker dat ik ze dit niet kan geven?' Voor het eerst keek ik naar de flesjes. Ze had gelijk, de melk was geschift.

'Het ruikt bedorven,' zei de vrouw. 'Ga maar, ik pas wel op de baby's.'

Ik had haar weer kunnen omhelzen. Wat zijn er toch veel aardige mensen in de wereld, dacht ik. Mijn stemming vloog vanaf mijn enkels omhoog toen ik Starbucks uitholde.

Er waren verschillende merken, voor verschillende stadia. Ik had geen tijd om de kleine lettertjes te lezen en bovendien wist ik niet hoeveel de kinderen wogen, dus kocht ik twee van alles, wat mijn portemonnee een stuk lichter maakte. Toen liep ik op een drafje terug naar Starbucks. De serveerster wiegde de wagen naar voren en naar achteren en zong iets in het Spaans.

'Heel erg bedankt. Ik denk dat dit wel het laatste is wat je wilt doen; waarschijnlijk ga je werken om even bij de kids vandaan te zijn.'

Ze schudde haar hoofd. 'Ze zijn thuis bij mijn moeder in Chili.'

'Wauw,' zei ik. 'Dat moet erg moeilijk voor je zijn.'

'Ze krijgen goed te eten,' zei ze met een dapper glimlachje. 'Hoe oud zijn die jongetjes?'

'Vijf maanden.'

'Ze zijn groot. Mijn collega heeft de flesjes schoongemaakt, je kunt weer beginnen.'

Ik wilde dat ze kon blijven, maar er kwam een groepje van acht binnen en ze moest weer aan het werk. Ik scheurde het pak open met mijn tanden en zag dat een vrouw me afkeurend aankeek. Ik glimlachte naar haar en goot de inhoud in de flesjes, schroefde ze dicht, en zonder aan opwarmen te denken hield ik ze bij de twee hongerige mondjes. Ze begonnen furieus te zuigen zodra de plastic spenen hun lippen raakten, en ondanks wat extreem gekwijl leken ze totaal onaangedaan door die dramatische verandering in hun dieet. Toen ze in hun kinderwagen naar me lagen te staren, dacht ik aan het slanke meisje achter de toonbank en haar baby's die mijlenver weg waren, en bedacht hoe gelukkig wij allemaal waren en hoe gemakkelijk je dat kon vergeten. Mijn zelfvertrouwen steeg toen de jongens hun flesjes tot de laatste druppel leegdronken. Ik pakte Tommy op en werd beloond met een enorme boer. Ik pakte Bobby op en werd bedekt met een dikke laag slijmerige melk terwijl hij tegelijkertijd zijn luier vulde. Het lawaai dat hij voortbracht concurreerde met de stoommachine, maar won. Mensen draaiden zich om en keken. Ik glimlachte verontschuldigend.

'Nou, bedankt, jonkie,' zei ik tegen Bobby en legde hem terug in de kinderwagen naast zijn broer, zodat we met z'n allen een bezoek konden brengen aan de wc. De kinderwagen kon onmogelijk de deur door, dus liep ik terug naar mijn plaats, tilde Bobby weer uit de wagen en vroeg de vrouw aan het tafeltje naast me of ze even op Tommy wilde letten. Hij lag weer vrolijk te sabbelen op zijn dekseltje, dus ik dacht niet dat hij een probleem zou zijn.

'Ik kom zo terug,' zei ik, met het gevoel dat ik de zaak aardig onder controle had, en pakte mijn tas met benodigdheden. Het was een ramp. Zodra ik de vuile luier had afgedaan, poepte Bobby weer. Dikke, slijmerige, gele poep. Walgelijk. Ik probeerde het schoon te maken met wc-papier maar het liep tussen zijn benen door en, nog erger, over zijn tamelijk behaarde rug. Het drong door twee lagen kleren heen. Ik rommelde in de tas, al wist ik maar al te goed dat ik geen extra kleren had meegenomen. Het gerecyclede wc-papier viel in mijn handen uiteen en wist de ontlasting alleen maar nog verder te verspreiden. Was die stank normaal? Had ik hem misschien vergiftigd met de babymelk?

Ten slotte gebruikte ik een hele, kostbare luier om hem schoon te vegen, in de hoop dat Tommy een betere constitutie had dan zijn broer. Eindelijk had ik de laatste schone luier onder zijn billetjes gebonden, toen er uit zijn piemeltje een perfecte boog urine spoot. Ik had me op dat moment gelukkig net afgedraaid, zodat het meeste ervan in mijn oor terechtkwam en langs mijn nek droop, in plaats van in mijn oog. Toen ik nog meer wc-papier had gepakt, waren hij en ik doornat. Er werd op de deur geklopt.

'Bezet,' riep ik onvriendelijk.

'Uw kind ligt te schreeuwen.'

'O, sorry. Kunt u...' Nee, dat kon ze niet. Ik wist niet wie die vrouw was. 'Ik kom zo.'

'Dat zei u een kwartier geleden ook.'

Een kwartier! Liegbeest. Ik keek op mijn horloge. Verdomme. Ze was nog vriendelijk! Het was eerder twintig minuten geleden. Ik deed de deur open en hoorde het gekrijs.

'Het spijt me vreselijk. Het was een beetje een nachtmerrie daarbinnen.'

De vrouw keek naar mijn ondergepoepte schouder. Een stapel met poep bedekte papieren en luiers lagen in een hoge stapel rond een natte, met poep bedekte baby in een slordige staat van ongekleedheid. Maar hij lachte. God zegene hem.

'Dat zie ik,' zei ze.

'Zou u het erg vinden om heel even –'

'Het spijt me vreselijk, maar ik moet weg.'

Het was een noodtoestand. Ik durfde Bobby niet alleen te laten liggen op de kleedtafel, omdat ik niet de moeite had genomen hem vast te binden, maar ik kon Tommy daar ook niet laten krijsen.

'Ik zal de wagen hierheen duwen.'

'O, dank u wel,' zei ik dankbaar. 'Echt, heel erg bedankt. Dank u.' Hou toch je mond, stom wijf. 'Dank u,' zei ik weer. In een tijdsbestek van één uur en negenenveertig minuten had de tweeling me veranderd in een brabbelend wrak.

Een uur later was ik terug in Helens huis. De helft van die tijd had ik voor haar huis gezeten tot ze eindelijk kwam, al zei ik dat natuurlijk niet. Ik geloof dat ze een beetje verbaasd was dat Bobby naakt was onder zijn sneeuwpakje, maar ze wist het goed te verbergen. Ik gooide de vuile kleren in de mand in de wasruimte en deed de deur dicht, de vuile rotzooi achter me latend. Helen kwam terug met een schoon aangeklede Bobby. Ik ging zitten terwijl Tommy vrolijk aan het spelen was in een andere box in de 'huiskamer'.

'Heeft Tommy gespuugd?' vroeg ze.

'Nee, Bobby.'

'Bobby?' Helen keek naar de box.

Er klopte iets niet. De baby in de box had een trein op zijn buikje.

'Is dat niet Tommy?'

'Nee. Misschien moeilijk te geloven, maar ik weet ze uit elkaar te houden.'

Jij misschien wel, dacht ik. Maar je man niet.

'Sorry. Hoe doe je dat?'

'Tommy heeft donkerdere ogen.'

'Wat doe je als ze slapen?'

'Hopen dat niemand ze heeft verwisseld.'

Ik glimlachte, denkend dat Helen een grapje maakte.

'Als ze wakker worden zal ik het gauw genoeg weten. Tommy is degene die altijd spuugt. Bobby niet. Het is vreemd.'

'Als ze eens om de beurt spugen, en jij denkt alleen maar dat het altijd Tommy is?'

'Tessa, alsjeblieft, bezorg me niet nog meer hoofdpijn dan ik al heb.'

Zoals ik al zei, ik dacht dat het een heel opgewekt gesprek was. Om het ijs te breken van de vorige avond. Het goedmaken met humor. Maar toen barstte Helen in snikken uit.

Ik kon haar niet tot bedaren brengen. Ik kon haar tranen niet tegenhouden. Ik kon het niet. Ik wist niet dat een mens zoveel vocht in zich had. Baby's zijn vreemd. De tweeling werd zenuwachtig en raakte in de war door het lawaai. Ik wist hoe ze zich voelden. Het was afschuwelijk als iemand van wie je hield zo'n verdriet had, zonder dat je er iets aan kon doen. Ik was bang dat zij ook zouden gaan huilen, dus maakte ik me van haar los en liep naar de andere kant van de kamer. Ik zette hun kinderstoeltjes voor *Baby Bach*. De hypnose trad onmiddellijk in. Ten slotte stopte ik een glas cognac in Helens hand (en schonk er ook een in voor mijzelf) en zei dat ze het op moest drinken. Ze keek me met zoveel verdriet in haar ogen aan dat ik mijn blik moest afwenden. Ik wist dat het nog veel te vroeg in de middag was, maar verrek maar met die baby's en hun zuivere moedermelk, ik kon niets anders bedenken.

'Drink op,' drong ik aan. Gehoorzaam sloeg ze de cognac in een teug achterover. Toen staarde ze naar het glas, dus haalde ik het weg.

'Maak je niet druk, Helen, het is maar een drankje.' Ik knielde aan haar voeten en pakte haar handen. 'Je moet me vertellen wat er aan de hand is.'

Ze schudde haar hoofd.

'Ik kan je niet helpen als je het me niet vertelt. Je bent duidelijk depressief, dat kan ik zelfs zien. Je hebt hulp nodig.'

'Ik verdrink in die verdomde hulp, alles wat ik heb is hulp, hulp, hulp. Ik kan er niet tegen. Ik weet niet wat ík moet doen.'

'Ik kan het je niet kwalijk nemen. Ik had ze twee uur en ze brachten me al tot wanhoop.'

Ik wilde dat ze zou glimlachen, maar dat deed ze niet. Dus probeerde ik een serieuze oplossing te bedenken.

'Er moet een boek zijn, iets wat je kan helpen om te weten wat je moet doen.'

'Boeken... Er zijn miljoenen boeken die je allemaal iets anders vertellen; er zijn boeken over hoeveel boeken er zijn, die beloven het eenvoudig te maken, maar dat doen ze niet. Dat doen ze niet. Ze kunnen me geen van alle duidelijk maken waarom ik me zo voel!' Ze zuchtte diep. 'Geloof me, ik heb echt geen boeken nodig.'

Oké, geen boeken dus.

'Neil zegt dat ik waardeloos ben. Zegt dat het niet deugt dat een vrouw van mijn leeftijd een kindermeisje heeft, en hij heeft gelijk.'

'Dat heeft hij niet! Je moet eens ophouden die man van je te geloven.'

'Wees maar niet bang. Dat doe ik niet. Niet meer.'

Was Neil de reden voor die tranen, en niet de tweeling, zoals ik had gedacht? 'Ik bedoel, wanneer hij je kleineert.'

'Ik weet dat je dat bedoelde.'

'Wat bedoelde jij dan?'

'De wereld is vol bedrog, Tessa. Je weet wat ik bedoel, iedereen weet verdomme wat ik bedoel. Zelfs die aardige man die je op die party ontmoette weet wat ik bedoel, en ik heb hem nooit eerder gezien. Het kan me niet eens meer schelen. Hij doet me pijn, maar dat is niet de reden.'

'Hoe bedoel je, doet je pijn?'

Ik zag de tranen weer komen.

'Helen?'

'Hij heeft dit gedaan, hij heeft dit van me gemaakt. Ik zou niet zo zijn als het niet om hem was.'

'Wat doet hij? Helen, wat doet hij? Slaat hij je?'

'Hij neukte iemand in een gang van het Soho House toen de tweeling zes weken oud was.' Ze schudde haar hoofd. 'Ik confronteerde hem ermee. Weet je wat hij zei? Hij zei: "Wat verwacht je dan als ik thuis zo weinig aandacht krijg?"'

Het was geen prettig gevoel je grootste angst bevestigd te zien. Roddelen over een schandaal was tot daaraan toe, maar de ontdekking dat dat schandaal je vriendin kapot maakt, was heel iets anders.

'Je moet hier weg.'

'Nee. Ik laat me niet door hem uit mijn eigen huis jagen.'

'Laat dat huis verrekken, je krijgt wel een ander huis –'

'Mijn moeder, van mijn moeder kon ik het verdragen. Van Neil doet het meer pijn.'

'Je moeder?'

'Weet je, ze heeft nooit gezegd dat ze van me hield. Begrijp je? Neil zei dat hij van me hield en toen deed hij me dit aan. Ik weet waar ik aan toe ben met Marguerite. Van Neil heb ik het niet aan zien komen.'

'Ik wil dat je hier weg bent voor hij thuiskomt. God mag weten in wat voor toestand hij verkeert.'

'Rose komt gauw terug.'

'Nee, Helen, ze is vertrokken.'

'Ze komt weer terug. Ze zal me nooit in de steek laten. Ze doet het alleen zo nu en dan om te laten zien wie de baas is.'

'Wát?'

'Maar ze komt altijd terug.'

'Je moet iemand raadplegen, Helen, een dokter, een psychiater, iemand die je kan helpen. Ik weet zeker dat hij je iets kan voorschrijven dat je zal helpen. Postnatale depressie is heel normaal, zelfs zonder dat zwijn van een man van je.'

Ze lachte. 'Pillen. Met pillen gaat het niet over. Ik moet de tweeling redden. Zij kunnen er niets aan doen. Ze hebben er niet om gevraagd om geboren te worden. Ik had het moeten weten. Ik had moeten weten dat ik net zo zou zijn als zij.' Plotseling keek ze me aan. 'Ze zullen ze van me afnemen.'

'Doe niet zo gek.'

'Jij moet ze nemen. Jij bent hun voogdes.'

'Hou op, Helen.'

'Je wilt ze niet hebben.'

'Niemand neemt je kinderen van je af. Je moet alleen met jezelf in het reine komen.'

'Wat je ook doet, zorg dat mijn moeder de jongens niet in handen krijgt.'

'Hou op!'

'Beloof het me,' zei Helen.

236

'Dit is een stomme discussie.'

'Beloof het me, Tessa.'

Ik dacht dat ik te maken had met een vrouw die aan de rand van een zenuwinzinking stond. Ik zou haar alles hebben beloofd.

'Je hebt het zelf toch ook weleens gedacht? Helen maakt er een puinhoop van, dat zou ik beter kunnen. Lieg niet tegen me, en zeg niet dat het niet waar is.' Ik voelde het schaamrood naar mijn wangen stijgen. In mijn meest slechte momenten, als ik in de greep was van het afschuwelijke monster van de afgunst, had ik dat inderdaad wel eens gedacht.

'Dat was voordat ik wist hoe vreselijk moeilijk het is. Echt, Helen, ik had geen idee. Ik zag de perfecte Pampers-baby op de tv en dacht dat het leven met een baby bestond uit glimlachjes en bubbelbaden, en ja, ik moet bekennen dat het me allemaal erg gemakkelijk leek. Ik wist niet dat baby's hiertoe in staat waren.' Ik keek haar aan.

'Het is niet hun schuld. Het is mijn schuld.'

'Je kreeg geen enkele steun. Ik was volstrekt waardeloos. Je moeder verdient niet bepaald de "lieve oma"-prijs, en waar zijn Neils ouders verdomme? Ik heb ze nog nooit op een van jullie party's gezien.'

'Neil mag ze niet.'

'Waarom niet?'

'Omdat hij een klootzak is.'

Eerlijk gezegd, vond ik het een vooruitgang Helen zo te horen praten.

'Feitelijk zou je ze eens op moeten zoeken als je ooit in Norwich komt. Neil schaamt zich voor hen, maar zij zouden zich moeten schamen voor hem. Als je ooit in Norwich komt, moet je ze eens opzoeken.'

Dat had ze al gezegd. Maar toch was het niet waarschijnlijk dat ik naar Norwich zou gaan.

'Ze wonen vlak bij het grasveld van de kathedraal. Het is gemakkelijk te vinden, want er staat een treurwilg in de tuin. Het is de enige tuin met een treurwilg.'

'We moeten bedenken wat je moet gaan doen.'

'Het zijn schatten van mensen. Een echt gelukkig gezin.'

'Oké. Norwich. Kathedraal. Treurwilg. Genoteerd.'

'Een gelukkig thuis. Prima.'

Helens ogen vielen dicht.

'Wakker blijven.'

'Ik ben zo moe.' Haar hoofd viel naar voren. 'Zo moe.' Ze viel letterlijk zittend in slaap. Het enige wat ik wist over depressie was dat het je uitputtte, dus legde ik Helen weer neer op de bank. Ik keek op mijn horloge. Ik was graag naar huis gegaan om wat te slapen en de flat op te ruimen, maar Helen had de slaap harder nodig, en nu Rose er niet was, zou iemand voor de baby's moeten zorgen. Neil kon het niet, zelfs al zou hij thuiskomen. Wat ik eigenlijk hoopte dat hij niet zou doen.

Die zondagmiddag, terwijl Helen catatonisch op de bank lag, speelde ik moedertje met de tweeling. Ik vond het prachtig, voor een uur of zo. Ze kirden als ik dieren imiteerde en ik genoot van hun aandacht. Hun ogen volgden me overal. Alleen toen ik wegging om een kop thee en wat toast te halen, begonnen ze te dreinen – wat me tot de voorbarige conclusie bracht dat zorgen voor kinderen een makkie was, zolang je maar niets anders te doen had. En daar hoorde gaan plassen ook bij. Ik zette die middag drie koppen thee en dronk niet één ervan. De tweeling lag te slapen in mijn armen toen Helen zich eindelijk bewoog. Ze zette koffie, nam die mee naar boven om te gaan douchen en kwam twintig minuten later weer beneden. Ze zag er een stuk beter uit. Verbluffend wat cafeïne en make-up voor je kunnen doen.

'Dank je dat ik mijn hart bij je heb kunnen uitstorten.'

'Met alle respect,' zei ik kalm, 'ik denk dat er wat meer nodig is dan een babbeltje om een oplossing te vinden voor je problemen.'

'Je hebt gelijk. Neil moet worden aangepakt, en dat is precies wat ik ga doen. Dit had niet zo lang door mogen gaan.'

'Ik ken een heel goede echtscheidingsadvocaat,' zei ik.

'Ik kan me niet permitteren om te scheiden,' antwoordde ze. Toen lachte ze. 'Ik maak maar gekheid. Maak je geen zorgen. Je kent mijn advocaat, hij is een voortreffelijke bondgenoot. Hij weet ook hoe hij met Marguerite om moet gaan.'

'En ga je ook een arts raadplegen?'

Helen keek me recht in de ogen. 'Ik heb een dokter die veel begrip heeft,' zei ze.

'Goed. Ga dan eens met hem praten.'

Ik kon het niet aanzien, zo bedroefd keek ze. 'Ik zal het doen,' zei ze.

'En ik vind dat je ook moet ophouden met die borstvoeding. Het put je uit, je bent veel te veel afgevallen.'

Geen wonder dat Neil wilde dat Helen de kinderen de borst gaf, dacht ik. Het hield haar gevangen achter haar paarlen hemelpoort terwijl hij uitging en proefde van de vruchten van de beginnende roem.

238

'We krijgen je weer op de been, Helen, maak je geen zorgen. Je bent een kind van het universum, weet je nog?'

Helen keek me strak aan. 'Ik ben wel iets van de magie kwijtgeraakt, hè?'

Zoveel dat ik je nauwelijks nog herken. 'Dat is logisch. Ik weet niet veel over huwelijk en kinderen, maar ik denk dat het niet meevalt.'

Helen knikte. 'Ik dacht dat het gemakkelijker zou zijn. Ik dacht dat ik me als een duo groter zou voelen. Ik wist niet dat ik me kleiner zou voelen.'

Ik omhelsde haar omdat ik geen idee had hoe ik moest reageren. Neil was een impulsaankoop geweest, maar de 28 dagen om de zending te retourneren waren allang verstreken.

'Dank je, Tessa. Je bent altijd een geweldige vriendin geweest en ik weet dat ik niet zo gemakkelijk ben.'

'Wie wel? Hoe ouder ik word, hoe meer ik besef dat er bij iedereen wel een steekje loszit.'

'Bij jou niet.'

'Laat je niet bedotten.'

'Het kan me niet schelen wat je zegt, zonder jou had ik dit nooit zo lang gekund.'

Er ging een steek van schuldbewustheid door me heen. Ik was zo gemeen geweest, had geen enkele steun gegeven. 'Het spijt me dat ik me niet gerealiseerd heb hoe moeilijk je het had. Ik denk dat ik jaloers was.'

'Jaloers op Neil en mij?'

'Nou ja, laat Neil er maar buiten.'

'Ik heb het werkelijk verknald,' zei ze. Ik veronderstelde dat ze het over Neil had.

'Er is niets, waar je niet iets aan kunt doen.'

'Het zal heel erg moeilijk worden. Hij zal achter me aan gaan, hij zal proberen me de tweeling afhandig te maken, hij zal belachelijke hoeveelheden geld eisen, ik weet het.'

'Hij heeft een drugsprobleem en een drankprobleem. Welke rechtbank in het land zou de tweeling aan zo'n ouder toewijzen?'

'Geen enkele.'

'Nou dan? Waar maak je je dan bezorgd over?' Ik pakte Helens hand en kneep erin. Ze glimlachte naar me.

'Je hebt gelijk,' zei ze. 'Ik wil dat ze een gelukkig thuis hebben, Tessa. Dat heb ik nooit gehad, en kijk maar wat dat met me gedaan heeft.

Dat wil ik niet voor de tweeling. Ik zal alles doen om dat te voorkomen.'

'Oké. Ik zal je ook met de tweeling helpen. Francesca heeft drie kinderen gehad, dus zij weet er alles van. Ik wed dat elke nieuwe moeder zich zo voelt, niet ertegen opgewassen, bèkaf, depressief. Ik wed dat het allemaal normaal is. We moeten alleen van Neil af.' Ik probeerde behulpzaam te zijn.

'Denk je?'

'Ja. Ik weet dat het meisje van China Beach ergens daarbinnen schuilt, we moeten haar alleen zien te vinden.'

'Ik ben een waardeloos mens,' zei Helen.

'Dat ben je niet. Je hebt op je donder gehad, maar alles komt in orde.'

Helen stond plotseling op. 'Je hebt gelijk. Dank je. Je zult wel dolgraag naar huis willen. Het spijt me dat ik je zo lang heb opgehouden en je avond heb bedorven.'

'Niks aan de hand. Ik heb geen plannen.'

'Eigenlijk lijkt het me beter als je weggaat. Ik wil graag een tijdje met de kinderen doorbrengen, en als Neil thuiskomt moet ik met hem alleen zijn. Je bent hier de hele dag geweest, je wilt vast wel graag naar huis.'

'Natuurlijk, ja. Nou, oké dan. Als je het zeker weet.'

'Ik moet dit zelf doen. Maar bedankt voor alles.'

'Ik ga me omkleden,' zei ik.

'Het is goed. Geef me die spullen maar een andere keer terug,' zei Helen. 'Hier is een tas voor je jurk en schoenen.'

Had ik het gevoel dat ik werd weggejaagd? Absoluut. Maar ik had geen idee waarom.

Ik ging met bus 52 naar Victoria en liep over het Embankment naar de flat. Ik geloof dat ik langs elk verliefd stel in Londen liep. Het kwam door het mooie weer. Het lokte iedereen uit hun liefdesnestjes naar buiten. Ik haastte me terug in mijn roze fluweel naar het heiligdom van mijn flat, vergetend dat ik die als een zwijnenstal had achtergelaten. Een kledingcrisis richt zoiets aan in een kleine flat. Mijn post wenkte me op de ontbijtbar. Er waren ongelezen e-mails in mijn in-box en er lag een dvd die ik terug moest sturen. Barst maar, dacht ik, terwijl ik Helens kleren uittrok. Ik zocht de aanvangstijden van de bioscopen op internet, trok mijn oude vliegeniersjack aan en zette een dikke muts op, haalde het dak van de auto en reed naar King's Road. Ik kon het. Dus deed ik het.

De volgende paar uur keek ik glimlachend door verrukte tranen heen naar een belachelijke romantische komedie waarin het meisje natuurlijk de man kreeg, ook al was zij een toilettenschoonmaakster en hij een koning – nou ja, niet zó erg, maar wel bijna. Daarna zat ik buiten in het licht van de ondergaande zon en zag de wereld aan me voorbijtrekken, bladerend in de zondagskranten. En op de een of andere manier, terwijl ik net deed alsof ik genoot van mijn eigen gezelschap, begon ik werkelijk te genieten van mijn eigen gezelschap. Zelfmoordpreventie van alleenstaande zondagavondgangers was tijdelijk opgeheven dankzij een nieuwe verkeerde man in Samira's leven, wat ik best vond. Ik had op het ogenblik al genoeg te doen met mijn oude vrienden, ik had geen tijd voor nieuwe.

Einde van het sprookje

Maandagochtend was de vloer rond mijn bed nog bezaaid met de kleren van zaterdagavond. Ik was bezig de controle over mijn leven te verliezen. Maar in plaats van de ochtend te besteden aan schoonmaken en me voor te bereiden op mijn eerste sollicitatiegesprek, wat ik had horen te doen, trok ik een spijkerbroek aan, een wit T-shirt met lange mouwen, roze gymschoenen, en sprong in de auto. Ik was tot de conclusie gekomen dat de enige die Helen tot rede kon brengen Francesca was. De modelmoeder. De vrouw die alles wist. Het was waarschijnlijk krankzinnig, maar ik voelde dat ik iets moest doen. Dat krijg je van schuldgevoelens. Ik reed naar de school van Poppy en Katie en kwam net op tijd om twee reusachtige rugzakken te zien verdwijnen door de dubbele deur.

'Ik had vandaag eigenlijk de tuinschuur op moeten ruimen,' zei Francesca, terwijl ze me een zoen op mijn wang gaf. 'Maar ik voel me nog zo ellendig van die zaterdagavond dat het enige wat ik kan doen is eten.'

'Je was een echte feestneus.'

'Het kwam door die martini's die Ben voor ons haalde, fatale drankjes. Ik hoop dat we niet al te vervelend waren.'

Ben. Het was me goed gelukt niet aan hem te denken. Me verdiepen in het leven van mijn vriendinnen hielp, maar alleen al het horen van zijn naam gaf me een vreemd gevoel.

'Je zwijgen spreekt boekdelen.'

'Mijn huwelijk plannen met de man die ik net ontmoet had, ging waarschijnlijk een beetje te ver,' zei ik.

'Nou, dat is dan weer eens iets anders dan jouw bemoeizucht met ons leven – we draaiden de rollen nu eens een keer om.' Ze benadrukte haar woorden met een gespannen lachje. Ik was onhandig begonnen, maar ze bleef glimlachen, dus ging ik door.

'Nou, ik kom vanmorgen weer met iets bemoeizuchtigs.'

Ik dacht dat ze zou lachen, maar dat deed ze niet. 'Ik dacht niet dat je hier was om lol te maken, niet op dit uur van de dag. Er is een Starbucks om de hoek,' zei Fran.

'Alsjeblieft, niet Starbucks,' smeekte ik.

'Waarom niet? Slechte koffie?' vroeg ze.

'Slechte herinneringen.' Ik probeerde haar arm beet te pakken, maar ze trok zich terug. Ik zette het van me af. 'Laten we op zoek gaan naar een echt café, dan leg ik het je onderweg uit. Ik vertelde Fran over mijn hopeloze pogingen de vorige ochtend om de tweeling in bedwang te houden en mijn ongerustheid over Helens geestelijke toestand. Fran had dit drie keer gedaan – zou zij niet wat licht kunnen werpen op de zaak?

'Dus je kwam hier om mij over te halen met Helen te praten?'

'Ja. Ik hoopte dat jij iets zou kunnen bereiken.'

'Ik dacht dat Helen zaterdagavond gewoon te veel gedronken had.'

'Dat dacht ik eerst ook, maar het gaat niet goed bij haar thuis. Ze lijkt volkomen het spoor bijster. Ik maak me bezorgd over haar.'

'Het is volkomen normaal.'

Ik schudde mijn hoofd. Wat ik had gezien leek niet normaal. 'Weet je het zeker? Ze lijkt echt depressief. Ik geloof niet dat ze hiertegen opgewassen is.'

'Ze heeft toch enorme hulptroepen?' vroeg Francesca op een toon die vaag afkeurend klonk.

'Niet meer. Ze heeft het gevoel dat ze alles verkeerd doet.'

'Doet ze waarschijnlijk ook. Dat doen de meeste mensen. Ik heb een paar grote fouten gemaakt met Caspar. Mijn moeder probeerde te helpen, maar Nick en ik waren te trots en te koppig, en ik denk, nu ik eraan terugdenk, dat het leek alsof we hun de rug toekeerden. We hadden ons zelf in de nesten gewerkt en we zouden ons zelf weten te redden, al vielen we erbij neer. Wat ook bijna gebeurde.'

'Ik kan me niet herinneren dat het jullie zo slecht ging.'

'Je was er toen niet zo vaak.'

Ik wist dat dat waar was. 'Als we elkaar aan de telefoon spraken, zei je altijd dat alles goed ging en dat Caspar zo'n schatje was.'

'Dat was hij ook. Ik aanbad hem. Maar toch maakte hij ons dol. Toen hij acht maanden was sliep hij nog steeds in ons bed. Acht maanden naast hem in bed, ervan overtuigd dat ik hem zou verpletteren.'

'Als je het niet prettig vond dat hij bij jullie in bed lag, waarom legde je hem dan niet in zijn wieg?'

'Omdat hij net zo lang bleef schreeuwen tot hij misselijk werd.' Ze schudde haar hoofd bij de herinnering aan een mistroostig, ver verleden. 'Het was mijn schuld. Het voeden-op-verzoek was in het begin geweldig, hij at en sliep, at en sliep. Gemakkelijk. Maar langzaam maar zeker liep het uit de hand. Als hij wakker werd wilde hij gevoed worden om dan weer te gaan slapen. Het probleem was dat hij zo moe was dat hij nooit genoeg kreeg, dus dan werd hij weer wakker. 's Nachts leek dat om de drie kwartier te gebeuren, dus ten slotte was het gemakkelijker om hem bij ons in bed te nemen. Eén keer werd ik wakker en toen had hij zelf de tepel gevonden.'

Ik kromp even ineen.

'Het was allemaal mijn schuld. Ten slotte moest mijn moeder komen en blijven. Ze legde hem in zijn eigen bed en als hij krijste wilde ze niet dat ik naar hem toeging en hem oppakte. Het was afgrijselijk. Ik haatte haar, ik haatte mezelf omdat ik het haar liet doen, ik haatte Nick omdat hij het niet voor me opnam...' Francesca schudde haar hoofd. 'Het was vreselijk. En dat was er maar één en ik was veel en veel jonger.'

'En jij hebt een aardige moeder,' zei ik, denkend aan Marguerite. 'Wat gebeurde er ten slotte?'

'Mijn moeder hield voet bij stuk; drie nachten maakten we een hel door en toen sliep hij vrolijk de hele nacht door in zijn eigen wieg, in zijn eigen kamer. Nu en dan gilde hij wel eens, maar hij leerde al vrij gauw om zich rustig te houden. Uiteindelijk denk ik dat ik waarschijnlijk degene ben geweest die hem wakker heeft gehouden. Bij de minste kik die hij gaf streelde ik hem, pakte hem op, onderzocht hem. Ik werd gek van vermoeidheid. Nick baalde ervan. Maar niemand was zo uitgeput als Caspar, die arme kleine. Als hij had kunnen praten, had hij waarschijnlijk gezegd: "Wil je alsjeblieft opsodemieteren en me met rust laten?" In ieder geval zegt hij dat nu.'

'Dat zegt hij niet.'

'O, jawel. Een keerpunt in je leven als je baby boven je uittorent en vloekt als een matroos. Iets voor het babyboek, lijkt me.'

'Ik dacht dat het beter ging.'

'Ja en nee. In plaats van 's avonds door de stad te gaan slieren, blijft hij in zijn kamer, luistert naar afgrijselijke muziek en brandt wierookstokjes. Een gewoonte die ik aan jou te danken heb.'

Ik zweeg.

'O, kijk,' zei Fran. 'Een echt café.'

'Heeft hij werkelijk tegen je gezegd, sodemieter op?'

'Weet je,' zei Fran, terwijl ze de deur openhield, 'ik wil er eigenlijk niet over praten.'

Mij best.

De koffie kwam in een hoog glas met een metalen handvat en een lange lepel. Ik keek naar Fran die lepels vol bruine suiker door haar koffie roerde en het melkachtige schuim dorstig opslurpte. Daarna keek ik naar Fran terwijl ze een kaneel-met-rozijnen krul naar binnen werkte.

Sinds ik terug was in Engeland was ik al het gewicht weer aangekomen dat ik in India was kwijtgeraakt. Niet werken was niet goed voor mijn lijn – veel te veel gelegenheid om te eten. En te drinken. De tien dagen bij mijn ouders hadden ook niet bepaald geholpen. En dan nog al die lunches met vrienden. Thee met de peetkinderen. De meeste avonden op stap. Vroeger kwam ik thuis uit mijn werk, maakte een kop soep warm, nam een bad en ging naar bed. Nu kon ik meestal wel iemand vinden met wie ik om zes uur iets ging drinken. Dat is een lange avond om calorieën te consumeren. Ik had me voorgenomen me vanavond netjes te gedragen. Maar dat was voordat ze over de wierookstokjes begon.

'Hoe komt het dat jij alles kunt eten en toch zo slank blijven?' Ik denk dat ik onbewust probeerde Francesca aan mijn kant te krijgen.

'Omdat ik niet van zeven uur 's morgens tot negen uur 's avonds op mijn gat blijf zitten.'

'Maar de kinderen zijn op school.'

Francesca zwaaide dreigend met haar vork. 'Waag het niet, Tessa King.'

'Wat niet?'

'Me tegenover jou rekenschap af te laten leggen over de manier waarop ik mijn dag doorbreng. Dat krijg ik al genoeg te horen van Nick.'

'Dat bedoelde ik niet, ik zweer het je. Ik dacht dat je een beetje tijd voor jezelf zou hebben als de kinderen naar school waren, dat is alles.'

'Tijd voor mezelf om gloeilampen te vervangen, wc-rollen op te hangen, natte handdoeken op te rapen, de was te doen, projecten af te maken, onze gammele auto naar de garage te brengen, de afwasmachine uit te ruimen, de afwasmachine in te ruimen, weer uit te ruimen, te koken, te winkelen, bijtijds schoon te maken om dan weer te koken... zal ik nog even doorgaan?'

'Nee.'

'Verdomd vervelend, hè?'

'Ja.'

'Wacht een paar minuten, dan heeft de suiker tijd om in mijn bloedstroom te komen en kan ik weer wat redelijker denken.'

Ik nam een slok koffie en brandde mijn tong. Het leek kinderachtig om daarover te klagen, dus zette ik het glas neer en keek naar Francesca die op de rest van het gebak aanviel.

'Dat is het gevolg van een avond doorzakken,' zei ze.

'Ik heb je nog nooit zo meegemaakt, zelfs niet na een avondje stappen,' zei ik, in een poging geruststellend te klinken.

'Dat komt omdat je meestal aan het werk bent,' zei Francesca scherp.

Ik had die linkse niet zien aankomen. 'Ook niet in de weekends als ik langskom,' antwoordde ik met een verdedigende stoot. Ik pik niet alles...

'In de weekends als mensen langskomen is het gezellig en houd ik even op met me druk te maken over kleinigheden.'

Ik raakte in de war. 'Wat zeg je?'

'Ik zeg niks, Tessa.'

Wat klonk als 'niks' voelde als een snelle undercut in de ribben. Francesca draaide zich om en bestelde nog een koffie met veel melk. Ik bezweek en bestelde er ook een.

'Vertel eens wat meer over Helen,' zei Francesca. 'Ze is te mager – eet ze wel?'

'Ze is altijd mager geweest.'

'Niet zó mager. Al komt het vaak voor dat vrouwen, als ze ophouden met borstvoeding, plotseling verschrompelen.'

'Ze voedt ze nog steeds zelf. Ze zegt dat ze daardoor afvalt.'

'Nonsens. Het geeft je een enorme eetlust. Een eetlust die je onmogelijk kunt negeren. En dan krijg je een aangename laag vet op de ergste plekken. Je buik, je achterste, je dijen krijgen een vlekkerig, bobbelig uiterlijk... Charmant, hoor.'

'Francesca, ik heb je in mijn hele leven nog nooit zo negatief meegemaakt. Wat is er aan de hand met je?'

'Dat heb ik je al gezegd, ik kan er niet meer tegen om 's avonds laat uit te gaan.'

'Fran, je bent pas in de dertig, niet in de vijftig!'

'Weet je het zeker? Ik heb het gevoel dat ik al heel erg lang volwassen ben. Ik krijg de neiging om een iPod te kopen, me op te sluiten in mijn kamer, hasj te roken en naar Carole King te luisteren.'

'Hasj?' vroeg ik zenuwachtig.

Francesca keek me aan. 'Sorry, hoe ze het tegenwoordig ook noemen, bung, skank, of het nieuwste – misschien heb je dat nog niet gehoord – wierookstokjes.'

Ik voelde me niet op mijn gemak onder Francesca's blik. De reden voor haar vijandige houding werd plotseling duidelijk. 'O.' Ik wist niet wat ik moest zeggen.

'Je had me moeten vertellen dat Caspar hasj rookte.'

'Hij zei dat hij ermee op zou houden.'

'En jij geloofde een jongen van zestien?'

'Ik geloofde Caspar, ja.' Ik fronste mijn voorhoofd, wist dat dat niet helemaal juist was. 'Ik bedoel, ik wilde hem geloven. Ik dacht dat het een tijdelijke aberratie was.'

'Nou, die aberratie heeft betekend dat hij met acute bindvliesontsteking van school is.'

'Echt waar?'

'Nee,' zei Francesca met stemverheffing. Ik kon zien dat ze haar best deed zich te beheersen. 'Hij is helemaal niet op school geweest. Hij heeft de boel bedrogen. Hij heeft een briefje geschreven: God mag weten hoe hij aan het briefpapier van een arts is gekomen.'

Caspar repareerde mijn computer als die rare dingen deed. Hij is een genie met computers. 'Ik wed dat het in de IT-klas was. Er is niet veel dat je zoon niet kan met een computer.'

'Het was een retorische vraag.'

'O, sorry.'

'Je had me moeten waarschuwen.'

'Ik wilde zijn vertrouwen niet beschamen.'

'Hij is mijn zoon, Tessa.'

Een rechtse, en ik was knock-out.

Francesca dwong me haar te vertellen wat er werkelijk gebeurd was op die avond van Caspars zestiende verjaardag. Ze was geschokt door het nieuws dat Caspar al aan het experimenteren was met meer dan alleen cannabis. Ze dwong me ook te vertellen wat ik werkelijk zocht toen ik in zijn kamer ging snuffelen en wat en of ik iets had gevonden. Ik verzekerde haar dat als ik iets had gevonden ik het haar verteld zou hebben, maar omdat ik net had toegegeven dat ik tegen haar had gelogen, legde mijn argument niet veel gewicht in de schaal.

'Wanneer ben je erachter gekomen dat Caspar niet naar school ging?' vroeg ik, van tactiek veranderend.

'Vrijdag.'

'Dus had je zaterdagavond de pest aan me.'

'Nee. Ik had geen idee dat je het wist. Ik had me voorgenomen alles om me heen te vergeten. Dat is me gelukt.'

'Dat heb ik gemerkt.'

'Dat is niet grappig, Tessa.'

'Sorry.'

'Caspar en ik hadden gisteravond een confrontatie en hij liet jouw naam vallen, vertelde ons dat jij had gezegd dat het goed was.'

'Onzin, dat heb ik nooit gezegd.'

'Hm, ik geloof niet dat hij erg enthousiast was over jouw gesnuffel. Ik geloofde zijn versie niet, en nu weet ik wat er echt gebeurd is.'

'Het spijt me dat ik je niet vertelde wat ik zocht, maar je zei dat het beter ging, dus wilde ik hem het voordeel van de twijfel gunnen —'

'Terwijl je in zijn kamer zocht naar drugs.'

'Fran, ik neem de schuld op me voor mijn rol hierin, maar het ís echt niet allemaal mijn schuld.'

'Je had me moeten vertellen over zijn verjaardag, dat kletsverhaal over Zac die zijn drank had opgepept, terwijl hij in werkelijkheid experimenteerde met drugs, en dat wist jij.'

'Ik heb hem gezegd dat hij jullie alles moest vertellen, maar ik liet het aan hem over te doen wat juist was.'

'Nou, dat heeft hij dus niet gedaan. En, laten we eerlijk zijn, jij ook niet.'

Ik houd er niet van in een hoek te worden gedreven. Mijn aangeboren instinct is naar voren te komen en te vechten. 'Francesca, het was stom toeval dat ik hem die avond zag en hem mijn kaartje gaf.'

'En genoeg geld om high te worden.'

'En genoeg geld om thuis te komen. Als ik dat niet had gedaan, zouden we niets wijzer zijn geworden. Kom nou, Nick vertelde me dat hij al maandenlang een nachtmerrie was, jou gek maakte, ruzie maakte, met deuren sloeg. Er is al een tijdlang iets mis. Ik geef toe dat ik niet besefte dat het zo ernstig was, maar jij ook niet en jij hebt met hem onder een dak geleefd.'

Francesca keek verslagen. Het was zoveel gemakkelijker kwaad te zijn op iemand anders.

'Hoe lang denk je dat dit al aan de gang is?' vroeg ze kalm.

'Dat weet ik niet.'

'Waar haalt hij het geld vandaan?'

Dat wist ik wél, maar ik wilde het niet zeggen. 'Heb je nooit iets gemist? Een bankbiljet?'

'Tessa! Wil je soms beweren dat Caspar een dief is?' Ze streek met haar vingers door haar haar. 'Niet een kind van mij. Nee, ik heb geprobeerd alles te doen voor mijn kinderen, ik heb ze fatsoen bijgebracht.'

'En het bier?'

Ze verborg haar hoofd in haar handen en vloekte weer. Hoe kon ik haar vertellen dat haar kind vijftig pond uit mijn portemonnee had gestolen zodra ik hem de rug had toegekeerd?

'Dat was voor een party.'

'Dan misschien dingen verkocht?'

Ze schudde haar hoofd. 'Wacht, hij heeft zijn fiets verkocht aan een vriend. Die was te klein geworden voor hem. Hij was van plan een nieuwe te kopen, maar...' Francesca zweeg even. 'Hoe heb ik zoiets als het niet kopen van een nieuwe fiets over het hoofd kunnen zien?'

'Hij zei wel dat de meiden veel van je tijd in beslag namen.'

'Dus het is mijn schuld?'

'Ze bedoelde ik het niet. Dat is gewoon Caspars pubervisie.'

'Maar het is zo. Om te beginnen zijn er twee, en ze zijn een stuk jonger.'

'Dit is niet jouw schuld. Dit is Caspars schuld. Jullie zijn modelouders geweest. Betere dan jij en Nick bestaan niet.'

Francesca keek me met een trieste blik aan.

'Wat zegt Nick ervan?'

'Hij zou hem het liefst de deur uitgooien.'

'Ik denk niet dat dat veel zou helpen.'

'Ik ook niet. Dus nu krijgen wij ook ruzie.'

'Nou, het werkt wél, hè? Caspar krijgt jullie aandacht. Maar misschien heeft hij wel een echt probleem.'

Francesca fronste haar wenkbrauwen. 'Denk je dat heus? Hij is nog zo jong.'

Ik moest haar vertellen wat ik wist. 'Hij heeft 50 pond van me gestolen.'

'Wat? Wanneer?'

'De dag dat ik thuiskwam.'

Francesca stond op.

'Het spijt me, ik had het je niet willen vertellen.'

'Ik moet ervandoor.' Ze rommelde in haar tas.

'Laat maar,' zei ik. 'Ik betaal.'

'Ik kan je een cheque geven voor het bedrag dat Caspar heeft gestolen.'

'Geen sprake van. Caspar moet werken om zijn schuld af te betalen en als je hem deze week naar me toe wilt sturen, heb ik duizend karweitjes voor hem die gedaan moeten worden.'

'Die geen van alle afschrikwekkend genoeg zijn.'

'De afvoer op mijn balkon is verstopt.'

'Nee, hij is te ver gegaan. Veel te ver.'

'Weet je, Fran, ik weet zeker dat hij het niet als stelen beschouwde. Niet van mij.'

'Denk je dat jullie relatie zo bijzonder is?'

De pissige klank in haar stem beviel me niet.

'Nou, je vergist je. Hij steelt al eeuwenlang van ons.'

'Maar je zei —'

'Ik wilde niet geloven dat het waar was. Maar het is zo. Al die maanden zat ik er met mijn neus bovenop. Sorry, Tessa, ik moet echt weg.'

Ze draaide zich om en wilde weggaan, maar dom genoeg pake ik haar bij haar arm. 'Vind je het erg als ik Helen vraag bij jou langs te komen om met je te praten?'

'Waarover?'

'Hoe ze moet ophouden fouten te maken met haar zoontjes.'

'Zeg dat ze moet leren eraan te wennen.'

Mijn gezicht vertrok even. 'Hè?'

'Heus, Tessa, het lijkt me op dit moment nogal duidelijk dat ik, omdat ik nog steeds die fouten maak, niet de ideale persoon ben om mee te praten.'

Ik keek haar na toen ze wegliep. Bij nader inzien had ik een beter moment moeten afwachten om weer over Helen te beginnen.

Ik liep terug naar mijn auto toen mijn telefoon begon te rinkelen. Ik herkende het nummer niet, dus wachtte ik het antwoordapparaat af. Vroeger was ik niet gewend om zo op mijn hoede te zijn. Dat krijg je als je bespioneerd wordt door een man met een obsessie. Geen wonder dat ik niet ben doorgegaan naar een volgend stadium in mijn leven. Ik had het te druk met een man van me af te houden die, na mij de hele dag idiote e-mails te hebben gestuurd, naar huis ging naar zijn vrouw en kinderen. Het maakt dat je van die hele kwestie schoon genoeg krijgt. Maar toen ik naar huis liep, besefte ik dat ook dit weer een leugen was, net als de leugen jezelf te vertellen dat je zoon niet steelt, terwijl het zonneklaar is dat hij dat wél doet. Ik prentte me in dat ik absoluut niets met liefde te maken wilde hebben, terwijl het in feite de achtergrond-muzak vormde in mijn leven. Mijn telefoon piepte. Ik belde de voice-mail.

'Hoi Tessa, met James Kent. De laatste keer liep je van me weg, deze keer loste je op in het niets. Misschien kwam het door dat griezelige nachtelijke spookuur en krijg je overal haar en begin je bloed te zuigen, dus dacht ik dat overdag misschien veiliger was. Heb je honger?' Hij had een nummer achtergelaten. Ik krabbelde het op de rug van mijn hand en staarde ernaar. Zo niet nu, wanneer dan? Waar wachtte ik in godsnaam op? Tot Ben Sasha in de steek liet? Nee. Ben Sasha niet in de steek liet? Nee. Het leven ging aan me voorbij. Als ik mee wilde doen aan het gokspel van de genen, moest ik het spelletje meespelen. Ik toetste het nummer in.

'Je haalt je sprookjes door elkaar. Vampiers krijgen geen haar. Weer-wolven wel, maar ik geloof niet dat die bloed zuigen, ze scheuren je al-leen maar in stukken. Bij weerwolven is het meer een kwestie van totale consumptie.'

'Hallo, Tessa King.'

De toon waarop hij het zei beviel me.

'Hallo, James Kent.'

'Is het waar?'

'Nee, tenzij er na de metamorfose sprake is van een volledige amne-sie.'

'Ik had het over trek hebben, maar we kunnen deze nonsens voort-zetten als je wilt.'

'Ik hou van die nonsens.'

'Ik ook, maar het levert me geen afspraakje op, of wel?'

Ik voelde een tinteling. Een echte. Ik hoorde te antwoorden. Maar ik kon het niet. Ik had het te druk met grijnzen.

'Ik rammel,' wist ik er eindelijk uit te brengen.

251

'Ik dacht even dat je weer verdwenen was.'

'Sorry. Op het ogenblik rammel ik echt van de honger. Ik had een miezerig ontbijt.' Ik keek op mijn horloge. 'Is 11.07 te vroeg om te lunchen?'

'Beslist niet. Waar ben je?'

'Bij het hek van de Hammond School.' Terwijl ik het zei wist ik dat het verkeerd was.

'Geen peetkinderen meer?'

'Nee, maar ik moest iets doen voor een petekind.'

'Werk je niet?'

'Ik leef van de liefdadigheid. Waar zien we elkaar?'

'Hoe denk je over lunch in het Ivy?'

'Ik ben niet gekleed voor het Ivy.'

'Nog beter. Hoe sjofeler je eruitziet, hoe belangrijker ze denken dat je bent.'

'Ik geloof je niet.'

'Groot gelijk, maar als je met mij daar komt, zullen ze denken dat je een komisch genie bent, op het punt internationaal door te breken.'

'Wil dat zeggen dat ik grappig moet zijn?'

'Echte komische genieën zijn nooit grappig.'

'Is het Ivy zo vroeg open?'

'Nee.'

'Dus het was allemaal bluf?'

'Volledige bluf. Ik zou voor geen geld of liefde een tafel kunnen krijgen.'

Om de een of andere reden geloofde ik hem niet. Ik keek weer op mijn horloge. Ik zou later wel bij Helen langsgaan. 'Dus waar we gaan lunchen om 11.09 uur?' vroeg ik.

Ik volgde zijn instructies letterlijk op en parkeerde een halfuur later in een obscuur uitziende zijstraat van Edgware Road, ten noorden van het Westway-viaduct. Ik stak de straat over en duwde de deur open van een Birmaans restaurant dat je gemakkelijk over het hoofd kon zien. Daar werd ik allerhartelijkst begroet door de eigenaar die me naar onze tafel bracht. Omdat het restaurant niet veel groter was dan een kaarttafel, vond ik dat een aardig gebaar. James zat al aan de tafel met een kop sterke zwarte koffie en een fles ongeëtiketteerd mineraalwater. De koks kletterden achter een open luik in de muur achter hem en een hoogbejaarde Birmaanse vrouw zat naast een plastic bananenboom in de hoek. Ze kauwde op een sirihpruim. Dat wist ik omdat haar mond verraderlijk rood was gekleurd. In heel Vietnam had ik vrouwen dat zien doen. Ik vond het een goed voorteken.

James stond op en kuste me vluchtig op een wang. We gingen zitten. De eigenaar bracht me een klein kopje dikke zwarte koffie, schonk wat water in een glas en vroeg toen hoeveel honger ik had. Ik vertelde hem dat ik uitgehongerd was. Hij glimlachte en trok zich terug in de keuken.

'Vreemd restaurant.'

'Ik weet dat een beetje ongewoon is, maar het is het beste eten in Londen.'

'Birmaans?' vroeg ik, niet helemaal overtuigd.

'Vertrouw me maar. Je hoeft niet eens te bestellen. Hij brengt je gewoon de gerechten.'

'Hoe komt het dat je van de ene minuut op de andere weg kunt van je werk?'

'Omdat mijn naam op het briefhoofd staat.'

'Indrukwekkend.'

'Niet echt. Voor een paar pond krijg je bij Prontaprint redelijk goed briefpapier.'

'Dat heb je snel voor elkaar.'

'Ik ben er lang genoeg mee bezig.'

'Hoe lang?'

'Vierentwintig jaar.'

Ik was een beetje verbluft. Hij zag eruit of hij van mijn leeftijd was. 'Ben je gaan werken toen je drie was?' Ik vond dat ik mild hoorde te zijn, want wat ik werkelijk bedoelde was: 'Hoe oud ben je?'

'Nee, na de universiteit. Maar om je uit je ellende te helpen, ik ben zesenveertig.'

Wauw. Over vier jaar werd hij vijftig. Ik was verbaasd. Ja, hij had grijzend haar, maar hij was zo sexy. Nou ja, naast een oudere man voelde ik me een piepkuiken, wat geen geringe prestatie was tegenwoordig.

'En jij?'

'Vierenzestig, maar het maagdelijke bloed houdt mijn teint fris. Vind je het nog te vroeg voor een biertje?'

'Mooie verandering van onderwerp.'

'Mijn vader zou het een uitvlucht noemen.'

'Kun je goed opschieten met je vader?'

'O, ja. Ik ben pas laat in zijn leven geboren en ik ben zijn enige dochter, kind feitelijk, dus natuurlijk kan ik geen kwaad doen.'

'En je hebt geen man gevonden die zich met hem kan meten?'

Ik voelde Bens lippen op de mijne. Het bloed steeg naar mijn wangen. Ik had onwillekeurig mijn hand voor mijn mond geslagen. James begreep mijn reactie verkeerd. Of misschien begreep hij hem juist heel goed, want hij duwde mijn hand omlaag en hield die vast.

'Sorry, dat kwam er opdringeriger uit dan ik bedoelde. Laten we een afspraak maken, geen oude liefdes ophalen in welke vorm dan ook.' Hij schudde de hand die hij vasthield. 'Van nu af aan is het een verboden onderwerp.'

Mijn eerste reactie was achterdocht, ik wilde hem vragen wat hij te verbergen had. Maar ik moest ophouden met excuses te verzinnen om mensen op een afstand te houden, want wie op onze leeftijd had niet iets te verbergen? Dus verbeeldde ik me een sprookjesachtig einde, hield zijn hand vast en schudde die ook. 'Afgesproken,' zei ik glimlachend.

'Vertel me eens waarom je niet werkt op het ogenblik,' zei hij.

Ik deed het, want mijn ex-baas viel niet onder het hoofdstuk liefde in welke vorm ook. Voor een keer gebruikte ik in mijn verhaal over die in feite ongelooflijk gestreste tijd niet de gebruikelijke olijke opmerkingen. Ik lachte niet om het feit dat mijn ex-baas op wacht stond onder een lantaarnpaal voor mijn flat. Ik voegde er niet aan toe dat ik me gevleid voelde door de foto's die van mijn flat waren genomen vanaf de overkant van de rivier, en dat het korrelige effect van een langeafstandslens wonderen deed voor mijn teint. Ik imiteerde niet op een overdreven manier de nachtelijke telefoontjes van zijn woedende vrouw die me een hoer noemde. Ik deed niet alsof ik geaarzeld had over het terugzenden van de Gucci-handtas, de Hermes-sjaal, de uitnodiging voor een weekend in het Cipriani in Venetië. Hij luisterde aandachtig en ik voelde een zware last van mijn schouders vallen. Ik voelde mijn schuldgevoel wegzakken. Mijn ex-baas was gestraft met een zenuwinstorting. Ik zat hier te lunchen met een aardige, aantrekkelijke man, en mij ging het goed. Ik had het me niet verbeeld, ik had het niet overdreven, ik had het niet aangezwengeld, maar ik had dit intermezzo nodig om de dingen in hun juiste proporties te zien.

'Voel je je verbitterd omdat jij degene was die het veld moest ruimen?'

Interessante vraag.

'Ik bedoel, hoe lang heb je daar gewerkt?' vervolgde hij.

'Bijna tien jaar, maar ik kon toen die strijd niet aan.'

'En nu?'

'Ik kan niets doen. Hij is nu weg. En ik heb een overeenkomst getekend, het zwijggeld aangenomen en een aanbevelingsbrief gekregen die mijn moeder niet had kunnen schrijven.'

'Stralend?'

'Verblindend,' antwoordde ik.

'Ik twijfel er niet aan of je wordt in een mum van tijd door een ander kantoor opgepikt.'

'Ik hoop het. Al dat nietsdoen geeft je veel te veel tijd om te denken.'

'Wat vermeden moet worden.'

'Ten koste van alles,' gaf ik toe.

De gerechten werden opgediend en weggehaald. We deelden alles. Ik besefte algauw dat ik het goede verloop van de lunch had onderschat en ik moest de auto gaan verplaatsen en een andere meter vullen met nog meer munten. Toen ik terugkwam stond de tafel weer vol met nieuwe gerechten. Ik begon het gevoel te krijgen dat onze gastheer me op een ontspannen manier bekend wilde maken met de Birmaanse keuken, al was het duidelijk dat James hier al veel vaker gegeten had. Toen ik eindelijk ophield met over mijzelf te praten vroeg ik hem waarom hij juist aan dit restaurant de voorkeur gaf.

'Je komt hier nooit bekenden tegen,' antwoordde hij. 'Zakenlunches in mijn beroep betekenen dat je naar de nieuwste, beste restaurants gaat maar nooit van je omgeving kunt genieten en veel te veel mensen ziet die je verondersteld wordt te kennen, maar van wie je je de naam niet herinnert.' Hij prikte wat spinazie op zijn vork en bood me die aan. Ik at. Hij had dat al twee of drie keer gedaan en het voelde heerlijk intiem. Ik amuseerde me kostelijk. 'Dat kun je nooit doen tijdens een zakenlunch. Je kunt niet zeggen: "Wauw, dit is verrukkelijk, dat moet je proeven," en je vork in de mond stoppen van een of andere tv-producer.'

'Mijn peetdochter —'

'Cora?'

Ik was onder de indruk. 'Ja, Cora. Nou, ze was veel te vroeg geboren en is nog steeds klein voor haar leeftijd.'

'Hoe oud is ze, vijf?'

'Zeven.'

'Ze is zo tenger.'

'Billy heeft de grootste moeite gehad om haar te laten eten. Cora heeft er gewoon geen belangstelling voor. De dokters zeggen dat Billy zich geen zorgen hoeft te maken, maar natuurlijk doet ze dat wel. In ieder geval besefte ze dat ze te ver ging toen ze haar weer een lepel met iets voedzaams voorhield en zei: "Proef het eens, het is heerlijk". Cora, het enige kind dat ik ken dat geen woedeaanvallen krijgt, smeet de lepel door de kamer smeet en gilde: "Ik HAAT heerlijk!"'

Ik nam nog een hap eten waar ik geen ruimte meer voor had, om te stoppen met praten over mijn peetkinderen. Het verhoogde niet de sexy uitstraling die ik hoorde te hebben maar die ik bleef vergeten. James maakte het me veel te gemakkelijk om mijzelf te zijn, wie dat ook was.

'Ik benijd je. Ik heb een peetzoon die ik niet mag. Hij jammert eeuwig en altijd en zijn ouders blijven excuses voor hem zoeken – hij is verkouden, hij is oververmoeid, ze hadden hem wat meer eten moeten geven – terwijl hij alleen maar een zeurend moederskindje is. Natuurlijk overcompenseer ik dat verschrikkelijk en besteed ik meer geld aan hem dan aan iemand anders in mijn hele familie.'

'Hoe oud is hij?'

'Vijftien.'

Ik lachte. 'Dan hebben we nog iets met elkaar gemeen. Ik heb ook een peetzoon van zestien, maar hij is een zakkenroller, een hasjrokende spijbelaar.'

'Leuk.'

'Kinderen,' zei ik met een lachje. 'Wie wil nou kinderen?'

James keek me even met een ernstig gezicht aan.

'Oeps. Begrijp me niet verkeerd, ik ben geen kinderhater, maar, nou ja, je had mijn vriendin Francesca vanmorgen eens moeten zien, of mijn vriendin Helen gisteren, of mijn vriendin Billy die op de bus zat te wachten om mijn twintig pond voor een taxi te sparen om zo wat gezond voedsel voor haar dochtertje te kunnen kopen dat ze dan met een hoop fantasie en overtuigingskracht naar binnen moet zien te krijgen.'

'Wil je geen kinderen?'

'Daar heb ik nog niet echt over nagedacht.' Dat was het moment waarop ik stopte met mezelf te zijn en weer degene begon te zijn die ik geacht werd te zijn.

'Dat is een leugen,' zei James Kent zachtjes.

'Een grote, kolossale leugen,' zei ik, en knikte.

'Weet je wat?' James stond op. 'Laten we een eindje gaan wandelen en ergens koffiedrinken, voor we doodpraten wat nog maar nauwelijks begonnen is.'

'Ik vind het leuk zoals je dat zegt,' zei ik, en stond eveneens op.

'Ik vind het leuk zoals het klonk.' Hij betaalde de rekening en we gingen weg. De oude vrouw zat nog steeds in de hoek te kauwen op haar sirihpruim.

We stopten bij een kleine Italiaanse deli en stonden bij de toonbank te praten over minder beladen dingen. Een uur ging weer vlot voorbij en toen begon de zaak vol te lopen met nogal grote, intimiderend uitziende kinderen. We liepen naar buiten.

'Een meute schoolkinderen,' zei ik, eerst een voetbal en toen een fiets ontwijkend. James keek op zijn horloge en vloekte.

'Ik moet weg,' zei hij. 'Het spijt me heel erg. Zal ik een taxi voor je aanhouden?' en hij voegde de daad bij het woord.

'Nee, neem jij hem maar, ik ben met de auto.'

De taxi stopte.

'Waarheen?' vroeg de chauffeur.

'Baker Street,' antwoordde hij. 'Sorry dat ik zo zonder plichtplegingen vertrek.'

'Het was echt heel, heel gezellig. Bedankt voor lunch, dessert, goed gesprek. Ga maar. Ik wil niet dat je te laat komt.'

'Laten we dit nog eens doen,' zei hij. Zonder me een afscheidszoen te geven stapte hij in de taxi, die zich in het verkeer voegde en acceleerde met een hoestbui van zwarte rook. Ik was een beetje teleurgesteld, ik had eigenlijk gehoopt op een langdurig afscheid.

Ik liep terug naar mijn auto. Ik had duizend-en-één dingen te doen, dus had ik dankbaar moeten zijn voor een paar uur om mijn leven in het juiste spoor te brengen, maar ik had geen zin om naar huis te gaan en bovendien moest ik naar Helen om te zien hoe het met haar ging, dus keerde ik de auto. Bij het viaduct ging mijn telefoon. Ik zette de auto in z'n vrij.

'Hallo?'

'Zou morgen te snel zijn?'

Ogenblikkelijk herstel.

'Nee.'

'Geweldig. Wat zou je zeggen van een dinertje morgenavond?'

'Klinkt prima.'

'Ik zal ergens reserveren waar pompoenen welkom zijn en dan bel ik je terug.'

'Dat doet me eraan denken, hoe kom je aan mijn nummer?'

'Dat heeft je vriendin Sasha me gegeven.'

'Ze heeft me niet verteld dat je haar om mijn nummer had gevraagd.'

'Dat heb ik niet. Ze stopte het gewoon in mijn hand.'

'O.'

'Nou ja, ik had je al twee uur lang lopen zoeken, dus waarschijnlijk had ze medelijden met me. Of misschien wil ze je alleen graag kwijt en stopt ze je nummer in de hand van iedereen die met een wanhopige uitdrukking op zijn gezicht rondloopt.'

'Misschien,' herhaalde ik. Misschien, misschien, misschien.

'Was ik de enige die belde?'

'Ja.'

'Goed zo. Tot morgen, Tessa King.'

Ik probeerde mijn goede gevoel terug te vinden, maar het lukte niet helemaal. 'Dag, James Kent.' Ik schakelde en reed snel Edgware Road op.

Het verkeer was onmogelijk. Elke slimme manoeuvre die ik probeerde om me een weg te banen door het drukke middagverkeer werd gedwarsboomd door dubbel geparkeerde auto's volgeladen met kinderen. Ik was niet gewend om halverwege de middag in de stad rond te rijden. Was ik dat wél geweest, dan zou ik geweten hebben dat je je nooit op de weg moet wagen tijdens de 'schoolrun'. Het was een nachtmerrie, dus vijfenveertig minuten later, toen ik ergens in Paddington vastzat, belde ik Helen. Ze nam de vaste telefoon en haar mobiel niet op, dus draaide ik om en reed naar huis.

Donderslag

Billy wilde dat ik bewijzen in handen zou krijgen dat Christoph aanzienlijk meer verdiende dan hij de rechtbank vertelde, maar ze wilde niet dat ik ermee door zou gaan tot zij er klaar voor was. Ik vreesde dat al mijn pogingen vergeefs zouden zijn en Billy nooit zover zou komen. Mijn vriend de echtscheidingsadvocaat bracht zijn tijd door met zoveel mogelijk geld te persen uit mensen die ooit in hun leven ten overstaan van hun vrienden en familie hadden verklaard lief te hebben, te eren en wat de moderne manier van gehoorzaamheid beloven ook is. Ik vroeg hem waar dat gemeenschappelijke ideaal gebleven was en hij vertelde me dat wat niet uitgehold was door ontrouw, verdriet en verwaarlozing, afgebroken werd door de advocaten. Ik had zijn huwelijk een paar jaar geleden bijgewoond, dus informeerde ik naar zijn eigen huwelijk. Ik was opgelucht toen ik hoorde dat alles goed ging en vroeg hem wat zijn geheim was. 'Ik weet hoe afgrijselijk een echtscheiding is, dus ik zorg ervoor dat het goed gaat, wij zorgen ervoor dat het goed gaat,' zei hij en voegde er toen aan toe: 'Maar voor alle zekerheid heb ik mijn activa goed beschermd.' Ik geloofde niet dat hij gekheid maakte. Hij gaf me het nummer van een privédetective die op dat gebied gespecialiseerd was, maar waarschuwde me dat hij duur was, al zouden we de kosten terugverdienen als we wonnen. Billy zou nooit daarin meegaan, dus moest ik het handiger aanpakken. Christoph was slim, maar ook ijdel. Ik was van plan hem op zijn ijdelheid te pakken. Ik belde Cora, want ik wist dat ze thuis zou zijn met het kindermeisje. Misschien was het gebruikmaken van een clandestiene bron, maar Cora wist dingen waarvan ze niet eens wist dat zij ze wist.

'Hoi, schat, hoe gaat het?'

'Moe,' zei Cora.

'Lange dag op school?'

'Uh-uh.' Ze kuchte om het te demonstreren.

'Dat klinkt niet goed,' zei ik.

'Ik heb duiveltjes op mijn borst.'

'Zo te horen wel, ja. Ben je bij de dokter geweest?'

Stilte. Ik vermoedde dat Cora haar hoofd schudde.

'Mammie op haar werk?'

Weer stilte. Cora die knikte. Billy had een baan moeten hebben bij een huisarts in plaats van een tandarts. Dat zou een stuk nuttiger zijn geweest. Omdat Cora niet van eten hield, vooral niet van zoet, had ze nooit problemen met haar gebit.

'Even een vraagje. Herinner je je nog die ansichtkaart die Christoph je stuurde met de foto van een boot erop?'

'Ja.'

'Heb je die nog?'

'Nee.'

Verdomme. Mijn eerste spoor liep dood.

'Mammie bewaart hem in de la van haar nachtkastje, in een boek.'

O, Billy toch. 'Geweldig,' zei ik, een en al valse opgewektheid. 'Die heb ik nodig. Slim van mammie om hem te bewaren.'

Cora was niet overtuigd, dus deed ik er verder geen moeite voor. Ik wilde haar juist vragen hem te gaan halen, toen ze een hevige hoestbui kreeg, en ik moest even wachten tot ze gekalmeerd was.

'Heb je een hoestdrankje?' vroeg ik toen het hoesten bedaard was.

'Magda is weg om citroenen te halen.'

Weg om...? 'Wie is er bij je?'

'Ze blijft maar heel even weg.'

'Oké, goed dan, laten we wat babbelen tot ze terugkomt.'

'Ik ben te moe om te praten, peetmammie T.'

'Oké. Ga met de telefoon op de bank zitten, dan vertel ik je een verhaaltje. Oké?'

'Oké.'

Ik hoorde haar door de kamer lopen, op de bank klimmen en het zich gemakkelijk maken.

'Klaar?'

'Uh-uh.'

'Er was eens...' Eén minuut bleken er zestien te worden. Ik rekte mijn verhaal, het sloeg allemaal nergens op en het had ook geen behoorlijk einde, maar dat deed er niet toe, want Cora viel voortdurend in slaap. Ik was dankbaar voor het mucus in de longen van het arme kind, want het verschafte me een geruststellende achtergrond voor mijn armzalige verhaal. Zolang ik haar kon horen ademhalen, ging ze niet dood in een brandend huis, of werd ze ontvoerd, of stikte, of slikte Cif, of een van die andere levensgevaarlijke dingen in een huis waaraan zelfs een goed bewaakt kind blootstaat, laat staan een kind dat alleen is.

'Cora! Ik ben terug!' hoorde ik een stem in de verte. Voetstappen. Een gekraak toen de telefoon uit Cora's hand werd genomen.

'Hallo?' zei ik luid.

'Barst.'

'Magda, ik ben het, Tessa.'

'Hallo, Tessa.'

'Liet je Cora alleen?'

'Ik moest iets voor haar gaan halen, ze bleef maar hoesten. Ik dacht dat citroen en honing zou kunnen helpen.'

'Maar ze was helemaal alleen!'

'Billy gaat soms naar de winkel op de hoek. Ik heb het zo snel mogelijk gedaan.'

Ik was op Magda gesteld. Ze was eerlijk en geweldig met Cora, maar zo snel was ze niet teruggekomen.

'Wat mankeert haar?'

'Een verkoudheid.'

Cora was vaak verkouden. Billy zei dat als ze haar elke keer dat ze verkouden was thuis moest houden van school, ze nooit naar school zou gaan. Het maakte me bezorgd. Het maakte me bezorgd dat ze niet sterker was. Zo'n sterke persoonlijkheid, in zo'n klein lichaam. Waarschijnlijk zou het helpen als ze beter at. Naar een vaste dokter ging. Nu en dan eens uit Londen wegging. Al die dingen die mogelijk waren met wat extra geld.

Ik vertelde Magda over de ansichtkaart in Billy's la en wachtte terwijl ze hem voor me ging halen. Ik herinnerde me nog wanneer Billy die ansichtkaart had ontvangen. Hij viel door de brievenbus op Cora's zevende verjaardag. We waren allemaal verbijsterd; Christoph had nog nooit een verjaardag van Cora onthouden. Het was toeval. Het was een kort briefje dat hij niet voor de herfstvakantie terug kon zijn want dat hij nog in Dubai was en dat zijn ouders hem daar kwamen opzoeken. Het was een oppervlakkige tekst, pijnlijk oppervlakkig. Voorop stond een foto van een enorm jacht. Christoph stuurde geen foto van andermans jacht. Dat was niet zijn stijl. Hij schepte op tegenover Billy, liet haar weten wat ze miste, draaide het mes om terwijl hij de fantasie aanwakkerde. En het had succes gehad. Ze had de ansichtkaart gehouden, al was hij geadresseerd aan Cora.

Wat ik wilde was de naam van die boot. Daarmee gewapend belde ik Camper & Nicholsons, de beste botenbouwers die ik kende, en vroeg hen hoe ik te werk moest gaan om een jacht te achterhalen dat geregistreerd stond in de UAE, de United Arab Emirates. Ze waren uiterst behulpzaam. Ik raakte opgewonden toen mijn detectivewerk resultaten begon op te leveren, dus trakteerde ik mezelf op een glas wijn.

Toen ik de kurk er halverwege uit had, ging de telefoon. Het was Francesca.

'Is dit een goed moment om te praten?'

'Een ogenblik.'

Ik ontkurkte de fles, schonk een groot glas wijn in, trok mijn schoenen uit en ging op de bank liggen.

'Nu wel, ja.'

'Het spijt me van vanmorgen.'

'Nee, het spijt mij, Fran, ik had het je moeten vertellen.'

'Je weet dat ik het altijd heerlijk heb gevonden dat je zo'n goede relatie hebt met Caspar. Ik zou het niet overleefd hebben als je hem me niet uit handen had genomen toen hij nog jonger was. Ik besef dat het óf het een óf het ander is, dat je niet allebei kunt hebben. Hij vertrouwt je.'

'Vertrouwde me.'

'Ik heb hem niet verteld dat we elkaar gesproken hebben. Hij weet niet dat ik het weet van de speed, de politie of het geld dat hij heeft gestolen. Ik heb hem de kans gegeven me alles te vertellen. Ik heb hem op de trein gezet om bij zijn grootouders te gaan logeren tot hij weer terug mag naar school. Ik heb zijn koffer gepakt en zijn zakken doorzocht. Als hij drugs had, zaten ze in zijn reet. We zullen zien wat er nu gebeurt.'

'Je hoeft me niet te beschermen. Ik heb ook nagedacht. In de eerste plaats ben jij mijn vriendin, niet je zoon. Jij gaat voor. Hij moet eens goed door elkaar gerammeld worden. Laat mijn naam vallen als dat moet, maar zorg dat je hem tot rede brengt.'

'Hopelijk zal het niet zover komen.'

Persoonlijk dacht ik dat het al zover was. 'Wat heeft hij van je gestolen?'

Ik voelde dat ze ineenkromp. 'Het is niet honderd procent zeker, maar er worden te veel dingen vermist. Geld waarvan ik had kunnen zweren dat ik het had klaargelegd voor een schoolreisje, twintig pond hier of daar waarvan ik dacht dat ik het in mijn portemonnee had. Ik geloof dat de cd-collectie is gekrompen. En die van hem is totaal verdwenen. Mijn prepaid mobiel. Ik dacht aan een zakkenroller.'

'O, Fran, wat erg voor je.'

'Waarom doet hij me zoiets aan?'

'Ik geloof niet dat hij het jóu aandoet.'

'Dat doet hij wel.' Fran slaakte een diepe zucht.

'Wat moet ik doen om je te overtuigen, je te doen inzien dat je altijd een uitzonderlijk goede moeder bent geweest, en bent, voor die jongen? Wat jij voor hem hebt gedaan, zonder te oordelen, gaat nog steeds boven mijn pet.'

'Je klinkt als een advocaat.'

'Ik bén een advocaat.'

Francesca zuchtte weer. Of was het een snik? Een zachte snik.

'Waar is Nick?'

'Nog steeds in Saigon.'

'Gaat alles goed?' Ik had net gesproken met een echtscheidingsadvocaat die nooit zonder werk zat. Het maakte dat mijn verbeelding op hol sloeg. Ik kon Helen dat verdomde gedicht voor me horen citeren: do not distress yourself with dark imagenings... (maak je niet van streek met sombere waandenkbeelden). Gemakkelijk gezegd, niet gemakkelijk gedaan.

'Ja, het ging uitstekend. Het gaat goed met ons. Ik zou wat meer steun van hem willen hebben in deze kwestie, maar zo is Nick nu eenmaal niet. Hij heeft andere sterke kanten, maar dit brengt hij niet op.'

'Je bent erg ruimhartig tegenover je man.'

'En hij tegenover mij. Als ik me opwind omdat sommige dingen niet op de juiste plaats liggen, woedend word over volkomen onbelangrijke details, brengt hij me heel kalm tot bedaren.'

'Jullie zijn altijd een benijdenswaardig stel geweest.'

Die opmerking legde Francesca het zwijgen op.

'Je klinkt niet goed. Zal ik langskomen?' vroeg ik. Ik controleerde mijn glas wijn. Ik was nog niet over de limiet heen.

'Nee, ik geloof niet dat ik je dat in je gezicht kan vertellen.'

263

'Me wát vertellen?'

Ik wachtte. Het was een juridisch trucje.

Ik hoorde dat Francesca diep ademhaalde. 'Er is een tijd geweest dat het niet zo goed ging tussen Nick en mij.'

Dat had ik niet verwacht.

'Dat is toch normaal? Zelfs het beste huwelijk kan niet altijd even fantastisch zijn.'

'Ik leerde iemand kennen.'

Donderslag. Instinctief ging ik rechtop zitten en zette mijn voeten plat op de grond.

'Wanneer?'

'Caspar was twaalf.'

Ik ontspande me. Er waren sindsdien heel wat volle en halve manen geweest en Nick en Francesca waren nog steeds een hecht paar.

'Ik was bijna weggegaan.'

'Je wilde Nick verlaten?'

'Ik kan het nu niet meer geloven, maar Tessa, wat ik voelde voor die man leek zo echt. Ik dacht in alle oprechtheid dat ik een vergissing had begaan, dat ik nooit voor Nick had gevoeld wat ik voor die man voelde. Het was de grote passie. Ik was geobsedeerd.'

'Maar jullie waren altijd zo – zo gelukkig met elkaar.'

'Het vergt een hoop werk om zo gelukkig te zijn. Ik denk dat we lui waren geworden. Iemand heeft eens gezegd dat het huwelijk is als een gang met deuren. Jij gaat door jouw deur, hij gaat door zijn deur, maar aan het eind van de dag moet je terugkomen in de gang, terug op de basis, elkaars hand vasthouden, want achter elke deur bevinden zich weer meer deuren, en daarachter nog meer, en als je allebei door te veel deuren gaat zonder terug te komen in de gang, vind je misschien nooit meer de weg terug. Dat is wel zo ongeveer wat er gebeurde; het duurde ook niet lang.'

Ik had niet echt geluisterd. Het duizelde me nog. Fran had een relatie gehad. 'Wie was het?'

'Doet er niet toe wie het was. Het was niet reëel, niets ervan. Poppie praatte niet, Katie begon een hele dame te worden, Caspar kwam in de puberteit en ik zag het allemaal niet meer zitten. Ik ontmoette hem in de spreekkamer van mijn huisarts. Ik had al maanden last van een hoest die niet overging.'

'Dat herinner ik me nog.'

'Ik was nergens meer. Nick was weg, bezig de wereld te redden, en ik was niks. Een nobody. We begonnen elkaar te ontmoeten voor koffie. Ik was gewoon dankbaar dat ik een vriend had die niet een jammerende moeder was zoals ik. Hij was docent aan de universiteit. Je weet dat ik me altijd aangetrokken heb gevoeld tot intelligente mensen. Ik voelde me door hem geïnspireerd. Het zou goed zijn geweest als ik Nick meteen in het begin had verteld dat ik een nieuwe vriendschap had gevonden, een gescheiden, uitermate intelligente man, maar dat deed ik niet. De heimelijkheid ervan begon een eigen leven te leiden. Eindelijk was er eens iets opwindenders in mijn leven dan luiers, boeken over mannen, en deuren die voor mijn neus werden dichtgeslagen en het wassen van Caspars vuile onderbroeken. Waarom kunnen jongens niet zelf hun gat afvegen? Trouwens, waarom kunnen mannen dat niet?'

'Sorry,' zei ik, toen ik eindelijk in staat was iets te zeggen. 'Dat zou ik je niet kunnen zeggen.'

Francesca zweeg weer.

'Weet je zeker dat je niet wilt dat ik langskom?'

'Ja. Maar blijf aan de telefoon.'

'Oké.'

'Ik schaam me zo, Tessa. Daarom heb ik het je nooit kunnen vertellen.'

'Fran, je hoeft me helemaal niets te vertellen. Het was lang geleden, het is voorbij.'

'Ik moet het iemand vertellen.'

Me wat vertellen? Was er nog meer?

Langzaam ging ze verder. 'Ik denk dat ik weet waarom Caspar dit doet.'

Hadden tieners een reden nodig om zich rot te gedragen jegens hun ouders?

'Herinner je je nog dat ik je vroeg of jij het hele weekend voor Caspar zou willen zorgen? Nick was weg en de meisjes waren bij mijn moeder.'

Ik had Caspar heel wat weekendjes te logeren gehad.

'Ik was terug naar college –'

'O, ja, het was een of andere weekendtrip of cursus, of zoiets, ik kan me niet eens herinneren wat je...' Mijn stem stierf weg. Studeerde, had ik willen zeggen. Ging ze me vertellen dat er helemaal geen weekend-cursus was geweest?

'Er was geen cursus.'

'Je bent er halverwege mee opgehouden. Ik herinner me dat het niets voor jou was om iets niet door te zetten.'

'Ik bedoel, er wás helemaal geen cursus.'

'O.' Dat was een substantiële leugen om aan je familie en vrienden te vertellen.

'Ik dacht niet na in die tijd. Het groeide me boven het hoofd.'

'Hoe lang heeft het geduurd?'

'Zes weken. Het eindigde dat weekend.'

'Waarom?'

'Ik dacht dat jij dat wel zou weten.'

'Ik? Waarom ik?' Ik stond op. Ik had meer wijn nodig.

'Jij hebt Caspar die middag thuisgebracht.'

'Heus?'

'Jij bleef in de auto zitten.'

'Heus?'

'Caspar moet met zijn eigen sleutel zijn binnengekomen.'

De richting die dit opging beviel me niet. 'Wat is er gebeurd, Fran?'

'Ik hoopte dat jij me dat zou kunnen vertellen.'

Ik schonk meer wijn in dan mijn bedoeling was. 'Dit is voor het eerst dat ik iets hierover hoor.'

'Dus Caspar heeft het je niet verteld?'

'Me wát verteld?'

'Dat hij me had gezien.'

'Nee.'

'Hij gedroeg zich niet vreemd toen hij terugkwam naar de auto?'

'Nee.'

'Weet je het zeker, Tessa? Denk eens na. Dit is belangrijk.' Ze klonk wanhopig.

'Wat denk je dat hij heeft gezien, Francesca?'

'Ik verknalde het. En hoe! Ik zou er een eind aan maken. Dat wilde ik ook. We hadden uren in de regen door het park gelopen, gepraat, hij ging alleen even naar binnen om zich af te drogen...'

Ik durfde niets te zeggen.

'Ik was zo eenzaam.' Francesca huilde. 'Ik kon met geen van allen in dezelfde kamer blijven. Soms als Katie aan het rondlummelen was, zoals ze altijd deed, sjorde ik aan haar arm; ik wist dat het pijn zou doen, maar ik deed het toch. Ik was kwaad op mezelf dat ik in die situatie terecht was gekomen en het op hen afreageerde –'

'Francesca, wat heeft Caspar gezien?'

'Dat weet ik niet. Ik hoorde alleen de deur dichtslaan.'

'Wat had hij kunnen zien?'

'O, shit, ik kan het zelfs niet hardop zeggen...'

'Waar was je?'

Ik hoorde Francesca diep ademhalen. Ik deed een schietgebedje. Een paar zelfs. Niet op de keukentafel. Niet op de trap. Of de grond, de bank, tegen de muur... Het waren te veel gebeden en ik dacht niet dat God er erg op gesteld zou zijn al die nogal kwalijke details te horen. Overspel was immers een van Zijn schrikbeelden. Waar het op neerkomt is dat er geen goede positie of plek bestaat om je moeder op seks met een andere man te betrappen.

'Ons bed,' zei Francesca ten slotte.

Beter waarschijnlijk dan op handen en voeten op de grond van de zitkamer. Ik kon niet doen alsof ik niet geschokt was. Ik? Na mijn vriendin Samira was ik de minst preutse vrouw die ik kende. Ik paste heel goed op mijn volgende woorden, zelfs nog meer op de toon waarop ik ze zei.

'Oké, laten we het op een rationele manier bekijken.'

'Je bent geshockeerd, hè?'

'Nee.' Ja.

'Teleurgesteld?'

'Nee.' Een beetje. 'Je zult ongetwijfeld je redenen ervoor hebben gehad.'

'Ik had het gevoel of iemand al mijn nooduitgangen had geblokkeerd. Ik stikte. Ik kon niet ontsnappen.'

'Niet zo'n goed moment dus om een vuurtje te stoken.'

Francesca zuchtte diep. Ik wilde niet als een schooljuf overkomen. Ik wilde proberen een goede vriendin te zijn. 'Je zult je redenen ervoor hebben gehad en je kunt ze allemaal uitleggen als je dat wilt, maar het is verleden tijd, het is gebeurd, wat het dan ook is. We moeten ons nu op Caspar concentreren. Toen hij uit de auto stapte was hij niet anders dan toen hij een paar minuten later terugkwam.'

'Weet je het zeker?'

Ik dacht heel diep na. Het was lang geleden, maar ik wist zo goed als zeker dat ik wel iets gemerkt zou hebben. Caspar kon niet gezien hebben wat Francesca dacht dat hij had gezien en dan even vrolijk en opgewekt als altijd weer in de auto stappen. We gingen burgers eten bij wijze van traktatie. Ik herinner me nog waar we naartoe gingen. Ik herinner me wat we gegeten hebben. En dat was heel wat. Ik kan me niet voorstellen dat hij veel eetlust zou hebben gehad als hij iets gezien had.

'Heb je hem binnen horen komen?'

'Nee.'

'Nou dan.'

'We maakten een hoop lawaai, hij kan iets gehoord hebben.'

Ik kreeg een beetje misselijk gevoel. Zo'n detail maakte het te reëel. Ik praatte er liever wat omheen.

'Waarom kwamen we terug?' vroeg ik. 'Dat kan ik me niet meer herinneren.'

'Vrijkaartjes voor het Oorlogsmuseum.'

Natuurlijk. Na de burgers gingen we een hoop dodelijk wapentuig bezichtigen waar Caspar in die tijd door gefascineerd was. 'Goed geheugen,' zei ik.

'Niet iets wat je vergeet. Hij had ze op de keukentafel laten liggen. Had ik ze maar gezien, maar dat had ik niet – ik had er gewoon niet op gelet.'

'Als ze op de keukentafel lagen zal hij niet boven zijn gekomen.'

'Onze kleren lagen overal verspreid.'

'Nou, je bent een verdomde idioot.' Ik voelde me niet beter na die opmerking, ik wist wel zeker dat Francesca zich daardoor nog ongelukkiger moest voelen en ik had er spijt van zodra ik het gezegd had, maar de woorden rolden gewoon uit mijn mond. We zuchtten allebei en even zeiden we geen van beiden iets.

'Dat schiet niet op,' zei ik.

'Wel eerlijk.'

'Bij je thuis, Francesca! Waarom doe je dat thuis?'

'Het was niet mijn bedoeling dat het zou gebeuren. Normaal zou ik het nooit in ons bed hebben gedaan...'

'Dat maakt het minder erg?'

'Nee. Ik weet het niet. Ik had toen het idee dat het dan minder erg was. Maar we waren thuis, ik was van streek, ik wilde niet dat er een eind aan zou komen. We hebben het over een man voor wie ik alles op het spel zette wat ik had, alleen om hem een halfuur te kunnen zien. Hij was bij mij thuis. We waren alleen. Ik probeerde er een eind aan te maken, echt waar, maar...'

'Hou maar op, van het een kwam het ander.'

'Een armzalig excuus, hè?'

'Altijd geweest. Al heb ik het zelf gebruikt als ik seks had gehad met de verkeerde man.'

'Jij mag seks hebben met verkeerde mannen.'

'Dat is zo. Maar ze zijn slecht voor mijn gezondheid.'

'Dat kan wel zijn, maar dat is jouw keus. Ik zou niet alleen mijzelf kwetsen, maar mijn gezin kapot maken.'

'En daarom denk je dat Caspar weigert naar je te luisteren.'

'Tegen me liegt, tegen me vloekt, geen respect voor me heeft. Eerlijk gezegd zou het gemakkelijker te verdragen zijn als hij me negeerde.'

'Het is zo onlogisch – waarom zou hij vier jaar wachten voor hij je straft?'

'Misschien drong het niet goed tot hem door wat hij zag.'

'Je zoon was twaalf, geen twee.'

'Misschien heeft hij het gewoon verdrongen en kon hij daarom in de auto stappen alsof er niets gebeurd was.'

'Er klopt iets niet. Hij vertelde dat hij elke keer een erectie kreeg als zijn kunstdocente de klas binnenkwam; hij zou het me van jou verteld hebben. Misschien kwam hij wel klaar bij het zien ervan...'

'Tessa!'

'Sorry. Ik probeerde er een beetje vrolijke noot in te brengen.'

'Ik zit nu echt niet te wachten op een one-liner van Tessa King. Dit is ernstig.'

'Natuurlijk is het ernstig, maar het is niet het eind van de wereld. Jij en Nick zijn nog bij elkaar.'

'Goddank.'

'En er is niemand anders geweest?'

'God, nee. Al kan ik zien wat er kan gebeuren als je niet wordt betrapt; je glijdt langs een glibberige helling omlaag. Je denkt dat je door de bliksem getroffen zal worden omdat je ontrouw bent, dat het eind van de wereld nabij is, dus is het heel raar als je ontdekt dat er niets aan de hand is – dat je terug kunt wandelen naar je echtelijk huis, de vissticks bakken alsof er niets gebeurd is, dus waarom zou je het niet nóg een keer doen? Ten slotte wordt het geheim even verrukkelijk als de relatie zelf. We praatten urenlang over ons gezamenlijke leven – een huisje op de hei, een boerderij in Spanje – het was allemaal prachtig zolang het fantasie bleef. Maar toen ik dacht dat Caspar ons gezien had...'

Ik kon horen dat Francesca de grootste moeite had haar ademhaling in bedwang te houden. 'Daarom is fantasie zo aanlokkelijk, je kwetst er niemand mee.'

'Dus wat gebeurde er toen Caspar vertrokken was?'

'Ik realiseerde me dat mijn gedrag afschuwelijke consequenties had. Caspar haalde me letterlijk uit mijn droomwereld. Ik zei tegen mijn vriend dat hij onmiddellijk weg moest. Ik was buiten mezelf. Ik zat naast de telefoon te wachten tot jij me zou bellen om te zeggen dat Caspar met zijn vader getelefoneerd had en dat alles voorbij was, op het geschreeuw na. De rest van de middag, het grootste deel van de avond en de hele volgende dag belde mijn vriend me elk uur op het uur. Ik liet mijn mobiel bellen, bellen en bellen. Ten slotte ging ik naar buiten en gooide het ding in de rivier. Ik had er spijt van zodra ik dat gedaan had en was er bijna achteraan gesprongen, maar ik wist me naar huis te slepen. Ik wist dat het me een stuk moeilijker zou vallen hem vanuit huis te bellen. Ten slotte hield mijn verlangen naar hem op; dat was feitelijk het vreemde ervan. Er was iemand van wie ik werkelijk geloofde dat hij mijn grote liefde was en na tien dagen ging het uitstekend met me.'

'Lust oefent een grote macht uit,' zei ik. 'En eenzaamheid kan je tot verschrikkelijke, stupide dingen brengen.' Ik stond ook niet zo sterk op de morele grond. 'En de verhouding met Nick verbeterde?'

'Ja, dat is juist zo raar. Die relatie betekende min of meer de redding van mijn huwelijk. Ik weet het, je hebt gelijk. Misschien zeg ik dat om minder slecht over mezelf te kunnen denken, maar Nick genas me min of meer. Misschien dacht hij dat ik ziek was, ik zag er beslist ziek uit. Mijn hoest kwam terug. Hij stuurde me naar bed, ging dvd's voor me huren en haalde zelfs de meisjes van school. Hij hielp me zo goed door mijn rouwperiode heen, dat ik me begon te verheugen op zijn thuiskomst, die de monotonie van mijn depressie onderbrak. Op de een of andere manier slaagden we erin de weg naar de gang terug te vinden en op een ochtend werd ik wakker en besefte dat het allemaal niets had voorgesteld. Ik had niet gehouden van die andere man. Nick was de man van wie ik hield. Het angstaanjagende was alleen dat als Caspar en jij die middag niet waren teruggekomen, ik misschien nooit de wilskracht zou hebben gehad om ermee te stoppen, en dan zou ik mijn gezin voor niets kapot hebben gemaakt. Tussen mij en Nick ging het steeds beter. Uiteindelijk was Caspar het enige slachtoffer. Behalve dat afgrijselijke schuldbesef waar ik mee kampte.'

'Ochtend,' zei ik.

'Pardon?'

'Caspar en ik kwamen in de ochtend terug.'

'Nee, het was middag. We waren de hele ochtend buiten in de regen. Kwamen pas terug om, ik weet het niet precies, maar het was later op de dag.'

'Nou, het was niet vroeg in de ochtend, maar vóór de lunch.'

'Onmogelijk.'

'Het is zo. Ik kan het me nog goed herinneren. Echt waar, we zaten in de auto toen hij de kaartjes ging halen en discussieerden erover of we eerst naar het museum zouden gaan en dan lunchen, of eerst lunchen en dan naar het museum. Ten slotte kozen we eerst burgers en dan de bommen.'

'Ik zag je auto niet, ik hoorde een auto wegrijden.'

'We hebben er absoluut een tijdje gestaan. Hij was echt niet ongerust of van streek. Misschien dacht je maar dat je wat hoorde.'

'Voetstappen op de trap en een deur dichtslaan? Dat denk ik niet.'

'Je hebt zelf gezegd dat je de tickets niet op de tafel hebt zien liggen. We waren bij je huis en weer weg terwijl jullie door het park zwalkten. Ik verzeker je dat het ochtend was, half twaalf, twaalf uur. Niet later dan twaalf.'

'Om twaalf uur waren we nog in het park.'

'Nou, dan is het Caspar niet geweest – hij heeft niets gezien, hij heeft geen blijvende littekens opgelopen en hij straft je niet. Ik heb je van het begin af aan al gezegd dat het niet jouw schuld is. Caspar gedraagt zich als een kloothommel en hij moet orde op zaken stellen.'

'En het is onmogelijk dat hij later terug is gekomen?'

Ja. De rest van de dag waren we samen.'

'Dus wie kwam dan de trap op, wie smeet met de deur?'

'De werkster?'

'Tessa, ík ben de werkster.'

'O.' Ik zweeg even en dacht na. 'Hm, wie heeft er nog meer een sleutel?'

'Niemand.'

'Iemand moet een sleutel hebben, tenzij het een inbreker was. Nee. Een inbreker zou de situatie hebben ingeschat en 'm zijn gesmeerd. Of de situatie hebben ingeschat en alles hebben meegenomen wat hij beneden in handen kon krijgen, in de wetenschap dat de vrouw des huizes boven anderszins bezig was en waarschijnlijk niets zou horen. En toen drong het tot me door. Net als tot Francesca.

'Nick,' zeiden we tegelijk. De enige andere die een sleutel had was Nick.

Daarna was Francesca ontroostbaar, dus ten slotte stapte ik in de auto en reed naar haar huis, waar we tot de prille uurtjes van de ochtend erover bleven praten of een man zijn vrouw met een andere man kon betrappen en niet alleen van haar blijven houden, maar schijnbaar nog meer van haar houden. Een paar keer belette ik haar hem te bellen. Als het Nick werkelijk was geweest, en daar waren we nog niet honderd procent zeker van, dan had hij besloten, om redenen die alleen hem bekend waren, te zwijgen over wat hij had gezien of gehoord. In plaats van te ontploffen, weg te lopen en haar ervoor te laten boeten, had hij voor zijn vrouw gezorgd en haar geholpen een denkbeeldig gebroken hart te helen, wat indertijd even reëel had aangevoeld als een echt gebroken hart. Al die tijd had hij geweten dat het niet de aanhoudende hoest was die haar gevloerd had, maar het eind van een relatie, en toch had hij haar kopjes thee op bed gebracht, haar bad klaargemaakt, haar de kinderen uit handen genomen en haar ruimte gegeven. Dus was mijn conclusie: Nick was een nobeler mens dan ik ooit gedacht had. Hij hield meer van zijn vrouw dan ik voor mogelijk had gehouden en ze was het hem verschuldigd zijn zwijgen met zwijgen te vergelden. Een gelukkig thuis scheppen zou dank genoeg zijn, want ik begon te leren hoe verdomde moeilijk dat was.

De andere mogelijkheid was dat er een onbeduidende dief rondliep met een fotografisch beeld in zijn hoofd van Francesca en haar mysterieuze minnaar die wild tekeer gingen, en dat Nick niet meer was dan de zoveelste in zalige onwetendheid verkerende echtgenoot. Wat mij betrof, begon ik te hopen dat het eerste het geval was. In al zijn vreemde gecompliceerdheid vond ik Francesca's ontrouw en Nicks vergevingsgezindheid bemoedigender en positiever dan een onbetekenend avontuurtje waarbij ze niet betrapt was.

Waar natuurlijk geen van beide scenario's rekening mee hield was Caspar en waarom hij erop uit leek zijn brein op te blazen. Ik had te veel gedronken om naar huis te rijden, dus kroop ik in bed bij Francesca en nam de plaats in van haar bedrogen echtgenoot.

Vierentwintig seconden nadat ik mijn hoofd op het kussen had gelegd, sprongen twee lenige, extreem wakkere figuurtjes op het bed.

'Wat verd –'

'Goeiemorgen, meiden,' zei Francesca vrolijk, me snel onderbrekend.

'Hoe laat is het?' Ik tuurde op mijn horloge.

'Goed gedaan, jullie,' zei Francesca, onverklaarbaar.

'Goed gedaan? Wát goed gedaan? Het is nog donker buiten.'

'Dat ze tot zeven uur hebben gewacht.'

'Zeven!'

'We waren om zes uur al op, we hebben gewacht en gewacht –'

'Poppy was bijna naar binnen gegaan.'

'Nietes.'

'Welles.'

'NIETES!'

'Niet schreeuwen, Poppy.'

'En ze heeft de cornflakes omgegooid.'

'Nietes.'

'Niet klikken, Katie,' zei Francesca geduldig.

Ik liet me kreunend weer achterover op het kussen vallen. Sinds wanneer waren hun stemmen zo ondraaglijk schril geworden?

'Welkom in mijn wereld,' fluisterde Francesca, wierp het dekbed van zich af en trok de kleren weer aan die ze een paar uur geleden had uitgetrokken. 'Oké, jullie, wat zijn we vandaag van plan?'

'BALLET!' schreeuwde Poppy.

'Oké, balletspullen, in de droger.'

'Gym,' zei Katie.

'Leen maar een van Poppy's shirts, ik heb geen tijd gehad om dat van jou te wassen.'

'Neeeee!' schreeuwde Poppy.

'Dat is te klein. Ik lijk net een jongen daarin,' klaagde Katie.

'Dat is niet waar.'

'Wel waar.'

'Ik moet iets meenemen voor Show and Tell, iets dat ik gekookt heb,' zei Poppy. Gekookt? Ze was pas vijf. Francesca vloekte zachtjes, maar herstelde zich snel.

'Oké, cakejes.'

De twee meisjes sprongen op en neer en gilden luid: 'CAKEJES! CAKEJES! CAKEJES! CAKEJES!'

Ik bedacht dat die twee heel effectief zouden zijn in Guantanamo Bay. Ik probeerde te glimlachen.

'Maak je geen zorgen,' zei Francesca. 'Ze gaan heel goed samen met sterke, zwarte, flink opgepepte koffie.' Het was een beetje of je wakker werd na een met bier overladen onenightstand – een heel erg *When Harry Met Sally*-moment. Ik lag me af te vragen hoe lang ik het zou uithouden voor ik met goed fatsoen weg kon zonder iemand te beledigen.

De prinses en de erwt

Toen ik thuiskwam voelde ik pure liefde en dankbaarheid voor de eenzaamheid die mijn kleine flat me bood. Ik deed de deur achter me dicht. Het werd zelfs mij allemaal een beetje te veel: Claudia en Al die hun gezondheid opofferden om een kind te krijgen, Francesca die een relatie opbiechtte, Helen die gevangen zat in een rampzalig huwelijk, en de kleine Cora, die ziek op een bank lag, alleen thuis omdat haar moeder zich niet kon bevrijden uit de sleur waarin ze terecht was gekomen. Begrijp me niet verkeerd, ik geloof dat ik een goed mens ben om bij je te hebben in een crisis – maar dit was een crisis te veel. Wat had Fran gezegd? De aantrekkingskracht van fantasie was dat niemand gekwetst werd. Ze had gelijk. Een discussie met Helen om Neil te verlaten was bijna entertainment voor me omdat ik Neil niet mocht, maar mijn wereld zou instorten als Fran en Nick uit elkaar gingen – zij waren mijn familie; het zou zijn alsof mijn ouders gingen scheiden. Zij waren de rots waaraan ik me altijd had vastgeklampt. Ik was afhankelijk van hun solidariteit. Nu des te meer, omdat mijn ouders niet zo actief meer waren als vroeger, en al wilde ik papa's leeftijd en mama's conditie nog zo graag over het hoofd zien, er zou een tijd komen... Ik zette die gedachte uit mijn hoofd. Ik haatte het om zo te denken.

Ik liep naar de keuken en ging aan het werk om een echte cappuccino te maken. Ik heb een paar geweldige soepkom-koffiekoppen die ik heb gekocht tijdens een van de weekends in Parijs met Helen. Dankzij haar vader hadden we de beschikking over een hotelsuite als hij voor zaken in Europa was. We werden eens opgepikt door Sylvester Stalones entourage in de Bain Douche, een beroemde nachtclub, en snel in een limo teruggereden naar de Ritz. Maar dat is een ander verhaal... Helaas is het probleem van mijn Franse koffiekoppen dat de inhoud te snel afkoelt, zodat ik een magnetron moest kopen om de koffie weer op te warmen. Het voordeel van een magnetron is dat je er goed schuim in kunt maken voor de cappuccino. Ik ben nu een echte pro. Ik strooide chocola erop, schoof de glazen deur open en liep het balkon op. Ik noem het een balkon, maar het is meer een vooruitstekende rand. Maar groot genoeg voor een paar imitatie Franse caféstoelen van Homebase, en een wankel tafeltje.

Ik ging zitten en genoot van de zon. Was het altijd zo geweest, of kwam het alleen omdat ik vaker in de buurt was? Soms had ik het zo druk met mijn werk dat ik Fran, Helen of Billy maanden niet zag. We spraken elkaar vaak aan de telefoon, en, als de kater het toestond, kwam ik in de weekends even langs, maar waarschijnlijk minder vaak dan ik dacht. Feitelijk, nu ik erover nadacht, was het de laatste tijd voorgekomen dat ik mijn vriendinnen niet meer dan eens in de zoveel maanden zag. Ik had het druk. Het was gemakkelijker om uit te gaan met collega's – zij waren in situ, en ze hoefden geen babysitters te bespreken. Waren die onvoldane gevoelens er al die tijd al geweest, vlak onder mijn neus? Mijn vinger jeukte om Ben te bellen. Ik miste mijn gesprekken met hem. Elke dag was ik me bewust van het gebrek aan contact tussen ons. Het was het enige teken dat ik me niet alles maar verbeeldde. Ben. Ben. Ben. Hoe moest ik voor eens en altijd genezen van Ben? Was ik net als Francesca? Vergiste ik me? Of was het echt? Ik staarde naar de rivier. Als het zo echt aanvoelde, hoe werd iemand dan geacht het zeker te weten? Later, nadat ik er eindelijk toe gekomen was de flat op te ruimen, ging ik aan mijn bureau zitten, keek mijn post door en checkte mijn e-mails. Er was er een bij van Claudia. Ik moet bekennen dat ik het bericht met tegenzin opende. Er is een grens aan wat een mens op een dag kan verdragen aan onheil en verderf.

Lieve Tessa,

Singapore is een verbluffende stad. Het zwembad is op het dak van het hotel dat zevenenveertig verdiepingen hoog is. Cool! Ik wilde je even laten weten dat ik me stukken beter voel. Eigenlijk ging mijn stemming er al op vooruit toen de wielen van het vliegtuig losraakten van de grond. Al pakte mijn hand vast en kneep erin tot het licht van het seatbeltsbordje doofde en ik dacht, wat ben ik toch gelukkig, wat ben ik toch ongelooflijk gelukkig. Het is een prettige verandering. We hebben plezier gehad. We hebben ons bedronken. (Ik, dronken – wanneer heb je dat voor het laatst meegemaakt?) We hebben een fantastische bar ontdekt, en ik moet bekennen dat ik een grote voorkeur heb gekregen voor margarita's. Met ijs. Met zout. Verder hebben we gedanst. Elke dag ga ik naar de fitnessruimte van het hotel, die lijkt op iets uit een sciencefictionfilm, krijg een massage in mijn kamer en een ongelooflijke acupunctuurbehandeling.Ik voel me veel en veel sterker. Ik ben tot een besluit gekomen ten aanzien van wat we gaan doen. Ik wil Al of mijzelf dat alles niet nog eens laten doormaken. Het is niet alleen die vreselijke teleurstelling als het niet lukt, ik ben erover gaan nadenken hoe het zou zijn als het wél zou lukken. Mijn Down-status ziet er niet al te best uit in verband met mijn leeftijd. Mijn baarmoederhals heeft zo veel heftige behandelingen doorstaan dat ze die waarschijnlijk zouden willen vastnieten om te voorkomen dat ik weer spontane weeën zou krijgen, en eigenlijk heb ik er genoeg van om me als een proefkonijn te voelen en heb ik me gerealiseerd dat ik zo goed als vergeten was hoe het is om je een mens te voelen. Vergis ik me dat ik vroeger zo gezellig en vrolijk was?

Ik weet hoe bezorgd je voor me was, en ik wil niet dat je je verder nog zorgen maakt. Ik huil nu zelfs, wat ik dagenlang niet gedaan heb, maar alleen omdat ik zo dankbaar ben dat ik jou als vriendin had, en zo blij dat ik me over dit alles heen heb gezet. Stel je voor: ik ben omringd door onberispelijk geklede, consciëntieuze Japanse zakenlieden (bestaat er een andere soort?) die allemaal verwoed zitten te typen in het businesscentrum, en ik kom binnengeslenterd uit het zwembad in de luchtige kaftan die jij me hebt gegeven, om deze e-mail te versturen. De airconditioning is onbarmhartig, dus niet alleen zit ik te snikken, mijn tepels lijken wel satellietontvangers. Ja, de mensen beginnen te vertrekken... Ik zou weg moeten gaan voor ze de beveiliging waarschuwen. O, hemel, ik heb een natte bikini-plek gemaakt op de zitting.

Gelukkig wordt Al een beetje als een vip behandeld op het ogenblik en de hotelgroep heeft hem gevraagd of hij een toer zou willen maken langs al hun mogelijke lokaties in het Verre Oosten. Een ervan is een gepland boomhotel in de jungle in Vietnam. Je kunt er alleen komen per olifant!!! We blijven misschien nog een tijdje, gaan misschien zelfs weer naar China Beach. Het is opwindend maar het betekent wel dat we niet zo gauw terug zijn als we gedacht hadden. Behalve dat ik jullie mis, geloof ik dat het geen slecht idee is.

Ik hou van je en ik mis je, en als je me uit nostalgische overwe-

277

gingen in Vietnam wilt ontmoeten, stap in een vliegtuig. Ik zal je op de hoogte houden van de data. Zorg intussen goed voor jezelf, zoek een baan voordat je gek wordt en je zelfvertrouwen verliest (geloof me, ik weet het, daar is niet veel voor nodig) en houd je ver van alle problemen. En doe maar niet net of je niet weet waar ik het over heb.

Iedereen veel liefs.
 Claud xx

ps We hebben voor het eerst in jaren seks voor de lol gehad en het was fantastisch!!!

Oké, dus het was niet allemaal even slecht. Als Claudia al die jaren van pissen op stokjes voor ze haar man in het echtelijk bed noodde, achter zich kon laten, dan was alles toch mogelijk? Geen ivf meer. Ik wist dat Al blij zou zijn met haar besluit en ik weet zeker dat Claudia net zo dapper zou blijven als ze was toen deze rampzalige geschiedenis begon. Als mensen haar vroegen, zoals ze vaak deden, wanneer ze kinderen zou krijgen, zou ze die mensen nu in de ogen kunnen kijken en zeggen: 'We kunnen geen kinderen krijgen', in plaats van haar beproefde, achteloze antwoord: 'We doen ons best, maar tot dusver hebben we nog geen geluk gehad.' Minder gevoelige mensen antwoordden met een 'Veel geluk', of 'Arme jij...' Maar gevoeligere mensen zouden het om te beginnen al niet vragen. Zou ze de vage hoop missen die elke procedure haar gaf? Waarmee zouden haar dagdromen gevuld zijn als het niet met een denkbeeldig kind was? Kon ze het echt opgeven? Ik las haar e-mail nog eens over. Misschien wel, misschien niet, maar ik moest het haar nageven, ze deed haar best.

James belde later in de middag om te zeggen dat hij een tafel had gereserveerd in een restaurant, gaf me het adres en de tijd en stelde toen voor me af te halen. Omdat het restaurant naast een bar lag die ik kende, zei ik dat ik hem in de bar zou ontmoeten. Ik was geïnspireerd door Claudia's e-mail en was zelf gaan verlangen naar een margarita. De uitwisseling van die informatie duurde niet langer dan een minuut, dus werd ik, toen ik eindelijk ophing, aangenaam verrast door het feit dat het telefoontje drie kwartier geduurd had. Waar hadden we in vredesnaam drie kwartier over gepraat? Ik kon het me nu al niet meer herinneren. Ik schreef Claudia terug, beantwoordde een paar vervelende e-mails en ontdekte dat er nog een headhuntersbureau was dat me wilde spreken. Na een afspraak te hebben gemaakt voor het sollicitatiegesprek, gaf ik mijn planten water, nam een uitgebreide douche en lakte mijn nagels. Ik sloot mijn iPod aan op de speakers, zette hem op shuffle en sprong de kamer rond op muziek van Eminem om vervolgens luidkeels mee te zingen met de drie tenoren uit Bizets *De Parelvissers* terwijl mijn nagels droogden. Ik voelde me luchthartig. Vrolijk. Het duurde even voor ik de vinger erop kon leggen. Zorgeloos. Ik voelde me zorgeloos. Wat vreemd was, gezien de gebeurtenissen van de laatste paar dagen.

Ik wilde juist gaan zitten om mijn haar te föhnen, toen de telefoon ging.

'Hallo?'

'Hoi, Tess.'

Ben. Ik slikte. Verdomme, verrek, klote, hoera. 'Hoi,' zei ik.

'Je hebt je vaste telefoon opgenomen.'

Dat had ik de laatste tijd gedaan, ja. Ik was kennelijk aan de beterende hand. Ook al had ik mijn telefoonnummer veranderd, toch had ik mezelf afgeleerd mijn vaste telefoon te beantwoorden. Ik had het nummer van mijn mobiel ook veranderd. Ik gaf anderen nu alleen nog maar mijn e-mailadres. Als mijn ex-baas ooit contact met me zou zoeken, moest ik onmiddellijk de politie waarschuwen, maar dan zou het al te laat zijn; ik wilde niet dat hij ooit nog door mijn verdedigingslinie zou dringen. Politie of geen politie.

'Je was die avond plotseling verdwenen. Het was lang zo leuk niet meer toen jij weg was.'

Ik had Ben vol overgave zien dansen met zijn vrouw, dus ik wist dat dat niet waar was.

'Ik moest Helen naar huis brengen.'

'Ja. Fran zei dat ze behoorlijk gedronken had. Ik dacht dat ze niet dronk.'

'Dat doet ze ook niet. Dat was juist het probleem.' Dat en die klootzak van een coke-snuivende man van haar. Normaal zou ik Ben alles erover verteld hebben, wat verschrikkelijk indiscreet zou zijn geweest, maar dat was toen ik nog dacht dat we geen geheimen voor elkaar hadden. Het bleek dat we alleen maar geheimen hadden.

'Ik vroeg me alleen af of je nog iets gehoord had van Claudia,' zei Ben.

'Toevallig heb ik vandaag een e-mail van haar gehad.'

279

'Gaat het goed met ze?'

'Beter dan goed. Claudia klinkt geweldig.'

'Goddank.'

'Waarom?'

'Ik kreeg net een vreemd e-mailtje van Al, dat is alles.'

'Wat schreef hij?'

'Hier alles goed, hoe gaat het met jullie?'

'Dat was het?'

'Ja.'

En dat is het verschil tussen mannen en vrouwen. Ik krijg een e-mailtje van vijftig regels van Claudia, Ben krijgt acht woorden van Al, die in wezen hetzelfde zeggen, maar zoveel minder betekenen. Ik was blij dat ik geen man was. Mannen zijn rare wezens.

'Claudia drukte het iets beter uit, maar ja, ik geloof dat alles goed met ze gaat. Ze lijkt een ander mens, en dat in een e-mail.'

'Komen ze terug?'

'Nog niet. En ze willen ook geen ivf meer.'

'Wat een opluchting.'

Opluchting? vroeg ik me af. Opluchting in de zin van iemand die heel lang ziek is en ten slotte doodgaat. Het was geen opluchting. Het was een hartverscheurende tragedie. Maar soms is geen leven beter dan dat leven en in Claudia's geval was geen leven beter dan een leven ten koste van alles.

Was ik maar een goede fee, dacht ik op dat moment, kon ik maar met een toverstokje zwaaien en Claudia haar baby geven, Francesca's schuldbesef en bezorgdheid sussen, Helen redden en Billy haar kracht teruggeven. Ik kon de beproevingen van mijn vrienden niet wegtoveren, maar wat ik wél kon doen was mijn eigen betovering verbreken.

'Hoe gaat het met je, Tess? Ik heb het gevoel dat ik je in eeuwen niet gezien heb.'

Ik vraag me af waarom. 'Ik heb het erg druk gehad.'

'Wat zou je zeggen van vanavond? Zin in een paar biertjes?'

'Eigenlijk heb ik...' Zeg het. Toe dan – zeg het. Waarom wilde ik het niet zeggen? Waar was ik bang voor? Dat het Ben zou afschrikken? Hij was getrouwd! Zwaai met die toverstok, Tessa. Nu, voor het te laat is.

'Ik heb een afspraak met dat stel onverlaten, je weet wel, die journalisten. Ze zijn dol op jou, kom alsjeblieft.'

'Eerlijk gezegd, heb ik een afspraak.'

Stilte.

'Ben?'

'Sorry, ik was je even kwijt. Een afspraak. Geweldig. Iemand die ik ken?'

Ik voelde me in het nauw gebracht, maar zette toch door. Ik wilde dat we bevriend waren zoals mensen dachten dat we waren.

'Je hebt hem die avond ontmoet.'

'Toch niet die ouwe man?'

'Hij is niet oud.'

'Hij heeft grijs haar.'

'Peper en zout. En dat is erg sexy.' Het viel me makkelijker om James te verdedigen dan ik had gedacht.

'Hij, sexy?'

'Nou ja, jij bent niet degene die geacht wordt hem sexy te vinden.'

'Hij is je type niet, Tess.' Dit moest ophouden. Ben moest weten dat ik het serieus meende.

'Wat is mijn type dan wel?' Het was een uitdaging. Ik gooide de handschoen voor zijn voeten.

'Jonger,' zei hij ontwijkend.

'Jongere mannen vinden vrouwen van mijn leeftijd angstaanjagend.'

'Jij bent niet angstaanjagend.'

'Nee, ik ben fantastisch. Maar dat schijnen ze niet te kunnen zien.'

'Zo ken ik mijn meisje weer.'

Ik ben je meisje niet, Ben. 'Je vrouw heeft hem mijn nummer gege-ven,' zei ik, en wierp de tweede handschoen. 'Heeft ze je dat niet ver-teld?'

'Dat is niks voor Sasha.'

'Misschien vindt ze hem wél mijn type.' Of in ieder geval hoorde ie-mand anders dan haar man mijn type te zijn. Ik was het met haar eens. Ik moest me aan Claudia spiegelen. Het was tijd om verder te gaan. Het was allemaal goed en wel om Helen voor te houden dat ze uit Neils schaduw moest treden, en Billy uit die van Christoph, maar het werd hoog tijd dat ik mijn eigen raad eens opvolgde. 'Ik vind hem aardig. We hebben samen geluncht. Ik kan erg goed met hem praten. En hij vindt me aardig, dat kan ik merken.'

'Natuurlijk vindt hij je aardig, Tessa. Er zijn niet veel vrouwen zoals jij.'

'Dank je. Ik zal je op de hoogte houden van het verloop.'

'Hoe zei je dat zijn naam was?'

'James Kent.'

'James Kent.' Hij herhaalde het. 'Ik weet zeker dat ik hem wel eens eerder ontmoet heb.'

'Ja, die avond.'

'Nee, daarvoor, misschien op het werk... Ik kom er wel op.'

Ik wilde niet dat Ben James kende. Ik wilde deze man helemaal voor mij alleen. 'Oké, ik moet ophangen. Je brengt mijn afspraak in gevaar.'

'Ik?'

'Ja: mijn haar begint te kroezen terwijl ik met je sta te praten.'

'Wanneer mag hij weten dat hij in feite een afspraakje heeft met Chewbacca?'

'Ha, ha. Ik hang op.'

'Als je je gaat vervelen, bel me dan, we zijn in de Eagle.'

'Acht dronken journalisten en jij, nee dank je.' Eigenlijk leek het me best leuk.

Dat was goed. Dat was beter. Claudia zou trots op me zijn. Was James Kent de reden dat ik me zo voelde? Ik dacht daarover na, starend in de spiegel terwijl ik mijn haar deed. In plaats van mezelf een kledingcrisis aan te doen, trok ik mijn goede spijkerbroek aan, een Matthew Williamson-topje en mijn favoriete, meest geliefde cowboylaarzen. Ze waren afwisselend in en uit de mode, maar het kon me niet schelen, en omdat mannen zelden letten op iets onder de empirelijn, vond ik het niet de moeite waard om mezelf te pijnigen door rond te strompelen op hoge hakken. Hij had al een groot deel van het Tessa King-spectrum gezien. Dronken en verfomfaaid in de nachtclub. Tot in de puntjes gekleed en opgetut op Neils party. Onopgemaakt en in oude kleren tijdens de lunch. En toch had hij gevraagd om met hem te gaan eten. Dus misschien? Was het mogelijk? Zou het kunnen? Was James Kent oprecht in me geïnteresseerd als mens? Wonderen zijn de wereld niet uit. Tenzij, tenzij... Ik zette de gedachte van me af. Hij was een goed mens, dat kon ik merken, maar toch kwam de gedachte weer terug: tenzij hij maar deed alsof tot hij Tessa King daar had waar hij haar hebben wilde. Naakt. Nee. Ik wilde me niet laten kwellen door negatieve gedachten. Ik wilde niet aan mezelf twijfelen. Ik wilde niet mijn vorige slechte ervaringen met me meeslepen. Een nieuw mens. Een nieuwe ervaring. Alleen al de gedachte aan hoe hij met Cora was omgegaan, gaf me moed. Ik had een goed gevoel over hem. Ik controleerde mijn uiterlijk nog even voor ik de flat verliet. Ik mocht me dan eerder in mannen hebben vergist, ik was vrijwel zeker dat ik me niet in deze vergiste. Niettemin herhaalde ik mijn herfstachtige besluit: James Kent zou me niet naakt zien. In ieder geval niet vanavond. Ik had mezelf beter moeten kennen.

Hij zat aan de bar. Niet aan een tafel. Aan de bar. Had ik hem verteld dat ik graag iets aan de bar dronk of was dit gewoon weer een gelukkig toeval? Hij stond op en schoof een kruk naar achteren. Algauw vervielen we in het vlotte gebabbel dat normaal pas ontstond als ik halverwege een tweede cocktail was. We zaten zelfs al twintig minuten voordat ik mijn drankje bestelde. Een margarita, met zout, met ijs. Ik hief mijn glas en vroeg James te drinken op mijn goede vriendin Claudia. Ik toostte, hij trok zelfs zijn wenkbrauwen niet op. We praatten niet over wereldschokkende dingen, en niets wat we zeiden was eigenlijk echt geestig, maar ik was gefascineerd door alles wat hij zei, hij hing aan mijn lippen en we lachten heel vaak.

Ben kon niet verder weg zijn uit mijn gedachten toen we de korte afstand aflegden naar het restaurant, behalve dat ik eraan liep te denken hoe ver hij uit mijn gedachten was. Ik herinner me niet wat we aten, behalve dat het verrukkelijk was, dat er enorm veel was en we toch nog ruimte vonden voor het delen van twee desserts en het drinken van oude armagnac. Waarschijnlijk was dat het moment waarop mijn voornemens begonnen te wankelen. Ik hoorde mezelf iets zeggen over de obers die om ons heen liepen op te ruimen, nog één drankje in Blakes Hotel. Blakes Hotel! Het enige wat ik wist van Blakes Hotel was dat je daar niet heen ging voor één drankje. Het was niet eens dat ik dronken was en niet helder kon denken. Ik wilde gewoon niet dat er een eind zou komen aan de avond want het einde betekende dat ik alleen naar huis zou gaan en ik wilde niet dat dit goede gevoel voorbij zou gaan. Het was al te lang geleden.

Blakes is een heel gedistingeerd klein Londens hotel in South Kensington. De stenen buitenkant is zwart, het interieur altijd schemerig verlicht, en het heeft een kleine, verscholen bar in het souterrain, waar het zo donker is dat je de gezichten van de andere gasten nauwelijks kunt onderscheiden. Wat niet zo erg was, want er zaten een hoop ooms en nichtjes bijeen achter glazen champagne. De sfeer was doordrongen van seksuele spanningen en illegale intenties. Het sprak me aan. We bestelden een paar whisky sours en bleven praten. Toen we nog een rondje wilden vertelde de barkeeper ons dat het de laatste bestelling was voor ze gingen sluiten. Hij zag ons per vergissing aan voor gasten en voegde er aan toe dat we wel konden bestellen in onze kamer. Onze kamer. Onze kamer. De woorden tolden door mijn hoofd. Ze klonken aanlokkelijk. Ik keek naar James, James keek naar mij. We begonnen allebei te grijnzen, toen te giechelen.

'Wat denk je?' vroeg hij ten slotte.

'Ik vind het een vreselijk idee.'

'Ik ook,' gaf hij glimlachend toe.

'Laten we het doen.'

Man, hij was goed.

Het was allemaal nogal dwaas en ik weet zeker dat de mensen van de nachtreceptie het al duizend keer eerder hadden meegemaakt. Een paar komt wat wankelender uit de bar dan ze erin zijn gegaan, lopen naar de discrete, achteraf gelegen receptie en informeren naar een kamer. Natuurlijk was er nog maar een kamer vrij, en dat was een belachelijk dure suite. Feitelijk een heel goede truc. Zoals een van mijn tantes eens zei over dergelijke hotels: 'Voor zoveel geld zou ik de hele nacht wakker horen te liggen met lucifershoutjes tussen mijn oogleden.' Weliswaar lag ik niet bepaald naar het plafond te staren en lag ik ook niet altijd, maar ik was wél wakker. Ik denk dat ik veilig kan zeggen, in fiscale termen, dat ik waar voor mijn geld kreeg. Of James tenminste, want hij betaalde. Maar op het moment dat hij een creditcard overhandigde, wilden we ogenschijnlijk alleen een kamer om nog iets te kunnen drinken. Juist. We moesten een smalle gang door naar een onberispelijk, met taxus beplant binnenplein, over tuintegels naar een brede, witte deur.

Als ik niet van tevoren had geweten dat ik me uiteindelijk naakt zou vertonen, ondanks al mijn plechtige voornemens, wist ik het toen. Het was de mooiste slaapkamer die ik ooit had gezien. Sprookjes zijn doorgaans niet erg sexy – die ik Cora voorlees neigen altijd naar rechtschapenheid – maar dit was een perfecte combinatie van zuivere fantasie en onzuivere gedachten. 'De prinses op de Erwt' gecombineerd met *Nine and a Half Weeks*, *Alice in wonderland*, met *Emmanuelle*, alles in sneeuwwit. Het bed was reusachtig. Het plafond was hoog. Zelfs de vloerplanken waren wit.

'De Witte Kamer,' zei de portier.

'Champagne, denk ik,' zei James. En dat was het dan wel. Het was een heel bedaarde verleiding. De champagne kwam, dus maakten we die open, lieten het bad vollopen, vulden het met Anouska Hempels signature grapefruit bubble bath, en stapten in het water. We vulden onze glazen en het hete water een paar keer bij. Het was heel prettig. Maar de ware actie was het afdrogen.

Meestal is het nogal gênant als je voor de eerste keer seks hebt met iemand. Tenzij de befaamde drank je natuurlijk beroofd heeft van alle remmingen, in welk geval de gêne wordt uitgesteld tot de volgende ochtend. Ik voelde geen gêne met James. Omdat ik mijn kleren al had uitgetrokken en in het bad was gestapt voor we zelfs nog maar gezoend hadden, was het uitkleden niet langer een punt. We zoenden elkaar voor het eerst met de knieën tegen elkaar in het bad. Er was niet genoeg ruimte om de kus tot iets anders te laten leiden, zelfs niet tot een intieme, lange tongzoen. Dus tot het water voor de laatste keer was afgekoeld en mijn huid was gerimpeld, praatten we slechts, van tijd tot tijd onderbroken door een kus. Daarna werd er verrukkelijk gestoeid, veel gelegen en naar elkaar gekeken, eindeloos gepraat en toen nog meer gestoeid. Het werd pas echt serieus om een uur of vijf in de ochtend, toen we allebei volkomen ontspannen waren. Of uitgeput; het is ongeveer hetzelfde gevoel. Het begon definitief licht te worden toen we eindelijk in een diepe en dromerige slaap vielen.

Gemanipuleerd

Ik werd gewekt door een kus. James boog zich glimlachend over me heen, wat leuk was. Maar hij was aangekleed, wat minder leuk was. Ik kwam half overeind, steunend op een elleboog.

'Goeiemorgen, schoonheid,' zei hij.

Mijn gezicht vertrok. Morgen – ja. Schoonheid – dat betwijfelde ik zeer.

'Ik moet weg. Ik heb een bespreking die ik niet mag missen.'

'Oké.' Ik kwam overeind. 'Ik sta op.'

'Niet doen. Blijf slapen. Ik wou dat ik het kon. Bestel ontbijt als je wakker wordt.'

Dat klonk aardig. Het leek heiligschennis om zo'n kamer te verlaten voordat het tijd was.

'Hoor eens, er kwam een idioot idee bij me op,' zei James.

'Ik hou van je idiote ideeën.'

'Ik heb vanmorgen die bespreking, daarna een lunch. Als ik kans zie om vanmiddag ergens onderuit te komen, kan ik vanaf vier uur vrij zijn.' Ik wachtte. 'Hoe zou je het vinden om je tot zolang hier schuil te houden en dan heel decadent nog een nacht hier door te brengen?'

Mijn lippen vertrokken in een brede grijns voor ik tijd had om cool te blijven.

'Is dat ja?'

'Reken maar.'

'Oké. Tot straks.' Hij gaf me een zoen op mijn mond en zei steunend: 'God, ik wou dat ik niet weg hoefde.'

Ik was er blij om. Ik moest mijn tanden poetsen, ik moest dringend naar de wc, en om heel eerlijk te zijn, ik was vreselijk winderig. Ik mocht me dan bijzonder op mijn gemak voelen met deze man, er waren grenzen.

Mijn tweede slaap was luxueus. Evenals het tweede bad, zij het dat het iets minder genotvol was. Mijn ledematen voelden alsof ik naar de fitnessclub was geweest. Ik weet het, het is afgezaagd, maar mijn lippen waren pijnlijk. James stuurde me een sms: 'Kan me niet concentreren!' Ik las het een paar keer over. Vier woorden. Ik voelde me zielig.

Ik besloot er ten volle van te profiteren, dus, met het vaste voornemen zelf voor de 'extraatjes' te betalen, liet ik een masseuse naar de kamer komen voor een massage van anderhalf uur. Ik at kreeft en dronk uitstekende witte wijn en nam toen een gezichtsbehandeling. Ik stuurde zelfs de concierge erop uit om krankzinnig dure glossy tijdschriften voor me te kopen die ik normaal nooit lees en stuurde mijn gekreukte, doorrookte kleren naar de krankzinnig dure express-wasserij. Alles was krankzinnig duur. Mijn muntthee met één koekje kostte vijf pond. Wat kon het mij schelen. Dit waren dingen die ik nooit maar dan ook nooit deed. Ik creëerde een hele wereld binnen de Witte Kamer, noemde het personeel bij de naam en telde de uren tot het vier uur was. Dat was niet moeilijk. Ik wenste bijna dat ik meer tijd had.

Toen ging mijn telefoon. Waarom, o waarom, nam ik op? Ik geloofde dat ik genezen was. Ik geloofde dat James Kent me genezen had. En dus nam ik een telefoontje aan van een van mijn oudste vrienden ter wereld.

'Hoi, Ben, hoe gaat het?'

'Goed. Je klinkt alsof je in een goede stemming bent.'

'Ben ik ook. Wat kan ik voor je doen?'

'Hoe was je afspraakje?'

'Erg leuk, dank je.'

Even bleef het stil. Het bracht me in de war. Waarom zweeg Ben? Keurde hij het af?

'Je bent toch niet met hem naar bed geweest, hè?'

Was hij jaloers?

'Nee,' loog ik.

'Goddank.'

Hij was jaloers!

'Wat is er aan de hand, Ben?' vroeg ik, terwijl ik probeerde de enthousiaste klank uit mijn stem te weren. Ik vervloekte hem.

'Ik heb me herinnerd wanneer ik hem ontmoet heb. De reden waarom ik het me niet kon herinneren was dat ik hem niet zelf ontmoet had, maar zijn vrouw.'

'Wat?'

'Het was tijdens een lunch in de City, ik was samen met Sasha. Ze is een afstandelijke dame. We zaten te praten, toen kwam hij erbij en ze vertrokken.'

'Dat zegt niets. Zei hij dat ze getrouwd waren? Wanneer was dat? Het zegt trouwens niets.'

'Niet lang genoeg geleden voor een echtscheiding.'

Ik begon in paniek te raken. 'Maar zei ze dat ze getrouwd waren?'

'Nee, maar ze heette Barbara Kent en hij heet James Kent, niet?'

'Broer en zus,' wierp ik tegen. Onmogelijk dat James getrouwd was. Onmogelijk. Niemand kan zo goed acteren. Of wel?

'Met twee kinderen op Francis Holland, die ze niet op tijd konden afhalen?'

'Wat?'

'Die school in Baker Street.'

Ik deed of ik van niets wist, maar ik wist precies wat Ben zei. Ik dacht terug aan onze lunch. Hoe laat was het toen hij in de taxi sprong? Dat was toen ik opmerkte dat het trottoir bezaaid was met schoolkinderen. Baker Street. Hij ging zijn kinderen van school halen.

'Ik herinner het me nog heel goed. We hadden het over die school omdat Sasha's nichtjes daarnaartoe gaan.'

'Is dat zo?'

'Dat weet je.'

Mijn hart klopte te snel. De kreeft kwam weer boven. Ik dacht dat ik in een anafylactische shock raakte.

'Ik neem het mezelf kwalijk dat ik hem die avond niet herkende, maar we waren te zat. Ze zijn getrouwd en hebben twee dochters, Lainy en Martha Kent. Sorry, liever, ik wilde je waarschuwen voor je iets stoms doet.'

'Wat? Een getrouwde man zoenen? Dat heb ik al gedaan!'

'O, Tess –'

'Ik bedoelde hem niet!' Ik vloekte luid, zette de telefoon af en barstte in tranen uit. Ik verborg mijn hoofd in mijn handen. Ik kon niet veel meer verdragen. Wanneer zou er een eind aan komen? Zelfs als het andere geslacht het volgens de regels speelde, was het al moeilijk, maar dit, dit was te veel. *Laten we een afspraak maken, geen oude liefdes ophalen...* Het onbekende kleine Birmaanse restaurant dat was gekozen omdat *je nooit iemand ziet die je kent...* Zelfs Blakes, ik had het gevoel gehad dat het mijn idee was, alsof ik alle suggesties deed, maar ik werd gemanipuleerd. Ik was in alle opzichten gemanipuleerd. Ik betwijfelde of hij om vier uur terug zou komen. En zelfs als hij dat deed, zou morgen de laatste dag zijn geweest. Of zou hij me vertellen over zijn vrouw en dochtertjes als ik te zwak was om tegen te stribbelen? Zou hij 'de minnares' van me maken en tegen ons allemaal liegen? Waarom deden mannen zulke dingen? Wat had het voor zin? Ik kon niet nuchter denken. Ik was nergens meer. Getrouwd met twee kinderen. Getrouwd met twee kinderen. Het tolde rond in mijn hoofd. Ik was razend. En toen deed ik iets waar ik altijd spijt van zal hebben. Ik bestelde een fles wijn van 200 pond, keek kalm toe terwijl de sommelier hem in mijn aanwezigheid op theatrale wijze opende, trok mijn keurig geperste kleren aan, stal een ochtendjas en, met de fles wijn en een glas zwaaiend in de hand, verliet ik het hotel zonder goed te weten of ik woedend was op James, Ben of op mijzelf.

Om tien over vier ging mijn mobiel. James sprak een bericht in. 'Je komt toch terug?'
Toen nog een.
'Neem de telefoon op, Tessa, dit is heel vreemd.'
Toen nog een.
'Als dit een grap is, vind ik het niet leuk.'
Toen nog een.
'Ik vertrek. Ik heb de rekening gezien. Wat is er in godsnaam aan de hand?'
Ten slotte zette ik de telefoon uit. Hij verdiende geen antwoord.

Ik wandelde langs de benijdenswaardige huizen van Kensington naar Holland Park. Ik zocht met opzet een bank op een plaats die de meeste pijn zou doen. Uitkijkend op de speeltuin. Bij de schommels en zandbank keken de moeders me argwanend aan. Ik kon het ze niet kwalijk nemen. Als ze naar mij staarden, staarde ik terug. Zij wendden altijd het eerst hun blik af.
Ik zat als een oude dronkaard in designerkleren en een ochtendjas en dronk mijn uit wraak gekochte wijn. Ik was gek, ik wist het, maar het kon me niet schelen. Terwijl de alcohol mijn maag verwarmde, begon ik te denken dat het meer had gekost dan geld, het had me mijn gezonde verstand gekost. James Kent was getrouwd, met twee kinderen. Ik was bedrogen. Zelfs al was er ook maar de geringste mogelijkheid dat hij onlangs bij zijn vrouw was weggegaan, dan had Ben toch gelijk, hij

kon nu onmogelijk gescheiden zijn. Ik kon bijna, bijna begrijpen waarom hij niet de moeite zou hebben genomen over een ex-vrouw te spreken; het kon worden gezien als overbagage, vooral als het recent was, maar dit was té recent. Dit was een emotionele reactie met de mogelijkheid van een verzoening. En dat bracht mij in een ongunstige positie, omdat ik al wist dat ik meer op hem gesteld was dan op iemand anders die ik in lange tijd ontmoet had. Maar twee kinderen van vlees en bloed verzwijgen, dat was iets heel anders. Dat was een pikzwarte slechte aantekening. Het was minderwaardig. Het was gebrek aan respect. Het was iets vreselijks voor een vader om dat te doen. Het was iets dat Christoph of Neil zou doen, en wat mij betrof bestond er geen slechter soort mens dan die twee.

Brede, platte bladeren vielen nu en dan van de platanen om me heen. Het begon te schemeren. Was het al zo ver in het seizoen? Halloween lag in het verschiet. Dan Guy Fawkes Day. Vuurwerk. Sterretjes. En dan, o god, te erg om aan te denken. Mijn verjaardag, op de voet gevolgd door Kerstmis en Nieuwjaar – de drievoudige hordenloop waarover ik ieder jaar mijn nek brak als ik gedwongen werd te accepteren dat er weer een jaar voorbij was en er niets was veranderd.

Toen er meer wijn was in mijn lichaam dan in de fles richtten mijn zelfmedelijdende, boze gedachten zich op het onvermijdelijke. Ik was niet genezen. Ik was er erger aan toe dan ooit. Ben was degene die ik wilde. Ben was degene op wie ik terugviel als al het andere misliep. Ben. Hij zou me dit niet aandoen. Wat voor andere problemen er ook waren, en ja, dat hield in dat hij getrouwd was met een ander, hij hield van me. Zelfs als hij nooit verliefd op me was geweest, wat hij kennelijk nooit was want hij was met een ander getrouwd, hield hij toch van me. Dat betekende dat hij me niet zou kwetsen, of tegen me liegen of me bedriegen, of me om de tuin leiden, of me weer iets van mijn waardigheid ontnemen. Het me onmogelijk maken van iemand anders te houden. Ik liet het glas zakken. Maar dat was in feite wat hij deed.

De mensen staarden, het kon me niet veel schelen. Ik kreeg het erg koud. Ik vatte het op als weer een bewijs van ouderdom. Toen ik jonger was huppelde ik door Londen met nauwelijks kleren aan, en ik kan me niet herinneren dat ik het ooit koud had. Maar nu zat ik te zeuren over de kou als een oud wijf. Ik wás een oud wijf. Een eenzaam, triest oud wijf. Hoe was me dit in vredesnaam overkomen?

Ik zag de kinderen ruziën over hun plaats op de glijbaan. Ik zag vrouwen met een uitdrukkingsloos gezicht als robots schommels duwen. Ik zag kinderen vallen en huilen en naar hun moeders en kindermeisjes hollen. Ik zag het eindeloze snuiten van neuzen. Ik hoorde het eindeloze 'waarom?', ik zag vrouwen geeuwen en zuchten en steeds weer reageren op hetzelfde huppelen, springen of trekken. Om de paar seconden gilde er iemand. Ergens op een bepaald moment speelde zich voor mijn ogen een driftbui af. Ik zag een jongen die zijn moeder sloeg. Ik zag een vrouw die net deed of ze niet tot tranen was gebracht door het aan haar toevertrouwde kind. Maar mijn medelijden was uitsluitend voor mijzelf gereserveerd, want ik zou mijn linkerbeen hebben gegeven voor een van die verdomde kinderen. Ik kreeg het steeds kouder terwijl ik keek tot ik ten slotte de kou niet meer voelde. De fles was leeg, het park was donker en alle kinderen waren naar huis om warm te worden in een bubbelbad, te worden voorgelezen en in bed gestopt.

Ik stond op voor ik beleefd maar dringend zou worden verzocht om te vertrekken en ging naar huis. Ik probeerde een bubbelbad. Ik probeerde te lezen. Ik probeerde mezelf in bed te stoppen en in slaap te vallen. Niets werkte. Ten slotte nam ik een slaappil. Met wodka. Het was niet om overdreven dramatisch te doen, ik wilde alleen mijn hersens stopzetten, en ik bracht het niet op om water te gaan halen.

Toen ik de volgende ochtend wakker werd, nam ik er nog een. Ik had echt geen idee hoe sterk ze waren.

Het was het geluid van de zoemer dat me eindelijk uit mijn diepe, droomloze slaap haalde. Ik was volkomen gedesoriënteerd. Het was donker buiten. Het gezoem ging door. Ik gaf een tik op mijn wekker en viel weer in slaap. Als ik minder verdoofd was geweest, zou ik me herinnerd hebben dat mijn wekker een signaaltoon geeft en niet zoemt.

Iemand schudde me door elkaar. Het was ergerlijk. Ik probeerde me om te draaien. Een mannenstem klonk luid in mijn oor. Had ik het 'Niet storen'-bordje niet opgehangen? Ik wilde geen walgelijke vliegtuigmaaltijd meer.

'Mizz King, mizz King. Wakker worden, mizz King.'

'Laat me met rust,' zei ik, al vertelde Roman me later dat ik alleen maar in staat was geweest om wat te kwijlen. Toen zag hij de pillen en het lege glas naast mijn bed. Eén keer snuiven was voldoende om hem te bevestigen dat het geen water was. Hij raakte in paniek en begon me door elkaar te schudden. Wat me ten slotte wakker maakte was het schudden. Hij wilde een dokter bellen; ik zei hem dat hij zich belachelijk aanstelde. Nou ja, dat probeerde ik te zeggen, maar mijn hoofd voelde zo zwaar. Ik wilde alleen maar mijn ogen weer dichtdoen. Het was heel gênant, of zou dat geweest zijn, als ik meer bij de tijd was geweest. Ik dwong me rechtop te gaan zitten, want Roman stond op het punt 999 te bellen, en ik wilde echt niet dat hij dat zou doen. Ik legde hem weer langzaam uit dat ik alleen maar een slaappil had genomen omdat ik niet kon slapen.

'Geen slaappil,' zei Roman en hield het lege flesje omhoog. Grappig, ik had er een eed op kunnen doen dat ik er maar twee had genomen.

'Narcosemiddel voor paarden.'

'Wat?' Ik pakte het flesje. 'Hoe weet je dat?'

'Gelezen. Waar hebt u deze vandaan?' Ik keek hem fronsend aan. Wie ben je, mijn vader? Misschien ging ik te vriendschappelijk om met mijn portier? Eerlijk gezegd had iemand op mijn werk – zelf nogal een feestganger nu ik erover nadenk – me die pillen eeuwen geleden gegeven. Ik was paranoïde, bang dat mijn ex-baas bij me in zou breken en me in mijn slaap vermoorden. In die hele periode in mijn leven had ik nooit mijn toevlucht hiertoe genomen, maar nu... Ik keek weer naar het lege flesje. Was het allemaal echt erger geworden? Roman bracht me een kop koffie. Ik nam de koffie van hem aan zonder te vragen waarom hij me die gaf. Ik was erg traag van begrip.

'Hoe laat is het?'

'Half twaalf.'

Ik liet me achterover vallen op het kussen. 'Waarom maak je me wakker? Ik heb meer slaap nodig.'

'U hebt geslapen sinds woensdagavond. U was teut toen u thuiskwam.'

Ik herinnerde me vaag dat ik Roman achter de balie had gezien toen ik eindelijk door de deur naar binnen strompelde. Ik was niet blijven staan om een paar woorden met hem te wisselen zoals ik gewoonlijk deed. Ik geef toe dat ik er een beetje raar kan hebben uitgezien, met een lege wijnfles in de hand en een ochtendjas over mijn kleren. Maar nogmaals, niet iets wat hij niet al eerder had gezien. Ik keek hem nijdig aan.

'Nou en?'

'Het is vrijdagochtend.'

'Hmm...' Ik voelde mijn ogen weer dichtvallen. Die pillen waren prima.

'Hebt u me gehoord?' Roman nam het kopje uit mijn handen voor ik de koffie morste. 'Het is vrijdagochtend – niet donderdag.'

Ik wreef in mijn ogen. 'Hè?'

'U bent al zesendertig uur hier boven. Er is een vrouw die probeert u te pakken te krijgen.'

'Er is iemand voor mij?'

'Ik heb geprobeerd te kloppen, ik heb aangebeld, we hebben voortdurend getelefoneerd, ik begon me ongerust te maken...'

'Wie?' Was James gekomen om me te vertellen dat Ben zich vergiste, dat hij geen kinderen had, dat er geen vrouw was? Of dat het allemaal waar was maar dat hij zonder mij niet kon leven en dat hij ze verliet? Of was het B –

'Billy. U moet haar bellen. Het is dringend.'

'Ik kreunde. 'Ik zal haar later wel terugbellen.'

'Ze is in het ziekenhuis.'

Billy in het ziekenhuis? Mijn hersens begonnen weer te werken. Billy lag in het ziekenhuis? Ze gingen sneller werken. Billy ging niet naar het ziekenhuis. Wham – ik was wakker.

Het meest effectieve vlugzout dat ooit is uitgevonden. Tenzij...

'Cora,' zei ik en sprong mijn bed uit. Mijn benen konden me niet dragen. Ik viel. Wat had ik verdomme geslikt? Roman hielp me naar een stoel en bracht me kleren terwijl ik zijn koffie dronk en luisterde naar de berichten die ze had ingesproken.

8.30 uur. 'Tessa, ben je daar? Je telefoon staat uit. Neem op.'

8.45 uur. 'Ik wil je een grote gunst vragen. Het gaat niet zo goed met Cora en Magda kan niet bij haar oppassen, ze heeft deze hele week examens. Alsjeblieft, alsjeblieft, kun je komen... Ik neem aan dat je onder de douche staat. Bel me als je eronder vandaan komt.' Ik zette mijn mobiele telefoon aan, die onmiddellijk geluid begon te geven. Ik had zes gemiste oproepen. Vijf van Billy. Een van Ben.

8.50 uur. 'Maak je geen zorgen, de Calpol werkt en ze zegt dat ze zich beter voelt. Ze gaat naar school. Bel me toch maar, op mijn werk.'

11.28 uur. 'Tessa, lichte paniek. Cora ligt in de ziekenkamer met hoge koorts – is er een kans dat je de goede fee kunt zijn? Ik ben de enige op het werk. Sue is met vakantie. Het spijt me dat ik het je vraag. Als je niet kunt, geen zorgen, ik vind wel een oplossing. Is je mobiel stuk?'

15.02 uur. 'Ik sta op Chelsea and Westminster. Bel me alsjeblieft.'

15.44 uur. 'Waar ben je?'

17.02 uur. 'Wil je komen? Als je dit bericht krijgt, kom dan alsjeblieft...'

19.59 uur. 'Ze hebben een lumbaalpunctie gedaan en ze brengen haar naar de intensive care. Tessa, ze denken dat het meningitis is... O, mijn god, waar ben je? Ze zeggen dat ik me op het ergste moet voorbereiden...'

20.03 uur. Kiestoon. *Het ergste...?*

20.22 uur. Kiestoon. *Het ergste...?*

Ik hoorde niet hoe vaak Billy nog had geprobeerd te bellen en alleen het antwoordapparaat had gekregen, want half gekleed sprong ik op uit de stoel en liep met onvaste tred naar de deur, liet Roman met een verbijsterd gezicht midden in de slaapkamer staan.

Hij volgde me de gang op. 'Mizz King, doe het kalm aan.'

'Begrijp je het dan niet?' schreeuwde ik. 'Ze hebben me nodig.'

Ik zag dat hij zijn hoofd schudde toen de liftdeur dichtging. Op Vauxhall Bridge Road hield ik een taxi aan. Toen ik achterin zat werd ik overweldigd door angst, lethargie en ongeloof. Had ik werkelijk een hele dag geslapen? Ik tikte op de ruit die de chauffeur van me scheidde.

'Kunt u de radio alstublieft iets harder zetten?' vroeg ik.

Volgens BBC Five Live was het waar. Het was vrijdag. Het middagnieuws. Er was een schandaal uitgebroken in de regering, volgens de nieuwslezer, na 'de onthullingen van gisteren'... Ik had door een schandaal heen geslapen. Ik had een dag van mijn leven verloren. Ik was er niet toen Billy en Cora me nodig hadden. Ik wist niet veel van meningitis behalve dat het dodelijk was voor kinderen tenzij het op tijd ontdekt werd. *Is er een kans dat je de goede fee kunt zijn?* Nee. Ik had het te druk met me te wentelen in zelfmedelijden. Ik schoof onrustig heen en weer op de achterbank van de taxi, terwijl ik eraan dacht hoe ik op een bank in het park, waar kinderen me konden zien, wijn had zitten drinken. Ik kromp ineen bij de herinnering hoe ik het gebouw binnengestrompeld was in de ochtendjas die ik had gestolen. Wat was dat voor krankzinnig gedrag? Ik herinnerde me dat ik de eerste pil had genomen omdat ik niet meer wilde denken aan Ben en James, Sebastian, mijn ex-baas, en al die andere armzalige relaties die ik had gehad. Kennelijk had ik niet beseft hoe dronken ik was, anders zou ik nooit, absoluut nooit die pillen hebben genomen met... Ik staarde uit het raam terwijl het Embankment voorbij vloog. Ik kon de bittere nasmaak van de pillen in mijn keel nog proeven en de prikkeling van de wodka toen ik ze inslikte. Ik probeerde Billy's nummer weer. Haar telefoon was nog uitgeschakeld. Ik staarde naar de wolkeloze, blauwe hemel en verbeeldde me het ergste.

Ik betaalde de chauffeur en, nog steeds op onvaste benen, stapte ik uit de taxi. Ik voelde me onzinnig zwak toen ik half joggend, half lopend door de zware draaideur van het Chelsea and Westminster Hospital naar binnen ging. De man achter de halvemaanvormige receptie wierp één blik op me, verontschuldigde zich tegenover degene met wie hij stond te praten en bood me zijn hulp aan. Snel vertelde hij me waar ik de kinderafdeling kon vinden en hij zei dat ze me daar naar de kinderzaal van de intensive care zouden brengen. Ik holde door het ziekenhuis naar de rij liften en drukte op de knop. Ik tikte ongeduldig met mijn voet, keek omhoog naar de verlichte cijfers om het pijnlijk langzame dalen van de lift te volgen en zag een kleine wolk over het atrium van het ziekenhuis zweven. Hallucineerde ik of leek die wolk op een –

Nee, je krijgt haar niet terug, dacht ik, mijn hoofd schuddend tegen de lucht. Hoor je me? Mijn hart klopte zo heftig in mijn borst dat ik met moeite ademhaalde. De liftdeuren gingen eindelijk open. Ik staarde in de lege lift en bleef verstijfd staan. Toe dan, spoorde ik mezelf aan, maar mijn voeten weigerden in beweging te komen. Toe dan! Ik bleef stokstijf staan. De liftdeuren begonnen weer dicht te gaan; pas halverwege stak ik mijn hand uit om het te beletten. Mijn hoofd was vol weerzinwekkende gedachten: begrafenissen, doodkisten, grafredes, medeleven... Ik was bezig mijn verstand te verliezen. Waarom wilde ik Cora's verdieping niet bereiken? Omdat ik niet wilde zien waarmee ik geconfronteerd zou worden? Of wat ik onder ogen zou moeten zien? *De wereld is vol bedrog*, maar niet erger dan wij onszelf bedriegen. Ik drukte op de knop voor haar verdieping.

Als het goed ging met Cora, zou ik mijn gedachten aan Ben voorgoed uit mijn hoofd zetten. Als het goed ging met Cora zou ik stoppen met die dwaze dromen. Lieve God, luister naar me en zorg voor alle mensen van wie ik houd. Ik voelde de hydraulica in actie komen en ik ging omhoog, één verdieping, twee, drie. Ten slotte gingen de liftdeuren open. Een afgetobde, grijsharige, verschrompelde vrouw stond vlak voor me. Ze barstte in tranen uit zodra ze me zag. Het was Billy.

Loos alarm

'Ze wordt beter,' snikte Billy.

Ik wist het knikken van mijn knieën te bedwingen.

'Wat?'

'Het komt helemaal in orde met haar.'

Ik stapte de lift uit. Mijn hart bonsde nog. 'Weet je het zeker?' vroeg ik. 'Heel zeker.' Billy omhelsde me. 'Het is geen meningitis. Het is oké, Tessa. Het is geen meningitis.'

Ik was nog steeds niet helemaal bij de tijd. Ik wist niet eens zeker of het Billy wel was. Het klonk alsof ze het was, maar ze zag er zo anders uit. 'In je berichten stond...'

'Ik werd helemaal gek, ze was zo ziek. Ze had zo'n hoge koorts en ze reageerde absoluut niet. Ik dacht dat ik naar een dode keek, echt waar, ik ben nog nooit in mijn leven zo bang geweest en ze deden al die tests om uit te zoeken wat het was. Ik raakte in paniek...' We omhelsden elkaar weer. 'Ze deden een lumbaalpunctie, om het ergste te kunnen uitsluiten. Het enige wat ik hoorde was meningitis... Ze waren bezorgd, Tessa, en ik was zo verschrikkelijk bang. Het spijt me, ik dacht dat ik je teruggebeld had.'

'Geeft niet, gaat het nu goed met haar?'

'Ze is ziek, maar het is geen meningitis. Ik bedoel, het is nog wel serieus, maar niet zó.'

'Wat is het?'

'Pneumokokken-longontsteking, komt veel voor bij kinderen die bij de geboorte zuurstof toegediend hebben gekregen. Daarom reageerde ze niet, het was haar borst, arm kind. Haar borst is erg zwak, en ze zeggen dat ze fysiotherapie zal moeten hebben, maar hemel, fysio vind ik best, desnoods elke dag...'

Ik sloeg mijn arm om Billy's schouders en liep met haar in een wille-keurige richting. Ik voelde dat ze heel lang uitademde. 'Ik ben nog nooit in mijn leven zo bang geweest,' zei ze, tegen me aan leunend.

Jij en ik allebei, dacht ik.

'Ik ben zo opgelucht, dat kan ik je gewoon niet vertellen,' zei Billy.

Ik zag hoe een voet zich voor de andere plaatste. Opgelucht? Ik was blijkbaar te veel geschokt om al opluchting te voelen. Hoewel mijn hart langzamer was gaan kloppen, was ik nog steeds buiten adem.

'Het spijt me dat ik je niet teruggebeld heb,' zei Billy.

Mij ook. Ik had een deal gemaakt met God. Hou op, Tessa.

'Waar was je? Je telefoon was dagenlang uitgeschakeld. Ik heb je flatgebouw gebeld en een boodschap achtergelaten voor jullie por-tier.'

Het was niet het moment om mijn laatste achtenveertig uur aan Billy toe te vertrouwen. 'Er was een probleem met mijn simkaart,' antwoord-de ik.

'Ik heb de flat gebeld –'

'Het spijt me dat je me niet te pakken kon krijgen. Vertel me wat er gebeurd is. Vanaf het begin.'

'Ik stond op het punt om iets te gaan eten, ik heb sinds gisteren niets meer gegeten. Heb je tijd?'

'Natuurlijk. Maar Cora?'

'Ze slaapt. Het gaat goed.'

'Weet je het zeker?'

'Heus, Tessa, alles is in orde nu, ze hebben het onder controle.' We keerden om en liepen terug naar de liften. 'Ik zou haar niet alleen laten als het niet zo was. Even een hapje eten en dan ga ik terug.'

We lieten de lift weer komen en gingen naar beneden. Het atrium was gevuld met helder zonlicht; we liepen door het ziekenhuis naar bui-ten, een stralend blauwe dag in. Ik keek omhoog; het wolkje was ver-dwenen. Ik schudde even mijn hoofd. Wat had ik gemeend te zien? Co-ra's ziel? Een engel? Haar engel? Ikzelf in het zwart, staande achter een katheder, een doodkist aan mijn voeten, een menigte voor me? *Maak je niet van streek met sombere waandenkbeelden...* Wat mankeerde me in godsnaam? Ik moet luider gezucht hebben dan ik besefte.

'Ze komt er echt helemaal bovenop,' zei Billy, pakte mijn arm en leid-de me over het zebrapad. Ik knikte. Ik vertrouwde mijn stem niet.

We kwamen bij Bella Pasta. Het was lunchtijd en het was er erg druk, maar Billy leek gerustgesteld door het lawaai en de jachtige mensen. We waren niet de enigen die het ziekenhuis waren ontvlucht op zoek naar voedsel van betere kwaliteit: het restaurant was vol lopende patiënten. Een kind met een arm in een mitella. Een vrouw met een been in het gips. Een man op krukken. Elke patiënt had minstens twee mensen bij zich. Moeders, vaders, oma's, vrienden. Billy had mij. Beter laat dan nooit, dacht ik maar. Ze vertelde me over de hectische ochtend, Cora tegen beter weten in haastig naar school brengen; het telefoontje van school, de run naar het ziekenhuis, Cora die bewusteloos raakte, de stijgende koorts, de lumbaalpunctie... Ik luisterde aandachtig. Zo aandachtig dat ik mijn eigen gedachten bijna buitensloot. Bijna maar niet helemaal. Het bord pasta dat voor me werd neergezet leek al leeg te zijn nog voordat ik mijn vork had opgepakt. Ik had honger. Kon ook niet anders. Het laatste wat ik had gegeten was kreeft in de Witte Kamer in Blakes Hotel, realiseerde ik me. Hoeveel zou dat gekost hebben? vroeg ik me af. Het hing af van de dagprijs, maar ik was niet gebleven om de rekening te controleren. Ik bestelde een salade, en omdat dat ook niet genoeg was, bestelde ik ook een dessert. Ik moest bijgetankt worden. Mijn hersens moesten onderzocht worden. Ik had een deal gesloten met God, en hij had zich aan de afspraak gehouden. Nu moest ik voorzichtig te werk gaan.

'... zou je het erg vinden om dat te doen?'

Ik keek naar Billy.

'Alsjeblieft?' vroeg ze.

'Eh, je weet dat ik alles voor je zou doen.'

'Dank je.' Ze gaf me een papiertje met een paar nummers erop. Er stond een naam boven.

'O nee, Billy –'

'Je hebt net gezegd dat je het wilde doen.'

'Ik dacht niet dat je bedoelde dat ik Christoph nu moest bellen,' blufte ik. Ik kon haar niet vertellen dat ik niet had geluisterd. 'Ik dacht dat je bedoelde, je weet wel, over de rechtbank, over het geld. Waarom zou ik hem bellen over Cora?'

'Alsjeblieft, Tessa. Hij heeft het recht het te weten.'

'Dat is nog maar de vraag. Wat denk je dat hij eraan zal doen? Naar huis komen vliegen in de privéjet die hij zegt dat hij niet gebruikt?'

'Je zei dat je alles voor me zou doen. Was dat... een gratuite opmerking?'

'Nee.' Ja. 'Nee, ik wíl het doen. Ik vind alleen niet dat je hem moet bellen.'

'Hij heeft het recht te weten dat zijn dochter ziek is.'

'Maar ze wordt helemaal beter, dat heb je zelf gezegd.'

'Ze heeft hem nodig. Alsjeblieft, Tessa.' Haar stem beefde.

'Doe jij het,' drong ik aan.

'Hij beantwoordt mijn telefoontjes niet.'

'Dat zal hij wel doen als je hem vertelt dat Cora ziek is.'

Ze schudde haar hoofd.

'Nou, ik weet heel zeker dat hij dan niet naar mij zal luisteren,' zei ik. 'Hij heeft altijd een hekel aan me gehad.'

'Maar hij zal je geloven.'

Ik raakte gefrustreerd. Dit was niet het juiste moment. Ik vervloekte Christoph en alle mannen als hij. 'Wat valt er niet te geloven? Dat zijn dochter longontsteking heeft omdat hij een gierige, leugenachtige klootzak is?'

'Kom nou, Tessa, het was niet zijn schuld dat ze ziek werd. Alsjeblieft, bel hem nou maar en vertel hem wat er is gebeurd.'

'O, je meent het? Dus het is niet zijn schuld dat jij niet thuis kunt blijven en voor Cora kan zorgen als ze ziek is. Het is niet zijn schuld dat ze geen betere verzorging krijgt. Het is niet zijn schuld dat je je geen kindermeisje kunt veroorloven om voor haar te zorgen als jij naar je werk bent? Het is niet zijn schuld dat je nooit die verrekte centrale verwarming aanzet...'

'Tessa, kijk me aan. Ik heb niet geslapen, ik ben uitgeput, alsjeblieft, niet nu.'

'Je hebt gelijk. Je moet naar huis, rusten, en dan beslissen of je wel of niet wilt dat ik hem bel. Je kunt nu niet helder denken.'

'Dank je,' zei Billy stijfjes, 'maar ik laat Cora niet alleen.'

'Ik zal bij haar blijven. Jij hoort wat te gaan slapen. In deze toestand kun je Cora niet veel hulp geven.'

Billy keek me verontwaardigd aan, legde toen methodisch haar vork en lepel op het bord.

'Ik bedoel, echt, Billy, wanneer zul je eens gaan zien hoe het werkelijk is?'

'Tessa...' waarschuwde Billy. Maar ik sloeg haar waarschuwing in de wind.

'Ze heeft hem niet nodig, Billy. Ze heeft jou nodig, niet een mythische figuur die je haar vader noemt. Ze kent hem niet, ze denkt niet aan hem, ik geloof niet dat ze zelfs maar iets om hem geeft. Dat ben jij. Je projecteert dit alles op dat arme hoofd van Cora.'

Billy begon te rommelen met de lege borden, toen wenkte ze de serveerster. Ik kon zien dat ze haar tranen bedwong.

'Het spijt me, Billy, maar ik heb voldoende informatie over Christoph om er met zekerheid voor te kunnen zorgen dat je voldoende geld krijgt.'

Ze pakte de rekening.

Ik probeerde hem van haar af te nemen. 'Dat is oké. Ik reken af,' zei ik.

'Nee, dank je,' zei Billy. 'Ik kan dit betalen.'

'Alsjeblieft, laat mij in vredesnaam afrekenen.'

'Nee!' schreeuwde Billy. 'Hou op met geld in mijn handen te stoppen. Ik kan mijn eigen lunch betalen!'

'Waarom ben je verdomme zo kwaad op me?'

'Laat me met rust, Tessa. Alsjeblieft.'

'Ik probeer je te helpen.'

Billy keek me aan. 'Nee, dat doe je niet. Je helpt me helemaal niet. Wat je doet is wat je altijd doet. Als iemand Cora gebruikt, dan ben jij het wel! Op de een of andere manier weet je dit alles om te zetten in je eigen kleine drama met jou in het centrum van alles; je wilt ons vertellen hoe we ons leven moeten inrichten terwijl je verdomme niet eens weet wat je met je eigen leven aan moet! Dus laat me in godsnaam met rust.'

'Waar heb je het over? Je hebt me net gevraagd of ik Christoph wil bellen.'

'Ik weet het. Dat was een vergissing.'

Een ogenblik was ik van mijn stuk gebracht. 'Je wilt niet dat ik hem nog bel?'

Billy keek me even aan. 'Besef je echt niet waar je mee bezig bent?'

'Waar heb je het over?'

'Kom nou. Tessa. Ik weet dat ik misschien in afwachting leef tot het onmogelijke zal gebeuren —'

'Dat Christoph een hart krijgt.'

Billy negeerde me. 'Maar jij leeft ook in afwachting.'

'Ik?'

'Ja. Jij, wie je ook bent.'

'Stel je niet zo belachelijk aan...'

'Je kunt uitdelen, maar niet incasseren.'

Dat was waarschijnlijk waar. Ik had geen broers of zussen, dus ik had nooit geleerd hoe het is om geplaagd te worden. Of geleerd om te delen. Ik was royaal. Ik gaf een hoop dingen weg, maar ik deelde mijn dingen niet. Nu ik erover nadacht, klopte het eigenlijk precies. Misschien wilde ik mijn leven niet delen. Misschien was dat het probleem. Mijn moment van helderheid was van korte duur.

'De Tessa King die ik ken is verdwaald in een of ander parallel universum waar god weet wat gebeurt, terwijl jij slechts het hiaat opvult in haar afwezigheid.'

Ik schudde lachend mijn hoofd. 'Ik geloof dat je zojuist een perfecte beschrijving hebt gegeven van jezelf.'

'Je hebt gelijk. Ik ben verslaafd aan Christoph. Ik wou bij god dat het niet zo was, maar het was tenminste reëel, wat we hadden was reëel, we hadden een kind samen. Heb je enig idee hoe dat voelt? Ik hou zoveel van hem dat het pijn doet – wil jij dat, ben je daar echt klaar voor?'

'Ik...' Ik probeerde een antwoord te vissen uit de zee van woorden die door mijn hoofd zwommen, maar niets van wat ik aan de haak sloeg beviel me, dus gooide ik ze weer terug.

'We zijn acht jaar samen geweest, Tessa.'

'Aan en uit.'

'Ach, verrek, het heeft geen zin om met je te praten –' Ik zag dat ze voldoende geld uittelde om achter te laten voor de lunch. Ik wilde dat onmiddellijk terugnemen en me verontschuldigen, maar de woorden knepen mijn keel dicht. Billy stopte haar portemonnee weer in haar tas, nam haar jas van de rug van de stoel en trok hem aan. Ik wilde pleiten. Dit ging de verkeerde kant op. Ik was de hoeksteen, de spil, de betrouwbare. Ze hadden me nodig.

'En Cora?'

Billy nam niet eens de moeite me aan te kijken. 'Wat is er met haar?'

'Mag ik haar zien?'

'Weet je? Nee. Ga naar huis, ga weer doen wat je aan het doen was toen ik je wél nodig had.'

Wie was er nu overdreven dramatisch? 'Het spijt me dat ik er niet was toen je me nodig had. Er is een reden voor, Billy,' zei ik suggestief, 'maar ik wil jou er niet mee lastigvallen.' Ik was opgelucht, want ik wist dat ik mijn pillen en wodka 'verlaat de gevangenis zonder te betalen'-

kaart had. Billy staarde me aan en zuchtte toen diep. Maar ze hapte niet. Dus ging ik verder.

'En het spijt me dat ik Christoph niet wil bellen, maar –'

Er brak iets in haar. 'Verdomme, Tessa.' Ze schudde haar hoofd. 'Je luistert niet, hè?' Billy pakte haar tas. 'Ik moet weg. Bedankt voor je komst.'

'Billy?'

'Dag.' Ik keek haar na toen ze het restaurant verliet en ging toen weer zitten. Ik bestelde koffie. Ik haalde verontschuldigend mijn schouders op naar de serveerster. Billy was gestrest. Billy was in ontkenning. Arme Billy. Ik keek naar de telefoonnummers die ik nog in mijn hand had. Oké, ik zou het doen. Voor Billy. Ik haalde mijn mobiel tevoorschijn en belde Christoph.

Ik wist waar Christoph was, want ik had de hele vorige week onderzoek naar hem gedaan. Hij was bezig een tweede jacht te bouwen voor sheik Ahmed in Dubai, waarvan de kosten werden geschat op het ontstellende bedrag van 13,5 miljoen pond. Christoph zou een provisie krijgen van 20 procent. Daarbij kwamen nog de smeergelden en extraatjes die hij zou ontvangen van elke fabrikant van sanitair en voorzieningen in de botenbouw. Net als bij de eerste boot die hij gebouwd had en die maar een miezerige vijf miljoen had gekost. De boot waarop hij, staande naast zijn rijke cliënt, gefotografeerd werd voor *Ahlan!* – Dubai's versie van *Hello!* Hij was lachwekkend, en Billy was lachwekkend dat ze hem door dik en dun trouw bleef en nog steeds van hem hield.

Ik kreeg geen antwoord, of hij weigerde op te nemen, dus belde ik het andere nummer. Zijn huis in Londen. 'Hallo?'

'Met mevrouw Tarrenot?' vroeg ik.

'Ja,' kwam een argwanend antwoord.

'Met Tessa King. Ik ben Cora's peettante.'

'O, hallo. Christoph is er niet op het ogenblik. Kan ik een boodschap aannemen?'

'Ik ben in het ziekenhuis. Cora is ziek.'

'Alweer?'

'Hoe bedoelt u alweer?'

'Eh, nou –'

Ik viel haar in de rede. 'Cora heeft longontsteking. Ze dachten dat het meningitis was.'

Christophs tweede vrouw gaf geen antwoord.

'Hallo? Bent u daar?'

'Wordt ze beter?'

'Ja...' Ik wilde overtuigend klinken, maar deze vrouw was niet erg vriendelijk en mijn stem sloeg over. 'Het spijt me... Maar Christoph moet...' Mijn stem haperde. Mijn kaak deed pijn van de inspanning om mijn tranen te bedwingen en de woorden eruit te krijgen. 'Het was nogal angstig,' bracht ik er met moeite uit. Ik kon haar niet vertellen dat ik huilde omdat ik zojuist ruzie had gehad met mijn vriendin.

'Het is goed. Het spijt me. Zeg maar wat u wilt dat ik doe.'

Ik vermande me. 'Kunt u mij het nummer geven waarop ik hem kan bereiken?'

Ze zweeg weer.

'Geloof me, als ik de keus had, zou ik hem niet bellen.'

'Het is alleen dat – o, goed, het doet er ook niet toe.'

'Wat niet?'

'Nou ja, Billy heeft dit al eerder gedaan.'

'Wat gedaan?'

'Ons – mijn man – verteld dat Cora ziek was.'

'Ze is heel vaak ziek,' antwoordde ik geërgerd.

'Niet zo erg als Billy ons – Christoph – deed geloven.'

'Ik weet niet waarover u het hebt. Ik ben in het ziekenhuis, Cora heeft longontsteking en een tijdlang dachten ze dat het heel ernstig was. Billy vond gewoon dat hij het moest weten.' Jemig, het verbaasde me niets dat Billy dit telefoontje niet wilde plegen.

'Oké. Sorry. Hij is in Dubai, hij logeert in een hotel dat het Burj Al Arab heet. Ik heb het nummer niet, omdat hij mij altijd belt. Maar daar is hij dus.'

'Dank u.'

'Hij zal niet komen, ze heeft te vaak loos alarm geslagen,' zei Christophs vrouw voor ik kon ophangen. 'Om eerlijk te zijn, hij zou niet eens terugkomen voor zijn eigen dochters.'

Ik verbeterde haar Freudiaanse vergissing niet. Ik herinnerde haar er niet aan dat Cora ook zijn eigen dochter was. Ik vroeg niet wat ze bedoelde met loos alarm slaan. *Jou zal hij geloven.*

Inlichtingen Internationaal verbond me met het hotel. Ik wist niet veel over Dubai's bekendste hotel, behalve wat ik te weten was gekomen door oude exemplaren van *Ahlan!* door te bladeren. Ik wist dat het 1000 dollar per nacht kostte. Ik wist ook dat sommige mensen het de Kakker-

303

lak noemden – omdat het uit een bepaalde hoek gezien op die smerige kever lijkt – hoewel die naam beter van toepassing was op een groot deel van de gasten dat er verbleef. Een perfect verblijf voor een insect als Christoph.

'Burj Al Arab.'

'Meneer Tarrenot alstublieft.' Ik wachtte tot ik doorverbonden zou worden.

'Hallo?' hoorde ik de bekende stem.

'Christoph, met Tessa. Ik bel je alleen om je te vertellen dat Cora met longontsteking in het ziekenhuis ligt.' Deze keer geen tranen. Mijn stem klonk vast.

'Hoe kom je aan dit nummer?'

'Maar ze is aan de beterende hand. Aardig dat je het vraagt.'

'Is dit echt waar?'

'Natuurlijk is het echt waar.'

'Is haar toestand stabiel?'

'Ja,' antwoordde ik, precies wetend wat er nu zou komen. God, wat zou ik die man graag in de rechtszaal hebben. Het was de moeite waard om daarvoor te overwegen van arbeidsterrein te veranderen.

'Ik kan niet terugkomen.'

'Dat vroeg ik je ook niet, Christoph. Ik wilde je alleen op de hoogte stellen van het feit dat je dochter ziek was. Je vrouw weet de details. Goedendag.'

Ik walgde van die man.

Ik had Billy niet moeten uitdagen. Het was mijn fout. Niet de hare. Ik had niet begrepen waarom ze wilde dat ik Christoph zou bellen, maar nu begreep ik het wel. Ik vond nog steeds niet dat het nodig was dat ze hem belde, maar misschien vergiste ik me daarin. Hij was de vader van Cora, al presteerde hij nog zo slecht in die rol – zelfs ík wist dat hij bepaalde rechten had. Ik had geen druk moeten uitoefenen op Billy terwijl ze zo moe was. Ze had zich misschien onredelijk gedragen, maar dat was te verwachten. Ik wilde niet dat ze in het ziekenhuis zou zitten piekeren over onze ruzie, bij al het andere wat haar zorgen baarde. Ik liep naar een café en bestelde voor Billy een latte om mee te nemen. Ik stak wat bruine suiker in mijn zak en een stokje om mee te roeren, en ging met mijn zoenoffer terug naar het ziekenhuis. Ik drukte op de zoemer van de kinderafdeling. Dit was een volwassen gebaar.

'Ik kom voor Billy Tarrenot, ze is bij haar dochter Cora.'

'Hoe is uw naam? O, sorry, ik heb net gehoord dat ze...' Een pijnlijke stilte. 'Ze is er niet.'

'O. Mag ik binnenkomen en Cora even bezoeken?'

'Bent u familie?'

'Pardon?'

'Bent u familie?'

Ik wachtte net iets te lang voor ik antwoord gaf. 'Ik ben haar peettante.'

'Sorry,' zei de verpleegster door de intercom. 'Regels van het ziekenhuis. Alleen familie wordt toegelaten.'

Ik hoorde een klik, de verbinding via de intercom was verbroken. Alleen familie wordt toegelaten. Als ik niet bij Cora werd toegelaten, wie zou dan worden toegelaten om mij te bezoeken?

Langzaam liep ik terug naar King's Road en nam bus 11 terug naar Victoria. Normaal zou ik binnen een seconde aan de telefoon hebben gehangen met Ben, druk pratend tijdens de hele duur van de rit, hem hebben verteld over onze ruzie. Bijna woord voor woord. Op die manier had ik elk ogenblik van overdenking kunnen vermijden en door hem zou ik me beter voelen voor ik de tijd had om erachter te komen waarom ik me eigenlijk zo miserabel voelde. Terwijl ik de winkels aan me voorbij zag trekken, vroeg ik me af hoe lang ik hem al als steunpilaar had gebruikt. Ben zou me verteld hebben dat ik me geen zorgen moest maken; Ben zou me gerustgesteld hebben dat we altijd tekeer gaan tegen degene die ons het dierbaarst is; dat ik natuurlijk familie was. Hij zou me vriendelijk geplaagd hebben dat mijn timing misschien niet zo best was geweest, en ik zou die plagerij geaccepteerd hebben en me heel grootmoedig hebben gevoeld. Ik staarde naar koppels op het trottoir onder me. Maar wat hij in werkelijkheid zou hebben gedaan was tegen me liegen en ik zou ervoor gekozen hebben die goedbedoelde leugens te geloven. Ik staarde naar mijn mobieltje. Ik miste hem. Ik miste de bescherming die hij me bood. Ik kon hem niet bellen, geen sprake van, ik had een deal gesloten met God – maar ik voelde me verlaten want ik realiseerde me dat er niemand anders ter wereld was met wie ik zo graag wilde praten. Ik vertrouwde mezelf niet voldoende om naar huis te gaan.

Ik worstelde me door de achterkant van het Victoria Station en in plaats van de snelweg over te steken die me scheidde van de rivier en mijn huis, sloeg ik linksaf en maakte een korte wandeling naar het Tate Britain. Ik beklom de brede stenen trap van het museum en ging naar binnen. Zodra je de deur door bent, verandert de atmosfeer. Die wordt milder. Het gebouw lijkt zich om je heen te sluiten, je een veilig gevoel te geven. Alle vijandigheid van de straat blijft buiten, want iedereen komt om dezelfde reden. Je nederig te voelen ten overstaan van de kunst. Ik liep door de eerbiedige stilte naar de Turner-tentoonstelling en staarde omhoog naar zijn gigantische schilderijen. Ik voelde de regen in zijn schilderijen spetteren op mijn gezicht. Ik hoorde de fluistering van de kiezels op zijn stranden. Ik voelde de kracht van de snelle stroming. De echo van de stilte. Gedurende een paar verrukkelijke uren raakte ik volkomen buiten de werkelijkheid. Het was niet zo goed als een praatje met Ben, maar het kwam er dicht in de buurt. En het was beslist een stuk gezonder.

Toen ik uit het museum kwam, was het donker. Ik voelde me veel kalmer. Ik was zonder hulp uit het dal gekomen. Mensen haastten zich naar huis. Gestreste, vermoeide mensen, die de hele dag werkten om hun kinderen te kunnen opvoeden, snel naar huis gingen om ze naar bed te brengen, overspannen probeerden een dagwaarde aan ouderschap in een uur te proppen. Ik slenterde over straat, voor een keer genietend van mijn kalme tempo. Misschien was ik egoïstisch, maar was dat zo slecht? Ik moest bekennen dat, afgezien van ruzies, vandaag een goede dag was geweest. Cora had geen meningitis. We hadden geluk gehad. Maar de anderen? Degenen die in het ziekenhuis moesten blijven? Die hele kinderafdeling was een mijnenveld, en dat was nadat je de conceptie en de zwangerschap had weten te overleven.

Ik liep langs mijn buurtpub. Ik dook door de deur op de hoek naar binnen. Het is een ouderwetse pub, niet afhankelijk van een brouwerij, geen groot voetbalscherm, geen computerspelletjes, slechts een kleine televisie achter de bar, goed bier met vreemde namen, Heineken als tapbier en pakjes garnalenchips (waar ik een zwak voor heb). Ik bestelde een klein glas bier bij Kenny, de eigenaar. Ja, hij noemt me bij mijn naam. De laatste keer dat ik er was ontdekte ik dat mijn ex-baas door zijn vrouw in een inrichting was geplaatst. Maar vanavond zou geen memorabele avond worden; het was nog geen zes uur, dus alleen snel een glaasje, niet meer, en misschien een fles om mee naar huis te nemen voor later... Een curry bestellen... vroeg naar bed. Met Cora kwam het goed. Billy en ik zouden onze kleine onenigheid bijleggen. En wat Ben betrof, nou ja, dat moest gewoon goed gaan. Ik vertrouwde te veel op zijn vriendschap om het niet beter te laten worden tussen ons. Ik had een deal met God om mijn dwaze gedachten van me af te zetten en weer op het goede spoor te komen; Hij van zijn kant had gezorgd voor de mensen van wie ik hield. Dus Ben en ik zouden weer vrienden worden, net zoals we altijd waren geweest, en alles zou in orde komen. Het was een fantasie die ik zelf had verzonnen, zelf had voortgezet, en alleen ik kon er een eind aan maken. Billy had in zeker opzicht gelijk – door een parallel universum te creëren, was ik het leven in de reële wereld onbevredigend gaan vinden. Maar eerlijk, wat was er eigenlijk mis met mijn leven? Ik had het idee van kinderen krijgen niet opgegeven, maar het leek me op het moment niet van essentieel belang. Het universum ontvouwt zich zoals het moet. Ik zou een voorbeeld nemen aan Helen. Ik zou voorlopig mijn leven in handen geven van het lot en zien waar dat me bracht. Buiten de pub, bedoel ik.

Baby Tinnitus

Ik zat aan de bar, tevreden in een vertrouwde omgeving, grapjes uitwisselend met een paar stamgasten, toen het nieuws van Channel Five kwam. Kirsty Young mimede woorden tegen me die ik niet kon horen. Televisie is merkwaardig fascinerend, zelfs zonder geluid. Ik nam een lange, weldadige slok. Een 'Breaking News'-bericht verscheen onder aan het scherm. 'Acteur verongelukt,' stond er. Ik nam nog een slok. Het bier was goed. Koud en nat, en het trof onmiddellijk doel. Een gezicht verscheen op het scherm. Een gezicht dat ik kende.

'Kenny,' zei ik fronsend, toen het gezicht geleidelijk verdween, 'kun je de tv wat harder zetten?'

Kirsty werd plotseling vervangen door een clip van een sitcom. Kenny pakte de afstandsbediening en drukte op een knop. Het glas bier zweefde ergens in de buurt van mijn mond. Daar was Neil, die een komische opmerking maakte; ik hoorde het ingeblikte gelach, maar had geen idee waarom die blikjes lachten. Ik schudde snel mijn hoofd en keek opnieuw. Kirsty was terug, sprak met haar lage, harde Schotse accent, staarde me aan achter de glazen plaat. Staarde míj aan.

'Dat was Neil Williams, in de populaire Channel 4-show, *Value Added*. Hij werd vandaag officieel dood verklaard na een verkeersongeluk buiten Bristol in de vroege uren van deze ochtend.'

Ik sprong overeind alsof ik me gebrand had. Mijn glas glipte door mijn vingers en viel op de grond. Het glas stuiterde, het bier spoot omhoog als een fontein in Las Vegas en bleef een onderdeel van een seconde midden in de lucht hangen voor het omlaagviel op de grond, het bespatte mij, de kruk en het afgrijselijke tapijt.

'Shit, sorry,' zei ik, bukte me snel en voelde me duizelig worden.

'Geen zorgen, ik pak het wel.'

Ik leunde tegen de bar. Ik voelde me niet goed. 'Ik ken hem,' zei ik ongelovig. 'Ik ken hem,' zei ik weer. 'Ik moet Helen bellen.'

De pub liep vol, maar ik kon niet wachten. Ik zocht mijn mobieltje in mijn tas; ik kon het niet vinden. Ik zocht in mijn zakken. Was Neil echt dood? Vast niet. Ik voelde iets trillen in mijn zak. Het zat in de zak waarin ik net gezocht had. Ik beantwoordde de oproep.

'Helen?'

'Tessa King?'

'Ja.'

'Zou u als goede vriendin van de overledene commentaar willen geven op het gerucht dat dit een geval is van dronken achter het stuur?'

'Met wie spreek ik?'

'Ik ben van de *Express* –'

Ik zette de telefoon uit en keek naar Kenny. 'Wie was dat in godsnaam? Hoe komen ze aan mijn nummer?'

Hij haalde zijn schouders op. Ik belde Helens mobiel. Het stond uit. Waarschijnlijk werd ze belaagd door de pers. Ik belde haar huis. Het antwoordapparaat.

'Helen, maak je geen zorgen. Ik ben onderweg.' Misschien was ze in Bristol. Misschien was ze het lichaam gaan identificeren. Dronken achter het stuur? Zo vroeg in de ochtend? Vergeet dat 'naar beweerd wordt' maar. Hij had zich verdomme doodgereden. Ik pakte Kenny's afstandsbediening en zapte door de nieuwszenders. Sky. CNN. Er volgde niets meer. Ik keek weer naar Kenny. 'Wie heeft de tweeling?' Zijn antwoord was me nog een drankje toe te schuiven. Wodka en tonic.

'Dank je,' zei ik dankbaar. Ik moest iets doen wat ik nooit voor mogelijk had gehouden: ik belde Marguerite om hulp. Het was niet moeilijk om het nummer van de krant te pakken te krijgen. Ik werd doorverbonden met haar assistente. 'Ik moet Marguerite spreken. Nu,' zei ik en klokte de wodka naar binnen.

'Ik vrees dat ze op het ogenblik geen telefoon aanneemt.'

'Ik weet het, ik ben ook lastiggevallen door de pers. Vertel haar dat Tessa aan de telefoon is. Ik wil alleen maar weten waar Helen is.'

De vrouw gaf geen antwoord.

'Ik ben niet een of andere gek, ik verzeker het je. Helen is mijn vriendin. Ik ben de peettante van de tweeling. Ik heb het net gehoord van Neil. Help me alsjeblieft.'

Weer viel er een lange stilte. 'Een ogenblik.' Ik begon met mijn vingers op de bar te tikken, tot Kenny me aankeek. Toen begon ik over een heel kleine afstand te ijsberen. Schiet op. Schiet op. De lijn kraakte. Ik zou thuis moeten zijn.

'Ik verbind u door met Marguerite. Ik zal u het nummer sms'en voor het geval er zich een probleem voordoet.'

'Dank u, dank u, dank u...' Ik slaagde erin mijn jas weer aan te trekken.

'Tessa, ben je daar?'

'Marguerite, sorry dat ik je lastigval. Ik wil alleen weten waar Helen is, ik krijg bij haar thuis geen antwoord...' Ik wachtte. Marguerite zei niets.

'Marguerite? Ben je daar?'

'Ja...'

'Wat is er mis?'

'Tessa, over Helen...'

'Is ze bij jou?' Geen antwoord. Tenzij je een zucht een antwoord noemt. Die vrouw was om dol te worden. Moest ik smeken? 'Marguerite, iemand moet bij haar blijven.'

'Tessa...'

'Ja!'

'God, Tessa, Helen zat in de auto.'

'Wát?' Nee. Helen in Bristol, in de vroege ochtenduren? Ze maakte geen uitstapjes. Ze liet de tweeling niet alleen. 'Gaat het goed met haar?'

Ik zal me dit moment herinneren zolang ik leef. Een vrouw kwam in dronken toestand naar de bar en vroeg om cider en donker bier. Ze droeg imitatiebont en imitatieparels. Kenny noemde haar ook bij haar naam.

'Tessa,' zei Marguerite. 'Ze was op slag dood.'

Ik wankelde achteruit en viel tegen de kruk. Marguerites woorden sloegen nergens op.

'Neil is verongelukt,' zei ik.

'Ik weet het. Helen was bij hem.'

Ik keek naar de grond. Het krullende patroon begon te draaien onder mijn voeten.

'Gaat het, meisje?'

'De schoft heeft haar gedood,' zei ik.

'Nee, Tessa. Het was een ongeluk.'

'Die verdomde drugsverslaafde, die kloterige zuipschuit heeft haar vermoord.'

'Tessa, nee, hou op, alsjeblieft...' Huilde Marguerite?

'Hoe kun je hem verdedigen?'

310

'Dat doe ik niet. O, mijn god, ik weet niet hoe het gebeurd is. Helen reed. Helen zat achter het stuur.'

Waar kwam al dat lawaai vandaan?

'Wát zeg je?'

'Ze vlogen met honderdvijfendertig kilometer van de weg en botsten tegen een boom. Zij was op slag dood: Neil werd uit de auto geslingerd, maar stierf in het ziekenhuis aan ernstig inwendig letsel.'

Ik keek naar Kenny. Ook hij golfde heen en weer.

'Het was een afschuwelijk ongeluk.'

Ik voelde een ondraaglijke pijn in mijn borst. Ik was bedrogen. God was een hypocriete, leugenachtige k –

'Van onderen!' gilde ergens een stem. Het volgende wat ik wist was dat ik naar Kenny's schoenen staarde.

Ik was zevenenhalve minuut buiten bewustzijn. De paramedicus op de motorfiets was binnen zes minuten bij de pub. Als ik een hartaanval had gehad, zou de man mijn leven gered hebben, maar hij kon niets voor me doen want ik had geen hartaanval. Ik had een paniekaanval. Het schijnt hetzelfde gevoel te zijn: hevige pijn, maar kort. Door mijn lichte hyperglykemie raakte ik korte tijd bewusteloos. De paramedicus adviseerde een paar dagen geen alcohol te gebruiken. Ik zei maar niet dat ik zijn advies in de wind zou slaan zodra hij het gebouw uit was. Helen was dood. Telkens als ik dat dacht, ging er weer een steek door mijn borst. Er werd besloten dat ik niet te voet naar huis mocht, al was het letterlijk aan de overkant, maar het was een drukke hoofdweg en ze vertrouwden me niet. Dus ging Kenny naar buiten om een taxi aan te houden. De paramedicus vertrok, iemand gaf me een glas cognac. Ik sloeg het achterover. Helen was dood. Au.

'Taxi staat voor,' zei Kenny.

'Sorry,' zei ik toen hij mijn arm pakte.

'Doe het kalm aan, meid,' zei hij. 'Zo gaat het niet.'

'Helen is dood,' zei ik.

Hij knikte slechts en deed het portier achter me dicht. Drie pond later stapte ik uit. Roman zoemde de deur voor me open voordat ik de kans kreeg in mijn tas naar sleutels te zoeken. Ik keek naar hem. Ik zag de bezorgde blik in zijn ogen. Ik voelde me een idioot. Een stomme idioot. Ik liep naar zijn bureau.

'Het spijt me,' zei ik. 'Dat ik je ongerust heb gemaakt.'

'Voel je je nu weer goed?' vroeg hij.

Hoe kon ik het hem vertellen? Hoe kon ik vragen om meer sympathie, meer aandacht? Ik kon het niet. Ook ik had al te vaak loos alarm geslagen. Ik knikte. 'Dank je,' zei ik, en liep naar de lift. De deur ging met een ping open. Het holle, eenzame wijsje van mijn thuiskomst. Ik verlangde meer naar Ben dan ik ooit voor mogelijk had gehouden. De deal was afgeblazen.

In mijn flat was het donker. De rij lichten langs Battersea Park gloeide aan de overkant van de rivier. Het was vloed. Het water klotste onrustig. De schepen botsten tegen elkaar. Het water sloeg tegen de fundering van de brug. Wolken waren uit de hoogte neergedaald en zogen speeksel en kwijl op van de voortbewegende Londenaren. En Helen was dood. Het kon me niet schelen wat Marguerite zei. In mijn gedachten was ze gedood door haar man. Zo goed als gedood door haar man. Ik zette de televisie aan en zag hoe de flat zich vulde met flikkerend, blauw elektrisch licht. Ik had het nieuws van zes uur gemist. Ik zou wachten op Channel 4. In het half-donker vond ik de reistas die mijn leven bevatte in fotografische vorm. Ergens daarin bevond zich Helen zoals ik haar gekend had. Levend. Vrij. Jong. Ik liep naar de keuken om iets te drinken te halen. Daar, op de ijskast, bevestigd met een cowboymagneetje, hing het bedankbriefje dat ze me gestuurd had voor het cadeau aan de tweeling ter gelegenheid van hun doop. Ik staarde naar haar handschrift, maar wat ik hoorde was haar stem. Zo luid, zo helder, alsof ze vlak naast me stond: *Wat je ook doet, zorg dat mijn moeder mijn jongens niet in handen krijgt...* Ik haalde het briefje van de ijskast.

Lieve, lieve Tessa,

Je was een succes, zoals altijd. Ik vind die heupflacons die je hun gaf prachtig... *Wat je ook doet, zorg dat mijn moeder mijn jongens niet in handen krijgt...* Ik weet dat de jongens bij jou en Claudia als peettante/voogd veilig en in goede handen zijn. Ik vertrouw jouw oordeel meer dan het mijne, dus weet ik dat je een fantastische peettante zult zijn en altijd zult weten wat je moet doen, onder alle omstandigheden. Ik hou van je, zoals altijd, en denk eraan – het universum ontvouwt zich zoals het moet, zelfs als jij denkt dat het niet zo is.

Helen xx

PS Wat je ook doet, zorg dat mijn moeder mijn jongens niet in handen krijgt...

Er stond niks meer op de pagina na haar zoenen, maar dat had er kunnen staan. Ik belde Marguerite terug. Met de telefoon aan mijn oor, legde ik mijn hoofd op mijn knieën en luisterde naar het gerinkel.

'Tessa? Gaat het goed met je? Een of andere man zei dat je was flauwgevallen.'

'Ik voel me goed. Met mij is het in orde. Nou ja, niet in orde natuurlijk.'

Er viel een pijnlijke stilte.

'Er werd niets over Helen gezegd in het nieuws,' zei ik ten slotte.

'Nog niet. Ik heb enige invloed, maar minder dan ik nodig heb.'

'Dat begrijp ik niet.'

'Ik vrees dat Helen misschien heeft gedronken.'

'Helen? Zij zou nooit...' Nou ja één keer tijdens Neils party, maar...

'Ik vrees van wel.'

'Dat heeft ze niet gedaan.'

'Dus jij hebt niet midden in de nacht die krankzinnige tirades aan de telefoon gehad?'

Ik deed mijn mond open om te antwoorden, maar wist niet wat ik moest zeggen. De verhouding tussen Helen en Marguerite was altijd destructief geweest.

'Dat was dus alleen voor mij gereserveerd. Ik begrijp het.'

'Ik heb haar nooit zien drinken,' hield ik vol.

'Nou, in ieder geval waren ze op een party, niet haar meest geliefde omgeving, dus leek het me beter de aandacht van Helen af te houden; daar heeft ze nooit van gehouden.'

'Nee.' Maar jij bent er dol op.

Weer een stilte.

'Nog iemand gewond?' vroeg ik.

'Gelukkig niet, nee. De politie vertelde me dat er niemand op de weg was. Er waren geen remsporen of een bewijs dat ze de macht over het stuur verloren heeft. Ze denken dat ze waarschijnlijk achter het stuur in slaap is gevallen en de auto gewoon van de weg is geslipt.'

'Dus ze denken niet dat het iets met drank te maken heeft?'

'Nee, maar ze kennen mijn...' Marguerite schraapte haar keel. 'Kenden haar niet, hm... Wat wil je, Tessa?'

Met iemand praten die Helen gekend heeft, tot diep in de nacht, tot mijn hart begrijpt wat mijn oren hebben gehoord. Om mijn belofte aan

je dochter na te komen, al wist ik toen, zoals altijd, niet wat ik beloofde.
'Ik vroeg me af waar de tweeling is.'
   'Bij mij.'
   'En waar ben jij?'
   'In hun huis.'
   Beloof het me.
   'Ik kom naar je toe.'
   Beloof het me, Tessa.
   'Ik sta op het punt ze mee te nemen naar mijn huis.'
   Ik krabbelde overeind van de grond. 'Ga niet weg, Marguerite.'
   'De pers staat buiten te wachten.'
   'Alsjeblieft. Doe het voor Helen, ga niet weg.'
   'Wat bedoel je?'
   'Ik kom eraan.'
   'Ik geloof dat we wel genoeg drama hebben gehad voor vandaag, Tessa, vind je niet?'
   'Ik meen het, Marguerite.'
   'Ik neem het kindermeisje mee, ze zullen uitstekend verzorgd worden. Ik ben niet van plan het in mijn eentje te doen.'
   'Het kan me niet schelen of je een heel leger kindermeisjes hebt. Blijf daar.'
   'Tessa, dit zijn mijn kleinkinderen. Ik kan ze overal mee naartoe nemen, waar ik maar wil.'
   'Ik ben hun voogd. Je blijft waar je bent.'
   Mijn krachtige woorden logenstraften de conditie waarin ik verkeerde. Ik hing op en zakte weer op de grond. Helen was dood. Neil was dood. De tweeling was van mij.

Ik hoefde Ben niet te bellen, hij belde mij. Het eerste van de vele telefoontjes die avond en de dagen daarop. Ben was de eerste. Natuurlijk. De dood stelde gestolen zoentjes in het juiste perspectief.
   'Waar ben je? Zal ik naar je toekomen?' vroeg Ben zonder te melden met wie ik sprak, of hallo te zeggen.
   'Ik zit in een taxi, op weg naar Helens huis. Marguerite is bij de tweeling en het enige wat ik weet is dat Helen dat niet zou willen.'
   'Wil jij de tweeling nemen?'
   'Nee. God, nee. Ik wil er alleen voor zorgen dat er iemand is om Helen te vertegenwoordigen.' Helen te vertegenwoordigen. Ik rilde.

'Gaat het goed met je?'

'Ik kan het gewoon niet geloven. Hoe ben jij erachter gekomen?'

'Een nieuwsjager belde me. Hij wist dat ik ze allebei kende.'

'Iemand van de pers belde mij ook,' zei ik, terwijl ik terugdacht aan dat onverwachte telefoontje.

'Ze zijn op zoek naar een verhaal,' zei Ben.

'Dat is er toch niet?'

'Nee. Neil was totaal bezopen, maar ik betwijfel of Helen hem zou laten rijden.'

'Dat heeft ze ook niet gedaan,' zei ik triest. 'Maar ze had nooit zo laat op de avond moeten rijden.' Ik herinnerde me dat Helen letterlijk halverwege een zin in slaap was gevallen op de bank. Het maakte me misselijk. Ze had thuis moeten zijn, in bed, haar echtscheiding plannen, niet met hem gaan feesten. Het was zo zinloos. 'Ik weet niet eens wat ze daar deed. Bristol, nota bene.' We herhaalden steeds dezelfde vragen die ons zo bezighielden tot de taxi stopte voor het crèmekleurige huis. Marguerite had gelijk: de pers lag op de loer.

'Ben,' zei ik. 'Ik moet ervandoor.'

'Succes, lieverd. Als je steun nodig hebt, dan weet je waar ik ben.'

Ik bedankte hem, betaalde en stapte uit. Ik baande me een weg naar het hek en drukte op de zoemer. Ik kende de beveiligingscode voor de veranda aan de voorkant, maar durfde die niet te gebruiken uit angst dat iemand de cijfers zou zien. Camera's flitsten, maar hun belangstelling was rap verdwenen toen ze beseften dat ik niet belangrijk was. Ik begreep niet waarom ze hier waren. Het was waarschijnlijk erg rustig op de redactie.

Marguerite liet me binnen, maar pas nadat ze me een minuut of twee met het zweet in mijn handen had laten wachten. Al die tijd dat ik Helen had gekend had ik geweten dat, als Marguerite de kans kreeg om aardig of vals te zijn, ze altijd voor het laatste zou kiezen. Het zat in haar genen, een ander gedrag kende ze niet. Ik wist niet zeker of ze zelfs maar besefte dat ze het deed. Terwijl ik op de stoep stond te wachten tot ik binnengelaten zou worden, balde en opende ik mijn vuisten als een bokser die zich voorbereidt op een gevecht. Ik wist dat er een gevecht op komst was; ik wist niet dat in die korte tijd Marguerite de eerste klap al had geïncasseerd.

Een verward uitziende vrouw deed de deur open en bracht me naar de zitkamer met de grote crèmekleurige banken. Daar had Neil, volledig stoned, een van de twee jongens hoog boven zijn hoofd gehouden en heen en weer geschud op de maat van de muziek. Daar had ik gezeten, nadat ik Helen naar bed had gebracht en een groot glas whisky voor mezelf had ingeschonken. Daar had ik me weer eens middenin andermans drama gestort en alleen de episode gezien die ik wilde zien. Was Helen ooit van plan geweest Neil te verlaten? Of was ze naar Bristol gegaan om een verzoening te bewerkstelligen?

Marguerite bleef doodstil zitten; ze zag er net zo onberispelijk uit als altijd, maar onwillekeurig zag ik het lege cognacglas en de kloppende spier in haar hals. Ik wilde naar haar toegaan en haar omhelzen, maar zo'n soort vrouw was ze niet. Zo'n soort relatie hadden we ook niet. Ik stond er ongemakkelijk bij.

'Ik vind het heel erg, Marguerite. Mijn oprechte deelname.'

'Dank je,' antwoordde ze.

Ik probeerde iets anders te bedenken dat ik kon zeggen, maar woorden lieten me in de steek. Marguerite keek me misprijzend aan. In de grote vergulde spiegel die boven de haard hing zag ik mezelf. Ik had me in paniek aangekleed. Het leek een eeuw geleden dat ik me had aangekleed, me op het ergste voorbereid voor ik halsoverkop naar het ziekenhuis vertrok, zonder te weten of ik op tijd zou zijn om Cora nog levend aan te treffen.

Ik dacht dat terugkeren naar een normale vriendschap met Ben voldoende was om mijn deel van het pact na te komen, maar dat was kennelijk niet zo – niet volgens de normen van God, van Marguerite en die van mijzelf. Want daar stond ik, in dezelfde kleren, in het huis waarin Helen nooit meer zou terugkeren, en ik probeerde me neer te leggen bij haar afschuwelijke, plotselinge dood.

'Sorry,' zei ik, verlegen trekkend aan mijn jersey mouw. 'Ik heb me heel haastig aangekleed.'

'Was je niet in een pub?'

Ik fronste mijn voorhoofd. Hoe kon ik het onverklaarbare verklaren? 'Kan ik iets te drinken voor je halen? Water, een drankje?'

'Nog een glas cognac graag.' Ze reikte me haar glas aan. Haar korte, donkerrode nagels schuurden over mijn huid. Als kind was Helen door diezelfde handen geslagen met een haarborstel. Ik rukte het glas uit haar hand. Geen wonder dat Helen niet wilde dat haar kinderen zouden worden grootgebracht door deze vrouw. 'Neem zelf ook wat,' zei ze. Wat ik deed. Ik bracht haar het opnieuw gevulde glas. Ze nam het aan zonder dankjewel te zeggen. Dit was niet het moment voor plichtplegingen.

'Hoe heb je het ontdekt?' vroeg ik na weer een langdurig zwijgen.

'De Bristolse politie belde me in het holst van de nacht. Eerst wilde ik niet antwoorden, maar Helen liet de telefoon nooit meer dan twee keer overgaan, dus ten slotte nam ik op.' Ze liet de cognac ronddraaien in het grote bolvormige glas. 'Ik wou dat ik dat niet had gedaan.'

'Moest je...' Mijn stem stokte.

'Morgen. Een naam kan niet worden vrijgegeven aan de pers als het slachtoffer niet officieel geïdentificeerd is,' zei Marguerite, een tikje triomfantelijk.

'Dus misschien is ze het niet!' riep ik uit, plotseling opgewonden.

'Ze was het.'

Ik luisterde niet. Neil pikte vaak meisjes op, het kon een van zijn scharreltjes zijn. Misschien had Helen hem verlaten, misschien had ze zich geïnstalleerd in de Mandarin Oriental.

'Het spijt me, Tessa, maar wishful thinking zal je in dit geval niet helpen. Het was Helen die achter het stuur zat.'

'Ik vind het vreselijk om je dit te vertellen, zeker nu, maar Neil ging er vaak vandoor met andere vrouwen. Dat is de reden waarom ze erover dacht bij hem weg te gaan.'

'Ze zou hem nooit verlaten om een paar onbelangrijke slippertjes. Werkelijk, je zou denken dat ik haar niets geleerd had.'

'Ik begrijp je niet,' zei ik verbijsterd.

'Wil je alsjeblieft ophouden met dat geijsbeer.' Ik had me niet gerealiseerd dat ik dat deed. Ik bleef staan. 'In ieder geval weet ik dat het Helen was, want ze belde me voor ze in de auto stapte.'

Er bestond nog steeds een mogelijkheid dat Marguerite zich vergiste. 'Wat zei ze?'

Marguerite keek me aan en schudde toen heel even haar hoofd. 'Niets.'

'Ze belde je om twee uur 's nachts en zei niets?'

Marguerite zweeg weer even. 'Ja.'

'Had ze gedronken?'

'Tessa, alsjeblieft. Ik voel me nu niet opgewassen tegen een ondervraging.'

'Sorry, ik dacht alleen —'

'Ik weet het. Typisch iets voor jou. Ondanks alles ben je een positief ingestelde vrouw. Ik hoopte dat mijn dochter er iets van zou overnemen. Maar dat geloof ik niet.' Marguerite keek me weer aan. 'Ze was niet erg gelukkig, hè?'

Ik schudde mijn hoofd. Marguerite dronk haar glas leeg en zette het op de koffietafel naast een stapel exemplaren van Hello!

'De tweeling zal het beter vergaan. Daar zal ik voor zorgen.'

Ah... Dus de rust was voorbij. De wapenstilstand, voorzover daar sprake van was geweest, was geëindigd. Ik bereidde me voor op de strijd.

'Waar is de tweeling?' vroeg ik, terwijl ik tegenover haar plaatsnam.

Ze nam me van top tot teen op. 'Boven natuurlijk. Ze slapen.'

'Denk je dat ze het weten?'

'Doe niet zo belachelijk, Tessa. Het zijn baby's.'

Ik zuchtte. Ze had gelijk. Ze konden het niet weten. 'Arme kleintjes, een leven zonder een moeder om voor ze te zorgen...'

'Het kindermeisje lijkt me heel bekwaam. Ze is gespecialiseerd in tweelingen en ze zal haar best doen hun routine niet te verstoren.'

Ik dacht dat ze me met opzet verkeerd begreep, maar ik zei niets. Ik zou proberen op vriendschappelijke voet te blijven. Het probleem was dat er weinig vriendschappelijks was tussen Marguerite en mij.

'Rose heeft gebeld,' zei Marguerite zonder op mijn antwoord te wachten.

Ik keek op. Eindelijk iemand die echt met me kon meeleven. Rose hield van Helen, had voor haar gezorgd sinds ze een klein kind was; ze zou komen, ze zou terugkomen.

'Ik heb haar gezegd dat ze niet meer nodig was, omdat ik er vrij zeker van ben dat ze niet van plan is bij mij te komen wonen. Ze haatte me toen ik naar Hong Kong vertrok en sinds die tijd is ze me blijven haten. Ze heeft mijn man en Helen door en door verwend. Nou, het spijt me, maar dat leven was niet mijn stijl.'

Ik deed mijn mond open om te protesteren.

Marguerite stak haar hand op. 'Hou die gedachten alsjeblieft voor je en probeer eraan te denken dat mijn dochter gisteravond is overleden.'

Dat was het enige waaraan ik dacht. 'Marguerite, over de tweeling?'

'Ja, Tessa.' Het was duidelijk dat ze gewoon had gewacht terwijl ik de moed verzamelde voor dit gesprek. Uitstel, een zogenaamd welwillende conversatie, had haar alleen maar de gelegenheid gegeven te beseffen hoe bang ik was.

'Helen heeft mij belast met de beslissing wat er moet gebeuren met de tweeling in het geval zij en Neil zouden overlijden. Ik had nooit gedacht dat ik dit gesprek met jou zou moeten hebben, nooit...' Ik kon niet verder spreken. Ik zweeg even, haalde diep adem. 'Ik kan gewoon niet geloven dat dit gebeurt.'

'Jij wilt de tweeling,' zei Marguerite. Ze hielp me uit mijn lijden en voegde er tegelijkertijd iets aan toe. 'Mijn dochter is me zojuist ontstolen, en jij wilt ook nog de tweeling stelen?'

Ontstolen? Stelen? Ik stal niets.

'Nee, Tessa. Familie is familie.'

Sinds wanneer betekent familie zoveel voor jou? dacht ik. Ze kon iedereen voor de gek houden, maar mij niet. Afgelopen met die vriendelijkheid. Ik stond op. Zelfs als zij ook opstond zou ik nog het voordeel van de lengte hebben. 'Ik denk dat je vergeet tegen wie je spreekt. Je verhouding met Helen is altijd gespannen geweest. Kom me dus niet aan met "familie".'

'En anders? Wat zou je willen doen?'

Dat wist ik niet. 'Kom, Marguerite, laten we hiermee ophouden. We hielden allebei van Helen, we houden allebei van de jongens. Laten we dit samen oplossen.'

'Je krijgt mijn kleinzoons niet, Tessa, en daarmee uit.'

Ik opende mijn mond, maar Marguerite ging verder.

'Ik bedoel, bekijk jezelf eens goed – niet echt een modelmoeder, hè?' zei ze, terwijl ze me met openlijke afkeuring aankeek. 'Mijn dochter is nog geen dag dood en je bent nu al bezig te plannen hoe je het voogdijschap over de kinderen kunt krijgen.'

'Ik wil die voogdij niet. Ik wou dat dit nooit gebeurd was.'

'O, je wilt alleen maar niet dat ik ze krijg.'

Wat je ook doet, zorg dat mijn moeder mijn jongens niet in handen krijgt. 'Het is gecompliceerd. We moeten dit als volwassenen oplossen. Helen had wensen, wensen waarvan ik zal zorgen dat vervuld worden.'

'Ik heb de advocaat gebeld. Dat jij de voogd bent van de tweeling is gewoon een gril van Helen om jou aan haar te binden. Maar het stelt niet veel voor. Het is geen wet. De rechtbanken bekijken elk geval apart. Het is aan Helens curatoren om te beslissen waar de jongens naartoe gaan en ik heb al met de juristen gesproken. Ik ben haar naaste bloedverwant, of je het leuk vindt of niet. Pech gehad, je krijgt geen instantgezin.'

'Waar praat je over? Helen is gestorven door een auto-ongeluk. Ik heb het pas een paar uur geleden gehoord.' Ik streek met mijn handen door mijn haar. 'Ik moet het nog steeds tot me laten doordringen.'

'Je kunt tegen jezelf liegen, Tessa, zoveel je wilt, maar mij kun je niet bedotten.'

'Tegen mezelf liegen... waarover precies?'

'Je wilt de kinderen voor jezelf hebben. Dit heeft niets te maken met Helens wensen.'

'*Wat?!*'

'Jij wilt de tweeling. Het is een perfecte oplossing voor je leven, toch? Je kunt geen man krijgen, maar je kunt wel deze baby's krijgen, die toevallig ook nog een aanzienlijke hoop geld meebrengen.'

Ik wilde niet in dezelfde kamer zijn als Helens moeder, maar merkte dat ik de kracht ontbeerde om op te staan. Ze had me van mijn laatste beetje moed beroofd. Ik belandde op het enorme kussen en zakte langzaam weg in de bank. En op dat moment zag ik de foto in zilveren lijst van Neil en Helens trouwdag, dezelfde foto waarmee ik Neil lijntjes cocaïne had zien snijden. Mijn mooie vriendin, die in een hangmat schommelde op een Vietnamees strand, was dood. De man die naast haar stond op de foto had haar gedood; het kon me niet schelen wat er in het politierapport stond, het kon me niet schelen of ze achter het stuur in slaap was gevallen, ze zou niet zo uitgeput zijn geweest als hij er niet geweest was, dus hoe dan ook, hij had haar vermoord. Hij had mijn vriendin vermoord, maar lang voordat ze hem leerde kennen, had de vrouw die tegenover me zat haar leeg laten bloeden. Ik wilde huilen maar ik zou het niet doen. Omwille van Helen zou ik het niet doen. Ik wist beter dan wie ook wat Helen wilde. Ik wist dat ze niet zou willen dat haar moeder voor de kinderen zou zorgen. Nooit en te nimmer. Waar Marguerite me ook mee dreigde, ik zou blijven vechten tot het bittere einde. Ik zou alles aangrijpen om te zorgen dat Helens wensen vervuld zouden worden.

Ik hief mijn kin op. 'Afgezien van de doopplechtigheid, wanneer ben je de laatste keer hier geweest om de jongens te bezoeken?'

'Dat doet niet terzake.'

'Wanneer ben je de laatste keer uitgenodigd?'

'Tessa –'

'Je woont vlak om de hoek, je moet toch geregeld even zijn binnengewipt.'

'Ik werk, weet je nog?'

'En de weekends – heb je weleens op ze gepast, zodat Helen een paar minuten voor zichzelf had?'

'Helens eigen kindermeisje woonde hier en ook een voor de jongens. Ik dacht niet dat ze mijn hulp nodig had.'

'Oké, wanneer kwam je even langs voor een bezoekje? Wanneer was de laatste keer dat jij en zij een gezellige moeder-en-dochter-lunch hadden? En haar laatste verlof van school telt niet mee!'

Marguerite staarde me slechts aan.

'Waar wilde ze begraven worden?'

'Ik neem aan waar ze getrouwd is.'

'Fout. Ze wilde gecremeerd worden. Ze wilde dat haar as verstrooid zou worden op een strand in Vietnam. China Beach, om precies te zijn. Daar vond ze haar wortels. Wat was haar lievelingsboek?'

Marguerite hief haar kin op.

'Desiderata. Wanneer is de tweeling verwekt?'

Ik zag met voldoening dat Marguerite onrustig heen en weer schoof.

'Welk lied speelde ze altijd luid op de stereo als je weer een nieuwe manier had gevonden om haar te kwetsen?'

Marguerite stond op. Haar Nicole Fahri-pakje hing los om haar slanke lichaam. 'Ja, ja, ik weet zeker dat ze jou al die dingen heeft toevertrouwd. Ongetwijfeld in een poging indruk op je te maken. Maar dat wist je immers, daarom mocht je haar toch zo graag, Tessa? Omdat ze zo op je vertrouwde. Wat moet het goed voor je ego zijn, om zo onmisbaar te zijn voor anderen.' Marguerite draaide met een klik de sluiting om van haar grote Mulberry-handtas en keek me aan. 'Maar je staat met lege handen als ze verdergaan, hè?'

Ik liet een kort sarcastisch lachje horen terwijl ik tegelijk Marguerites woorden uit mijn geheugen bande. 'Als kritiek op mij je troost biedt in deze moeilijke tijd' – Ik spreidde mijn armen uit als een offergave – 'dan ben ik daar blij om.' Ik richtte me op. Dit spelletje kon door twee worden gespeeld. 'Maar laten we één ding vaststellen: Ik heb je dochter niet naar de kloten geholpen. De schade was al aangericht lang voordat we elkaar ontmoetten.'

Marguerite boog zich dichter naar me toe. 'En wat vind je het heerlijk om je over iemand te kunnen ontfermen.'

Ik deed mijn mond open om haar van repliek te dienen, maar Marguerite hief haar gemanicuurde hand op. 'Ik zal hier niet op ingaan, omdat ik ervan uitga dat je aan een soort shock lijdt. Maar let op mijn woorden, Tessa King, je zult dit niet winnen. Denk je dat ik de enige ben die ze onder de microscoop zullen leggen? Denk je dat heus? Vind je dat jij zo geschikt bent als ouder? Een vrouw die niet eens een baan kan houden zonder een of ander seksueel schandaal te veroorzaken? Hoeveel huwelijken heb je kapot gemaakt, vraag ik me af? Het lijkt me niet moeilijk daar achter te komen. Wat zal de rechtbank vinden van al die mannen die 's nachts komen en gaan? De drank? De party's? Niet veel goeds, denk ik.' Ze nam me minachtend op. 'Je kunt niet eens voor jezelf zorgen.'

Ik wilde opstaan van de bank en haar slaan, maar dat zou haar alleen maar in de kaart spelen. Ze kon zeggen wat ze wilde. Dat was haar manier van optreden. Maar uiteindelijk ging dit niet over mij; het ging over Helen. Helen kon zich niet verdedigen toen ze nog leefde, maar ik zou ervoor zorgen dat ze nu verdedigd werd.

'Ik ga nu,' zei Marguerite. 'Ik zal je over mijn woorden laten nadenken, en als je bij zinnen bent gekomen, kun je me bellen. Doe je dat niet, dan zal mijn advocaat contact met je opnemen, evenals met Neils familie.'

'Neils familie?'

'Ja, Tessa.'

'Wat willen ze?'

'Geen idee. Tot de politie het me vertelde, wist ik niet eens zeker of zijn ouders nog leefden. Maar ze zijn nog in leven, dus zelfs al waren ze niet erg belangrijk voor Neil zelf, dan zal ik ervoor zorgen dat er naar hun wensen wordt geluisterd. Er is ook een broer. Een aannemer in Norfolk, heb ik begrepen.'

'En de wensen van je dochter? Wil je me niet eens vragen wat die waren?'

'Tessa, je bent altijd erg trouw geweest ten opzichte van Helen en wat je ook denkt, dat waardeer ik. Maar je zult moeten beseffen dat Helen één ding zei tegen jou, iets anders tegen mij en waarschijnlijk iets totaal verschillends tegen haar man. Je kunt onmogelijk haar wensen kennen.'

'O? En waarom niet?' vroeg ik strijdlustig.

'Omdat ze die zelf niet kende. Ik mag dan misschien niet de perfecte moeder zijn, maar ik heb geprobeerd mijn dochter wat doelbewustheid bij te brengen, alleen weigerde ze iets te leren. Ik zou blij zijn geweest als ze gewoon moeder en echtgenote was, als ze maar gelukkig was. Maar dat was ze niet. Ze gaf mij graag van alles de schuld, maar je kunt niet vijfendertig jaar lang rondfladderen en dan plotseling verlangen serieus te worden genomen.'

Ik was emotioneel uitgeput. Het maakte me minder voorzichtig. 'Ik denk dat ze alleen maar wilde dat iemand van haar hield. Jij, als je de waarheid wilt weten.'

'De waarheid, Tessa? Jij hebt dat unieke vermogen om de waarheid te zien, niet? Tessa King – het Orakel?'

'Je hoefde geen genie te zijn om dat uit te puzzelen.'

'O, Tessa, wanneer zul je eens leren dat er geen simpele antwoorden bestaan in dit leven. Ik hield van haar, dat wist ze, maar ze maakte me dol.' Haar stem stokte even, maar ze beheerste zich snel. 'Ze deed niets met de talenten waarmee ze geboren werd. Was het verkeerd van me om meer van haar te verwachten? Maakt dat me tot zo'n verschrikkelijk mens? Ik twijfel er niet aan of jouw ouders verlangen evenveel van jou, waarschijnlijk meer.'

'Mijn ouders zijn niet gescheiden.'

Marguerite keek me hoofdschuddend aan. 'Dat verdient nauwelijks een antwoord, maar ja, het was een vergissing van me om met Helens vader te trouwen. Onze culturen verschillen te veel. Had ik bij hem moeten blijven en een half leven leiden? Zou ik dan een betere moeder zijn geweest? Leven op een fractie van mijn kunnen?'

Ik kon geen antwoord geven. Ik wilde niet dat Marguerite te menselijk zou worden.

'Zoek niet naar simpele antwoorden, die zijn er niet.' Ze kwam overeind uit haar stoel en ging voor me staan. 'De curatoren hebben de fondsen voorlopig bevroren, om te voorkomen dat er iets ongepasts plaatsvindt. Daar je vastbesloten schijnt te zijn ervoor te zorgen dat de tweeling hier blijft, zul jij hier ook moeten blijven. Houd het kindermeisje als je wilt, maar ze kost honderd pond per dag, dus misschien bedenk je je nog. Je weet waar ik ben.'

Marguerite pakte haar hoed en jas van de vensterbank. Ik hoorde haar hakken klikken op de marmeren vloer.

'Kan het je eigenlijk wel iets schelen dat je dochter dood is?'

Het klik-klak stopte. Niet langer dan een fractie van een seconde. Toen hoorde ik de deur dichtslaan. Dat was haar antwoord. De flitslampen van de camera's vonkten door de vitrage. De treurende moeder. Arme, arme Helen. Geboren worden onder haar hoede terwijl er zoveel anderen waren die het er beter zouden hebben afgebracht. Ik liep de trap op en sloop de kamer van de tweeling binnen. Ik ging op de grond liggen tussen hun wiegen in, staarde naar de lichtgevende sterrenhemel op het plafond en luisterde naar hun snuffende, knorrende baby-ademhaling. *Alles wat je hoeft te doen is een gelukkig thuis voor ze vinden*, had Helen gezegd. Dat was het dus. Ik zou een gelukkig thuis moeten vinden voor mijn peetzoons. Simpel. Wie probeerde ik voor de gek te houden? Als de afgelopen paar weken me iets hadden geleerd, dan was het wel dat een gelukkig thuis moeilijk te vinden was. Het leven aan de andere kant van de schutting was minder paradijselijk dan ik had gedacht.

Ik werd midden in de nacht wakker met pijn in mijn nek. Het duurde even voor het tot me doordrong waar ik was. De lichtgevende sterren waren vervaagd, ik lag in het pikdonker. Ik kon niets horen. Ik voelde het tapijt waarop ik lag en vond Peter Rabbit. Ik ging rechtop zitten in het donker. Ik was in de kinderkamer, dus waarom hoorde ik niets? Ik kroop naar de streep zwak licht onder de deur en ging langzaam staan. Ik drukte op het knopje van de lamp en knipte de dimmer aan. Twee baby's lagen met uitgespreide armen en benen in hun slaapzakken, in het midden van hun enorme wiegen. Ik had nooit een baby zo stil zien liggen. Ik sloop erheen en legde mijn hand op Tommy's borst. Ik voelde niets onder het doorgestikte blauwe katoen. Ik drukte iets harder. Plotseling kromp hij ineen. Ik schrok. Zijn armpjes en beentje vlogen omhoog. Hij knorde, toen gingen zijn ledematen langzaam weer omlaag en hij hervatte zijn rustige slaap. Volgens mijn horloge was het 4.02. Dus ik had gelijk, het waren niet de jongens die Helen de hele nacht wakker hadden gehouden. Op mijn tenen liep ik de kamer uit, liet de deur op een kier staan en ging naar beneden naar de logeerkamer waar ik zaterdagnacht had geslapen. Ik kon niet goed in slaap komen. Het leek of ik de tweeling hoorde huilen, dus ging ik weer naar boven, tuurde in de wiegen, zag twee baby's die diep in slaap waren verzonken. Mijn oren speelden me parten. Fran had me verteld dat ze bij tijd en wijle nog steeds een baby hoorde huilen in huis. Twee nachten slapen in hetzelfde huis als de tweeling en ik had nu al baby-oorsuizingen. Ten slotte kwam het kindermeisje uit haar kamer, deed de deur van de kinderkamer dicht en zei dat ik moest ophouden met piekeren. De arme vrouw keek doodsbang. Ik kon het haar niet kwalijk nemen.

Natuurlijk was het in feite mijn brein dat me wakker hield. De herinneringen bleven bij me terugkomen. Herinneringen aan Helen, vrolijk, zorgeloos. Aan de idiote dingen die ze me liet doen. Soms gevaarlijke,

wilde dingen. We waren een keer naar Oxford gelift, vielen onuitgenodigd binnen op een Mei-bal van de Oxford University en eindigden met
dansen op het springkussen met de band. Ze nam me een week mee
naar Cuba toen ik platzak was en net weer door een verkeerd gekozen
jongen was gedumpt. Het was Helen die me vertelde dat ik met opzet
de verkeerde jongens koos. Ik geloofde haar niet, maar al die tijd had
ze gelijk gehad. Ze was nooit vergeten wat ik haar had verteld toen we
op de Mekong Rivier dreven. Zij alleen had geprobeerd me uit mijn
'troostclubje' te halen zoals zij het noemde, Nick en Fran, Ben en Sasha,
Claudia en Al. Ik ging met haar mee – Cuba, Las Vegas, skiën, trektoch-
ten, yoga retraites, het ging allemaal van haar uit, maar ik keerde altijd
terug naar mijn vrienden. Naar Ben. En toen leerde ze Neil kennen en
langzaam maar zeker begon de Helen die ik kende te veranderen. Al die
tijd had ik me zorgen gemaakt dat Helen zichzelf tekort deed, maar degene die echt maar een half leven had geleid was ik.

Om zeven uur werd de tweeling wakker. Een hele opluchting, ik werd
gek van dat liggen daar. Ik kleedde me aan en ging naar boven naar de
kinderkamer. Ik boog me over elke wieg en lachte naar ze. Ik kreeg twee
tandeloze grijnzen terug. Verbeeldde ik het me of werden die kinderen
aantrekkelijker? Ik was halverwege het verschonen van Bobby toen het
kindermeisje binnenkwam.
  'Dat kan ík wel,' zei ze.
  'Maak je geen zorgen, ik ben bijna klaar.'
  Ik legde haar uit wie ik was en verontschuldigde me voor mijn nachtelijke sluiptocht.
  'Dus als u de voogd bent van de tweeling, werk ik dan voor u of voor
hun grootmoeder?'
  'Alles is nog een beetje onduidelijk,' antwoordde ik, 'maar je krijgt in
ieder geval betaald.'
  Ze keek weer naar de baby's, tevreden dat er in ieder geval voor haar
gezorgd zou worden. 'Arme kleintjes,' zei ze.
  Ik veegde een traan weg. Ik wilde niet dat de jongens treurige gezichten zouden zien. Ik wilde niet dat ze gedesoriënteerd zouden raken, of
verdriet zouden hebben. Ik wilde dat ze zouden denken dat er niets aan
de hand was. Het probleem was dat Helen ze zelf voedde, dus dat zou
moeilijk worden.
  'Ik zal je hulp nodig hebben bij het voeden.'

'Natuurlijk,' zei ze. Ze liep naar de kast en haalde er twee pakken kant en klare melk uit.

'Moeten we de borstmelk niet gebruiken? Zou dat niet prettiger voor ze zijn?'

'Welke borstmelk?'

Ik wees naar de kast. 'Daarachter staat een vriezer, vol met die melk.' Ze keek verward.

Ik begreep haar verwarring. 'Het is een heel slimme constructie.'

'Ik weet dat daar een vriezer is, maar daar staat geen borstmelk in.'

Die stond er wel, ze had op de verkeerde plaats gekeken. Ik had het met eigen ogen gezien. Ik had die melk zelf gebruikt. Nou ja, niet dus, want de melk was geschift, maar dat was mijn schuld. Ik had hem verkeerd opgewarmd. 'Doe jij dit maar,' zei ik. 'Ik vind die melk wel.'

Het kindermeisje ging verder met het verschonen van Bobby en ik opende de deur van de diepvries. Die was leeg op een paar trays met ijsblokjes na. Ik deed de deur weer dicht. Vreemd. Ik deed de deur nog een keer open, om heel zeker te zijn. Toen keek ik in de ijskast. Die was ook leeg. Waar was al die melk gebleven? Ik had er hele rijen van gezien. We hadden de jongens een maandlang met Helens melk kunnen voeden. Ik begreep het niet.

'Mevrouw Williams zei dat ik deze moest gebruiken.' Ze liet me de pakken zien voor zij ze handig overgoot in de gereedstaande flesjes. 'Het is duur om het op deze manier te doen, maar het heeft zijn voordeel. De tweeling is niet gewend aan warme melk, en dat maakt haastig voeden een stuk gemakkelijker.'

'Borstmelk is toch warm?'

'Ja.'

'Moesten ze niet wennen aan het verschil?',

'Verschil tussen wat?'

'Tussen borstmelk en dat.' Ik wees naar de pakken. Ik begon de uitdrukking op haar gezicht te herkennen. Verloor ik mijn greep op de werkelijkheid?

'Voedde Helen ze niet zelf?'

'Nee.'

Dat sloeg ook nergens op, al had ik er zelf op aangedrongen dat ze ermee moest stoppen.

'Ik geloof dat ze een tijdje geleden daarmee is gestopt,' ging ze verder, 'maar ik weet het niet precies. Ik wilde met mevrouw Williams praten als ze terugkwam. Ik geloof niet dat dit merk goed is voor Tommy. Hij drinkt meer, maar wordt dan erg misselijk, daarom weegt hij veel minder dan zijn broer. Ik zou voor hem een flesvoeding willen proberen voor hongerige baby's; dat hoort hem langer tevreden te stellen. Als dat geen succes heeft, kunnen we geitenmelk proberen.'

'Hoe lang werk je hier?' vroeg ik.

'Sinds maandagavond. Het duurde een paar dagen voor ik erachter kwam wat er mis was met Tommy.'

'En alles was oké?'

Ze gaf geen antwoord.

'Je kunt het me rustig vertellen, het kan nu immers geen kwaad meer? Ik weet dat Neil niet bepaald gemakkelijk was. Ik was maandagmorgen zelf hier. Ze hadden ruzie.'

'Ik geloof niet dat meneer Williams het probleem was.'

'O.'

'Ik weet echt de details niet. Persoonlijk heb ik niets gemerkt.'

'Wat gemerkt?'

'Nou, eh, ze hadden me gewaarschuwd dat mevrouw Williams een probleempje had.'

'Ze gebruikte die naam niet. Ze werd Helen Zhao genoemd, oké?' De vrouw knikte. 'En ik kan je zeggen dat het meneer Williams was die het probleem had, niet Helen, dat verzeker ik je.'

Ze hief haar handen op. 'Helaas heb ik ze niet leren kennen. Ik kan er echt geen zinnig woord over zeggen.'

Ik was verbijsterd, maar omdat ze er nog maar zo kort was, zette ik het gesprek niet voort. In plaats daarvan voedde ik rustig mijn verweesde peetzoon en zag voor het eerst Helen in zijn ogen. Ik legde Tommy over mijn schouder om hem te laten boeren en werd beloond met een waterval van kots over mijn rug. Ik gaf hem terug aan het veel bekwamere kindermeisje.

'Haal de nieuwe melk,' zei ik bazig en verliet de kinderkamer. Was dat mijn eerste ouderlijke beslissing?

Ik stond in Helens slaapkamer en keek om me heen naar de onberispelijke toilettafel, de zijden kussens en grote sprei. Ik maakte de kast open; er hingen rijen designeroutfits, alle 'must-have' kleding, accessoires, handtassen en schoenen. Ik streek er met mijn vingers over. Ik wilde haar geur vinden, iets waaraan ik me kon vastklampen, maar alles was schoon en in hoezen en zakken geborgen. Er was geen spoor van haar te bekennen. Ik dacht aan mijn vriendin. Zij lag ook in een zak. De Helen die ik gekend had was weg. Allang. Ik staarde naar de inhoud van de grote garderobekast.

'Wat is er aan de hand, Helen?' vroeg ik aan haar kleren. Vreemd genoeg waren het haar kleren die me mijn eerste antwoord gaven. Ik was bedekt met kots. Het was een vreemd gevoel haar kleren te dragen, maar ik moest iets lenen terwijl mijn spullen in de wasmachine schoon werden. Helen was kleiner dan ik, maar er waren een paar dingen van haar die me pasten en die ik altijd mooi had gevonden. Haar uitgebreide collectie Maharishibroeken bijvoorbeeld. Ik vond een van die broeken en trok hem aan. Toen zag ik de trui die ze die dag in de keuken had gedragen toen ik haar kwam bezoeken. Het was maar een paar weken geleden, maar het leken wel jaren. De trui lag opgevouwen op de bovenste plank. Ik hoorde haar stem weer. *Hij is voor jou.* Dit was iets van Helen dat ik kon houden. Toen ik hem van de plank haalde, viel er een grote doorzichtige plastic zak met ritssluiting op mijn hoofd. Ik raapte hem op. Hij was van het Portland Hospital. Er stond het telefoonnummer van een medische hulplijn op en Helens naam en kamernummer in het particuliere ziekenhuis. Ik keek naar de inhoud: platte pakjes met een of andere ogenschijnlijk krachtige medicatie. Co-drydamol. Diclofenac. Zanax. Diazepam. Vicadin. Volderol. Allemaal leeg. Helen had een langdurige en gecompliceerde keizersnede gehad en het litteken was geïnfecteerd geraakt. Ik herinnerde me dat ik haar in het ziekenhuis had opgezocht en dat ze toen in paniek was over de combinatie van borstvoeding en medicijnen. Maar de artsen van de kraamafdeling hadden haar gerustgesteld en verzekerd dat het geen kwaad kon. Sommigen raadden haar zelfs aan ze in te nemen met wat goede, rode wijn. Ik keek even naar de pakjes. Te oordelen naar de hoeveelheid in de zak, scheen zij ze al een tijd te hebben gebruikt. Ik gooide de zak in de prullenmand, trok de trui aan en ging naar beneden.

Ik keek op mijn horloge: 7.53. Veel te vroeg om iemand te bellen die geen kinderen had. Ik toetste het nummer van Francesca in.

'Hallo?'

Het was Nick. 'O, je bent terug. Ik ben het, Tessa.'

'Lieve help, Tessa, gaat het goed met je?'

'Niet echt. Weet je —'

'Van Neil, ja.'

'O, Nick, er is meer, erger...'

'We weten het. Ben heeft iedereen gebeld. Hij zei dat jij de tweeling was gaan halen. Is dat zo?' Ik hoorde in gedachten de luide jungledrums van mijn vrienden. Hadden zij, net als Marguerite, het gevoel dat ik mijn instantgezin ging opeisen? Met behulp van de dood...

'Het ligt anders. Helen wilde niet dat haar moeder de kinderen kreeg. Ik weet niet wat er gaat gebeuren.'

'Het is een grote verantwoordelijkheid.'

'Ik heb nog niet eens met de advocaat gesproken. Ik probeer alleen maar te doen wat Helen me heeft gevraagd.'

Nick zweeg even.

'Ben je daar nog?' vroeg ik.

'Ja, natuurlijk. Alleen, o, ik weet niet, wees voorzichtig.'

'Ik weet hoe ik Marguerite moet aanpakken,' zei ik met een bravoure die ik niet voelde.

'Eh, nou ja, pas op dat je er niet zo bij betrokken raakt dat je niet meer terug kunt.'

Het gesprek ging in een richting die me niet erg beviel. 'Is Fran er?'

'Net bezig iedereen wakker te maken. Caspar is thuis.'

Ik had niet de energie om op dat moment aan Caspar te denken.

'Ik geloof dat ik een glimp van vooruitgang zie,' zei Nick.

'Hij heeft altijd van je vader en moeder gehouden,' zei ik, me dwingend tot een antwoord.

'Dat is zo. Misschien heeft het geholpen om de dingen te zien door de ogen van iemand voor wie hij zoveel respect heeft.' Implicerend dat hij geen respect had voor mij? De richting die het gesprek opging beviel me steeds minder.

'Nou ja, in ieder geval...'

'Sorry, het is nu niet het moment om daarover te praten. Kunnen we iets voor je doen?'

Laat me met rust?

'Nee, dank je. En doe geen moeite om Fran te gaan halen. Ik bel haar later wel.'

'Het is geen moeite.'

'Eerlijk gezegd, wat de tweeling nodig heeft –'

'Ik begrijp het. Ik zal haar zeggen dat ze je moet bellen.'

Ik legde de telefoon neer en staarde door de lege keuken. De tweeling had helemaal niets nodig, het kindermeisje had alles prima onder controle. Ik was echt niet naar Helens huis geheld om de kinderen voor mijzelf op te eisen. Echt, echt niet. Wie wilde nu plotseling met zo'n verantwoordelijkheid worden opgezadeld? Het zou mijn kansen niet verbeteren om een goede partner te vinden en bovendien had ik de ruimte er niet voor. Ik deed dit voor Helen. Dat moesten mijn vrienden toch inzien.

Ik ijsbeerde door het huis, lag met mezelf overhoop tot ik Helens advocaat kon bellen. Het was prettig met iemand te praten die duidelijk van Helen gehouden had en net zo geschokt was als ik. We hadden urenlang kunnen praten, maar ik had wat essentiële informatie nodig. Dus ging hij de regels van het voogdijschap met me na. Hij had Helens juridische aangelegenheden behartigd sinds de dood van haar vader en had de volmacht om Helens zaken af te handelen. Belangrijker nog, ik merkte algauw dat hij niet bepaald gesteld was op Marguerite. Als dit een openlijke oorlog zou worden, was ik er vrij zeker van dat deze man mijn bondgenoot zou zijn. Bondgenoot? Dat woord wekte een herinnering. Een recent gesprek: *Herinner je je mijn advocaat nog? Hij is een goede bondgenoot. En hij weet ook hoe hij Marguerite moet aanpakken.* Het deed een rilling door me heen gaan.

'Voorlopig is de tweeling in uw handen,' zei de advocaat, het gesprek afrondend. 'Het geld wordt beheerd door de curatoren; alle besluiten moeten met wederzijdse instemming worden genomen, dan hoeft de rechtbank er niet bij betrokken te worden. Denkt u erover de kinderen zelf te nemen?'

Ik zat aan Helens bureau en staarde door het erkerraam op de benedenverdieping. 'Ik weet nog niet wat ik moet denken,' zei ik naar waarheid. 'Helen wilde dat ik een goed thuis voor ze zou vinden en ik heb eigenlijk geen thuis als zodanig dat ik ze kan bieden.'

'Hm, ze brengen als 't ware hun eigen huis mee, dus dat zou geen probleem zijn.'

Ik geloofde niet dat Helen in steen en metselspecie dacht, maar accepteerde zijn woorden. Mijn mobiel begon te trillen op het leren bureaublad. Ik keek ernaar. Billy's nummer. Ik vloekte zachtjes. 'Kunt u een ogenblik wachten?' vroeg ik aan de advocaat.

'Natuurlijk'

Ik hield de telefoon in mijn ene hand en pakte met de andere mijn mobiel op.

'Billy, hallo, alles in orde?'

'Ja, ik wilde alleen maar zeggen... ik vind het zo verschrikkelijk van Helen en –'

'Ik weet het, ik weet het.' Mijn stem haperde. Mijn keel deed zeer. 'Ik zou echt graag met je willen praten, maar... ik heb zo'n spijt van –'

'Sst, doet er niet toe.'

'Het is dat ik net op de andere lijn in gesprek ben, dus kan ik –'

'Natuurlijk, wanneer je maar wilt. En, Tessa, je weet dat ik –'

'Ik weet het. Ik ook. Bedankt voor je telefoontje.'

'Maak je over ons geen zorgen. Over jou en mij, bedoel ik. Het gaat prima. Bel me later.' Ik omklemde mijn mobiel voor ik hem teruglegde op het bureau. Met de grootste inspanning bracht ik de andere telefoon weer aan mijn oor.

'Sorry,' zei ik. 'Waar waren we gebleven?'

'Marguerite.'

Ik zuchtte. 'Ik weet alleen maar wat Helen tegen me zei, en dat was dat als er iets gebeurde, ze niet wilde dat haar moeder de kinderen zou opvoeden.' Ik dacht na over wat Marguerite tegen me had gezegd. Over de verschillende kanten van Helen. Over het feit dat ze de ene persoonlijkheid was voor mij en een andere voor haar moeder. Dat ze alleen maar geprobeerd had indruk op me te maken. Was dat waar, of wilde Marguerite me manipuleren? 'Ik geloofde haar toen ze dat zei, maar, o, ik weet het niet, misschien was ze overdreven dramatisch?'

'Mogelijk. Maar zo heb ik de situatie begrepen toen we elkaar de laatste keer spraken.'

'Heus?'

'Ze maakte het heel duidelijk.'

Ik was opgelucht, heel even. Tot een andere gedachte bij me opkwam. 'Wanneer was dat?'

'Een paar maanden geleden, toen ze bij me kwam om haar testament te veranderen –'

'Waarom?'

'Niets ernstigs, de tweeling was geboren, dat moest tot uitdrukking komen in haar testament. Terwijl we daarmee bezig waren bracht ze een paar veranderingen aan. Ik stel voor dat we na de begrafenis bijeenkomen en dan beslissen wat we zullen doen.'

'De begrafenis,' zei ik ontsteld. 'Daar had ik nog helemaal niet aan gedacht.'

331

'Ik vrees dat Marguerite in dat opzicht jurisdictie heeft. Ik heb begrepen dat ze een begrafenis wil regelen in St John's, gevolgd door een receptie bij haar thuis.'

'Helen wilde gecremeerd worden,' zei ik.

'Weet u dat zeker?'

Ik wil dat mijn as verstrooid wordt op China Beach. Wat had ik haar gezegd? Dat China Beach waarschijnlijk op de Goudkust zou lijken tegen de tijd dat zij en ik de pijp uitgingen, dus had ze gezegd dat elk strand goed was.

'Ja, dat heb ik Marguerite al verteld,' zei ik.

'Dan zou ik het haar nog maar eens vertellen. Ze is al bezig te bepalen wat er moet gebeuren als de politie het lichaam vrijgeeft. U hebt nog wat tijd in verband met het rapport van de lijkschouwer.'

'Het rapport van de lijkschouwer?'

'Dat is de normale gang van zaken.'

'Ze hoeft toch niet te worden –' Ik kon mijn zin niet afmaken.

'Ze zullen een bloedonderzoek doen, om rijden onder invloed uit te schakelen. In verband met de verzekering. Niets vreemds.'

'Ze dronk niet,' zei ik. 'Neil, Neil was de zuiplap.'

'Dat weet ik, maar ze moeten kunnen vaststellen dat de dood is veroorzaakt door een ongeluk.'

'Natuurlijk was het een ongeluk! Denkt u dat een vrouw zichzelf en haar man met honderdvijfendertig kilometer per uur tegen een boom rijdt zonder te remmen?'

Zodra die woorden eruit waren, klonk Helens stem in mijn oren. En toen bleven ze komen, steeds meer, Helens goedgekozen woorden.

Wat je ook doet, zorg dat mijn moeder mijn jongens niet in handen krijgt...

Het enige wat je hoeft te doen is een gelukkig thuis voor ze vinden...

Ik heb een dokter die veel begip heeft...

Ik kan me geen echtscheiding permitteren...

Neil moet worden aangepakt en ik ga hem aanpakken...

Hem aanpakken...

Ik holde naar boven naar Helens slaapkamer en haalde de zak met pillen uit de prullenmand. Stuk voor stuk haalde ik de pakjes eruit, zoekend naar een datum. Ze waren steeds weer opnieuw voorgeschreven. Lang nadat het litteken was genezen en de pijn verdwenen. Helen leek een schrikwekkende hoeveelheid medicijnen te hebben gecombineerd.

Ik ging op het bed zitten en staarde door de open deuren van haar klerenkast. De trui had uitdagend midden op de plank gelegen. Hij is voor
jou. Hij is voor jou? Waarom had ze dit allemaal achtergelaten opdat ik
het zou vinden? Waarom? Ik keek weer naar de lege pillendozen. Dit?
Was dit het zich ontvouwende universum?

Smoorverliefd

Het zijn de vreemdste dingen die je uiteindelijk op het spoor brengen. Voor mij was het een onschuldig uitziende gele plastic luieremmer. Het kindermeisje was 's middags met de kinderen gaan wandelen en ik was alleen achtergebleven in Helens prachtige grote huis zonder iets anders te doen te hebben dan na te denken over wat er met haar was gebeurd op de M4, honderdvijftig kilometer verderop. Ik was doofstom. Ik stond in de ruststand. In de slaapmodus. Alles voelde heel ver weg. Dus ging ik naar boven naar de kinderkamer om me met iets bezig te houden. Dat was het moment waarop ik de luieremmer zag. Ik wist dat die vol was, omdat ik er al eerder mee geworsteld had. Het kindermeisje had geprobeerd me te leren hoe ik ermee om moest gaan. Je moest iets omdraaien en op iets anders duwen en hopelijk slokte de emmer de luier dan in zijn geheel op met alle stinkende viezigheid erin. Hoe moeilijk kon het zijn om een luieremmer te legen? Ik wrikte het gele plastic deksel eraf en de stank drong in mijn neus. De emmer werd geacht te werken als een handmatige compressor, dus waarom kon ik dan de vuile, natte luiers eruit zien puilen? Ik probeerde de draaimethode, maar slaagde er slechts in de zak los te draaien, dus gaf ik er een stevige ruk aan. Hij hield een seconde stand en scheurde toen. Ik wankelde achteruit, smerige oude, doornatte luiers, waarvan de stank me bij de keel greep, verspreidden zich over de hele vloer. Toch was het niet die stinkende massa die me deed huilen. Het waren de twee lege miniatuurflesjes wodka die erin begraven lagen.

Ik draaide de fraaie flesjes rond in mijn hand; er kwam een levendige herinnering bij me op. Een paar dagen voor mijn zestiende verjaardag namen mijn ouders en ik een zeldzame gezinsvakantie. In het vliegtuig had de stewardess me iets te drinken aangeboden. Brutaal vroeg ik om een wodka-tonic. Mijn vader vertrok geen spier. Ik voelde me erg volwassen. Ze gaf me een mooi miniatuurflesje Smirnoff en een klein blikje tonic. Uiteindelijk dronk ik alleen de tonic. Ik kon het niet over mijn hart verkrijgen zo'n perfect uitziend flesje open te maken. Het ligt nog steeds in het huis van mijn ouders, in een doos met allerlei andere spulletjes uit mijn leven; ik heb me nooit wanhopig genoeg gevoeld om het dopje van rode folie open te breken. Ik had toen net gedaan of ik volwassen was, en dat deed ik nu nog steeds.

Ik stapte over de luiers heen en trok de deuren van de kast open. Alles lag gestreken en opgevouwen op stapeltjes. Slabbetjes. Spuugdoekjes. Kruippakjes. T-shirts. Ik voelde met mijn hand over en onder alle stapeltjes, probeerde een hard voorwerp te vinden tussen al die zoetruikende zachtheid. Eén keer voelde ik iets en trok haastig mijn hand terug. Het duurde even voor ik de moed had om nog eens te kijken. Het was of ik mezelf zag staan in die kinderkamer, vragen stellend waarop ik het antwoord niet wilde weten. Was dat niet het verhaal van mijn leven? Ik haalde een doorzichtig plastic doosje tevoorschijn. Er lagen twee spenen in. Ik betwijfelde of ik weer succes zou hebben. Maar ik wist wat twee lege flesjes wodka betekenden. Het betekende dat er meer waren. En inderdaad, in een doos met een ongebruikt babybadje vond ik er nog een paar. Ik begon de kast leeg te halen en gooide de inhoud op de grond. Te midden van alle babyspullen vond ik steeds meer flesjes wodka. Ik gooide ze op de Beatrix Potter-figuren tot ik omringd was door smerige luiers en smerige geheimen.

Ik zat nog te huilen te midden van de brokstukken van Helens miserabele geheime leven toen de deur van de kinderkamer openging.

'Ga weg!' schreeuwde ik, sprong naar de deur en smeet hem dicht voor de neus van het kindermeisje. Ik wilde niet dat dit nieuws zich als een lopend vuurtje zou verspreiden door haar loslipppige omgeving. Ik zou Helen nu beschermen, omdat het me zo overduidelijk niet gelukt was tijdens haar leven.

'Alsjeblieft, laat me met rust. Ga met de tweeling naar beneden...'

'Tessa?' Het was een vrouwenstem. 'Ik ben het, Rose. Ik ben terug.'

Ik leunde tegen de deur, probeerde me op te sluiten met de bewijzen. 'Rose?' Ik draaide me om en greep de deurknop. Ze stond met haar hoed en jas op de drempel, dezelfde koffer nog in haar hand. 'Rose,' jammerde ik. Ze liet de koffer vallen en opende haar armen. Ik liet me erin vallen en samen huilden we. De tranen bleven komen.

Maar plotseling hield ik op met huilen omdat ik het ergens niet kon accepteren. Het was te vérgezocht. Te surreëel. Andere mensen kwamen om het leven bij auto-ongelukken. Andere kinderen werden ziek, werden drugsverslaafden, dwongen hun ouders uit elkaar. Andere mensen werden verliefd op de verkeerde man en verspilden hun leven, eindeloos als een mot naar een vlam getrokken. Niet ik. Ik was advocaat. Van maandag tot vrijdag droeg ik praktische schoenen. Ik had donkere pakjes in mijn garderobe. Ik dacht dat ik alles onder controle had. Ik dacht dat ik iets over mijn toekomst te zeggen had. Mis, Tessa. De toekomst speelde met ons, het was aan ons om te proberen van het spel te genieten. Maar niet iedereen hield van het spel, of ze kregen de middelen niet om het te spelen. Ik stak mijn geopende hand uit naar Rose en liet haar het perfecte kleine flesje zien dat ik in mijn hand had gehouden. Het zag er zo aardig, zo onschuldig uit. Drink mij, zei het. Als het vol was geweest, zou ik het hebben gedaan.

Ik zag geen verbazing op het gezicht van Rose toen ze zich bukte om de verspreide overblijfselen op te rapen van Helens geheime bestaan.

'Je wist dat ze dronk?'

Rose keek me aan voordat ze de lege flesjes in een misselijk zoet geparfumeerde luierzak stopte.

'Ik vermoedde het. Ze ontkende het altijd.'

'En de pillen?'

'Die waren aanvankelijk tegen de pijn. Na de keizersnede. Maar ze raakte er algauw aan verslaafd.'

'Maar ze voedde de jongens toch zelf?' Dat was wat mijn verontruste hart gesust had. Helen was geobsedeerd door de borstvoeding. Ze had de baby's vijf maanden lang zelf gevoed. Ik geloofde niet dat ze al die pillen zou slikken en haar kinderen de borst blijven geven. Maar die wodka-gewoonte had ik nu pas ontdekt.

'Nee, dat deed ze niet,' zei Rose.

'Maar ik heb gezien dat...' Ja toch? Ik dacht er even over na. Nee, ik had het niet gezien. Ik had gezien dat ze het probeerde. Ik had de onrust van de baby's gezien. Ik had haar erover horen praten. Over de noodzaak ze in haar eentje te voeden, in een rustige omgeving, omdat ze zo gemakkelijk werden afgeleid. Ik dacht dat ze gewoon een maffe jonge moeder was. Die waren er te kust en te keur.

Ik veegde mijn neus af aan mijn mouw. 'En al die melk in de vriezer?'

'Ze deed babyvoeding in de zakjes.'

336

Dit was krankzinnig.

'Als ze ooit uitgingen als gezin, nam ze de zakjes mee en deed net of ze gekolfd had. Ze zei dat ze er niet van hield om de kinderen in aanwezigheid van anderen de borst te geven. Daar hield Neil ook niet van. Hij zei dat het ordinair was.'

Ik herinnerde me mijn rampzalige pogingen in Starbucks met de geschifte melk en de manier waarop de jongens vrolijk de babyvoeding naar binnen hadden gewerkt. Ik herinnerde me ook hoe ze dat griezelige apparaatje had aangebracht dat tot bloedens toe aan haar borsten trok. Waarom zou ze dat doen als ze wist dat er geen melk was? Ik zei het tegen Rose.

'Ze deed een hoop rare dingen als ze te veel pillen had geslikt.'

Het drong niet goed tot me door wat Rose me vertelde. 'Ze deed net of zij ze al die tijd borstvoeding gaf?'

Rose knikte triest.

'Wist ze dat jij het wist?'

'Ja.'

'En je zei haar niet dat ze gek was?'

'Ze was bang voor Neil. Ik geloofde in haar angst.'

Ik herinnerde me het krankzinnige gesprek dat ik diezelfde zondag met Helen had gehad. 'Sloeg hij haar?'

'Ik heb er nooit iets van gemerkt. Geen blauwe plekken.'

Het werd steeds gecompliceerder naarmate de tijd verstreek.

'Maar hij was een bullebak,' zei Rose. 'Ik ben bang dat ik hem nooit gemogen heb, God hebbe zijn ziel.'

'Ik ook niet, Rose, ik ook niet.'

'Ik neem aan dat Marguerite de kinderen krijgt.'

Ik pakte Rose bij de arm. 'Niet als ik er iets in te zeggen heb.'

'Maar, Tessa, ze is hun grootmoeder.'

'Ik weet het. Herinner je je nog hoe ze was toen Helen klein was?'

Rose sloeg haar ogen neer. Ik weet niet wat voor scènes zich voor haar ogen afspeelden, maar ze keek bedroefd.

'Helen wilde niet dat ze de jongens kreeg,' verklaarde ik.

'Ik begrijp het,' zei Rose, 'maar ze is zo' – Rose zocht naar een woord dat niet te ver ging – 'sterk.'

'Laat die zorg maar aan mij over. Maar ik zou graag je hulp willen hebben met de jongens.'

'Natuurlijk. Waar zijn ze?'

'Buiten, met een tijdelijk kindermeisje, maar ik stuur haar naar huis als jij wilt blijven. Ze kennen haar niet, ze kennen mij trouwens ook niet...' Ik wist dat het geen kwestie van geld was. 'Wil je blijven?'

'Ik had bij Helen moeten blijven.' Er kwam weer een gepijnigde uitdrukking op haar gezicht. 'Er zijn zoveel dingen die ik had moeten doen.' Eindelijk keek ze me recht in de ogen. 'Ik blijf bij de kinderen.'

'Dank je, Rose. En maak jezelf alsjeblieft geen verwijten, je wist niet dat dit zou gebeuren.'

Rose ging in de blauwe schommelstoel zitten. Terwijl ze zachtjes heen en weer schommelde, werd ik herinnerd aan haar leeftijd en alles wat ze had opgegeven om te zorgen voor een kind dat niet haar eigen kind was. Ze staarde uit het raam. 'Ik wist niet wat er zou gebeuren. Maar ik wist iets.' Ze draaide zich weer naar me om, met een staalharde blik in haar ogen. Vermoedde Rose wat ik vermoedde? Dacht ze net als ik dat Helen deze fatale oplossing had bedacht?

'Iets als een auto-ongeluk?'

'Nee, dat niet.'

Dus was ik de enige.

'Ik was bang dat ze zichzelf wat aan zou doen.'

Ik staarde haar strak aan, probeerde haar te begrijpen. Probeerde te begrijpen. Ik moest het weten. 'Maar niet ook Neil...'

Rose gaf niet onmiddellijk antwoord. Toen schudde ze haar hoofd.

'Ik wist niet hoe.'

'Maar nu wel?'

Rose gaf me het miniatuurflesje terug. 'Ik geloof dat we dat nu allebei weten, niet?'

Ja, we wisten het, maar de duidelijkheid deed pijn aan mijn ogen.

'Niemand mag het weten,' zei ik vastberaden tegen Rose.

'Niemand komt het te weten.'

We ruimden samen de rommel op, verdiept in onze eigen gedachten. Ik hoorde het kindermeisje beneden in de gang roepen om me te laten weten dat ze weer terug was. Ik vond de vrouw aardig, ik vond dat ze goed omging met de jongens. Duidelijk en ongecompliceerd. Onder andere omstandigheden zou ik haar in vaste dienst hebben genomen, maar nu wilde ik haar uit huis hebben, en gauw. Niet omdat Rose terug was. Zelfs niet omdat aan haar diensten een exorbitant prijskaartje hing. Maar omdat ik bang was dat er nog meer geheimen verborgen waren in huis, en ik wilde niet dat iemand anders dan ikzelf of Rose ze zou vinden.

Twee dagen gingen voorbij. Ik was van plan geweest naar huis te gaan om me te verkleden, maar dit huis leek op een hotel, het had alles wat ik nodig had, dus bleef ik bij Rose en wachtte op nieuws. Ik wist wat er in het rapport van de lijkschouwer zou staan: Helen zat achter het stuur onder invloed van alcohol en medicijnen. Ik had een verhaal gehoord op Sky News. Neil en Helen waren op een party geweest in Bristol. Er was een opname van Neil die, duidelijk dronken, het feest verliet. Geruchten over een echtelijke ruzie deden de ronde. Vreemd genoeg leek Helen volkomen beheerst, maar haar kalmte overtuigde me niet langer. De nieuwslezers spraken over de tweeling; dat ze pas zes maanden oud waren. Ze noemden het een tragisch ongeluk.

Ik had geen andere beschuldiging gehoord van dronken achter het stuur dan dat eerste vreemde telefoontje in het ziekenhuis en wat Marguerite me had verteld. Dat zou allemaal anders worden als het rapport van de lijkschouwer bekend werd. Het zou niet lang duren voor er iets uitlekte naar de pers. Marguerite had gelijk, ze was niet machtig genoeg om dat te voorkomen. Helen was niet beroemd geweest, maar ze was te mooi om te negeren. Wie kon een beter voorbeeld vormen voor de groep zwijgende, lankmoedige moeders dan Helen? Als een rijke moeder van twee, die een goed huwelijk had, kon instorten, dan brachten zij het er misschien toch niet zo slecht af.

De derde ochtend, terwijl ik met lange tanden zat te ontbijten, ging mijn mobiel. Ben. Hij vroeg of hij naar me toe moest komen zoals hij elke dag had gedaan sinds Helens overlijden. Deze keer zei ik ja. Na Helen was Ben degene aan wie ik het meest had gedacht. Je moest de omstandigheden uitbuiten. De dingen moesten veranderen. En als ik ze nu niet veranderde, dan zou ik het misschien nooit doen en zou het verlies van Helen me niets hebben geleerd. Ik had een waarschuwing gehad, maar Cora was niet voldoende. Er was een sterfgeval voor nodig geweest om me uit mijn lethargie te halen; ik zou ervoor zorgen dat ik haar nagedachtenis niet zou verraden door de tijd die me nog gegeven was te verlummelen. Het meisje in de hangmat zou niet sterven, ik zou haar met me meenemen waar ik ook naartoe ging en wat ik ook deed. Ik had Al en Claudia ge-e-maild, maar die zaten op een olifant ergens in de jungle, om de essentie van het leven te ontdekken: elkaar. Ook voor hen was er een dood noodzakelijk geweest, ik had het eerder moeten zien. Het was zo dom van me geweest te denken dat het me aan liefde ontbrak in mijn leven. Mijn leven was er vol van, met alle risico's daaraan verbonden. Het verdriet dat ik had gevoeld sinds Helens dood bewees één ding: ik leefde. Ik leefde.

Een halfuur later stond Ben voor Helens deur. Ik was klaar met de tweeling. Hij hielp me de enorme en nu heel zware kinderwagen de trap af te tillen. Toen omhelsde hij me stevig.

'Iedereen is in een shock,' zei hij.

'Het is zo ongelooflijk, hè?'

'Volkomen...'

We staarden elkaar aan. Ik wendde als eerste mijn blik af. 'Ik dacht dat we misschien met ze naar het park kunnen, als jij het ermee eens bent. Ik kan wel wat frisse lucht gebruiken.'

'Wat je maar wilt. Ik kan er een paar uurtjes tussenuit, ik heb op mijn werk gezegd dat ik bezig was een nieuw account binnen te halen,' zei hij. 'Maar ik kan na mijn werk weer terugkomen. Sasha begrijpt het wel.'

'Dank je, Ben.'

Hij sloeg zijn arm om me heen en gaf me een zoen op mijn hoofd. 'Heb je Claudia en Al nog te pakken gekregen?'

'Nog niet. Ik moet er niet aan denken dat ze zonder hen begraven wordt.'

'Je hebt mij nog. Maak je daar geen zorgen over.'

'Ik kan gewoon niet geloven dat ze dood is,' zei ik, meer tegen mijzelf dan tegen Ben.

'Ik weet het.'

Hij streek over mijn haar.

'Ik verwacht nog steeds dat ze elk moment binnen kan komen.'

'Het is een enorme schok. Het ene ogenblik zijn we allemaal samen op een party, en het volgende...' Ben zuchtte. 'Ze hadden de tweeling, Neils carrière begon net op gang te komen; het is een ontstellende tragedie.'

Neil had zijn carrière. Met alle leuke extra's die hem dat opleverde. Ik kon het niet opbrengen over zijn dood te treuren. Ik leunde met mijn hoofd tegen Bens borst. Ik wilde hem vertellen over de ware tragedie die door dit 'ongeluk' aan het licht was gekomen, maar ik kon het niet.

'Het is zo zinloos,' zei hij. 'Dat zijn die dingen altijd.'

Voor mij was het afschuwelijk zinvol.

'Toen ik het voor het eerst hoorde, dacht ik dat ze de tweeling bij zich hadden. Je had gezegd dat ze die nooit alleen liet.'

Daar had ik ook aan gedacht. 'Ik had haar gezegd dat het tijd was dat ze zich uit die babydwangbuis bevrijdde.'

Hij duwde me een eindje van zich af en hield me vast. 'Waag het niet, Tessa. Dit is niemands schuld.' Hij kende me te goed. 'Het was een ongeluk. Een verschrikkelijk ongeluk.'

'Ik weet het niet, Ben.'

'Natuurlijk wel. Tessa, hou op. Laten we een eindje gaan wandelen.'

Hij liet me los en duwde de kinderwagen het trottoir op. Ik miste onmiddellijk het fysieke contact. We liepen naar Holland Park Avenue, de heuvel op en door de ingang van de neutrale witstenen muur van Holland Park. Een paar meter voorbij het hek bevonden we ons in een bebost labyrinth, omringd door jonge eekhoorns en dikke duiven. Een andere wereld. Dit was de omgeving die ik nodig had. Het was tijd.

'Ben, je weet wat er onlangs gebeurd is. Ik moet er met je over praten.'

Hij bleef staan.

'Loop door,' zei ik. 'Anders kan ik het niet.'

'Wat niet?'

'Loop door,' drong ik aan. Langzaam liepen we verder. 'Ik heb geprobeerd mezelf wijs te maken dat we een excuus hadden –'

'Maar dat hádden we,' viel Ben me in de rede. 'Onze beste vriendin had weer een baby verloren; ineens ging het om ons alle vier. Het was laat, we waren emotioneel...'

'Dat is het nu juist, Ben, het ging niet om Al en Claudia. Voor mij tenminste niet.'

'Hoe bedoel je?'

'Het ging om ons.'

Ik legde mijn hand tegen mijn hart om het te kalmeren. Ik vroeg het niet in paniek te raken. Ik vroeg het rustig blijven zodat ik de woorden uit mijn mond kon krijgen. 'Ik ben dol op je, Ben. Oké?' Ik haalde mijn schouders op. De grootste bekentenis in mijn leven was helemaal geen bekentenis. 'Altijd al geweest.'

'Ik ook op jou.'

'Dat weet ik. Maar ik ben het te erg.'

Ben bleef weer staan en keek me bevreemd aan.

'Wat wil je daarmee zeggen?'

Wat wilde ik zeggen? Ik probeerde die vier kleine woordjes eruit te krijgen, maar ik kon het niet. 'Ik wil zeggen dat jouw vriendschap me meer waard is dan wat ook, maar je bent getrouwd, wat geweldig is. Voor jou. Maar voor mij minder. Ik vergelijk iedereen met jou en niemand komt er zelfs maar in de buurt. Hoe zouden ze dat ook kunnen? Onze relatie gaat te ver terug, en ik hoef je onderbroeken niet te wassen.'

'Pardon?'

'Laat maar, ik weet wat ik bedoel. Wat ik wil zeggen,' vervolgde ik, 'is dat ik verder moet met mijn leven, iemand vinden met wie ik een nieuwe relatie kan opbouwen. Of misschien niet, misschien zal ik niemand vinden. Maar dit kan ik niet meer. Dat mag ik niet.' Ik schopte tegen een paar afgevallen bladeren. Zo. Ik had het gezegd.

Ben pakte mijn hand. 'Zeg je wat ik denk dat je zegt?'

'Als je denkt dat ik zeg dat ik wil verhuizen, nee.' Lange, diepe ademhaling. 'Maar als je denkt dat ik zeg dat ik heb gefantaseerd over een leven met jou in een andere rol, dan ja.'

'Maar niet als priester of electricien, of buschauffeur –'

'Nee. Dat niet.' Het was niet erg om er luchthartig over te doen, maar alleen als het van mij uitging, en alleen als het niet té luchthartig was.

Er viel een lange stilte.

'Dat wist ik niet.'

Dat kon ik moeilijk geloven, maar mannen zitten anders in elkaar, alles was mogelijk. 'Het heeft heel lang geduurd voor ik het zelf wist. Of ik deed net alsof, ik kan het me niet echt herinneren. Het is al zo'n lange tijd aan de gang, en meestal had ik echt plezier.'

'Heel veel plezier,' herhaalde Ben. 'Ik heb met jou nooit anders dan plezier gehad.'

'Wees maar niet bang, dat komt wel weer in terug.' Ik wist een glimlach tevoorschijn te toveren. 'Maar op een gegeven moment kreeg ik er genoeg van alles alleen te doen. Ik kreeg er genoeg van om sterk te zijn, alle rekeningen te betalen; al mijn eigen plannen te moeten maken; te werken; in Londen te wonen; afspraakjes te maken die op niets uitliepen. Ik kreeg genoeg van alles. Ik denk dat jij een gemakkelijke optie was.' Ik keek hem aan. Ik snakte naar adem. Ik vervloekte die ogen. Ik moest dit tot het einde toe doorzetten. 'Wat natuurlijk waanzin was. Want jij bent niet de gemakkelijkste optie.'

'Heb je daarom die pillen geslikt?' vroeg Ben.

'Hoe weet jij dat?'

'Ik heb mijn bronnen.'

Ik fronste mijn wenkbrauwen.

Ben haalde zijn schouders op. 'Je legt de hoorn op de haak als ik aan de lijn ben en dan verdwijn je van de aardbodem. Ik wist niet wat er aan de hand was. Ten slotte ging ik naar je flat. Daar was je niet, maar Roman vertelde me wat er gebeurd was.'

'Dat had hij niet mogen doen.'

'Hij maakte zich ook ongerust.'

'Ik had geen idee hoe sterk die pillen waren.'

'Misschien. Maar ik zou me al ongerust maken als je een kinderaspirientje nam met wodka.'

'Een stomme vergissing.'

'Beloof je het me?'

'Ik beloof het.'

'Het is alleen dat iedereen die ik ken die in de problemen raakte door pillen, ze had ingenomen met wodka.'

Ik dacht aan die onschuldige miniatuurflesjes, de zak met pillen. Het moederschap had Helen niet de rust gebracht waarnaar ze hunkerde. Het was niet de oplossing. Integendeel. Het krijgen van de tweeling had Helens onzekerheid alleen maar vergroot en haar alle controle doen verliezen. Ik wilde zo graag dat Helens dood aan een ongeluk te wijten was, omdat ik me dan niet meer hoefde voor te stellen hoe Helen voor het laatst de kinderkamer binnenging en de kinderen vaarwel kuste, in de wetenschap dat zij ze nooit meer terug zou zien. Ik wilde niet geloven dat mijn vriendin zo laag gezonken was dat ze dacht dat het doden van zichzelf en haar man de oplossing was. 'Ben, ik heb me de laatste tijd niet zo geweldig gevoeld, maar ik verzeker je, het was zelfs geen ongeluk, het was niets.'

Hij keek me bezorgd aan. 'Hoe bedoel je dat je je niet zo goed hebt gevoeld?'

'Ik heb zoveel tijd verspild met over de schutting naar jullie te kijken en me af te vragen hoe ik daar in vredesnaam overheen kon klimmen, dat ik vergeten ben hoe het kan zijn aan mijn kant. Het leven hier is zo slecht nog niet; het heeft een heleboel voordelen.'

'Dat heb ik je gezegd,' zei Ben. 'Wij zijn degenen die jaloers zijn op jou, wist je dat niet?'

Ik schudde mijn hoofd. Ik geloofde hem natuurlijk niet. Het was een van die perfecte leugens die Ben me altijd vertelde om me beter over mezelf te laten denken. Leugens die ik een paar dagen geleden maar al te graag zou hebben geloofd. Maar alles was nu anders. Er had een aardverschuiving plaatsgevonden. Helens dood had alles veranderd. Ik kon mezelf, of wie dan ook, niet wijsmaken dat mijn kijk op het leven niet veranderd was – plotseling, dramatisch, voorgoed veranderd.

'Alles ziet er anders uit zoals ik het nu bekijk en dat komt door Helen. Ik betreur alleen dat ik het niet eerder heb gezien.' Ik keek naar Ben. 'Ik voel in alle oprechtheid dat ik haar hier in me heb, een deel van haar.' Een behoorlijk groot deel, omdat er niet veel mensen waren met wie ik haar nagedachtenis kon delen. 'Ben, ze had zoveel mogelijkheden.' Ik voelde de tranen weer opkomen – was het mogelijk dat ik nog steeds tranen over had? 'Ik wil niet zo worden...'

'Zo ben je niet.'

Ik wreef met de palmen van mijn handen over mijn gezicht.

'Een van de headhunters die ik gebeld heb voor een gesprek, vroeg me of ik geïnteresseerd zou zijn in een baan in het buitenland.'

'Wat heb je gezegd?'

'Dat is nu niet belangrijk meer. Het was deze week, ik ben niet gegaan.'

'Tessa, dat had je moeten doen.'

'Ik kon het niet. Tot ik weet wat er met de tweeling gebeurt, kan ik ze niet in de steek laten.'

'Jij bent niet alleen verantwoordelijk voor ze,' zei Ben.

'Op het ogenblik wel,' hield ik vol. 'Tot er zich iets beters voordoet.'

Zwijgend liepen we door. 'Je zult dat gesprek toch wel opnieuw aanvragen? Je weet hoe het is met de banenmarkt, hoe langer je erbuiten blijft, hoe moeilijker het is om er weer in te komen.'

Ik moest het doen, vermaande ik mezelf. Ik knikte en rommelde wat met de deken die over de slapende baby's lag.

'En wat heb je gezegd over een baan in het buitenland?'

Ik had natuurlijk nee gezegd. Maar ik wist het niet zo zeker meer. Ik keek naar Ben. Ik was vrij om te gaan waar ik wilde, overal ter wereld. Ik keek weer naar de tweeling. Maar misschien was ik dat ook niet. 'Ik heb gezegd dat ik erover na zou denken. Veertig is minder ver weg dan ik graag zou willen. Ik heb bijna twintig jaar lang hetzelfde gedaan. Twintig jaar, Ben! Waar is de tijd gebleven?'

'Ik weet het niet, Tessa, maar ik kan je een ding vertellen, we zouden heel wat minder plezier hebben gehad zonder jou.'

Daar had je dat woord weer: plezier... 'Dank je,' zei ik. 'Maar ik geloof niet dat je echt begrijpt wat ik gezegd heb.'

'Dat doe ik wel.'

'Nee, dat doe je niet.'

'Dat doe ik wel, Tessa.'

'Nee. Ik ben er niet alleen om plezier mee te hebben!'

'Maar ik heb met niemand anders plezier.'

'O jawel! Je hebt plezier met Sasha.' Ik legde de nadruk op haar naam. Als ik dit niet tot hem kon laten doordringen dan waren we weer terug bij af en zou God kunnen denken dat ik me had teruggetrokken uit de deal en dan zou Hij mijn moeder doden. 'Ik ben degene die met niemand anders plezier heeft, omdat ik niemand anders heb.'

'Sasha en ik hebben het natuurlijk goed samen, maar het is geen pret, pret, pret. Het is bespreken of we 's avonds kip of steak zullen eten. Of we de promotie zullen accepteren of naar Duitsland verhuizen. Het is het dagelijkse leven. Geen plezier. Jij daarentegen hebt pret met iedereen. Iedereen adoreert je. Iedereen die je ontmoet adoreert je. Je hebt meer plezier dan wie dan ook.'

'Ik zal niet met je gaan redetwisten wie meer plezier heeft met wie. Dat is belachelijk. Ik wil alleen maar zeggen...'

'Ja?'

'Ik wil alleen maar zeggen...'

'Ja?'

'Wat ik probeer te zeggen is...'

'Wat?'

'Ik wou dat we in die steeg waren blijven staan.'

In Ben-en-Tessa-taal kun je niet duidelijker zijn.

'O,' zei hij.

O, inderdaad.

Ik weet niet wat ik verwacht had van mijn enorme onthulling, maar niet 'O,' gevolgd door een snel vertrek tussen de bomen door. Hij had het fatsoen om eerst op zijn horloge te kijken, toen een uitroep te slaken dat het al zo laat was, met het aloude excuus van een vergeten bespreking. Alvorens me te omhelzen en me te vertellen dat ik hem zo dierbaar was en haastig weg te vluchten over een van de vele paden van Holland Park. Maar dat was wel wat er gebeurde. 'O.' Gevolgd door een snel vertrek. Ik had me in zoveel jaren zoveel variaties voorgesteld – hoe was het mogelijk dat ik dit niet had voorzien? De mogelijkheden waren toch zeker beperkt? Ik had ze toch zeker allemaal in ogenschouw genomen?

Maar nee: 'O,' was het. 'O,' inderdaad. Ik ging op een harde bank zitten in de Zen-tuin en zag koivissen zoentjes naar me blazen. Ik concentreerde me er een of twee minuten op, tot de verdoving wegtrok.

Nu was de waarheid natuurlijk maar al te duidelijk. 'O' was het enige einde hiervan. Wat had hij in vredesnaam moeten zeggen? Sorry? Dat was te neerbuigend. Ik ook, zullen we trouwen? Nee, want hij was getrouwd met een fantastische vrouw die hij aanbad. Ik ook, zullen we een relatie beginnen? Nee, want hij was een fantastische man die getrouwd was met een fantastische vrouw die hij aanbad. De realiteit was dat 'O' het enige antwoord was. Maar ik had geen rekening gehouden met de realiteit; ik had in een fantasiewereld geleefd. Dat was zo lang doorgegaan dat ik mijn greep op de werkelijkheid had verloren. Ik zal het eeuwig berouwen dat Helen moest sterven om me te doen beseffen dat ik slaapwandelend door het leven was gegaan. Toen de tweeling in beweging kwam, stond ik op en begon ze naar huis te duwen. De voedertijd in de dierentuin naderde snel. Ik ging sneller lopen.

Toen ik thuiskwam, ik bedoel in Helens huis, herkende ik de sjofele Volvo die aan de overkant geparkeerd stond. Hij viel uit de toon tussen de Cayennes en Range Rovers. Er was niemand ter wereld die ik liever zou zien, behalve Helen natuurlijk.

'Fran!'

'De huishoudster zei dat je om half drie terug zou zijn, en je bent precies op tijd.'

'Verbazingwekkend hoe snel je in een routine vervalt,' zei ik met een glimlach naar de tweeling.

Francesca stapte uit de auto en keek in de kinderwagen. 'Wauw, je vergeet hoe klein ze kunnen zijn.'

'Hoe durf je... Die jongens zijn enorm.'

Francesca keek me aan en omhelsde me toen. 'Gaat het goed?'

Mijn vriendin was dood, Cora lag in het ziekenhuis met longontsteking, Billy en ik hadden ruzie, en ik had net een eind gemaakt aan een twintig jaar durende denkbeeldige relatie. Ik bewoog mijn hand heen en weer. Zo-zo. Ik wachtte tot het brok uit mijn keel verdwenen was.

'Hoe gaat het met Caspar?'

'Op het ogenblik goed. Hij had je eigenlijk willen bezoeken, zich ervan overtuigen dat je het redt.'

'Stel hem maar gerust. Ik heb met Nick gesproken, dat lijkt me nu al zo lang geleden. Ik had het net gehoord.' Ik probeerde de herinnering uit mijn geheugen te bannen. 'Hoe gaat het met hem, je hebt toch niet...'

'Iets gezegd?' Francesca schudde haar hoofd. 'Nee, maar hij wordt een beetje gek van al die liefdesbriefjes die ik voor hem achterlaat.'

Ik forceerde een zwak glimlachje. 'En de meiden?'

We liepen terug naar haar auto om het parkeerkaartje op het dashboard te leggen. 'Katie wilde een broek met kersen op de voorkant. Uit een kers was een hapje genomen. Ze praat nog steeds niet tegen me.' Ze schudde haar hoofd. 'Als ik geweten had wat ik me op de hals haalde...' Ze schudde weer haar hoofd. 'Juist als je een horde genomen hebt, doemt er een andere voor je op.' Francesca had geprobeerd me op te vrolijken en even was het gelukt, maar om de een of andere reden vond ik dat laatste scenario verontrustend. Misschien was dat haar bedoeling. We slenterden terug naar het huis.

'Heb je het gehoord van Cora?' vroeg ik.

'Arme Billy. Ik ben net even langs het ziekenhuis geweest met nog wat deskundig gemaakte cakejes. Ze belde om ons te vertellen wat er gebeurd was.'

'Ik ben een stompzinnige idioot geweest.'

'Hè?'

'We hadden ruzie. Heeft ze dat niet verteld?'

'Nee. Ze vertelde me alleen over de nachtmerrie met Cora.'

Ik staarde in de kinderwagen. Twee ronde gezichtjes staarden terug. Ik had een heel nieuw, heel reëel, levenslang lakmoespapier. Voorbij was de tijd dat ik een storm in een glas water veroorzaakte. Voorbij was de tijd dat ik van een mug een olifant maakte. Verbluffend hoe onbelangrijk veel dingen nu geworden waren. 'Ik ging naar haar toe en ben als een idioot tekeer gegaan over Christoph.'

'Slechte timing waarschijnlijk.'

'Denk je?' Bonkend begon ik de kinderwagen de trap op te trekken.

'Hulp nodig?'

'Ik begin eindelijk een beetje door te krijgen hoe ik dit monsterachtige geval moet hanteren.'

'Dus wat is er met Billy gebeurd?'

Ik gaf haar de verkorte versie, zonder de gebruikelijke Tessa King-mooimakerij. Ik gespte de baby's los, gaf Tommy aan Francesca en volgde haar naar beneden met Bobby.

'Ik verzeker je, ze heeft er geen woord over gezegd. Feitelijk is ze bezorgd over je, zoals wij allemaal. Ze weet het natuurlijk van Helen en Neil. Dus maak je alsjeblieft niet bezorgd over een stomme ruzie.' Ze keek naar Tommy. 'Wat er is gebeurd, plaatst alles min of meer in het juiste perspectief.'

Daarin had ze gelijk.

We zetten de kinderen veilig in hun identieke kinderstoelen, gereed om van start te gaan. Gelukkig hoefde ik niet langer te worstelen met die tuigjes in NASA-stijl waarin je ze twintig keer per dag moest vastbinden. Het volgende karwei was het klaarmaken van hun flesjes. Zeven schepjes in twee deciliter vocht. Herhalen. Snel schudden, herhalen, en presto: maaltijd voor twee.

'Hoe gaat het met de kleintjes?' vroeg Francesca, die met ze speelde terwijl ik achter het grote roestvrijstalen keukeneiland stond.

'Ze beginnen een beetje druk te worden. Ik denk dat ze weten dat Helen niet terugkomt. Maar met Tommy gaat het een stuk beter sinds hij die geitenmelk krijgt, hij is sinds die tijd niet meer misselijk geweest, maar hij krijgt meer honger. En Bobby blijft maar om zich heen kijken alsof hij iets verloren heeft. Je weet wel, alsof je een kamer binnengaat om iets te pakken, vergeet wat het is, om je heen kijkt en probeert je te herinneren wat het is dat je bent vergeten. Dat is de uitdrukking op Bobby's gezicht. En het is bijna griezelig, want soms lijkt hij sprekend op Helen. Helen zonder de huidskleur. Maar ze zijn schattig. Je hebt nog nooit zoiets zachts gevoeld als die belachelijke wangetjes van ze.'

Francesca keek me met een vreemde blik aan.

'Wat is er?'

'Je had jezelf eens moeten horen.'

Ik voelde me dwaas. Het moet op mijn gezicht te lezen zijn geweest.

'Nee. Het is lief. Alleen, misschien moet je voorzichtig zijn.'

'Waarvoor?'

'Niet te verliefd worden.'

'Op de tweeling? Geen sprake van. Tussen ons gezegd en gezwegen,' zei ik en liet mijn stem dalen, 'ik heb ze zelfs nooit aardig gevonden.'

'Dat was toen.'

Ik overhandigde Francesca een flesje en we gingen met elk een baby op de bank zitten. 'Meestal doet Rose dit, maar ik wil niet dat ze zich te veel vermoeit, ze moet toch al in de vijftig zijn.'

'Waar is Rose?'

'We hebben een klein systeem uitgedacht. Zij neemt de ochtend, ik de middag, en dan komt ze terug om me te helpen ze in bad te doen. Dat werkt heel aardig.' Ik keek even op mijn horloge; ik wist nooit wat het me zou vertellen. Het was of ik mijn gevoel voor tijd kwijt was. Soms vlogen de uren voorbij met de tweeling, en andere keren gingen ze pijnlijk langzaam voorbij. 'We vormen een goed team, zij en ik.'

'Tessa...'

Ik staarde naar Bobby. Zijn grote ogen keken naar me op. Ik lachte naar hem terwijl hij gulzig aan zijn fles lurkte. 'Ik vind het prettig om hier te zijn, Fran. De tweeling houdt me bezig. Er is iets afgrijselijks, iets afschuwelijks gebeurd, maar precies om elf uur moeten de jongens gevoed worden. Je hebt geen andere keus dan door te gaan. Het is een enorme opluchting. Ik vind het vreselijk als ze naar bed gaan. Te veel tijd om na te denken. Behalve dat ik moet wassen en flesjes steriliseren en bedjes verschonen. Ik hoop min of meer dat als ik maar de schijn ophoud, de schijn weer werkelijkheid zal worden.' Ze waren lastig, wilden niet neergelegd worden, ze wilden weten dat ik vlakbij was. Ik. Niet Rose. Ze lachten naar me als ik naar ze keek. Ik kon niet genoeg krijgen van die geopende, vochtige, tandeloze mondjes die naar me grijnsden, dus keek ik vaak naar ze. Ze waren grote tijdvreters. Francesca had natuurlijk gelijk, ik was voor ze gevallen – met huid en haar. Er waren drie dagen voor nodig geweest. Sasha had ook gelijk gehad. Moederschap hoeft niet te beginnen met de geboorte.

'Ik denk dat Tommy tanden krijgt,' zei ik plotseling. 'Twee, in de onderkaak.'

'Tessa, wat gaat er gebeuren met de tweeling, waar gaan ze naartoe?' *Een gelukkig thuis.*

'Ik weet het niet. Helen liet de beslissing aan mij over.'

'Dan moet je die beslissing nemen. Je kunt het niet eeuwig in het ongewisse laten.'

Waarom niet? Ik hield wel van dat ongewisse. Het verdriet werd minder als ik bij ze was. 'Er wordt geen beslissing genomen tot na de begrafenis.'

'Donderdag, hè? De 28ste.'

'Ik weet het niet. Marguerite organiseert het.'

'Jawel. Ik heb de aankondiging in de krant gelezen. Maak je niet bezorgd, we zullen er zijn.'

'Welke aankondiging?'

'*The Times*. Gisteren. Ze worden allebei begraven op de heuvel van St John's.'

Ik vloekte en verontschuldigde me toen tegen de twee jongetjes, die me vragend aankeken. 'Het lichaam is nog niet eens vrijgegeven,' fluisterde ik.

'Ik weet zo goed als zeker dat het erin stond.' Ze tilde Tommy over haar schouder om hem te laten boeren.

'Het is eigenlijk beter als je hem gewoon op je knie zet en vooroverbuigt,' zei ik. Francesca glimlachte naar me. 'Marguerite wil natuurlijk de kinderen; ze heeft al een eis ingediend,' ging ik verder. 'Er zal een strijd ontstaan, want ze gaan niet naar die feeks. Ze heeft niet eens het fatsoen gehad me over de begrafenis te vertellen, wat Helen overigens niet wilde, samen met hem begraven te worden...' Ik maakte een grommend geluid. Bobby vertrok bezorgd zijn gezichtje. 'Sorry, schat, sst, niet jij...'

'Ik vind dat je Claudia en Al in overweging moet nemen. Claudia is toch ook hun peettante? Ze proberen al jaren een gezin te stichten, ze zijn er klaar voor. Ze hebben een prachtig huis en Claudia zou een fantastische moeder zijn. En op Al valt echt niks aan te merken. Zij willen kinderen en die baby's hebben ouders nodig. Ze zouden zo'n gelukkig gezin zijn.'

Het enige wat je hoeft te doen is een gelukkig thuis voor ze vinden.

Ze had gezegd thuis, niet een gezin.

'Claudia schijnt daar nu overheen te zijn...' Ik overtuigde mijzelf niet en te oordelen naar Francesca's gezicht ook haar niet. Negen jaar lang proberen kinderen te krijgen woog niet op tegen een paar weken in een kuuroord in Singapore, al was de kuur nog zo weldadig.

'Denk er eens over na. Als je de strijd wilt aanbinden met Helens moeder, zul je met een realistisch alternatief moeten komen.'

Je bedoelt dat ik geen realistisch alternatief ben?

Je bedoelt 'O'.

Ik voelde de tranen weer in mijn ogen springen.

'Sorry,' zei Francesca. 'Ik ben hier niet gekomen om je aan het huilen te maken.' Zij was het niet die dat deed. Het was alles bij elkaar. Ze pakte mijn hand. 'Je doet voortreffelijk werk hier, maar lieverd, wil je dit werkelijk permanent op je nemen?'

Ik haalde mijn schouders op.

'Weet je zeker dat dit is wat de tweeling nodig heeft?'

Ik probeerde haar te vertellen dat ik er niet over gedacht had ze te nemen, maar dat zou een leugen zijn geweest. Waarom zou ik niet voor ze zorgen? We zouden een vreemd gezin vormen, maar ik wist nu dat vreemde gezinnen net zo goed functioneerden, zo niet beter. Ik wist niet wat ik moest antwoorden.

Francesca ging verder. 'Na alles wat ze hebben doorgemaakt, hebben ze stabiliteit nodig. Tessa, dit is een heel belangrijk besluit en, misschien haat je me als ik dit zeg, maar je hebt de neiging een beetje grillig te zijn als het erop aankomt je te binden.'

Maar ik was veranderd, kon ze niet zien dat ik veranderd was?

'En moet je je eigen leven niet eens op de rails zetten? Bijvoorbeeld weer aan het werk gaan?'

Ik zuchtte. Weer aan het werk gaan vond ik op het ogenblik niet zo'n aanlokkelijk vooruitzicht. Ik was eraan gewend geraakt mijn dagen te vullen met andere dingen. Ik gaf Bobby een zoen op zijn ronde, dikke wangetje en hij giechelde. 'Niemand weet wat er zal gebeuren,' zei ik. Dat was tenminste waar.

Francesca bleef daarna niet lang meer. Ik voelde me opgelucht toen ze weg was; ik voelde haar stekende blikken telkens als ik iets deed voor de tweeling. Rose was veel minder kritisch. Ik hield op met het schoonmaken van de flesjes en leunde tegen het aanrecht. Waar was ik mee bezig? Waar was ik in vredesnaam mee bezig? Ik moest hier weg. Ik moest tijd hebben om na te denken, weg van al die afleiding hier.

Zodra Rose binnenkwam vertelde ik haar dat ik naar huis moest. Ze verzekerde me dat ze de kinderen die avond wel alleen naar bed kon brengen. Ze had het ieder weekend gedaan sinds ze geboren waren, ze zouden in goede handen zijn. Vier dagen was ik al in Helens huis. Ik had me vier dagen lang opgesloten. Ik moest naar huis. Ik had wat ruimte nodig om de dingen op een rijtje te zetten en wat perspectief te krijgen. Ik had tijd nodig om na te denken over Francesca's woorden: als ik Marguerite met succes wilde bestrijden, had ik een aanvaardbaar alternatief nodig. Ik zou van de jongens houden tot aan mijn dood, maar was dat genoeg voor een rechtbank? Als ik niet goed genoeg was in de ogen van mijn vrienden, zou ik dan wél goed genoeg zijn voor de wet? Zou iemand dat zijn?

Een andere herinnering kwam bij me op. Deze keer was het mijn ei-

gen stem. *Hij heeft een probleem met drugs en een probleem met drank. Welke recht-*
bank zou zo'n ouder de tweeling toewijzen? Nou ja, ik had geen probleem met
drugs of drank, maar ik was ook niet brandschoon. Wat Helen betrof...
Mijn woorden moesten haar als dolken hebben gestoken. Ik had haar alleen maar gerust willen stellen.

Voor het eerst in een eeuwigheid stak ik de sleutel in het slot van
mijn voordeur, deed de deur achter me dicht en liet me op de bank
vallen. Ik staarde naar het plafond. Hadden mijn geruststellende woorden haar over de rand van de afgrond geduwd? Was het mijn schuld?
Welke rechtbank zou de tweeling aan zo'n ouder toewijzen? Geen enkele, had ze geantwoord. Ik kon me niet voorstellen hoe wanhopig en eenzaam ze zich
op dat moment moest hebben gevoeld. Ik was het... ik had haar over
de rand geduwd. Ik moest heel goed nadenken over wat ik hierna zou
doen.

Een paar uur later belde ik de advocaat. 'Met Tessa King,' zei ik tegen
de telefoniste. Ik wachtte tot ik doorverbonden zou worden.

'Hallo, Tessa, ik wilde net weggaan,' zei Helens advocaat.

Waar was de dag gebleven? Ik was al op sinds het ochtendgloren. 'Er
heeft blijkbaar een aankondiging in de krant gestaan over een begrafenis. Weet u daar iets van?'

'Ja.'

'Ik begrijp het niet. Hoe zit het met de obductie?'

'Die is gisteren uitgevoerd. Ik denk dat Marguerite wat druk op ze heeft
uitgeoefend om er haast mee te maken, maar het was gewoon routine.'

'Wat hebben ze gevonden?'

'Niets.'

'Niets?'

'Nee. Wat verwachtte je dat ze zouden vinden?'

'Het slaat nergens op,' zei ik zonder antwoord te geven op zijn vraag.

'Nee. Wat ze zeggen, al zal niemand het zeker weten, is dat ze achter
het stuur in slaap is gevallen. Neil was dronken, maar dat wist iedereen,
dus Helen moest wel rijden. Het was een lange rit naar huis, niemand
om mee te praten, het gebeurt helaas maar al te vaak. De verzekering
zal uitbetalen.'

'Verzekering?'

'Helens levensverzekering. De jongens hoeven zich geen zorgen te
maken over geld.'

'De jongens hadden zich nooit zorgen hoeven te maken over geld.'

'Helen had geld, ja, maar alles is geïnvesteerd in zaken in Hong Kong. Ze had kapitaal. Geen contanten.'

De details interesseerden me niet erg. 'Dus ze had niet gedronken of...' Wat wilde ik zeggen?

'Het was een ongeluk, Tessa. Niets anders. In ieder geval zijn de jongens verzorgd. Neil had geen geld. Als ze dronken was geweest, zou de verzekering niet hebben uitbetaald.'

Ik was verbijsterd. Ik was er zo zeker van geweest. De pillen, de flesjes... Was ze ermee gestopt? Was ze nuchter? Was ze werkelijk achter het stuur in slaap gevallen en tegen een boom gereden, of was ze in een ogenblik van waanzin tegen een boom gereden? Ik moest ophouden. Ik was bezig mezelf gek te maken. Ik zou nooit het antwoord weten en misschien was dat maar beter ook.

'En de begrafenis?'

'Het spijt me. Marguerite heeft haar zin gekregen, zoals te verwachten was.'

Ja, dit was op en top Marguerite.

'Heb je al besloten wat je met de tweeling gaat doen?'

'Ik ben ermee bezig,' antwoordde ik.

'Tja, nu je weet hoe snel Marguerite kan handelen, zou ik maar haast maken.'

'Kan zij doen, ik heb dagenlang luiers verschoond. Mijn handen zijn helemaal ruw van alle zeep waarin ik ze heb gewassen...'

Waarom vertelde ik die man over mijn handen? Die verdomde Marguerite was beter in het smeden van een complot dan ik dacht. Natuurlijk had ze die tweeling graag bij me gelaten, ze had heel goed geweten dat ik geen moment voor mezelf zou hebben.

'Marguerite kennende, zal ze in actie komen zodra de begrafenis achter de rug is,' zei de advocaat.

'De 28ste,' zei ik. 'Wanneer is dat?' Ik kon me niet herinneren welke maand het was. Ik keek uit het raam naar Battersea Park; de bladeren begonnen te kleuren. Het was bijna eind oktober. In twee korte maanden was mijn leven heen en weer geschud als een sneeuwbol en de vlokken waren nog lang niet tot rust gekomen.

'Drie dagen,' zei de advocaat.

Drie dagen. Ik had drie dagen om een gelukkig thuis te vinden.

Het was zinloos, dat wist ik, maar ik stuurde weer een e-mail de ruimte in, hopend dat Al en Claudia mijn noodsignalen zouden opvangen. Ik kon deze strijd niet aan zonder hulptroepen, maar mijn troepen doolden ergens rond op een olifant, hadden eindelijk weer wat plezier. Was het eerlijk van me om ze naar huis te roepen? Nee. Maar ik had ze nodig. Zij waren de enigen die me konden steunen. Het was zes uur 's middags, maar het gesprek met de advocaat had me uitgeput. Ik ging naar mijn slaapkamer, ging op bed liggen en viel in een diepe slaap.

Ik ontwaakte uit een nachtmerrie, volledig gekleed en volkomen gedesoriënteerd, door het geluid van de deurbel. Mijn arm was gevoelloos omdat ik erop had geslapen. Mijn horloge had een afdruk nagelaten op mijn gezicht. De deurbel zoemde weer, gevolgd door geklop. Ik kon geen enkele goede reden bedenken waarom iemand om twee uur in de ochtend bij me zou aankloppen. Niet één. Ik ging rechtop zitten en zette mijn voeten op de grond. Weer werd er geklopt. Hard en aanhoudend. Telefoontjes midden in de nacht zijn al erg genoeg, maar berichten die van gezicht tot gezicht worden overgebracht zijn veel erger. Ik kende maar één mens die zich in een situatie bevond die een dergelijk bericht noodzakelijk zou maken. Er was iets mis met Cora. Ik kon niet van het bed af komen. Ik kon niets meer hebben. Ik trok het ooglapje van mijn gezicht.

Klop, klop, klop Buzzzzzzzzzzzzzz.

'Ik kom,' fluisterde ik. 'Ik kom.'

Klop, klop, klop. Buzzzzzzzzzzzzzz.

Ik stond op en liep de zitkamer in.

Klop, klop, klop. Buzzzzzzzzzzzzzz.

Niet Cora, alsjeblieft, God, alles maar niet Cora. Alles maar niet Cora. Ik was bij de deur en deed open.

Het was Ben.

'Ben?'

'Ik moet je iets vertellen.'

Dus ze hadden Ben gestuurd om de klap te verzachten. Dat was zinvol. Ik bereidde me voor op het ergste.

'Jij hebt misschien gewenst dat je nooit uit die steeg was vertrokken, maar ik ben er nooit weggegaan,' zei hij.

'Wat?'

'Ik dacht van wel. Maar dat was niet zo. Ik heb daar jaren staan wachten. Ik wist het alleen niet.'

Het ging niet over Cora. Het ging over –

'Ons,' zei Ben, mijn gedachten afmakend. 'Ik kom hier voor ons. Voor jou en mij. Tess, lieveling, belachelijke, fantastische Tess, begrijp je het dan niet? Ik hou van jou. Van jou.'

Ik staarde hem aan.

'Wil je niet iets zeggen?'

Ik hield de deur open. Nee. Ja. 'Je kunt beter binnenkomen.'

We stonden in mijn flat, slechts verlicht door de lampen langs de rivier, en keken elkaar aan. Zijn gezicht leek te gloeien met een vreemde donkere kleur en door het patroon van regendruppels op het raam leek het of zijn huid onder de blaren zat. Ik had nog nooit een man gezien die er zo mooi uitzag.

'Ik begrijp het niet.'

'Wat valt er te begrijpen?' zei Ben. 'We zijn stomme idioten geweest.'

'Je zei "O".'

'Ja, natuurlijk zei ik "O". Ik was in shock. Ik had geen idee van je gevoelens. Ik had geen idee van mijn gevoelens. Ik heb er zo lang mee geleefd.'

'Waarmee?'

'Met het feit dat ik van je hou.'

Ik legde mijn handen voor mijn gezicht. 'Ik kan het niet geloven.'

Hij deed een stap naar me toe. 'Geloof het maar. Helens ongeluk heeft ook mij tot inzicht gebracht. Ik hou van je.'

Hij pakte mijn hand en liep met me naar de bank. Dit was mijn droom die uitkwam en ik was doodsbang. 'En Sasha?'

'Ik zal het haar vertellen. Ik werd verliefd op je toen ik vijftien was. Maar we waren vrienden. Ik dacht niet dat het lang kon duren.'

'Ik ook niet. Ik dacht dat ons clubje uiteen zou vallen en geen groep meer zouden zijn; ik dacht niet dat het de moeite waard was.'

'Maar het is blijven bestaan, hè? Je maakt me nog steeds aan het lachen, je hebt me nooit geirriteerd, je bent nog mooier dan toen, je begrijpt me als geen ander, je bent mijn beste vriendin, ik verveel me nooit in jouw gezelschap, als er iets raars gebeurt bel ik eerst jou, als er iets droevigs gebeurt bel ik eerst jou, als er iets grappigs gebeurt bel ik eerst jou. Ik vertelde het Sasha als ik thuiskwam, als ik het me dan nog herinnerde, maar ik belde altijd eerst jou.'

'Ik ook,' zei ik weer. 'Het moeilijkste van de laatste paar weken was niet met jou te kunnen praten.'

355

'Precies. Ik had een rothumeur en ik wist niet eens waarom. Het was omdat wij niet met elkaar praatten. Ik besefte niet waarom tot op dat moment in het park. Toen besefte ik dat mijn leven draait om jou. Begrijp me niet verkeerd. Ik ben gelukkig geweest met Sasha en ik hou van haar, echt waar, maar jij bent de enige die me echt een gelukkig gevoel geeft.'

Sasha. Sasha. Dit was erg voor Sasha. Mijn gezicht vertrok. 'Waar denkt ze dat je bent?' vroeg ik.

'Ze is in Duitsland, maar ik zou het haar verteld hebben. Ik had haar bijna gebeld, maar dit is niet iets wat je je vrouw midden in de nacht aan de telefoon vertelt. Misschien moeten we het haar samen vertellen.'

'O, nee!'

'Ze hoort iemand te hebben die volledig van haar houdt. Niet gedeeltelijk, zoals ik heb gedaan.'

'Hou je echt van me? Serieus?'

Hij grijnsde. 'Absoluut. En ik wil dat iedereen het weet.'

'Ze zal ons haten.'

'Dit is me net overkomen. Ik kan haar recht in de ogen kijken en haar zeggen dat ik haar niet bedrogen heb en dat nooit zou doen. Ik heb eraan gedacht, zoals je weet, maar ik heb er nooit naar gehandeld. Ik begrijp nu ook waarom ik soms naar andere vrouwen keek. Ik hield niet genoeg van Sasha, maar dat besefte ik niet. Ze verdient beter en zo iemand zal ze zeker vinden.' Hij knipte met zijn vingers.

'Waarschijnlijk, ja. Ze is een fantastische vrouw.'

'Ik denk dat het haar goed zal gaan.'

'Heus?'

'Heus.'

'Ik kan haar niet in de ogen kijken en haar vertellen dat dit me net is overkomen. Ik was blij voor jullie, echt, maar ik was jaloers.'

'Dat zou ik waarschijnlijk ook zijn geweest. Ik haatte James Kent, getrouwd of ongetrouwd. Maar jij had nooit echte relaties, dus hoefde ik nooit zonder jou te leven. Je was er altijd. Die avontuurtjes vond ik niet erg, omdat ik altijd wist dat ze toch nergens op uitdraaiden. Dat maakte je overduidelijk, dus ik denk dat ik toch altijd vond dat je van mij was, niet bewust, begrijp me goed, maar...' Hij nam mijn gezicht tussen zijn handen. 'Ik hou gewoon van je,' zei hij lachend. 'Ik weet dat dit het slechtst mogelijke moment is om blij te zijn, Cora ziek en Helen...' Hij kon zijn zin niet afmaken. Ik ook niet. 'Maar ik ben het!' Hij lachte

356

weer. Ik begon ook te lachen. 'Het is belachelijk. Ik moest hierheen om
het je te vertellen. Ik lag in bed, kon niet slapen en dacht alleen maar,
ik hou van haar. Ik hou van haar. Ik hou van Tessa King.' Hij trok me
naar zich toe en zoende me zacht op mijn mond, leunde toen achterover. 'En dat doe ik.'

Ik glimlachte weer. 'Heb je enig idee hoe lang ik dit al in mijn fantasie heb beleefd?'

'Vertel het me.'

'Eerst dacht ik dat je me zou volgen naar Vietnam.'

'Ik lag met mijn been in het gips, malle, maar ik dacht er wel over.'

'Waarom deed je niet iets toen we terugkwamen?'

'Je deed zo vreemd tegen me.'

'Jij deed vreemd tegen mij!'

'Ik dacht dat ik het me maar verbeeldde.'

'En ik dacht dat ik het me maar verbeeldde,' zei ik.

Ben zoende me op mijn voorhoofd.

Ik fronste mijn wenkbrauwen. 'Je liet me naar de universiteit gaan
zonder zelfs maar –'

'Tessa, je had het er alleen maar over hoe enthousiast je was, hoe leuk
het allemaal zou zijn.'

'Ik probeerde je te laten weten dat het oké was dat je niet op die manier van me hield, dat ik er overheen zou komen.'

'God, wat zijn vrouwen toch vreemde wezens. Waarom vertelde je me
dat niet gewoon?'

'Waarom vroeg je het niet?'

'Dat heb ik gedaan. Jij liep weg uit die steeg. Niet ik. De volgende
keer dat ik je zag was in het ziekenhuis en toen deed je of er niets gebeurd was.'

'Je was met Mary.'

'Ik kon haar moeilijk de kamer uitsturen, en bovendien gaf je me daar
geen reden toe, en eerlijk gezegd verlangde ik naar gezelschap. Jij nam
de benen naar Vietnam, weet je nog?'

'Ik miste je zo verschrikkelijk; ik heb Helen de oren van het hoofd ge-
kletst erover.'

'Helen?'

'Ja. Zij was de enige die het wist, die het ooit geweten heeft.'

'Jee, wat zijn we een stel idioten geweest,' zei hij, mijn hand vast-
pakkend. 'En hoe eerder we dat rechtzetten, hoe beter.'

'Wat moeten we doen?'

We? We? Ik was nog nooit een we geweest.

'Trouwen en hopen kinderen krijgen natuurlijk.'

'Ik dacht dat je geen kinderen wilde.'

'Maar jij wel. Dus ga je gang. Ik vind het niet erg. Het zal gezellig zijn. We zullen samen gewoon een hele hoop plezier hebben.'

'Er gebeurt niets tussen ons voordat Sasha het weet.'

'Niets. Ik heb twintig jaar gewacht om je in bed te krijgen, ik denk dat ik nog wel een dag langer kan wachten.'

'Dag?'

'Sasha komt morgen thuis.'

Ik meende een vaag plofje te horen. Was het mijn verbeelding of was onze zeepbel zojuist gebarsten?

'Morgen? Wauw.'

'Waar wachten we nog op? Helen en Neil zijn zomaar van de aardbodem geveegd door een ongeluk. Ik bedoel, waarom zouden we wachten?'

Neil en Helen. Bobby en Tommy. Ben en Tessa. Ben en Tessa plus Bobby en Tommy. Gelijken. Gelukkig. Gezin.

Spreek je eigen waarheid

We werden later op die ochtend op mijn bed wakker, volledig gekleed, lepeltje-lepeltje tegen elkaar. Ik had beter geslapen dan in dagen het geval was geweest. Mijn rug lag tegen Bens brede, warme romp, mijn benen tegen de zijne gedrukt. Mijn ogen gingen open en ik keek naar een geheel nieuwe wereld. Ben hield van me. Wilde met me trouwen. Wilde kinderen met me. Ben wilde het Sasha vertellen. Vandaag. Ik verstijfde.

'Wat is er, schoonheid?'

Ik draaide me om en keek hem aan. 'Wat betreft dat vertellen aan Sasha?'

'Hmm?'

'Doe het alsjeblieft niet vandaag.'

Ben kwam half overeind, steunend op zijn elleboog. 'Waarom niet?'

'Ik weet dat het misschien heel egoïstisch klinkt, maar ik moet nog een regeling treffen voor de tweeling, en dan die verdomde begrafenis, die Helen niet eens wilde, ze wilde dat haar as verstrooid werd op het strand. Cora ligt nog in het ziekenhuis...'

Hij streek over mijn haar. 'Ik snap het. Te veel aan de hand voor onze schokkende mededeling.'

'Min of meer wel, ja.'

'Je vrienden willen dat je gelukkig bent.'

'Dat weet ik, maar er is verschil tussen gelukkig zijn en dansen op iemands graf.'

'Nu niet terugkrabbelen. Daar ben je altijd een meester in.'

'Niet terugkrabbelen. Hemel, nee. Ik wil alleen niemand onnodig krenken.'

'Ik geloof niet dat we iemand zullen krenken.'

'Je onderschat hoeveel mensen van Sasha houden. Als zij het zich erg aantrekt, zullen zij dat ook doen. Daar kunnen we niet omheen.'

'Ik denk niet dat ze het zich erg aan zal trekken.'

'Natuurlijk wel, Ben, ze houdt van je.'

'Maar ze is zo onafhankelijk. Eerlijk, ik heb vaak het gevoel gehad dat ik een beetje overbodig was.'

'Laten we hopen dat je gelijk hebt. Intussen, alsjeblieft, geen woord hierover tot de begrafenis voorbij is.'

'Ik beloof het je, maar het zal moeilijk zijn. Ik voel me net een puber.'

'Zo zie je er ook uit.'

'Jij ook.'

'Leugenaar.'

'Het is zo. Je bent fantastisch.' Hij streek met de rug van zijn hand langs mijn wang.

'Ik? Jij bent degene met de belachelijke wimpers. Jongens horen niet zulke wimpers te hebben, dat is niet eerlijk.'

En zo ging het verder, nog een walgelijk uur lang. Knie tegen knie. Neus tegen neus. Vingertop tegen vingertop. Vleiend, verleidend, plagend, teder. Hoe het mogelijk was dat we elkaar niet de kleren van het lijf rukten, weet ik niet. Daar kan ik tenminste trots op zijn.

Ben had gelijk. Het was bijna onmogelijk om niet blij door het leven te gaan. We gunden onszelf het genot van elkaars hand vasthouden tot de liftdeuren opengingen, maar daarna, zoals elk clandestien paar, lieten onze handen elkaar los en vervielen we in onze normale rol. We liepen naar Sloane Square, onophoudelijk pratend over onze denkbeeldige toekomst – waar we zouden wonen, wanneer we zouden trouwen, wat mijn ouders zouden zeggen, wat zijn gekke moeder zou zeggen, wat Claudia en Al zouden zeggen – we waren er veel te snel. Ik liet drie bussen voorbijgaan omdat ik niet bij hem weg wilde. Toen ik eindelijk toch in een bus stapte, stapte Ben ook in. Het was roerend. Ik was verrukt. Halverwege de rit ging zijn mobiel. Het was Sasha. Ik had het gevoel dat ik de bus met huid en haar had ingeslikt.

'Hoi, Sasha.'

'Hallo, luister, het spijt me echt, maar ze willen dat ik vanavond doorreis naar Düsseldorf. Ik weet dat ik beloofd had het deze keer te bekorten –'

'Maak je geen zorgen.'

'Dank je, schat. Hoor eens, bel Tessa. Ze moet echt wat opgevrolijkt worden.' Mijn gezicht vertrok even. Ben haalde zijn schouders op.

'Oké, liefje.'

Liefje... dat liefje beviel me niet erg.

'Tot morgen.'

Ben stopte de telefoon weer in zijn zak en keek me aan.

'Ik voel me misselijk,' zei ik.

'Dit zal een beetje moeilijk worden, maar als ze het eenmaal weet, zal het gemakkelijker zijn.'

Het voelde erger dan moeilijk. Ik voelde me zonder meer een verrader.

'Bekijk het eens van de zonnige kant: ik kan tenminste vanavond weer naar je toekomen,' zei hij.

'Vanavond niet. Ik moet terug naar Helens huis.'

'Echt?'

Nee, niet echt, maar ik dacht niet dat we ons nog veel langer zouden kunnen beheersen. We raakten elkaar bijna voortdurend aan. Been, gezicht, wang, hand... Maar het was niet genoeg. Ik wilde niet dat moeilijk onmogelijk zou worden.

'We bellen,' zei ik, en maakte me gereed om de bus uit te stappen.

Ben pakte mijn arm. 'Ga nog niet weg. Kun je niet wat later naar het ziekenhuis?'

Ik keek naar zijn grote hand die hij om mijn slanke onderarm geklemd hield. Die hand leek daar gewoon te horen, maar ik kon het eelt op de palm van zijn hand, vlak onder de trouwring, over mijn zachte huid voelen schuren.

'Ik moet erheen. Ik heb nog geen moment de gelegenheid gehad haar op te zoeken sinds die stomme ruzie. En ik wil Cora zien.'

'Maar je zei dat alles oké was met jou en Billy.'

Dat was het ook. We hadden telefonisch tikkertje gespeeld sinds ons korte gesprek en de berichten waren van beide kanten vriendelijk en bemoedigend, maar dat wilde niet zeggen dat ik haar geen excuses meer verschuldigd was. We wisten allebei dat Helens dood een eind had gemaakt aan onze ruzie, maar ik wilde haar laten weten dat ik niet dacht dat ik er ongestraft vanaf was gekomen.

'Nee, Ben,' zei ik nadrukkelijker. 'Ik móet erheen.' Ik drukte op de stopknop en hoorde de ping naast het oor van de chauffeur.

'Kan ik niet met je mee?'

En Billy en Cora medeplichtig maken? 'Nee,' zei ik, gaf hem een zoen op het puntje van zijn neus en stapte uit.

'Hé, waar ga ik naartoe?' riep hij me na.

'Je werk?'

'Shit, werk... ik was het hele werk vergeten.'

De deur ging dicht. Dagdromen waren machtig. Ik wist er alles van.

Op weg van King's Road naar Fulham Road, werd ik heen en weer geslingerd tussen buiten mezelf van vreugde en uiterst depressief. Ik moest me tot kalmte dwingen toen ik bij het ziekenhuis kwam. Opgetogen was niet de stemming waarin ik dit bezoek kon afleggen. Ik ging met de lift naar boven. Toen ik op de zoemer van de afdeling drukte, had ik mijn tekst al klaar, maar ik hoefde niets meer te zeggen dan mijn naam en de deur ging open. De vrouw achter de balie glimlachte naar me en wees in de juiste richting. Ik was zo opgelucht toen ik Cora rechtop in bed zag zitten en niet omringd door slangetjes en buizen in de intensive care, zoals ik me had voorgesteld, dat ik heel even Helens dood vergat en naar haar toe holde. Billy stond op en opende haar armen, na me eerst haar dochter te hebben laten knuffelen.

'Niet te geloven dat je hier bent. Fran zei dat je voor de tweeling hebt gezorgd. Is dat waar? Zijn ze hier? Gaat het goed met je?'

'Ik wilde alleen even komen om je te zeggen dat het me spijt,' mompelde ik over haar schouder. 'In eigen persoon.'

Ze keek me aan en draaide zich toen om naar Cora. 'Wat zou je ervan zeggen als Tessa en ik naar buiten gaan en wat behoorlijks te eten gaan zoeken?'

'Met andere woorden, jullie willen praten over dingen die ik niet mag horen,' zei Cora.

'Nee,' zei Billy. 'Nou ja, oké, ja, maar we zullen ook zorgen dat we iets goeds te eten vinden.'

'Jullie kunnen best blijven, ik kan toch niks horen.'

'Wat?' vroeg ik.

'Dat kan ze wel, het zijn alleen —'

'Mijn androïden,' zei Cora trots.

Billy keek naar mij en dwong haar gezicht in een bezorgde plooi. 'Er is iets mis met Cora's adenoïden, haar gehoor is een beetje beschadigd.'

'Door de longontsteking?'

'Eigenlijk niet, nee; ze hebben het pas ontdekt toen ze al die tests deden. Het verklaart het hoofd in de wolken, maar niet het gehoor, want ik ben er zo goed als zeker van dat dat altijd selectief is geweest.'

Cora deed haar mond open om te protesteren.

'Donut?' vroeg Billy haar dochter.

Cora knikte enthousiast.

'We zijn over vijf minuten terug.'

Zodra we op de gang waren draaide Billy zich naar me om. 'Ik heb het haar niet verteld van Helen.'

Ik klemde mijn kaken op elkaar en knikte. Het moment was voorbij. Cora was beter, maar Helen was dood.

'Het spijt me zo, Tessa.'

'Jij hoeft nergens spijt van te hebben. Het was mijn schuld, ik weet niet wat ik me in mijn hoofd haalde. Ik had niet het recht zo binnen te komen stormen.'

Billy keek me aan. 'Ik weet hoe frustrerend het is als iemand van wie je houdt zoveel misloopt in het leven.'

'Vooral omdat het zo kostbaar is,' zei ik instemmend.

'Sinds Ben me belde en me vertelde dat Helen ook in de auto zat, heb ik nagedacht over Christoph, mij en Cora, en wat jij zei.'

'Ik ook, en –'

'Laat me uitspreken,' zei Billy.

'Sorry.'

'Christoph verdient haar niet, en mij trouwens ook niet. Ik heb mezelf genoeg in verlegenheid gebracht. Het is voorbij. Ik dacht echt dat ik haar zou verliezen, Tessa; ze werd zo slap en wit, haar lippen zagen grauw en iedereen draafde schreeuwend rond. Kijk.' Ze wees naar haar lange, donkere haar. Ze hoefde het me niet te laten zien; de nieuwe strepen grijs waren me al opgevallen. Ze zag er tien jaar ouder uit.

'Die herinnering zal me de rest van mijn leven bijblijven. Ik had het eerder moeten zien, er had niet iets als dit voor nodig moeten zijn om me te doen beseffen wat belangrijk was.'

Ik wist precies hoe ze zich voelde. Ik pakte Billy's arm en kneep er even in. 'Ik denk dat we de boel allebei een beetje hebben laten versloffen.'

'Op de rem hebben gestaan, bedoel je.'

Ik knikte weer instemmend. Nou, in ieder geval haalde ik nu mijn voet van de rem.

We liepen langs een andere afdeling. Zes kinderen lagen op een rij. We wendden onze ogen af. 'Ik zou mijn buik hebben opengereten als ik had gedacht dat het Cora zou helpen,' zei Billy. 'En de pijn zou niet te vergelijken zijn met wat ik voelde, nog steeds voel, nog steeds vrees.'

Er stond een bank in de gang. We gingen zitten en Billy hield mijn hand vast. Een tijdje bleven we zwijgen, lieten de geluiden van het ziekenhuis aan ons voorbijgaan. 'Christoph houdt niet van haar. Anders zou hij hier zijn. Ik heb een paar heel stomme dingen gedaan in de afgelopen jaren, maar hij heeft zelfs niet de moeite genomen om te bellen... Ik kan gewoon niet geloven dat Helen zo ineens dood is. Wie weet wat je van het ene moment op het andere te wachten kan staan?'

Plotseling kneep Billy in mijn hand en liet hem toen los. 'Ik heb een besluit genomen,' zei ze. 'Als dit allemaal achter de rug is, heb je mijn volledige toestemming om van Christoph los te krijgen waar we recht op hebben. Niet meer. Maar ook niet minder.' Ze keek me van terzijde aan. 'Ik neem geen genoegen meer met iets minder. Het leven is te verrekte kostbaar.'

Even werd ik heen en weer geslingerd tussen juist te handelen ten opzichte van Sasha en mijn hart uit te storten over Ben. Hij hield van me. We gingen trouwen en zouden hopen kinderen krijgen en niemand zou zich ooit nog zorgen hoeven te maken over mij. Ik sloot ook geen compromissen meer. Ik moet heel even geglimlacht hebben.

'Wat is er?' vroeg Billy.

'Ik ben alleen blij dat er toch iets goeds is voortgekomen uit Cora's ziekte. Je zult gelukkig worden, dat weet ik zeker.'

Billy haalde haar schouders op. 'Het gaat er niet om dat ik iemand anders wil leren kennen, Tessa. Ik kan het uitstekend alleen af. Ik voel me gelukkig omdat ik Cora heb, zij is zo bijzonder voor me. Ik moet weer contact zien te vinden met het leven, niet met mannen. Als ik iemand ontmoet, best. Maar, weet je, meestal brengen ze een hoop complicaties mee en eerlijk gezegd weet ik niet of ik dat wel de moeite waard vind. Ik heb altijd pianoles willen hebben. Ik denk dat ik daarmee begin.' Ze keek me aandachtig aan. 'En jij? Wil je de tweeling houden?'

Wauw, dat was op de man af. 'Eh...'

'Een alleenstaande moeder zijn is niet gemakkelijk, maar je zou er nooit spijt van hebben.'

Je buik openrijten? Weet je het zeker? 'Op het ogenblik kan ik niet verder kijken dan de begrafenis.'

'We zullen er zijn voor je, wat je ook besluit, oké? Ik, Fran, Ben. Je hebt een groot netwerk van vrienden. Maak gebruik van ons.'

Een netwerk dat ik op het punt stond kapot te maken.

'Dank je, Billy.'

'Je bent een verbluffende vrouw, ik hoop dat je dat weet.' Billy draaide haar lichaam naar me toe, zodat ik mijn blik niet kon afwenden. 'Daarom voelen de mensen zich tot je aangetrokken.'

'Dank je,' zei ik, en deed mijn best om nederig te klinken.

'Ik schaam me dat ik dat tegen je gezegd heb in dat restaurant, want in mijn hart weet ik dat de laatste zeven jaar niet draaglijk zouden zijn geweest zonder jou.' Verlegen draaide ik me af. Billy pakte mijn beide handen. 'Nee, ik meen het. Je had het volste recht tegen me te schreeuwen. Feitelijk ben jij meer een ouder geweest voor Cora dan Christoph ooit geweest is en ik weet dat we gelukkig mogen zijn dat we jou hebben. De tweeling zal ook gelukkig zijn.'

Ik verwachtte een triomfantelijk gevoel te beleven, maar dat was niet het geval. Ik schaamde me. Wie was die geweldige vriendin, tot wie de mensen zich aangetrokken voelden? Niet een vrouw die een huwelijk kapotmaakte. Die de echtgenoot van een ander stal. Waren vriendschappen onvoorwaardelijk? Ik was er niet zeker van. Ik denk dat je ze moet verdienen, dat ze daarom zo waardevol zijn. Ik keek naar mijn voeten.

'Eens zul je leren een compliment te accepteren,' zei Billy, die mijn verlegenheid verkeerd interpreteerde. 'Maar ga voorlopig maar bij je peetdochter zitten, dan haal ik de donuts.'

'Graag,' zei ik, en keerde terug naar mijn veilige plek.

Cora leunde tegen de kussens en zag er wat minder parmantig uit, en even bleef ik stokstijf staan, maar ze richtte zich op toen ze me zag en glimlachte.

'Hoe voel je je?'

'Wat?'

'Hoe voel je je?'

Cora lachte luid. 'Ik had je mooi te pakken.'

'Mormel.'

'Ik leer gebarentaal,' zei Cora.

'Echt waar?'

'Wat is dit?' Ze kruiste haar armen voor haar borst als een Russische danser, stak haar vingertoppen omhoog om horentjes te vormen en wriemelde met haar vingers op de onderste hand.

'Geen flauw idee,' zei ik.

'Bullshit!'

Ik lachte.

'Dat heeft een van de zusters me verteld.'

Ik ging op Cora's bed zitten. Overal in de kamer stonden bloemen en er lagen boeken en teddyberen. Het nieuws was bekend geworden. Cora was overladen met cadeaus. Ik pakte een Paddingtonbeer op. 'Voor Cora. Veel liefs, Ben en Sasha.' Ik legde hem snel neer.

'Wil je een cakeje?'

'Nee, dank je. Je hebt ons wel in angst laten zitten, lieverd.'

'Sorry.'

'Ik neem het jou niet kwalijk, poesje, maar doe dat niet nog eens.'

'Oké.'

'Hoe is het nu echt met je gehoor?'

'Als ik mijn hand op mijn goede oor leg, klinkt het net of ik in een zwembad ben. Als mijn lerares nu zegt "Cora TarreNOT" – ze spreekt altijd de laatste "t" uit – "je luistert niet", heb ik een prachtig excuus.' Het deed er niet toe wat er op dit kind afkwam. Ze bleef me imponeren. 'Ik word erg gauw moe. Mijn borst doet pijn. Ik dacht dat ik een minuut geleden klaarwakker was, maar nu heb ik slaap.'

'Dat is normaal, je moet nog beter worden.'

'Blijf je bij me, peetmammie T?'

'Reken maar.'

Ze wees naar haar oog, toen naar haar hart en toen naar mij.

'Nog meer gebarentaal?'

Cora knikte. Ik deed haar na. Oog. Hart. Jij. Ik stak twee vingers op. Cora glimlachte. Ik trok de dunne ziekenhuisdekens over haar heen. 'Warm genoeg?'

'Uh-uh.'

'Het spijt me dat ik je niet eerder heb opgezocht.'

'Dat geeft niet,' zei Cora slaperig. 'Helen was hier.'

Ik voelde dat ik rilde. 'Wat?'

Cora gaf geen antwoord.

Haar ogen waren gesloten. Ze was in slaap gevallen. Ik gaf haar zachtjes een zoen op haar voorhoofd en verliet de kinderafdeling.

Ik stond op het koude trottoir en luisterde naar de sirene van een naderende ambulance. 'Marguerite, weer met Tessa. Bel me alsjeblieft terug.'

'Boe!'

Ik maakte een luchtsprong.

'Ben! Wat doe jij hier?'

'Ik heb me ziek gemeld. Ik kon het idee niet verdragen dat ik je drie dagen niet zou zien. Laten we deze middag samen doorbrengen.'

'Waar was je?'

'Ik heb de uitgang geobserveerd vanuit Starbucks. Ik was je bijna misgelopen, ik dacht dat je langer zou blijven.'

Ik raakte in paniek. 'Cora slaapt.'

'Ga dan met me lunchen.'

'Billy is ergens in de buurt.'

'Nou en?'

'Ze zou ons kunnen zien.'

'Ik kon Cora toch willen opzoeken. Jij was toevallig hier. Nou en.'

Ik had zeven jaar lang mama en papa gespeeld met Ben en Cora, maar het spel was over de datum.

'We moeten dit op een goede manier doen, Ben.'

'Dat weet ik, maar, hemel' – hij nam mijn gezicht tussen zijn handen – 'ik word wanhopig als ik niet bij je ben.'

Ik drukte mijn hand tegen de zijne en toen mijn lippen tegen zijn palm. Hij trok me naar zich toe en sloeg zijn andere arm om mijn hals. We stonden dicht tegen elkaar aan, ik met mijn hoofd in zijn hals, hij met zijn armen om me heen. Het was klaarlichte dag, op Fulham Road, voor een druk Londens ziekenhuis, en toch kwam het niet bij me op dat iemand ons zou kunnen zien. Hij zoende me op mijn voorhoofd, ik zoende hem op zijn wang. Wat was er feitelijk te zien? We hadden dit al duizend keer eerder gedaan. Hij zoende me weer, ik zoende hem terug. Hij zoende me overal op mijn gezicht; toen nam hij het weer tussen zijn handen en zoende me op mijn lippen. Ik was bang dat ik mijn beheersing zou verliezen. We persten ons steeds dichter tegen elkaar aan; onze monden bleven gesloten, maar de kus werd steeds intenser, ik had er bijna geen controle meer over. Mijn ademhaling ging veel te snel toen hij zich terugtrok.

'Dat is de reden waarom ik je niet kan ontmoeten,' zei ik hijgend.

'Het wordt mijn dood,' zei Ben.

'Drie dagen,' zei ik.

'Ik denk niet dat ik het kan.'

'Drie dagen, dan vertellen we het Sasha.'

'Dan ben je helemaal van mij.'

'Helemaal van jou.'

Ben keerde zich van me af, draaide zich toen weer om. 'O, verdomme,' zei hij, 'dit worden de langste drie dagen van mijn leven.'

Voor Ben misschien wel, maar ik moet bekennen dat ze voor mij in een flits voorbijgingen. Ik keerde terug naar de tweeling en voor ik het wist was het alweer tijd om ze in bad te doen. Ik bleef in Helens huis en redetwistte drie uur aan de telefoon met Marguerite over de uitvaartdienst die ze zich volledig had toegeëigend. Het was waar dat het alleen mijn woord was dat Helen gecremeerd wilde worden, dus kon ik Marguerite bijna vergeven dat ze zich niet aan mij had gestoord. Maar een uitvaartdienst plannen die in geen enkel opzicht naar de wens en in de stijl van haar dochter was, vond ik ronduit beschamend. En hoe zat het met Neils familie? Had Marguerite contact met ze opgenomen? Waren ze het met haar eens? Ze hadden in ieder geval geen poging gedaan om de tweeling te bezoeken. Wisten ze dat Neils huwelijk stormachtig was, dat hun schoondochter verslaafd was aan pijnstillers en wodka? Nee, zoals de meeste mensen dachten ze waarschijnlijk dat Helen en Neils leven niets te wensen over liet.

De volgende dag had ik het druk met de jongens. Evenals de derde dag. Misschien kwam het omdat ik zo in ontkenning leefde over wat er ging gebeuren dat de drie dagen zo snel voorbijgingen. Ondanks al het uitvoerige gepraat over het begraven van mijn vriendin, was ik nog steeds in ontkenning over Helens dood. En de kwestie van het afscheid moeten nemen van de tweeling, en of Claudia en Al werkelijk de voor de hand liggende keus waren om ze te adopteren. Ook daarover was ik in ontkenning.

Sasha had drie keer gebeld, en had berichten achtergelaten omdat ik de telefoon niet had kunnen opnemen. Ze zei dat ze aan me dacht, ze vroeg of ze iets kon doen, ze zei dat als ik wilde razen, tieren, gillen, huilen of woedend worden, ze er voor me was. Elk bericht maakte dat ik me ellendiger voelde. Dus zorgde ik dat ik het nog drukker had. Ik was gezegend met fantastische vriendinnen van wie ik heel veel hield, maar ze vervulden allemaal een verschillende rol in mijn leven. Met Billy speelde ik moedertje. Tegen Francesca jammerde ik. Met Helen had ik risico's genomen. Maar Sasha, Sasha was degene die ik om raad vroeg, bij wie ik kracht opdeed, die me het meest op mijn gemak stelde ten aanzien van de keuzes die ik in mijn leven had gemaakt. Ik bewonderde haar en vond het vreselijk haar te verliezen. Als ik ook maar half zoveel waard was als ik hoopte te zijn, zou ik dan niet het zusterschap verkiezen boven mijn grote liefde? En toch stond ik op het punt een grote vriendin te verliezen. Het verwarde me dat samenzijn met Ben me Sasha's vriendschap zou kosten. En wie weet wat nog meer? Ik vreesde de begrafenis, ik vreesde de dag daarna, ik vreesde alles, dus rende ik drie dagen lang als een kip zonder kop rond om maar niet te hoeven denken. Maar ten slotte, omdat de tijd voor niemand stilstaat, werd het de 28ste en bevond ik me in de bizarre situatie dat ik me kleedde voor Helens begrafenis.

Rose klopte op de deur van mijn tijdelijke slaapkamer.
'Binnen.'
Ik stond voor een passpiegel te kijken naar een vrouw van een bepaalde leeftijd, gekleed in het zwart, die naar me terugstaarde. Het deed er niet toe hoe vaak ik mijn blik afwendde, telkens als ik keek, was ze er weer, nam me van onder tot boven op. Ik herkende haar niet, maar ze scheen mij te kennen. Ik wilde een bondgenoot vinden in degene die tegenover me stond, iemand die me de komende achtenveertig uur zou steunen, iemand die me verzekerde dat ik juist handelde – maar wat ik in haar ogen zag was afkeuring. Toen ik begon te huilen, trok ze zich dat aan. Dat wist ik omdat ze probeerde me op te beuren. Ze trok rare gezichten, ze stak haar tong uit en duwde haar neus omhoog als een varkentje, maar het hielp niet, ze kon geen glimlachje op mijn gezicht toveren. Ik had de blik gezien waarmee ze naar me had gekeken, het was geen speling van het licht. Ze was niet onder de indruk en ik had het afschuwelijke gevoel dat ik wist waarom. 'De tweeling is klaar,' zei Rose.
Rose en ik hadden besproken wat we moesten doen met de tweeling tijdens de begrafenis en we waren tot de conclusie gekomen dat we ze mee zouden nemen. Ik was vast van plan erbij aanwezig te zijn en ik zou Rose nooit gevraagd hebben thuis te blijven. We wilden geen van beiden erheen, maar iemand moest Helen vertegenwoordigen in dit circus.
'In deze kleren kan ik er niet naartoe,' zei ik tegen Rose, van de logeerkamer naar Helens kamer lopend. Ik gooide de deur van de garderobekast open en zocht tussen de kleren. Ik vond een met bont afgezette roze vintage Vivienne Westwood-jas en een schitterende Philip Treacy-

hoed. Ik trok mijn praktische zwarte schoenen uit en een paar zwarte lak-stiletto's aan, waarop ik 1.80 meter lang was. Niemand kon me nu nog over het hoofd zien. Toen ging ik naar de stapel fotoalbums waarmee ik elke avond naar bed was gegaan en haalde er alle foto's uit waarop een lachende Helen stond. Ten slotte pakte ik een mooi ingelijste foto van de tweeling met hun moeder, ontspannen en tevreden in elkaars gezelschap. Het kon me niet schelen wat er in St John's gebeurde of wat Marguerite gepland had; ik zou het meisje dat ik gekend had voor me zien. Ik zou aan haar en alleen aan haar denken, zo helpe mij God. Rose en ik pakten ieder een baby en verlieten het huis.

Leunend tegen het hek tegenover de kerk stond een jongen in een slechtzittend pak, rukkend aan de tevoorschijn piepende manchet van zijn hemdsmouw. Hij zag dat ik met mijn zware last heuvelopwaarts naar hem toekwam en richtte zich onmiddellijk op. Hij keek heel ernstig toen hij de weg overstak. Mijn peetzoon. Die probeerde, besefte ik nu, zo volwassen te zijn als hij zich nog nooit had gevoeld.

'Hoi, Tessa,' zei Caspar, terwijl hij omlaag slenterde om ons te begroeten. 'Hulp nodig?'

'Dank je,' zei ik enigszins hijgend. Caspar ging achter de enorme kinderwagen staan. Ik stelde hem voor aan Rose; hij groette haar beleefd voordat hij het duwen van de wagen voor zijn rekening nam. Vandaag gedroeg Caspar zich als een modeltiener. Ik bekeek hem aandachtig; ik kon er niet helemaal meer in geloven. 'Ik had je hier niet verwacht,' zei ik.

'Ik ben alleen gekomen om een paar muntjes uit de collecteschaal te pikken.'

Mijn mond viel open.

'Geintje. Jemig, doe normaal.'

'Geen goeie dag voor grapjes,' antwoordde ik.

Hij haalde zijn schouders op. Ik vatte het op als een verontschuldiging. 'Ik wilde je een beetje opvrolijken, je vertelt me altijd dat het een van de weinige dingen is waar ik goed in ben.'

'Een van de vele, Caspar. Niet een van de weinige.'

Hij keek me met samengeknepen ogen aan.

Ik knikte bemoedigend. 'Een van de vele,' herhaalde ik. We staken de weg over en bleven staan bij het hek van de kerk. Er arriveerden nog steeds mensen. In zwart, grijs, donkerblauw. Mensen staarden wantrouwend naar mijn roze jas. Rose morrelde aan Bobby's riem in de wagen en gaf hem zwijgend aan mij. Ik plaatste hem op mijn heup.

'Ik wilde alleen even zien of het goed met je ging,' zei Caspar. Hij kietelde de baby onder zijn kin en werd onmiddellijk beloond met een lachje. 'Ik weet dat Helen een van je beste vriendinnen was. En ik weet dat je dit soort dingen niet graag alleen doet.' Hij praatte als een volwassene, maar hij kon me niet recht in de ogen kijken. Het was gemakkelijker om Bobby onder zijn kin te kriebelen. Ik had drie dagen lang praktisch hetzelfde gedaan. Ik zag dat hij diep ademhaalde en zich dwong me aan te kijken. 'Dus ik ben er als je een arm nodig hebt om op te leunen, maar je lijkt je armen al vol te hebben.'

Ik pakte zijn arm voor het hem lukte ervandoor te gaan. 'Er is altijd ruimte voor jou, vriendlief.'

'We zijn weer vrienden, ja toch, Tessa?'

'Ja, Caspar. Maar aan vriendschappen zijn voorwaarden verbonden,' zei ik. 'Je steelt niet van een vriend, je liegt niet –'

'Je zoekt niet in hun spullen.'

'Nee, dat doe je niet, en daar heb ik veel spijt van. Laten we zeggen dat we quitte staan. Van nu af aan laat ik alle rottige dingen aan je ouders over. Zij zullen ondanks alles van je blijven houden; ik daarentegen heb mijn grenzen.'

Caspar knikte.

'Maar het zou prettig zijn als je je moeder wat rust gunde, hè, Caspar?'

Hij ademde luid uit. 'Goed, goed, maar zelfs jij zult moeten toegeven dat ze een stelletje naïeve weldoeners zijn, en soms komt het mijn strot uit.'

Ik dwong mijn glimlach tot een frons. 'Kom, die baby begint zwaar te worden.'

Rose kwam met Tommy naast me staan.

'Ze lijken precies op de Sopranos,' zei Caspar die met overduidelijk medelijden naar de tweeling keek.

'Dat is niet waar,' riep ik uit en legde mijn handen op Bobby's oren. 'Ze zijn mooi.'

Caspar rolde met zijn ogen en begeleidde me naar de deur van de kerk.

De kerk was afgeladen. Ik liep naar binnen met Caspar aan de ene kant en Rose aan de andere kant en met de ons toevertrouwde kinderen lief-

371

devol in de arm. Elke bank waar we langskwamen was vol. Mensen in donkere pakken rekten hun halzen uit om naar ons te kijken. Aanvankelijk keek ik terug, in de hoop een bevriend gezicht te zien, maar ik herkende niemand. Niemand die ik persoonlijk kende tenminste. Er waren nieuwslezers, journalisten, acteurs, televisiepresentatoren – het kringetje van Marguerite. De kring waarvan ze hield, de kring waar Neil naar streefde, de kring waarin Helen zich nooit op haar gemak had gevoeld. Ze waren er allemaal, op hun begrafenisbest. Trots in Helens roze jas, hief ik mijn kin in de lucht en liep door. Caspar ging naast zijn ouders zitten. Toen ik plaatsnam in de 'familiebank', keek ik naar Bobby. Hij staarde me met grote ogen aan, zijn onderlip stak naar voren en zijn voorhoofd was gefronst.

'Sst, kleintje,' fluisterde ik. 'Alles komt goed, ik beloof het je.' Ik zoende de zachte plooien van zijn huid onder zijn kin. Onmiddellijk lachte hij. Kinderen zijn verbluffend. Hun emoties zijn veranderlijk, ze komen en gaan. Zonder enig voorbehoud. Dat komt pas later.

Ik opende het programma van de uitvaartdienst. Na het tweede gezang kwam mijn keus. 'Desiderata' door Max Ehrmann. Het was het enige waarin Marguerite had toegestemd. Ze wilde dat ik iets zou voordragen uit Shakespeare. Er waren veel redenen waarom ik van Helen hield; haar liefde voor Engelse literatuur hoorde daar niet bij. Een uittreksel uit een roman van Jilly Cooper zou meer op zijn plaats zijn geweest. Maar Marguerite was bezig de geschiedenis te herschrijven en mijn inbreng was niet welkom. Ik kreeg 'Desiderata' er alleen door bij die ouwe heks omdat het ingelijst op Helens toilettafel stond. Marguerite had geklaagd dat het te lang was. Ik zei dat het óf dit was, óf ik zou zelf een paar woorden zeggen. Gek genoeg accepteerde ze het – het laatste wat ze wilde was dat iemand iets zou doen buiten het script om.

De muziek veranderde van tempo en ik wist dat het afschuwelijke moment was aangebroken. Ik draaide me om op de bank. Vier rijen achter me, aan de andere kant van de kerk, zaten Ben en Sasha. Sasha blies me een kus toe, Ben staarde. Ik probeerde te glimlachen, maar kon het niet. Ik had geen tijd om na te denken, want plotseling gingen de deuren open en daar was Marguerite. Naast haar liep een oud echtpaar dat elkaars hand vasthield. Ze waren klein en gezet en samen. Marguerite was lang en slank en alleen. Achter hen kwamen twee doodkisten. Bobby kon niet zien wat ik zag, maar toch legde ik mijn hand op zijn ogen en wiegde hem zacht heen en weer. Zijn ogen vielen dicht alsof een zesde zintuig hem zei de ruimte te verlaten. Die van Tommy eveneens. Ik hoorde dat Marguerite haar plaats op de rij voor mij innam. Haar hakken klikten als altijd. Neils ouders gaven geen kik, maar ik zag dat Neils moeder naar de tweeling keek. Ik probeerde te glimlachen, maar kon het niet. Neils moeder. Ik had niet gedacht aan een moeder. Ze leek totaal van streek.

Toen de stoet langs onze bank kwam, keek ik nog eens. Er had ook geen doodkist kunnen zijn, zo duidelijk zag ik mijn vriendin erin liggen. Tot op dat moment had ik me redelijk goed weten te houden, maar toen kón ik niet meer. Ik hoorde geen woord van wat de dominee zei, al ben ik ervan overtuigd dat het allemaal heel gevoelig was. Hij had hun kinderen gedoopt, dus in ieder geval had hij ze gekend.

We stonden op en zongen. Ik huilde. Niet luid. Verdrietig. Rose probeerde me te troosten, maar ik was ontroostbaar. Ik wilde niet getroost worden. Bobby lag te slapen in mijn armen, hij bewoog niet toen er een traan op zijn wang viel. Ik hoorde de deur van de kerk weer opengaan, maar dacht er niet aan om op te kijken. Ik interesseerde me niet voor laatkomers. Ik wilde alleen maar dat het deksel van de doodkist open zou klappen en Helen eruit zou springen en ons vertellen dat het allemaal een lugubere grap was geweest. Misschien zat Neil ook wel in het complot. Dat soort humor was eigenlijk te avant-garde voor hem, maar misschien was hij bereid geweest het eens te proberen. En misschien was hij toch de dupe van de grap en had Helen inderdaad haar man vermoord.

'Flink zijn,' zei een stem en ik voelde een hand op mijn schouder. Hou je taai?? Ik keek op onder de rand van Helens prachtige hoed en zag Claudia en Al op me neerkijken. Claudia barstte in tranen uit zodra we elkaar in de ogen keken. Herstel – ik dacht dat ik daarvóór al niet meer kon, maar toen ik Claudia zag begon ik luid te janken. Marguerite draaide zich om, wilde zien wie die opschudding veroorzaakte. Toen ze ons zag kneep ze haar ogen samen. Ik schoof opzij op de glimmend gewreven bank om plaats te maken voor mijn vrienden. Ik begreep niet waarom ze koffers bij zich hadden. Er waren zoveel vragen – hoe, waarom, wanneer, wat – maar de dominee schraapte zijn keel en we gingen rustig zitten. Al en Claudia, ik en Rose. De krachten bundelden zich. Claudia stak haar armen uit om Bobby over te nemen en zwijgend gaf ik hem aan haar. Rose overhandigde Tommy aan mij. Ik denk dat ze wist dat ik iets nodig had om me aan vast te houden. Elk met een baby in één arm, zaten Claudia en ik hand in hand, richtten onze blik naar voren en namen, nu met droge ogen, deel aan de begrafenis.

Eindelijk was het mijn beurt om op te staan. Ik gaf Tommy terug aan Rose en ging achter de katheder staan. Ik keek naar de mensen en toen naar mijn blad papier.

Go placidly amid the noise and haste,
and remember what peace there may be in silence.

Inademen. Uitademen.

As far as possible, without surrender,
be on good terms with all people.

Ik zweeg even.

Speak your truth quietly and clearly;
*and listen to others.**

Spreek je eigen waarheid.

Ik keek naar Marguerite en toen weer naar het papier. Toen keek ik naar Claudia en Al en de twee weesjongetjes. Toen keek ik weer naar Marguerite. Ik kon haar woede voelen.

'Het spijt me,' zei ik. 'Ik kan dit niet.' Ik richtte mijn blik op de congregatie. 'U hebt het gedicht in de hand, ik hoef het u niet voor te lezen.' Ik keek weer naar de kist. 'Helen kende deze woorden uit haar hoofd.' Ik slikte. 'Ze klampte zich eraan vast, mijn mooie, exotische, fantastische vriendin, maar ze waren niet voldoende. Je moet geleid worden in deze wereld. Het is een te grote ruimte om het er alleen in te kunnen redden. Ze dacht dat ze *een kind van het universum* was. Ik vond dat zo goed van haar; het klonk zo vrij, zo wild, maar ik denk dat ze er zwaar voor heeft moeten boeten en dat het haar meer beklemde dan een van ons ooit zal weten.'

Ik liet mijn blik gaan over de zee van gezichten, gezichten die ik niet kende, en keek toen weer naar Helens kist. 'Het spijt me dat ik je in de steek heb gelaten, en het spijt me zo vreselijk dat ik ben omgedraaid en

---

* Wandel rustig te midden van het lawaai en gehaast, / en denk eraan welk een vrede er kan heersen in stilte. / Blijf voor zover mogelijk, zonder je over te geven, / op goede voet met alle mensen. / Spreek je eigen waarheid kalm en duidelijk; / en luister naar anderen.

374

naar huis ben gereden omdat het verkeer me teveel werd, toen ik naar je toe had moeten gaan. We hadden meer moeten praten. Ik wou dat je hier was, Helen. Ik wou dat je jezelf had kunnen zien zoals degenen die van je hielden je zagen. Maar je hebt je sporen nagelaten. Al het goede van jou zit in die zoons van je; als ik naar ze kijk, zie ik jouw capaciteiten, jouw mogelijkheden in ze. Ik beloof je dat ik ervoor zal zorgen dat ze gekoesterd en aangemoedigd zullen worden. En of je het wilt of niet, ik zal ze alles vertellen over de krankzinnige situaties waarin je ons vaak hebt gebracht.'

Ik vond de kracht om mijn hoofd op te heffen. 'Ik geloof niet dat het Helen is in die kist. Ik geloof ook niet dat ze een kind van het universum is, ze is hier vlakbij.' Ik wees naar de tweede rij. 'Eindelijk op aarde beland. In Tommy en Bobby.' Ik keek weer naar mijn papier. 'Dus, om terug te komen op het gedicht:

With all its sham, drudgery and broken dreams,
it is still a beautiful world.'*
Ik keek op en zag dat Ben me scherp opnam.
'Be careful
Strive to be happy.'**

Ik liep achter de katheder vandaan, ging op mijn plaats zitten en begon over mijn hele lichaam te beven. Claudia pakte mijn hand weer en hield die vast tot de dienst was afgelopen.

Gelukkig hoefden we geen beleefde gesprekken te voeren, dus toen we allemaal de kerk uitliepen en wachtten om naar het kerkhof te worden gebracht, werd de nabijheid van Ben en Sasha niet pijnlijker door een duidelijk achterwege blijven van ons normale gebabbel. Ik zag James Kent uit de kerk komen. Ik schaamde me diep voor mijn gedrag – goed, ik was bedrogen, maar me gedragen als een doorgedraaid neurotisch wijf was niet mijn stijl. Ik wilde me verontschuldigen, of in ieder geval aanbieden hem terug te betalen, maar hij keek geen moment in mijn richting en ik zag hem niet terug op de receptie. Ik zag Neils ouders die de kerk verlieten, gevolgd door een jongere vrouw met twee kleine

---

* Wees behoedzaam / Streef naar geluk.
** * Met al zijn valse schijn, alledaagsheid en vervlogen dromen, / is het toch een mooie wereld.

meisjes. De dominee kwam achter hen aan, keek naar mij, legde toen zijn armen om hen heen en bracht ze naar de andere kant van de kerk. Ze stonden in een stil groepje met elkaar te praten. Aan zijn gezicht was duidelijk te zien dat hij ze niet alleen wilde laten. Ik stond een tijdje naar ze te kijken; op een gegeven moment vingen beide vrouwen mijn blik op, maar wendden snel hun ogen af. Ik wilde me voorstellen, maar de dominee zei dat familie en naaste vrienden hem moesten volgen voor de begrafenis. Vóór ons rustten de twee kisten op houten dragers. Ernaast lagen twee heuveltjes kunstgras. Die moesten de plakkerige aarde verbergen die er straks bovenop zou worden gestort. Geen landschapsarchitectuur kon verheimelijken wat er plaatsvond.

De kisten werden neergelaten in een gapende wond in de aarde, die Helen en Neils laatste rustplaats zou zijn. De dominee sprak vriendelijke woorden en toen begonnen de mensen langzaam te vertrekken. Ze begonnen hun stem weer terug te krijgen, maar ik kon me niet bewegen en niet spreken. Aan de andere kant van het graf stonden Neils bejaarde ouders. De mensen die hem in hun armen hadden gehouden zoals ik Bobby nu vasthield. Hun kleinzoon vasthield... En toch hadden we op verschillende begrafenissen kunnen zijn, zo volkomen was het gebrek aan contact geweest. Marguerite keek nauwelijks naar hen. Dit was allemaal een krankzinnige schijnvertoning, en nu lagen die twee mensen naast elkaar weg te rotten, net als in hun huwelijk. Ik wilde Helen daar weghalen. Uit die kist. Uit dat gat.

'Tessa?' Het was Al. Lang en sterk. Hij sloeg zacht zijn arm om mijn middel en trok me weg van de rand van het graf. Hij hield me een tijdje vast, en toen stond alleen nog ons kleine groepje bij het open graf. Hij fluisterde tegen me: 'We hebben iets meegebracht.'

Ik keek op. Claudia gaf Tommy terug aan Rose. 'We hebben het tijdens de hele terugreis bij ons gehad.'

'Ik was doodsbang dat we bij de douane zouden worden tegengehouden.'

Ik fronste mijn wenkbrauwen. Al haalde een pot uit zijn jaszak. Die zat vol met een witachtig poeder.

'Wat is dat?' vroeg Ben.

'Zand!' riep Claudia.

'Uit Vietnam,' zei Al.

Ik viel bijna op mijn knieën.

'Het was zo vreemd, Tessa. We waren in de jungle geweest en de hoteleigenaar zei dat hij ons in Hanoi zou afzetten omdat ze het terrein van een concurrent gingen bekijken.'

'China Beach,' viel Al haar in de rede.

'Laat mij het vertellen.'

'Sorry.'

'Ik had net je e-mails ontvangen. Allemaal. Ik holde naar buiten om Al over Helen te vertellen. Hij stond te praten met de hoteleigenaar over China Beach. Niet zomaar een strand, nee China Beach! Ik kon mijn oren niet geloven. Dus zei ik: "We gaan met u mee." Ik rekende erop dat we genoeg tijd zouden hebben om wat zand te verzamelen, naar Saigon te gaan en op tijd hier te zijn.'

'En we hebben het net gehaald.'

Ze hield de pot omhoog. 'Hier is het dus. Als het meisje niet naar het strand gaat, gaat het strand naar het meisje.'

Ik dacht dat ik zou gaan huilen, maar dat deed ik niet. Ik lachte vol verwondering. Het geluid maakte Bobby wakker en ik zweer op Helens ziel, want misschien was dat waar ik naar keek, dat hij voor de allereerste keer lachte, niet zijn gebruikelijke gegniffel maar een lange, spontane, vrolijke lach. Hij bracht de in ons sluimerende lach op gang. Terwijl het zand door mijn vingers gleed en meisje en strand herenigd werden, dacht ik, ja, met al zijn valse schijn en alledaagsheid en vervlogen dromen, was het toch een mooie wereld.

Het laatste wat ik in het graf legde voor ik me afwendde en Helen voorgoed verliet, was de foto van haar met de jongens. Met lijst en al ging hij in het gat in de grond. En toen liepen we weg, het kerkhof uit, weg van de kerk. Naarmate de afstand tussen ons en de graven groter werd, veranderde de sfeer. We begonnen weer te praten, als de vrienden die we waren.

'Ik wist niet dat Helen met zoveel dingen te kampen had,' zei Francesca.

'Ik wist dat de relatie met haar moeder slecht was, en de laatste keer dat we elkaar spraken vertelde ze me dat het met Neil op een crisis uitdraaide,' zei Claudia.

'Wanneer was dat?' vroeg ik.

'Vlak nadat ik in Singapore was aangekomen.'

'Ik vind het afschuwelijk om haar daar met hem achter te laten,' zei ik.

'Zij ligt daar niet, Tessa. Wat je in de kerk zei was juist. We moeten ons nu concentreren op de jongens,' zei Claudia.

'Wat je in de kerk zei was verbluffend,' zei Francesca.

Ben legde zijn arm om mijn schouder. 'Ja, ik ben zo trots op je.' Ik bleef stokstijf staan en veroorzaakte een file van voetgangers.

'Dat zijn we allemaal,' zei Al, en gaf me een duwtje naar voren.

'Was hun huwelijk dan echt zo slecht?' vroeg Sasha.

Ik knikte. Ik kon niet tegen haar praten. Het was vreselijk. Ik wilde Bens arm van me af schudden.

'Ze vertelde me dat hij seks had gehad met iemand,' zei Claudia.

'Ik denk dat het meer dan een iemand was,' zei Ben.

Er klonk een algemeen afkeurend gemompel.

'Ik heb behoefte aan een borrel,' zei Al. 'Kijk, daar is een pub, laten we een toast uitbrengen op Helen.'

Het was allemaal zo triest, maar het gewicht van Bens arm bleef me afleiden. 'Goed idee,' zei Francesca. We liepen naar het zebrapad om over te steken.

'Waarom ging ze niet bij hem weg?' vroeg Sasha.

'Sasha,' waarschuwde Ben, zich weer naar zijn vrouw omdraaiend.

'Wat is er?'

Terwijl Ben achteromkeek, kwam Nick tussen ons in lopen, sloeg zijn lange armen om ons beiden heen, scheidde ons. Ik haalde eindelijk weer adem.

Francesca duwde de deur van de pub open. 'Ik denk dat Ben bedoelt dat we van onderwerp moeten veranderen,' zei ze, en ze keek even naar mij.

Jij en ik allebei.

'Dat is het probleem met ontrouw, het wordt steeds gemakkelijker,' zei Sasha, zich bij ons aansluitend.

'Dat hoeft niet altijd waar te zijn,' zei Francesca, de rij sluitend.

'Jij zou het Nick vergeven, hè?'

'Francesca heeft gelijk. Ik vind niet dat dit de tijd en de plaats is voor deze discussie, Sasha,' zei Ben, een tikkeltje te nadrukkelijk. Hij liep bij Nick en mij vandaan. 'Ik trakteer. Bier?'

Iedereen knikte.

'Als het maar een keer gebeurd was,' zei Francesca, die op een kruk klom, 'en als het een vergissing was die hij betreurde, zou ik het doen; dan zou ik hem vergeven.' Francesca keek niet naar Nick, zij keek naar haar voeten, maar ik wél. Hij nam zijn vrouw aandachtig op.

Sasha gaf me een por. 'Was het echt zo, Tessa?'

Ik deed net of ik in gedachten verdiept was en Sasha niet gehoord had.

'En jij, Nick?' zei ze. 'Zou jij het je vrouw zo gemakkelijk vergeven?'

'Kom, Sasha, ander onderwerp,' zei Ben en overhandigde Nick een glas.

'Ben, wil je alsjeblieft ophouden met me voortdurend te bekritiseren. Dat heb je het hele weekend al gedaan.'

'Hé, jongens, dit is geen goed moment voor een echtelijke ruzie,' zei Al.

'Sorry,' zei Sasha.

Nick liep naar de kruk waar Francesca zat en gaf zijn vrouw een zoen op haar hoofd. Toen gaf hij haar het biertje dat Ben hem had overhandigd. 'Als Francesca behoefte zou hebben aan een relatie, zou het zijn omdat ik het niet goed had gedaan. Ik zou haar om vergiffenis moeten vragen, niet andersom.'

'Meen je dat?' vroegen Ben, Sasha en Francesca in koor.

Ik zei het je toch. Heel even dacht ik dat ik het misschien hardop gezegd had. Ik durfde Francesca niet aan te kijken.

'Maar denk eraan' – hij keek naar me met een veelzeggende zij het vluchtige blik – 'ik zou verwachten dat ik een tweede kans zou krijgen om een succes te maken van het huwelijk.'

'Jij bent een idealist,' zei Ben. 'Altijd al geweest.'

Nick accepteerde het volgende glas dat Ben hem aanbood. 'Een huwelijk kan niet goed zijn zonder idealen.' Nu staarden Francesca en ik allebei naar onze voeten. 'Feitelijk is het huwelijk iets volstrekt belachelijks als je erover nadenkt. Hoe kunnen twee mensen voor eeuwig gelukkig zijn met elkaar zonder zich op een bepaald moment te gaan ergeren of gewoon verveeld te raken? Het is krankzinnig. Het is onmogelijk. De "grote liefde" is een illusie, die bestaat niet echt. Als je met je beste vrienden op vakantie gaat, gaat na een tijdje iedereen zich aan elkaar ergeren, maar dat zou niet opgaan voor een getrouwd stel? Dus moet je een idealist zijn om te trouwen. Je moet in de magie geloven. Als je met open ogen het huwelijk instapt, zou je al in de tegenovergestelde richting gaan hollen nog voor je de kans kreeg het jawoord uit te spreken, want op papier is het huwelijk onzinnig.'

'Maar jij hebt een goed huwelijk.'

'Dat komt omdat ik *weet* dat ik met mijn grote liefde getrouwd ben.'

'Ik ook,' zei Al.

Ben liep terug naar de bar om het laatste biertje te gaan halen.

'Arme Helen,' zei Claudia. 'Ik hoop dat ze het niet wist van die andere vrouwen.'

'Ze weten het altijd,' zei Sasha.

Sasha keek me doordringend aan en hief toen haar glas. 'Op Helen,' zei ze en iedereen dronk.

Een verraderlijke margarita

Schijnvertoning was het woord. De ontvangst na de begrafenis deed me denken aan de lancering van een tijdschrift waar Helen me eens mee naartoe had genomen. Er stonden zelfs een paar paparazzi buiten. Ik dronk veel te veel en veel te snel. Gezien de omstandigheden vond ik dat er veel te veel niet gezegd werd. Voor het eerst begreep ik waarom Helen in deze situaties haar toevlucht had genomen tot medicatie – ik zou graag een handvol van Helens snoepjes hebben genomen. Binnenin me spanden mijn extreme emoties zich tegen de drom mensen, ik kon ze aan beide kanten tegen mijn zij voelen drukken. Mijn ziel probeerde te ontsnappen, te vluchten. Ik had gedacht dat de essentie van de afschuw die mijn hart in zijn greep hield, betrekking had op Helen, op de begrafenis, maar nu wist ik het niet zo zeker meer. Begrafenissen zijn vreemde en verschrikkelijke dingen, maar in zekere zin zijn ze niet meer dan een moment rust. De receptie erna stelt de mensen in staat weer te lachen.

Ik voelde me ellendig en de drank maakte het er niet beter op. Ik was niet de enige die de champagne naar binnen klokte. De ingetogen stemming in de grote marmeren hal van Marguerites huis in Kensington begon wat op te monteren, de decibellen namen toe. Ik kon het niet opbrengen om te lachen, dus excuseerde ik me bij een paar van Helens verre familieleden en liep naar buiten, de door schijnwerpers verlichte tuin in. Ik zag Nick staan onder een van de vele indrukwekkende, volgroeide bomen.

'Hai, Nick,' zei ik, lopend over het betegelde terras. 'Gaat het goed met je?'

Hij keek me aan en knikte. 'Met jou?'

Ik haalde mijn schouders op. 'Ik geloof het wel. Ik ben blij dat Caspar is gekomen. Hij lijkt weer meer op de Caspar van vroeger.'

'We zullen zien.'

'Het spijt me dat ik me met jullie familieaangelegenheden heb bemoeid.' Ik scheen de laatste tijd heel vaak spijt te betuigen.

'Je bént familie, Tessa, je hebt het recht je ermee te bemoeien.'

Ik keek naar mijn oude vriend. 'Dank je, Nick, dat betekent erg veel voor me.'

We stonden naast elkaar en ademden de koele avondlucht in. Plotseling zuchtte hij diep. 'Ik weet niet of je me nu weer dankbaar zult zijn.'

Dat klonk onheilspellend. Had hij me daarom zo aangekeken in de pub? Hij wist het van Francesca en wilde haar verlaten? 'Waarom zou ik je niet dankbaar zijn?'

'Omdat ik je iets moet zeggen.'

Ik begon al mijn hoofd te schudden nog voordat hij het eerste woord had gesproken.

'Ik was onlangs in het ziekenhuis...'

Ik zweeg. 'Het ziekenhuis?' Ik legde mijn hand voor mijn mond. 'O, nee! Vertel me niet dat je ziek bent.'

Hij glimlachte triest. 'Het gaat me prima, malle meid. Ik ging Cora een houten aapjespuzzel brengen.'

Ik gaf hem een speelse por. 'Je maakte me aan het schrikken,' zei ik. 'Doe dat niet nog eens. Je bent veel te belangrijk voor ons allemaal. Nu heb ik weer behoefte aan een borrel.'

Hij pakte mijn arm vast. 'Dat is het probleem met jou, je maakt het iemand moeilijk kwaad op je te zijn omdat je zulke lieve dingen zegt. Daarom deinzen we er er allemaal voor terug je dingen te zeggen die je toch moet horen.'

'Zoals? Nou nee, vergeet maar dat ik dat vroeg.'

Ik hoopte dat Nick zou lachen, maar hij bleef me aanstaren. Ik had die uitdrukking eerder gezien, maar kon die niet helemaal thuisbrengen.

'Je weet dat het nu heel goed gaat tussen Billy en mij. Ik heb me tegenover haar ook verontschuldigd.'

'Ik weet het. Je was net binnen geweest toen ik kwam. Ik ben je op een paar seconden na misgelopen.' Ik keek naar hem en wendde mijn blik weer af. Toen ik weer keek, wist ik waar ik die uitdrukking had gezien. In mijn eigen spiegelbeeld in Helens huis. Ik voelde me misselijk worden. Ik deed mijn ogen dicht. Het maakte me nog misselijker, dus deed ik ze weer open.

'Waar ben je mee bezig, Tessa? Iedereen had jullie kunnen zien. Ik heb jullie gezien!'

Ik verborg mijn hoofd in mijn handen. Ik kon geen woord uitbrengen. Iedereen zal zo blij zijn voor ons – waar hadden we dat idee vandaan gehaald? Blij voor ons? Omdat we een uitstekende relatie hadden verwoest om een puberale fantasie na te jagen? Ik probeerde Nick in de ogen te kijken. Ik kon het niet. Ik moest me toch gemakkelijker kunnen rechtvaardigen dan op deze manier?

'Het huwelijk is moeilijk, Tessa. Geen huwelijk kan dat overleven.'

'Ik... Er is niets gebeurd.'

'En dat maakt alles goed, denk je?'

'Eh...'

'Je vindt dat seks het belangrijkste is, je denkt dat alles in orde is omdat jij en Ben niet met elkaar naar bed zijn geweest? Seks is gemakkelijk. Seks kun je hebben met iedereen. Niet ideaal, dat geef ik toe, maar onbetekenende seks is overkomelijk. En ja, ik bedoel zelfs een korte affaire met een man op wie je op dat moment denkt verliefd te zijn, zelfs dát kan een koppel overleven.'

Dus hij wist het toch, en ondanks dat hield hij van zijn vrouw. Ik fronste mijn voorhoofd, probeerde mijn gedachten te verbergen.

'Doe maar niet net alsof je niet weet waarover ik het heb.' We keken elkaar recht in de ogen. 'Hoor eens, dat is nu niet belangrijk. Wat wél belangrijk is, essentieel zelfs, is dat je heel goed bedenkt waar je mee bezig bent en wat je ermee wilt bereiken. Ben en Sasha zijn een goed stel samen.'

We stonden naast elkaar. 'Heb je Francesca verteld dat je ons hebt gezien?' vroeg ik.

'Jij niet?'

Ik schudde mijn hoofd.

'Schaam je je ergens voor?' vroeg hij.

Ik schaamde me dood, voelde me vernederd, maar dat wilde ik niet toegeven. Ben hield van me. We hielden van elkaar. Tjee, het klonk zo kinderachtig.

Nick wipte van de ene voet op de andere. 'Dromen, idealen, fantasieen zijn tot daaraan toe, maar als ze eenmaal worden losgelaten, is het erg moeilijk ze weer in een doos terug te stoppen. En in dit geval, onmogelijk. Voor iedereen is er een punt waarop geen terugkeer mogelijk is, hoe hecht een relatie ook is.'

Waarom prikken tranen zo erg? Ik zocht aan de binnenkant van Helens roze jas, die ik geweigerd had uit te trekken, en haalde een vochtig, verfrommeld zakdoekje tevoorschijn.

'Wees heel zeker van je zaak. Absoluut, fundamenteel, categorisch zeker. Kun je zo zeker van jezelf zijn? Natuurlijk niet. Dat kan niemand. Dus is het echt de moeite waard?'

Ze brandden, staken niet. Ik bewoog heel even mijn hoofd. Ja? Nee? Ik weet het niet?

'Het is een heel, heel vreemde tijd voor je geweest. Dat begrijp ik,' zei Nick. Hij legde zijn hand op mijn schouder. 'Maar je moet goed overwegen wat je doet. Begrijp me niet verkeerd. Getrouwd zijn is geweldig en ik hou van mijn vrouw, maar het is niet gemakkelijk geweest. Die kwestie met Caspar was afgrijselijk, ik weet nog steeds niet waarop het uit zal draaien; de meisjes groeien veel en veel te snel op, onze zorgen om de kinderen lijken alsmaar groter te worden, er komt geen eind aan de slapeloze nachten... Dat is de realiteit. Zou ik het willen terugdraaien? Natuurlijk niet, maar...' Hij sloeg zijn handen tegen elkaar, alsof hij me smeekte naar hem te luisteren, alsof hij doodsbang was dat ik dat niet zou doen. 'We zijn goed van start gegaan. Niemand raakte gekwetst toen we bij elkaar kwamen. We dragen allebei een redelijk deel van de schuld, maar het heeft niet als het Zwaard van Damocles boven ons hoofd gehangen en een moeilijke taak onmogelijk gemaakt. Ik weet dat je denkt dat je naar dit alles verlangt, maar, Tessa, ben je echt bereid daar zo'n hoge prijs voor te betalen?'

Ik kon hem geen antwoord geven. Het duizelde me.

'Het spijt me heel erg dat ik dit hier moet doen, en dan juist vandaag, maar ik smeek je erover na te denken. Alsjeblieft. Je hebt hem niet nodig, Tessa.' Hij wilde weglopen, kwam toen weer terug. 'Dat heb je nooit gehad.' Helens stem kwam terug uit de duisternis. *Luister naar anderen,* had ze gezegd. *Luister naar anderen.*

Ik had maar één keus. En dat was meer drinken. Veel meer. Ik zag Rose in de kleedkamer. 'Waar is de tweeling?' vroeg ik, overdreven articulerend.

'Bij Neils broer.'

'De ongrijpbare broer.'

'Hij lijkt me aardig,' zei Rose. Ze droogde haar handen af aan de witte linnen handdoek, vouwde hem zorgvuldig op en legde hem weer op het aanrecht. 'Tijd om weg te gaan?' vroeg ze.

'Nee,' zei ik. Ik liep terug naar de enorme hal en merkte dat de menigte begon te dunnen.

Men nam langzamerhand afscheid en vertrok. Ik zag dat Marguerite, in het zwart, zo mager als een riet, hofhield bij de deur. Haar lange grijze haar was omhooggedraaid in een wrong en werd op zijn plaats gehouden door een zwarte roos. Ik kon wel naar haar spugen. Haar bloedrode nagels waren geklemd rond de vuist van een man van middelbare leeftijd, die duidelijk zijn medeleven betoonde met haar verschrikkelijke verlies. Zijn truttige vrouw stond onbeholpen achter hem, niet op haar gemak. De mensen hingen om Marguerite heen als om een bruid op haar trouwdag, wachtend op hun moment met de ster van de show.

Ik pakte nog een glas. Ik moest Claudia en Al vinden om met hen te praten over de tweeling, maar ik werd onderschept door een groepje acteurs bij de bar. Ze waren stomdronken en maakten dat ik me een stuk nuchterder voelde dan ik was. Alles is betrekkelijk. Ze hadden een paar sterke verhalen over Neil en toen ik vergat over wie ze het hadden, begon ik hem aardig te vinden. Wie wist dat hij, toen hij zeven jaar was, als stand-up comedian optrad voor de arbeidersclub van zijn grootvader?

Iemand legde een arm op de mijne. Ik begon het moeilijk te vinden mijn evenwicht te bewaren op die stiletto's.

'Tessa.' Ik voelde dat er een arm om me heen geslagen werd. 'Kom mee, dan kun je weer een beetje bijkomen.'

'O, god, jij bent het.'

Sasha keek me streng aan. Shit, dat had ik hardop gezegd. 'Ik ga niet tegen je preken, lieverd, je mag zo zat worden als je maar wilt. Ik sta achter je. Wij allemaal. Ik wilde alleen niet dat je om zou vallen, tenzij je dat in gezelschap van vrienden doet. Kom mee, we hebben de drankkast gevonden. Claudia heeft een paar pittige margarita's gemaakt.'

'Ik hou van je,' zei ik tegen Sasha. Joost mag weten waar dat vandaan kwam.

Ze trok me dichter tegen zich aan. 'Ja, Tessa.'

Claudia voerde een of andere hoeladans uit. Ben en Al lagen in een deuk. Ze waren de enigen die nog over waren in Marguerites fraai ingerichte zitkamer. Ik zag een paar foto's van Helen die ik herkende als afkomstig uit het huis in Notting Hill Gate, maar was te dronken en concentreerde me teveel op Marguerites feestje om mijn woede daarover tot me te laten doordringen. Maar het was er allemaal, borrelend onder de oppervlakte, wachtend op één drankje dat alle andere zou samenvatten. Zonder dat ik het wist was dat het drankje dat Sasha me overhandigde. Een verraderlijke margarita.

'On the rocks,' riep Claudia.

'Hallo, jij,' fluisterde Ben in mijn oor.

'Waar is het zout?' zei ik, bij hem vandaan lopend.

'We hebben een beetje gerotzooid met het zout,' zei Al lachend. In een berg zout had hij geschreven 'Ik hou van je'. Claudia had het compliment beantwoord met 'Sentimentele lul'. Ik pakte het zoutvat. Ik had een eigen bericht. Ik. Haat Marguer –

'Tessa!'

'Oeps.' Ik glimlachte naar Marguerite en veegde het zout weg, morste het op het kleed.

'Waar zijn mijn kleinzoons?'

'Ik heb ze gezien met Neils broer en schoonzus,' zei Sasha. 'Ze hebben twee schatten van dochtertjes.'

'Kan iemand Tessa alsjeblieft een glas water geven?' zei Marguerite. Ze staarde naar mij.

Ik stond op het punt te reageren toen Ben naast me kwam staan. 'Laat haar met rust,' zei hij.

'Ben,' waarschuwde Sasha en raakte even zijn arm aan.

'Ze heeft in haar eentje voor die kinderen gezorgd,' zei Ben, zijn protest voortzettend. Marguerite negeerde hem alsof hij een kleine jongen was. 'Dat is precies wat Tessa wilde. De kinderen voor zichzelf houden. Ik zie dat je erin geslaagd bent Rose terug te krijgen, dus je hebt het niet echt in je eentje gedaan, wel? Niet zo gemakkelijk als het eruitziet, hè?' Ik keek met samengeknepen ogen naar Marguerite. Lag het aan mij, of zwaaide ze licht heen en weer? Al en Claudia gingen ieder aan een kant van me staan. Sasha ging naar Ben. 'Maak dit niet nog erger,' zei ze zacht, maar zij was ook dronken, dus zo zacht was het niet. Ben schudde haar van zich af. Het was feitelijk iets meer dan een licht schudden; ik zag het zelf niet, maar Al maakte een snelle U-bocht en legde een arm om Ben heen om hem in bedwang te houden.

'En hoe ben je van plan ze vanavond naar huis te brengen? Met de auto? Taxi? Of zal de gehuurde hulp het weer voor je doen?' vroeg Marguerite.

Ik wilde haar erop wijzen dat ik slechts haar opvatting van het ouderschap zou imiteren als ik dat deed, maar een pissig antwoord zou haar alleen maar in de kaart spelen. Ik was natuurlijk kwaad, dus kwamen er uitsluitend pissige opmerkingen bij me op. Ik probeerde me te concentreren. 'Eigenlijk dacht ik,' begon ik langzaam, 'dat jij... dat ze hier konden blijven. Ik nam aan dat je de noodzakelijke spullen wel in huis zou hebben.' Ik begon de smaak te pakken te krijgen. 'Hoe deed je het als ze hier waren?'

'Helen bracht ze niet hier,' zei Marguerite.

'O, stom van me. Ik dacht dat je eraan gewend was dat ze hier kwamen logeren. Mijn fout. Wees maar niet bang, we duwen ze naar huis in hun kinderwagen.'

'Het is ijskoud buiten, Tessa, wat haal je je in je hoofd.'

'We zijn erop voorbereid, Marguerite. Helens huis is niet ver.' Rose had de tweeling hierheen gebracht. Wij zouden ze terugbrengen.

'Je gaat nergens met ze naartoe in jouw toestand.'

'Mijn vrienden helpen me.'

Ze keek met onverholen minachting naar mijn vrienden. 'Ik denk dat ze beter hier kunnen blijven.'

'Hé, zo erg is het niet met ons gesteld,' zei Ben. Hij zei veel te veel naar mijn zin. Elke lettergreep die uit zijn mond kwam boorde zich in mijn geweten. Ik was blij dat ik Nick en Francesca met Caspar naar buiten had zien gaan. Maar Sasha was er nog en ik betrapte haar erop dat zij naar mij keek elke keer als ik naar haar keek.

'We zullen een taxi bestellen voor Rose,' zei Al. De oplosser van problemen, zelfs al was hij zat en had hij een jetlag. Het was eigenlijk heel irritant. Ik keek weer naar hem, stond op het punt het hem te vertellen, maar viel bijna om. Ik concentreerde me op mijn beenspieren tot het been zich weer had hersteld.

'En wie past op háár?' zei Marguerite, me scherp opnemend.

'Ik zorg wel voor mezelf, dank je.' Ik antwoordde sneller dan Ben kon doen, die, zag ik, al een antwoord klaar had. Helaas betekende mijn snelle antwoord ook dat het luid en onduidelijk klonk.

'Je bent niet in staat om voor jezelf te zorgen, Tessa. Je kunt niet eens spreken, laat staan recht op je benen staan.'

Ik lachte hardop. 'Nou, bedankt voor een heerlijke avond. Ten bate van wat was het ook weer?'

'Hoe dúrf je –'

'Neem me niet kwalijk.'

We draaiden ons allemaal om. De jonge vrouw uit de kerk stond in de deuropening van de zitkamer. Ze hield Bobby in haar armen. Naast haar stond een man die angstig veel op Neil leek. Hij hield Tommy vast. Ik werd bijna hysterisch bij het zien van Neil met zijn zoon. Ik schudde mijn hoofd en probeerde te ontnuchteren.

De man sprak als eerste. 'We moeten met de laatste trein naar Norwich.'

'Ik was zo blij om de jongens weer te zien. Ik kan gewoon niet geloven dat ze in een maand zo enorm gegroeid zijn.'

'Ja, nou ja, zo gaat het met baby's,' zei Marguerite nuchter en rukte Bobby bijna uit haar armen.

'Zeg maar dag tegen oma,' zei ik en kwam dichterbij om Bobby weer van haar over te nemen. Ik heb geen idee waar die koffietafel vandaan kwam. Hij had er eerder niet gestaan. Ik struikelde, viel tegen Marguerite aan en keek in afgrijselijk slow motion toe hoe Bobby uit haar armen tuimelde. Hij viel op zijn buik op de bank. Goddank een bank met zacht verende kussens. Goddank dat die er stond. Marguerite en ik waren te geschokt om ons te bewegen. De vrouw tilde hem op, onderzocht hem deskundig, kalmeerde hem en ontlokte hem een lachje.

'Niets aan de hand,' zei ze met een blik op mij.

Hoe vaak moest ik nog gewaarschuwd worden? Een paar centimeter verder en Bobby zou op een harde, niet meegevende vloer zijn beland en zou nu niet naar me glimlachen, onwetend van de schade die zowel Marguerite als ik hem konden toebrengen. Niets aan de hand? Ik keek naar Sasha. Wie probeerde ik voor de gek te houden?

'Kijk eens naar jezelf,' zei Marguerite, die zich sneller herstelde dan ik. 'Denk eens na, Tessa. Wat heb je ze helemaal te bieden? Ik kan dit beter dan jij.' Ik was in een shocktoestand, ik bleef Bobby maar zien vallen, steeds opnieuw. Marguerite ging af op de doodsteek. 'Denk je heus dat jij een alleenstaande moeder van een tweeling kunt zijn? Denk je dat? Je kunt niet eens voor jezelf zorgen.'

'Dat hoeft ze ook niet,' zei Ben.

O, God, nee. Niet hier. Niet nu.

'Jullie gaan allemaal een handje helpen, hè?' vroeg Marguerite spottend.

Sasha keek van mij naar Ben. 'We hebben een moeilijke dag achter de rug. Laten we naar huis gaan. Voordat we allemaal dingen zeggen waar we later spijt van hebben.'

Waarom we niet naar haar luisterden, zal ik nooit weten.

'We zouden de jongens graag weer terugzien,' zei de vrouw die geprobeerd had mijn schuldgevoel te verlichten.

'Het spijt me dat we elkaar nooit ontmoet hebben,' zei ik, me tot haar richtend.

'Ik ben Lauren Williams. Ik ben getrouwd met Neils broer, Daniel.' Ze knikte naar haar man die naast haar stond.

'Ik heb onze dochter eens laten vallen,' zei Daniel, naar Tommy kijkend. 'Met haar ging het ook prima – maar ik had weken nodig om er overheen te komen.'

Ik deed mijn uiterste best me te concentreren, een goede indruk te maken. Rose kwam binnen; niemand hield haar tegen toen ze zwijgend weer wegging met de jongens. Zelfs Marguerite niet. 'Het spijt me dat we elkaar eindelijk onder deze omstandigheden leren kennen,' zei ik. 'Het moet erg moeilijk zijn voor jullie.'

'Voor mijn vader en moeder is het nog het moeilijkst. Ik weet dat ze niets liever willen dan de tweeling van tijd tot tijd zien, als dat goed is,' zei Daniel.

'Danny, onze trein –'

'Kan ik je ons nummer geven? Helen is een paar keer met ze op bezoek geweest. We zouden echt graag, eh...' Hij keek nerveus naar Marguerite.

'We hebben een logeerkamer. En onze dochters zijn dol op die kleintjes. Ik heb een grote hut voor ze gebouwd onder de wilg en, nou ja...'

Lauren pakte haar man zacht bij de arm. 'Kom, lief.' Ik stond naar ze te staren. Onder de wilg. In Norwich. 'Helen hield van jullie allebei,' flapte ik eruit. 'Ze heeft me alles over jullie verteld.'

Ze keken opgelucht.

'Ik geloof dat je vrouw wil vertrekken,' zei Marguerite. 'Jullie weten nu waar ik woon.'

'Marguerite,' zei ik. Mijn alcoholische woede kwam weer boven. 'Je krijgt de tweeling niet.'

'En jij ook niet. Je kunt dit niet in je eentje. En ik hoor het te weten, verdomme!'

'Ze gaat het niet alleen doen,' zei Ben, die weer bij Sasha vandaan liep. We waren allemaal apezat.

'Wat bedoel je?' vroeg Marguerite.

'Dit is niet het moment, Ben,' zei ik, in een poging bezadigd over te komen.

'Marguerite hoort het te weten, dit gaat ook haar aan.'

'Ben!'

'Alsjeblieft, Ben, luister naar Tessa,' zei Sasha. Mijn hart brak bij het horen van haar stem. Nick had gelijk. Ik kon de afgrond onder mijn tenen voelen. *Ze weten het altijd.* We zouden vallen en iedereen met ons meesleuren.

Ben keek naar me. 'Tessa heeft besloten –'

'De tweeling aan Claudia en Al te geven,' zei ik, me met een valse glimlach naar hen toe kerend.

'Wát!'

'Je maakt maar gekheid, hè?'

'Echt waar?'

'O!'

Al.

Claudia.

Sasha.

Daniel, Neils broer. Degene van wie ik wist dat ik hem aardig zou vinden. En ook vond. Degene die in Norwich woonde met een treurwilg in zijn tuin.

Ben zei niets, hij liep de kamer uit.

Marguerite keek vorsend naar de overgeblevenen van ons kleine groepje. 'Je hoort nog van me,' zei ze. 'Vergis je niet.' Toen liep ook zij de kamer uit.

'Wat haalde je je in godsnaam in je hoofd, Tessa?' zei Al. 'Na alles wat we hebben doorgemaakt! Vond je het niet de moeite waard om het eerder te vertellen?'

'We wisten dat dit zou gebeuren, we hebben erover gesproken in het vliegtuig. Ik had me erop voorbereid,' zei Claudia. 'Maar niet om het uit jouw mond te horen, Tessa.'

'Ja, geef de baby's aan het arme onvruchtbare echtpaar. De perfecte verrekte oplossing, Tessa.'

'Ik bedoel, we willen betrokken zijn bij hun leven, graag, maar na alles wat we hebben doorgemaakt, is het voor ons voorbij. We hebben een keus gemaakt, de moeilijkste keus die je kunt maken, maar we hebben het gedaan.'

Ik wilde zo wanhopig graag mijn woorden terugtrekken. Ze vertellen dat ik het alleen gezegd had om Ben het zwijgen op te leggen.

Maar ik kon het niet. Sasha was er nog. Lette nog steeds op al mijn reacties.

'Het minste wat je had kunnen doen was het ons te vertellen, in plaats van het er op die manier uit te flappen.'

'Het spijt me,' mompelde ik.

Claudia begon haar spullen bijeen te zoeken. Ik was zo verdrietig. Nog maar enkele minuten geleden danste ze de hoela en nu zou ze naar huis gaan en al haar beslissingen in twijfel trekken omdat ik te laf was geweest om onder ogen te zien wat ik had gedaan. Claudia keek me aan. 'Ik dacht dat jij het toch zeker wel zou begrijpen.'

'Dat doe ik ook,' zei ik verdedigend. 'Het spijt me. Zodra ik je zag besefte ik dat het een slecht idee was, maar tijdens je afwezigheid – nou ja, de mensen bleven het erover hebben en ik dacht...' Ik plofte neer op de bank. 'Ik ben een verdomde idioot.'

Claudia keek naar me. 'Ik heb Al. Op het ogenblik van iets of iemand anders houden voelt te gevaarlijk, onmogelijk. Begrijp je?'

'Het spijt me, het was een slecht idee,' zei ik weer.

'Een verdomd slecht idee,' zei Al. 'Kom, Claud, laten we gaan.'

Maar Claudia aarzelde. 'Het is niet dat ik het niet wil, maar ik ben aan het eind van mijn latijn. Ik kan zo niet meer leven.' De tranen sprongen in haar ogen. 'Ik zou geen ontspannen moeder kunnen zijn en ik zou Helen geen recht doen. Het spijt me.'

'We hebben het erover gehad, lieveling,' zei Al en hij sloeg zijn arm om zijn vrouw heen. 'We zijn bezig met een ander avontuur.'

Claudia knikte, maar keek nog steeds pijnlijk getroffen. Ik voelde me vreselijk. Ze zou niet wachten op de rit naar huis, ze twijfelde nu al aan zichzelf. Toch wist ik beter dan de meesten dat ze het juiste besluit hadden genomen. Nu moest ik dat van mijzelf onder ogen zien.

'Ik meende het niet,' zei ik.

'Dat kun je nu gemakkelijk zeggen,' zei Al.

'Nee, echt, ik meende het niet. De waarheid is dat ik niet wilde dat jullie ze zouden krijgen. Ik ben zelf nogal gehecht aan ze geraakt, maar Marguerite zat me achter mijn vodden, ze vindt dat zij de tweeling moet hebben en vindt blijkbaar ook dat ik een hopeloze moeder zou zijn. O, het spijt me zo, echt waar.'

Claudia keek van mij naar Al, maar van enige ontroering was geen sprake.

'Waarom heb je het dan gezegd?' vroeg Al woedend.

Ik keek even naar Sasha en toen weer naar Al. 'Ik raakte in paniek. Gewoon in paniek.' Ik verborg mijn hoofd in mijn handen. Het bonsde hevig.

Claudia hurkte voor me neer. 'Wat is er, Tessa? Wat is er aan de hand?'

Ik gluurde door mijn vingers. Ik durfde niet naar Sasha te kijken. Ik staarde strak naar mijn vriendin Claudia, nam haar gezicht in me op. Het donkere haar, haar grote ogen, haar kleine, ronde hoofd. Help me, smeekte ik in stilte. Help me, ik weet niet wat ik doe. Plotseling ging ze op de bank naast me zitten en pakte mijn hand in de hare.

'Ik denk dat je al die tijd heel veel op je schouders hebt genomen, in je eentje, we hadden hier eerder moeten zijn,' zei ze.

Ik had haar voeten willen kussen.

'Kom, Al, denk eens aan de druk waaronder ze heeft gestaan,' zei ze. 'Marguerite ging een beetje te ver. Iedereen weet dat ze een dragonder is.'

Hij keek me niet eens aan. 'Ik zou nu graag willen gaan,' zei hij.

'Al, het spijt me.'

'Niet nu, Tessa.' Hij moest duidelijk zijn best doen om zijn woede te bedwingen. Hij streek met zijn hand over zijn hoofd. 'We praten er morgen over. Als iedereen weer nuchter is.'

'We kunnen beter gaan,' zei Daniel.

'We halen die trein niet meer,' zei zijn vrouw.

'Oké, we vinden wel een hotel in de buurt van King's Cross.'

'Ik heb zo'n vreselijke spijt van dit alles,' zei ik.

'De emoties worden ons de baas, dat is te begrijpen,' zei Helens schoonzus. 'We maken ons allemaal zorgen over de tweeling.'

'Jullie hoeven niet naar een hotel. Er is plaats genoeg in Helen en Neils huis.'

'We hebben de meisjes bij ons,' zei Lauren.

'En mijn ouders.'

'Dank je, maar maak je maar niet bezorgd over ons.'

'Alsjeblieft, Helen zou willen dat je bleef. Dat weet ik zeker.'

Even bleef het stil. Waarom zouden ze bij mij willen blijven na dat debacle? Ik stond op het punt hun een uitweg te bieden toen ik verrast werd door de warme glimlach op het gezicht van Neils broer.

'Nou, als je het zeker weet?' zei hij.

'Heel zeker. Jullie slapen bij ons.'

'We zullen het de anderen vertellen. Ik zag hen ook vertrekken. Eindelijk draaide ik me om. Sasha keek me aan.

'Ik denk dat ik nu wel naar huis wil,' zei Sasha.

Als het moest gebeuren, dan moest het nu gebeuren. Hoe vaak had ik me die vraag gesteld? Honderden keren. Ik zou nooit meer in staat zijn het nog een keer te vragen.

'Vind je het erg als ik je man leen?' vroeg ik met geforceerde luchthartigheid. Sasha dronk haar glas leeg en zette het op de bar. Ze draaide zich naar me om.

'Geef je hem terug?'

'Dat doe ik toch altijd?'

De blik waarmee Sasha naar me keek was ondoorgrondelijk, ze verried niets. Ten slotte knikte ze, meer tegen zichzelf dan tegen mij. Toen liep ook zij de kamer uit.

Veel later, na diverse koppen thee en bonen op toast in de keuken van het huis in Notting Hill Gate, en na kennis te hebben gemaakt met Helens schoonfamilie, zat ik op de teakhouten bank in de tuin en staarde naar de indigoblauwe lucht. Ben kwam naar buiten en drapeerde een jack om mijn schouders.

'Aardige mensen,' zei Ben. 'Hij lijkt zoveel op Neil, maar hij is heel anders, bijna griezelig.'

Ik gaf geen antwoord.

'En wat een geweldige kinderen,' ging hij verder.

Ik was het met hem eens, maar gaf weer geen antwoord.

Ben pakte mijn hand. 'Sorry dat ik ons in die situatie bracht.'

Ik hield zijn hand even vast, trok toen mijn eigen hand terug. 'Dat is oké. Ik denk dat Al en Claudia het me uiteindelijk wel zullen vergeven.'

'Je bent kwaad op me, hè?'

'Nee, we hadden allemaal veel te veel gedronken. Dat gebeurt vaker na een begrafenis.'

'Het was dat kreng van een Marguerite. Ze maakte me woedend.'

'Er komt zoveel op haar af,' zei ik. 'Niemand heeft echt zoveel lef. Ik denk dat ze op een vreemde manier denkt dat als ze de tweeling kan krijgen, ze het goed kan maken ten opzichte van Helen. Dat wil ik tenminste graag denken.'

Ben ging naast me zitten. Ik leunde tegen hem aan, moe en vechtend tegen een kater.

'Ik hou van je, weet je, Tessa,' zei hij.

'Ik weet het.'

We hielden elkaars hand vast en bleven een tijdlang zwijgend zitten. Mijn dromen waren vervuld geweest van een moment als dit. Ik kon niet geloven wat ik op het punt stond te doen.

'Ben?'

'Uh-uh?'

'Jij en ik.'

'Ja, liefste.'

'Dat gaat niet door.'

'Wat bedoel je?' Hij draaide zich plotseling naar me toe. 'Vandaag liep het allemaal verkeerd, dat geef ik toe, maar denk aan de omstandigheden. Je had gelijk, we moeten wachten tot dit alles voorbij is.'

'Nee, Ben, vandaag kon het net zo goed als op elke andere dag, als het juist was wat we van plan waren.'

Hij pakte mijn handen. 'Je hebt een enorme bewondering voor Sasha, en ze keek je recht in je gezicht. Natuurlijk kon je het toen niet over je hart verkrijgen. Doe dit niet, Tess. We hebben elkaar nu eindelijk gevonden.' Ik trok mijn handen onder de zijne vandaan en legde ze er bovenop.

'Precies. Eindelijk. Dit is onze puberale nonsens. Ik heb twintig jaar gewacht om te horen wat ik al wist. Ik wilde jou. Jij wilde mij. We hebben onze kans gehad en we hebben die verknald, Ben, lang geleden. Maar dat is niet Sasha's schuld.'

'Maar ik heb jou lief, niet Sasha,' pleitte hij.

Ik deed mijn uiterste best om mijn stem in bedwang te houden. 'Vandaag, ja. Een week geleden niet.'

'Jawel, alleen besefte ik het niet.'

'Ik geloof niet dat het zo werkt. Ik denk dat je een slechte periode doormaakt met je vrouw. Dat gebeurt. Het is een cyclus. De truc is de dingen op een rijtje te zetten. Ze zei dat ze te veel op reis is geweest. Jij neemt haar dat kwalijk, dus ben je niet erg aardig tegen haar als ze thuiskomt, en het gevolg is dat ze nog vaker op reis gaat. Jullie zijn uit elkaar geraakt. Jullie moeten met vakantie, terug naar jullie oude leven.' Ik probeerde hem dat verhaal over die gang te vertellen, maar deed dat niet zo goed als Francesca.

'Vertel me alsjeblieft niet hoe ik het goed moet maken met mijn vrouw. Ik wil bij jou zijn.' Zijn stem klonk kregelig.

'Omdat je met me kunt lachen.'

Hij streek met zijn hand over mijn wang. 'Nee. Je bent perfect.'

'Natuurlijk ben ik dat.' Ik was net als Caspar. Ben was mijn held, dus voor hem zette ik altijd mijn beste beentje voor. 'Ik ben single. Ik kleed me goed. Ik drijf de spot met alles en iedereen. Ik hoef niet om zes uur 's morgens achter mijn bureau te zitten. Ik ben niet bedolven onder babykots. Ik kan uitslapen. Als ik in een rotbui ben, blijf ik binnen. Als ik ongesteld ben, ga ik naar bed. Je ziet me nooit als ik net al mijn puistjes heb uitgedrukt.'

'Je hebt geen puistjes.'

Ik probeerde het gesprek te larderen met wat humor. De spanning te verlichten. 'Zie je nou, je kent me helemaal niet.'

'Oké, soms héb je puistjes, het kan me niet schelen. Ik hou van je.' Het begon moeilijker te worden, want hij klonk als Ben, mijn Ben, en hij klonk alsof hij elk woord geloofde. Ik hoefde alleen maar de keus te maken er ook in te geloven, zoals ik al jaren had gedaan, en voilà, ik zou alles hebben waar ik ooit naar verlangd had. In plaats daarvan draaide ik me van hem af.

'Het spijt me.'

'Ik geloof je niet.' Ben trok me terug. 'Wat heeft Sasha tegen je gezegd?'

'Niets. Jullie zijn zeven jaar lang samen geweest. Ik weet het niet, misschien zit er iets waars in die *seven-year-itch*.'

'Het is acht jaar,' zei Ben.

'Des te meer reden om te proberen je huwelijk te redden. Acht echt goede jaren, Ben – ik weet het, want ik was erbij. Sasha is sterker dan ik, ze is betrouwbaarder, ze is intelligenter; en meer dan dat, ze maakt je tot een beter mens dan wanneer je op jezelf bent aangewezen.'

'Dank je!'

'Maar is dat niet waar het allemaal om gaat? Wij zijn niet meer dan kinderen in een steeg. Denk je dat kinderen in een steeg het in zich hebben om de tegenslagen te overleven?'

'Ja.'

'Wat gebeurt er als het tot je doordringt dat ik niet perfect ben?'

'Dat gebeurt nooit.'

'Natuurlijk wel. Ben, laten we er geen rotzooi van maken. Het huwelijk is moeilijk voor iedereen. Als het dat niet was, zouden we nu hier niet zitten.'

'Je krabbelt weer terug, zoals gewoonlijk. Je zet nooit iets door –'
'Ik dacht dat je zei dat ik perfect was.'
'Dat ben je ook, doe dit alsjeblieft niet.'
'Je wilt nu alleen maar onredelijk zijn. Je weigert naar me te luisteren omdat je weet dat het waar is wat ik zeg.'

Ben schudde zijn hoofd. 'Ik kan gewoon niet geloven dat dit gebeurt.'

'Mijn vader zegt dat je altijd af moet gaan op je instinctieve reactie. Toen ik het je vertelde, zei je "O". Toen ging je naar huis en dacht na over alle kleine dingen van Sasha waaraan je je ergerde, en ik weet zeker dat die er meer dan genoeg zijn, en ik wed dat er net zoveel dingen zijn die jij doet waaraan zij zich ergert. Toen dacht je aan alle dingen die je niet ergeren van mij, en je dacht, dan moet ik ook wel van haar houden. Mooie, gemakkelijke oplossing. Je hebt het zelf gezegd: ik maak dat je je geweldig voelt. Ik aanbid de grond waarop je loopt, dus natuurlijk maak ik dat je je geweldig voelt.'

'Sasha maakt niet dat ik me geweldig voel.'

'Omdat ze meer van je verlangt. Dankzij haar ben je de man die je bent. Je hebt een goed gevoel over jezelf. Dat heeft Sasha gedaan.'

Ik kon voelen dat Bens weerstand tegen het idee dat we het verkeerd hadden gedaan begon weg te glippen. Maar hij gaf het nog niet op.

'Ons huwelijk zal het niet overleven,' zei hij.

'Misschien niet, maar je moet Nicks advies volgen en er eerst eens over nadenken voor je dat besluit neemt. Ik sprak laatst een echtscheidingsadvocaat; hij zei dat het aantal echtscheidingen veel hoger is onder tweede huwelijken. Waarom? Omdat de echtparen zich terugvinden op dezelfde plaats, met dezelfde problemen. En niet zelden gaan ze terug naar hun eerste partner. Het zou echt triest zijn als jij en Sasha het niet zouden overleven, maar dat zal hoe dan ook niets te maken hebben met mij. Ik zal niet op je wachten, Ben. Dit is geen truc, geen vreemde test, ik ben er klaar mee. Het is over. Het spijt me.'

Ben keek me aan. Hij was niet veranderd sinds we kinderen waren. Het was waar, ik aanbad de grond waarop hij liep, maar ik kreeg niet de minder aangename dingen van hem te zien, evenmin als hij van mij. Als hij mokte. Als hij uitging en zo bezopen werd met zijn kroegvriendjes dat hij niet meer zelf thuis kon komen. Omdat ik samen met hem dronken werd, vond ik het grappig. Ik denk niet dat ik het zo grappig zou vinden als ik degene was die thuis zat te wachten. Altijd overal het licht liet branden. Nooit de vuilnisbak leegde. Al die stomme kleinigheden die je van een ander irriteren, uiteindelijk stapelen ze zich op. En dat was voordat er zich een echt probleem voordeed, zoals onvruchtbaarheid, ziekte, gespijbel, ontrouw, dood... de lijst was oneindig.

'Je beloofde me dat je niet terug zou krabbelen. Jij bent dit begonnen,' zei hij.

'Het spijt me,' zei ik weer. 'Maar, Ben, we hebben allebei met een mythe geleefd, op elkaar gesteund, de ander gebruikt als opvulling. De enige die Sasha niet amusant vindt ben jij. Je moet leren waarderen wat je hebt. Dat moeten we allebei.' Als ik niet leerde houden van wat ik had, hoe moest ik dan verderleven? Nick had in zoveel opzichten gelijk gehad. Ik wilde een gezin en al zou dat misschien nooit veranderen, wél veranderd was dat ik het niet meer wilde ten koste van alles. En dit, dit was een veel, veel te hoge prijs. Ik stond op. 'Het is tijd om naar huis te gaan, Ben.'

'Ik blijf hier nog even zitten.'

'Oké. Maar, Ben, als je naar huis gaat, wees dan alsjeblieft aardig tegen Sasha. Wat er ook tussen jullie beiden gaande is, dat is jullie zaak – maar dit, dit is niet haar schuld. Laat haar de fantastische vrouw zijn die ze is.'

Hij knikte.

'Het is niet aan mij om je voor te schrijven wat je moet doen, maar ik raad je dringend aan haar nooit iets hierover te vertellen. Nooit.'

Hij zuchtte diep. 'En wij dan?'

Ik haalde mijn schouders op. Ik hoopte dat we vrienden konden blijven, maar anders dan vroeger. Beter. Omdat we niet langer elkaars vangnet zouden zijn. Het lopen over het evenwichtskoord zou veel angstwekkender zijn zonder hem, maar in ieder geval zou ik het op eigen houtje doen. De beloning zou voor mijzelf zijn.

'Mag ik je een nachtzoen geven?' vroeg Ben.

Ik had lang nodig om hem te antwoorden. Ten slotte kwam ik met het enige antwoord dat mogelijk was. 'Zoen in plaats daarvan je vrouw,' zei ik, kneep hem in zijn schouder en ging naar binnen.

Epiloog
Misschien voor altijd...

Ik nam Cora alleen maar mee naar Regent's Park vanwege de olifant. Ik was bang dat ik Cora's dag had bedorven toen we te horen kregen dat de olifant ergens anders naartoe was gestuurd, maar Cora was tevreden. Ze vond dat Londen toch niet groot genoeg was voor een olifant om in te leven. In plaats daarvan liepen we de heuvel op naar de speeltuin. Het was te koud om op de bank te zitten met de andere ouders, dus klom ik langs de touwwand omhoog, liep over de wankele brug, perste mijn volwassen achterste op de glijbaan van kinderformaat, gleed omlaag, en zette me over het geheel genomen voor schut. Cora probeerde aan me te ontsnappen door een paar vriendinnetjes te zoeken, zoals haar gewoonte was, overal waar we naartoe gingen. Maar ik volgde ze het Wendy Huis in. Daar brachten we een vrolijk halfuur door met zitten op het koude vochtige zand en het maken van eindeloze verjaardagstaartjes.

'Zo voelde de olifant zich waarschijnlijk ook,' zei Cora.

'Ik hoop van harte dat ik niet de olifant ben in dit kleine scenario.'

Cora en de twee meisjes met wie ze vriendschap had gesloten giechelden.

'Brutale aap. Oké,' zei ik, terwijl ik probeerde op te staan. 'Deze olifant heeft dringend behoefte aan koffie. Mijn kont jeukt van al dat natte zand.'

De meisjes giechelden weer. Het was gemakkelijk om kinderen aan het lachen te maken. Je hoefde maar een paar keer kont te zeggen. Volwassenen worden niet geacht dat te doen. Ik begon mezelf naar buiten te wringen uit het Wendy Huis, maar het scheen te zijn gekrompen sinds ik mezelf naar binnen had geperst.

'Ananassapman,' zei Cora met een blik uit het raam.

'Wat?'

'Het is de ananassapman.'

Ik keek ook. O, hemel. James Kent was op weg naar de zandbak. Ik dook weg, verloor mijn evenwicht en viel op de grond.

'Verstop me, verstop me,' fluisterde ik wanhopig. 'Ga liggen.'

De meisjes keken onmiddellijk uit het raam.

'Iedereen, sst!' fluisterde ik.

'Papa!' gilde een van de meisjes.

O, nee, dit kon niet waar zijn. James Kent zou zijn hoofd door een raam van het Wendy Huis steken en denken dat die vrouwelijke psychopaat zijn kinderen had ontvoerd. Ik kon me nergens verbergen, maar probeerde het toch.

'Hoi, meiden.'

'Papa, papa, papa!'

Hij zat gehurkt voor het huisje. Ik kon zijn voeten zien, maar hij kon niet naar binnen kijken. Misschien had ik geluk en zou het me lukken.

'We hebben taartjes gebakken. Dit is Cora, kan ze bij ons thuis komen spelen?'

'Cora?'

Maar misschien ook niet.

'Hallo, ananassapman.'

'Hallo, Cora.'

'Hoe ken jij mijn papa?'

'We zijn samen op een feest geweest,' zei Cora. 'Je haalde ananassap voor me.'

'Dat is zo. Hoe gaat het met je?'

'Ik ben aan één oor doof.'

'O, dat is heel naar voor je.'

'Eigenlijk is het heel nuttig. We wonen in een drukke straat en nu slaap ik op mijn linkerzij en hoor de auto's niet meer. Maar we gaan binnenkort verhuizen naar een groter huis met een tuin.'

Ik stond tegen de muur geperst.

'Peetmammie T denkt dat ik alleen maar doe of ik doof ben omdat het me goed uitkomt en dat ik het heel goed kan horen als ze fluistert over volwassen dingen die ik niet mag horen.' Er viel een oorverdovende stilte. Cora keek me aan, ik smeekte haar met mijn ogen. 'Ja toch, peetmammie T?'

Ik sloot vol schaamte mijn ogen. James Kent ging op handen en knie-

399

en zitten en keek naar binnen. Hij zag me weggedoken in een hoek zitten. Ik heb me nog nooit in mijn leven zo gegeneerd.

'Hallo,' zei ik.

'Hallo,' zei hij kortaf en stond op. Ik staarde naar zijn voeten. 'Kom mee, meiden, we moeten weg.'

'Nee, nee, nee,' riepen ze alledrie. 'Kunnen we alsjeblieft nog even blijven? Alsjeblieft?'

'Tien minuten,' zei een van zijn dochters.

'Vijf,' zei James en liep weg.

Ik was het mezelf verschuldigd uit het Wendy Huis te klauteren en hem een verklaring te geven voor mijn gedrag, al wilde ik dat liever niet. Maar hoe ontrouw hij ook was geweest, ik wilde niet dat er iemand rondliep die zo'n afschuwelijk lage dunk van me had. Ik kroop het huisje uit, strekte mijn rug tot een menselijke vorm en liep naar de bank waar hij zat.

'Ik ben je geld schuldig,' zei ik.

'Ja, dat ben je.'

Zijn toon bracht een lichte wijziging in mijn verzoenende stemming. 'Ik had je persoonlijk moeten uitleggen dat ik niet naar bed ga met getrouwde mannen. Ik kan een cheque voor je uitschrijven. Op jullie gezamenlijke rekening?'

'Hè?'

'Waar is je vrouw?'

'Mijn ex-vrouw is thuis. Haar huis.'

'Ex?'

'Dacht je dat ik getrouwd was?'

'Dat ben je toch?'

'Wás. We zijn vier jaar geleden gescheiden.'

'Vier jaar? Weet je dat zeker?'

Het kwam er onaangenamer uit dan mijn bedoeling was. Hij stond op en stopte zijn handen diep in zijn zakken. 'Maak je geen zorgen over het geld. Eerlijk gezegd heb ik geprobeerd die hele trieste geschiedenis te vergeten. Prettige dag verder.'

Hij kon niet gauw genoeg bij me vandaan komen. 'Ik heb me slecht heb gedragen. Het spijt me. Ik ontdekte dat je getrouwd was en twee kinderen had en ik was...' Geschokt. Teleurgesteld. Van mijn stuk gebracht omdat niets in zijn gedrag erop had gewezen dat hij zo'n type

400

was en toch nam ik niet eens de moeite zo beleefd te zijn hem een verklaring te gunnen. 'Hoe dan ook, ik had me niet zo mogen gedragen.'

'Nee, dat had je inderdaad niet.'

'Nou ja, jij had me moeten vertellen over je dochters. Een nogal groot detail om achterwege te laten, vind je niet?'

'Je zou meteen de benen hebben genomen. Zodra ik het onderwerp kinderen ook maar aanroerde, begon je al te rillen.'

'Dat is niet waar.'

'"Kinderen, wie wil er nou kinderen?" is geloof ik wat je zei.

'Dat meende ik niet serieus. Dat heb je verkeerd begrepen.'

'Nou, ik was niet getrouwd, dus we staan quitte.'

'Laat me je terugbetalen,' zei ik smekend.

'Maak je daarover geen zorgen,' zei James afwijzend.

'Alsjeblieft?'

'Nee, het is goed zo. Eerlijk.' Hij liep terug naar het Wendy Huis. 'De vijf minuten zijn om. Kom, kinderen, we gaan naar huis.' Ze kwamen naar buiten, met roze wangen van de kou en draaiden om ons heen.

'Lainy en Martha, hè?' zei ik, in een wanhopige poging dit met een vrolijke noot te beëindigen.

James knikte.

'Mooie meisjes,' zei ik.

James trapte niet in mijn zielige pogingen hem te vleien. 'Het is goed, Tessa. Ik begrijp het nu. Ik ben blij dat ik je ben tegengekomen, die hele kwestie zat me nogal dwars, maar nu kunnen we het vergeten.'

'Ik dacht dat je getrouwd was en kinderen had. Het spijt me dat ik niet ben gebleven om het je te vragen.'

'Mij ook.'

Ik voelde de spanning afnemen.

'Krijgen we nu onze rozijnen?' vroeg een van James' dochters. James haalde de doosjes uit zijn zak.

'Mogen we ze delen met Cora?'

'Natuurlijk,' zei James. Hij was te beleefd om nee te zeggen.

'Ik heb je op de begrafenis gezien,' zei ik.
'Ik vond het vreselijk van je vriendin; maar je hebt haar alle eer bewezen, vind ik.'

Ik klaarde op. Na twee maanden was ik nog steeds niet zeker van mijn geïmproviseerde toespraak op de begrafenis.

'Dank je.'

401

'Waar is de tweeling trouwens?'

'Bij Neils ouders dit weekend.'

'Red je het? Moet moeilijk zijn in je eentje.'

'Ik? O, nee, ze wonen niet bij mij. Ze worden geadopteerd door Neils broer. Een verrukkelijk gezin. Hij is aannemer. Hij is bezig met het bouwen van een prachtige vleugel aan hun huis, het is daar een waar kinderparadijs. Ik ga er vaak naartoe. Ze kruipen al.' Ik voelde de bekende opwelling van trots als ik aan de tweeling dacht, samen met het bekende prikken van tranen als ik aan ze dacht zonder hun moeder – of beter gezegd, hun moeder zonder die kleine jongetjes.

'Ik heb gehoord dat je hun voogd bent.'

Ik keek weer naar James. 'Hou je mij in de gaten?' vroeg ik, een ietsepietsie, heel klein beetje flirtend.

'Nee,' jokte hij. Hij schuifelde met zijn schoen over de grond. 'Al heb ik wel gehoord dat je een nieuwe baan hebt.'

Ik glimlachte. 'Dus je doet het wél?'

Cora en James' dochters hadden de rozijnen naar binnen geschrokt, en het was James en mij, zij het niet henzelf, duidelijk dat ze het koud hadden en hongerig waren.

'Kom, Cora, je moet bijgetankt worden.'

'Wij ook,' zei James.

'Kunnen we nog eens gaan spelen?' vroeg Cora.

Er viel een korte, beetje pijnlijke stilte.

'Eh, we zijn hier om het weekend,' zei James.

Om het weekend. Hij was echt gescheiden.

'Mag het, peetmammie T? Komen we ook weer hier?'

'Ja,' riepen de meisjes in koor. 'Papa praat nooit met iemand in het park, dus mogen we nooit blijven spelen.'

Hij tilde zijn dochters speels om hun middel op en kietelde ze tot ze begonnen te gillen. 'O, ja, jullie hebben een slecht leven, nooit eens een pretje.' Ze giechelden weer. 'Geen speelgoed, geen snoep.' Ze lachten door hun halfslachtige protesten heen. 'Geen ritjes naar de speeltuin.' Eindelijk zette hij ze weer neer en drukte ze tegen zich aan. Toen keek hij naar mij. 'Hoe denk je erover?'

'Ik kan zeker, ik zal het aan Billy vragen.'

'Nou, wij zijn er in ieder geval, dus als je kunt, dan...' Wat? Wat wilde hij zeggen? Ik neem aan dat ik met je zal praten als het moet... 'Prima,' zei hij.

'Prima,' herhaalde ik.

We wandelden met z'n allen naar het hek van de speeltuin. Ik keek een keer naar hem op; hij wendde snel zijn blik af. We namen afscheid.

'Het spijt me,' zei ik weer.

'Vergeet het.'

Ik dacht aan mezelf, zittend in het park, bij een speeltuin als deze, in een gestolen ochtendjas, slurpend uit een fles wijn.

'Je moet wel gedacht hebben dat ik volslagen gek was,' zei ik.

'Dat denk ik nog steeds,' zei hij. Maar deze keer speelde er een vaag glimlachje om zijn lippen.

We liepen weg in tegenovergestelde richtingen.

'Hij is aardig,' zei Cora.

'Vind je dat?'

'Voor een oude man.'

Ik woelde door Cora's haar. Ze kwam op een leeftijd waarop haar dat begon te ergeren.

'Moeten we dus terugkomen om met ze te spelen?' vroeg ik.

'Misschien,' zei Cora. Misschien was juist. Een paar ogenblikken later ging mijn telefoon. Ik herkende het nummer niet. Ik keek achterom in de richting waarin James en zijn kinderen verdwenen waren. Zou het...

'Hallo?'

'Met Tessa King?'

Niet James dus. 'Ja?'

'Waarschijnlijk herinner je je mij niet meer. Mijn naam is Sebastian.'

'Sebastian?'

'We hebben elkaar op Samira's curry-avond ontmoet.'

Je meent het. We deden wel wat meer dan elkaar ontmoeten. 'Ik herinner het me.' Ik geloof dat ik begon te blozen.

'Ik weet dat het al een tijdje geleden is' – bijna zes maanden en je hebt niet een keer gebeld – 'maar nou ja, weet je, ik ben uitgenodigd voor een waanzinnig feest in een bouwvallig kasteel in Wales.'

Ik zag hoe James zijn dochters op hun fietsen hielp en draaide me toen om. 'Leuk voor je,' zei ik koel.

'Het wordt georganiseerd door een maffe vriend van me die over onbeperkte financiën beschikt en die tot de conclusie is gekomen dat niemand tegenwoordig nog een feest geeft.'

'Ik ben het volkomen met hem eens.'

'Hij heeft professionele cocktailmakers en tequila-meisjes ingehuurd, er komt een groot vuurwerk en een geweldige band. De omgeving is fantastisch.'

En Sebastian wilde met mij ernaar toe? Ik was vaag geïnteresseerd maar niet naïef.

'Waar zit het addertje?'

'Geen addertje als zodanig, maar er is een criterium waar ik hoopte dat jij me mee zou kunnen helpen.'

'Ga door...'

'Je hebt me toch niet op de luidspreker of zo, hè?'

Ik lachte nerveus. 'Nee.'

'Tja.' Hij aarzelde

Ik zal het maar toegeven. Ik was nieuwsgierig.

'Je moet een one-night stand meebrengen.'

Cora was bezig onkruid te plukken. 'Kinky,' zei ik kalm.

'Er waren natuurlijk veel opties...'

'Natuurlijk...' zei ik, onwillekeurig glimlachend.

'Maar ze moet fenomenaal in bed zijn en geen halve gare en dat verkortte de lijst tot, nou ja,' hij zweeg even, 'tot jou. Wat denk je?'

Ik draaide me 180 graden om en keek langs de heuvel omlaag. James Kent keek in onze richting. Ik deed een paar stappen naar achteren, keek hoe hij naar mij keek. Wat ik dacht? Wat denk ik? Ik denk dat het leven geleefd moet worden en al was een nieuwe ontmoeting met James Kent over twee weken een aantrekkelijke gedachte, ik was niet van plan om rond te hangen en doelloos af te wachten, dromend van dingen die nooit zouden gebeuren. Dat had ik al te vaak gedaan. Intussen leek een avond in een bouwvallig kasteel in Wales avontuurlijk. Een beetje gewaagd. Helen zou het hebben goedgekeurd. Mijn hele vriendenkring. Behalve Ben misschien. Maar ik was niet meer zijn officiële vriendin en hij had niet langer iets over mijn levenswijze te zeggen. Ik was nog jong, ik was voorzover ik wist gezond en gezegend single. Die drie dingen waren het waard om gevierd te worden. 'Het lijkt me wel leuk, moreel twijfelachtig, maar leuk.'

'Is dat een ja?'

Ik hief een arm op en zwaaide naar James. Hij zwaaide terug. Deze keer met een bredere glimlach op zijn gezicht.

'Het is een misschien,' zei ik.

'Oké. Het feest is over drie weken. En Tessa, ik ga liever niet met iemand anders.'

Drie weken. In drie weken kon veel gebeuren. Ik zou kunnen verlangen naar een wilde nacht in Wales. Ik keek naar de schommels. Aan de andere kant...

'Sebastian, kan ik het je laten weten?'

'Natuurlijk, wanneer je maar wilt.'

Ik stopte mijn mobiel weer in mijn tas en draaide me om, zachtjes neuriënd. Er was niets op tegen om je in te dekken, toch? Per slot was alles mogelijk. Dat is het mooie van het leven. Cora kwam weer naast me staan.

'Peetmammie T?'

'Ja, lieverd?'

'Wat betekent kinky?'

'Eh...' Even raakte ik in paniek. Ik wist het antwoord niet. Maar toen kwam het plotseling bij me op. 'Ik weet het niet, schat,' zei ik, en pakte Cora's hand. 'We zullen het aan mama vragen als we thuis zijn.'

Dankbetuigingen

Als dit boek ergens over gaat, dan is het over het feit dat niemand weet wat ons te wachten staat. Ik had vier misdaadromans geschreven en zocht naar een goed idee voor een vijfde boek. Toen ontmoette ik een jonge vrouw, Catherine Gosling, tijdens een vrijgezellenavond voor een bruid, en alles viel op zijn plek. Ze zei dat ze een idee had voor een boek over een vrouw die, net als zij, te veel peetkinderen had, maar geen eigen kinderen. We hadden een alcoholisch, bijzonder enthousiast gesprek erover tussen het strippen, de seksspeeltjes en veel te veel drank door. Ik heb wel meer van dat soort avonden gehad (met minder ge-strip); ik ontmoet een hoop mensen die een idee hebben voor een boek, en ontwaak in het nuchtere ochtendlicht en besef dat het een slecht idee was. Niet in dit geval. Het idee bleef hangen en weldra begonnen de karakters zich in mijn hoofd te vormen. Dus, Catherine Gosling, mijn mede-vrijgezel en zeer dierbare peettante, mijn eerbetoon. De verwekking van De peettante is aan jou te danken.

De tweede die ik moet bedanken is Felicity Gillespie voor het feit dat ze is getrouwd. Als zij die reusachtige sprong in het diepe niet had gemaakt dan was ik nooit aan het strippen geslagen. En ze heeft zich opnieuw bewezen als een prima redacteur. Het spijt me dat ik het de laatste tijd zo druk heb gehad.

Ten derde, maar eigenlijk ten eerste, ben ik persoonlijk heel veel dank verschuldigd aan Eugenie Furniss van het William Morris Agency, die het beste uit me naar boven wist te halen, me leiding gaf en aan bepaalde mensen voorstelde wier naam ik niet zal noemen. Het enige wat ik hoefde te zeggen was: 'Ken je die uitdrukking, drie keer bruidsmeisje, nooit de bruid? Nou, dit is drie keer peettante, nooit de –' Dat was voldoende. Ze knipte met haar vingers, bestelde nog een glas witte wijn, en nam de draad op. Ik schreef het verhaal, maar zij wist wie de ideale uitgever was. En dus, Harrie Evans en haar team bij Headline, wat kan ik anders zeggen dan dank, dank, dank! Ik weet hoe moeilijk het uitgeven van een boek is, maar jullie laten het zo gemakkelijk lijken en veel te leuk. En dan Dorian Karchmar van het kantoor in New York die dit boek op een heel nieuw niveau bracht, en iedereen van HarperCollins USA.

Dit was tegelijk het moeilijkste en gemakkelijkste boek om te schrijven. Moeilijk omdat er allerlei omstandigheden tegen me samenspanden om het schrijven ervan te beletten, maar gemakkelijk omdat het een langdurige conversatie leek met een van mijn vriendinnen. Dus hef ik het glas op hen en mijn zusters. Jullie allen bedankt, jullie weten wie je bent. Op David Bolton en Electra May die me op de been hebben gehouden. Op Anne Lewthwaite Haribin die me bij mijn verstand heeft gehouden. Op Carmen Gloria, Vivi, Taffy, Andrea, Mickey, Amelia en Kate die extra uren aan me besteedden als ik ze het hardst nodig had.

Mijn liefde en dankbaarheid voor Adam voor zijn jarenlange steun. Ik weet dat je vindt dat al mijn boeken aan jou horen te zijn opgedragen; ik hoop dat je weet dat ze dat in wezen ook zijn. Ik hou van je.